PAUL BÉNICHOU

LES MAGES
ROMANTIQUES

GALLIMARD

À Sylvia

« On entre plus profondément encore dans l'âme des peuples et dans l'histoire intérieure des sociétés humaines par la vie littéraire que par la vie politique. »

Victor Hugo.

Avant-propos

Ce livre fait suite à deux autres. Le premier considérait les débuts du romantisme français, et l'entreprise de renouvellement dont une génération mémorable a fait sa tâche entre 1820 et 1830. Au sortir d'une longue période de révolution et de guerres, un esprit nouveau recréait thèmes et fictions à l'usage d'une société transformée. Ce qui apparut alors dans l'ordre littéraire : valeurs, imaginations, genres et formules, triompha en dix ans, rejetant dans le passé ce qui avait fait loi jusque-là. Après 1830, le romantisme, toujours très attaqué, est, en fait, victorieux; il est la littérature du présent. Le débat s'ouvre alors sur les problèmes que pose ce présent, entre un passé condamné et un avenir inconnu. Les nouvelles formes littéraires avaient été précisément conçues pour un temps de diversité et d'inquiétude. La littérature romantique, en s'ouvrant après 1830, selon sa vocation, aux questions religieuses et sociales, à la discussion des destinées humaines et de l'avenir, voulut être l'organe de ce temps. Quelle fut en particulier, dans le mouvement des idées entre 1830 et 1848, la place de la poésie? Il fallait, pour apprécier son apport et le degré de son originalité, s'informer des doctrines et systèmes divers qui prospérèrent en dehors d'elle : comment voir, autrement, ce qui la distingue? Cette recherche préalable donna lieu à un second volume, en tête duquel, je laissais prévoir cet ouvrage-ci [1]. J'essaie de tenir aujourd'hui ma promesse, en publiant le premier des deux volumes qu'il doit comprendre.

---

1. Je serai amené quelquefois à renvoyer le lecteur à l'un ou l'autre de ces deux livres, à savoir : *Le Sacre de l'écrivain (1750-1830)*, Paris, José Corti, 1973, et *Le Temps des prophètes*, Paris, Gallimard, 1977.

*

Après comme avant 1830, les poètes ont maintenu intacte
l'idée de leur mission comme accompagnateurs et guides spirituels de l'humanité moderne. Le sentiment d'une telle mission
est l'inspiration majeure du romantisme dès qu'il paraît. La
dignification romantique de la poésie n'a pas été autre chose
que cette auto-investiture spirituelle, qui a pris son plein sens
quand les anciens pouvoirs ont été disqualifiés définitivement.
Or, à la même époque, les créateurs de doctrines dogmatiques
nouvelles, néo-catholiques, saint-simoniens, fouriéristes, positivistes, dissidents de ces écoles diverses, socialistes de toutes
doctrines, s'accordent tous pour faire dans la cité moderne une
place au ministère du poète et de l'artiste, et parfois lui
attribuent un véritable sacerdoce laïque : en quoi leur penchant
rejoint celui des poètes eux-mêmes. Mais, en général, ils mettent
pour condition explicite ou implicite à cette promotion du
poète son adhésion active, dans sa poésie même, au credo de
leur école, credo dont le poète n'est pas l'auteur, et qu'il doit
accepter tel quel. Il est de fait qu'aucun des grands poètes de
ce temps, ni même des moindres, infimes exceptions à part,
n'a accepté pareille subordination. Les poètes ont eu connaissance des doctrines du temps; leur œuvre en a gardé des
tentations ou des traces; mais aucun n'a adhéré à aucune école.
Tenue naïvement par les sectaires comme devant aller de soi,
la loi d'obédience à une doctrine fixe a été rejetée par l'ensemble
de la poésie romantique. Le fait est d'autant plus remarquable
qu'il s'agit d'une poésie qui se veut pensante et agissante et
qui, en un temps où les systèmes militants prospèrent, pourrait
ne pas répugner à se placer sur leur terrain. La répugnance est
évidente pourtant, et on aurait tort de l'expliquer par le seul
désir des poètes de sauvegarder la particularité de leur art. Ce
n'est pas d'art formel qu'il s'agit, et les hommes de doctrine
ne songeaient pas alors à se mêler du métier poétique; mais
c'est que ce métier, conçu comme métier pensant, exige l'autonomie que tout présupposé dogmatique met en péril. Ce qui
est en question, c'est le sens de l'œuvre, que doit lui donner
librement la volonté de son auteur.

On dira qu'une foi nouvelle pouvait accompagner le dogme,
et tenter les poètes. Mais au xixᵉ siècle la foi, au sens ancien
du mot, a perdu ses chances. L'ancienne se délabre; celle dont

se prétendent animés les dogmes récemment éclos est de nature factice : la science, de laquelle ils se réclament d'ordinaire pour persuader le siècle, ne suscite ni ne demande aucune foi. Le poète désire atteindre les régions du cœur les plus immédiatement et communément sensibles; il ne voit guère de ressource pour lui dans des utopies dogmatiques nouvellement sorties de terre, mal accordées au sentiment public, et où la poésie se perdrait. Ainsi les dogmes modernes, contrairement à ce qu'espéraient leurs fondateurs, ne tirèrent aucun avantage, auprès des poètes, du déclin des dogmes chrétiens : ce déclin était celui du Dogme en général. La poésie ne pouvait être qu'une poésie ouverte, méditant et enseignant sans entraves, dans une communication vivante avec l'époque.

*

Les objections que la poésie romantique rencontra à son apparition, et les critiques qui suivirent son déclin, ne manquent pas de mettre en cause son caractère de poésie pensante. Le poète, en ce temps-là, s'est senti requis de suppléer au discrédit du théologien et à l'insuffisance du philosophe, en méditant à sa manière propre sur tous les grands problèmes. De fait, en cette première moitié du siècle, a surgi un type de poète ayant autorité spirituelle. Une extraordinaire floraison de parole poétique s'est trouvée jointe à un magistère de pensée. Il faut donc aborder les poètes de ce temps-là tels qu'ils sont, poètes et penseurs à la fois, et accepter le mode de pensée qui est le leur. La réflexion ne se sépare pas chez eux de l'émotion et du symbole. Ils cherchent, dans des voies nouvelles, la communion des hommes de leur temps; ils veulent prendre appui sur l'expérience commune pour définir un idéal dont nul n'a seul la clef et qui doit valoir pour tous. Ils passent sans cesse du sentiment et de l'image à l'intuition des valeurs; ils accréditent des types, des attitudes, des conduites, selon une échelle tourmentée du Bien et du Beau. Leur poésie est Verbe, au sens confondu de parole, de révélation et d'injonction.

Il faut étendre le sens du mot « pensée » pour l'appliquer aux poètes romantiques, lui faire signifier quelque chose de plus qu'une spéculation abstraite. D'autres mots se présentent à l'esprit. « Philosophie », qu'on employait autrefois à propos des écrivains, qu'il s'agisse de Molière ou de Victor Hugo, a l'avantage d'évoquer une prise de position, mais suggère aussi une démarche systématique, peu propre aux poètes. « Vision du monde » s'applique mal à ce qui est une quête autant qu'une contemplation. « Idéologie », qui s'est transmis de la littérature réactionnaire au marxisme avant d'entrer dans l'usage commun, perd à peine aujourd'hui la teinture péjorative qu'il avait dans ces deux étapes anciennes de son histoire. Ni le français ni aucune langue que je sache n'ont de mot pour désigner de façon distinctive le type de pensée qui fait l'objet de ce livre. On est conduit, dans un travail comme celui-ci, à employer tour à tour, selon la circonstance, les mots ou expressions « pensée », « philosophie », « religion », « credo », « profession de foi », « vue des choses », « distribution des valeurs », « figuration », « idéologie » même, ou tout autre terme qui convient à l'occasion, et à tenir pour sous-entendu que le poète, quoi qu'il pense, le pense en poète.

*

Certains disent aujourd'hui que, le poète ayant la pensée en commun avec toute sorte de gens qui écrivent sans être poètes, ou même qui n'écrivent pas du tout, ce qu'il pense n'est pas ce qui peut servir à le définir; qu'il n'est poète que par un art particulier du langage, et que c'est par là seulement qu'il faut le considérer. On peut répondre que, si le poète est en effet un arrangeur de mots, les mots sont un matériau d'une sorte particulière : ils ont un sens, plusieurs même, et on ne peut les arranger sans arranger des pensées et des intentions. Si l'on est tenté de définir la poésie par la seule manipulation du langage, c'est sans doute qu'on voit le langage doué en elle d'une vertu qu'il n'a pas ailleurs. On en conclut trop vite que la pensée est secondaire en poésie, qu'elle n'est pour le poète qu'un support indifférent, le tremplin de ses prouesses d'expression. Mais comment concevoir une prouesse d'expression qui ne soit en même temps prouesse de pensée? Ce serait, quoi qu'on veuille dire, réinstaller la vieille séparation du « fond » et de la « forme ». Il faudrait que les poètes eux-mêmes fussent d'accord pour accepter une telle séparation. Le fait est qu'ils la honnissent généralement. Les grands poètes romantiques, en particulier, veulent être et sont simultanément auteurs de poèmes, penseurs, hommes d'influence et d'action. Comment ignorer, en parlant d'eux, cette volonté qui est la leur, et décomposer en eux ce qui pour eux ne fait qu'un?

La force particulière de la parole poétique tient à ce qu'elle transmet une pensée inusuelle, différente de celle qu'on échange dans la communication courante, dans les sciences de la nature ou de l'homme, dans la philosophie. On a tort de croire que cette parole se distingue des autres uniquement par un caractère d'art, c'est-à-dire par l'emploi de moyens techniques particuliers formant plus ou moins tradition, et par la recherche de la beauté comme fin propre. Elle se distingue aussi et surtout par les libertés qu'elle prend avec les contraintes logiques qui dominent plus étroitement toute autre forme de langage. Libérée de l'utile et de l'objectif, elle l'est aussi de la rigoureuse raison, et même de la stricte précision du sens. La poésie lyrique surtout vise à rendre l'expérience d'un sujet dans son mouvement premier et spontané, à la fois sensation et jugement de valeur. Liée aux sens et aux sympathies, elle varie volontiers dans ce qu'elle affirme ou célèbre. Tous ses décrets sont des tentatives : c'est une pensée qui se fait; elle est véridique par son indécision même, allant naturellement d'un pôle à l'autre, parcourant les antinomies qui sont la condition et la loi de l'esprit humain; elle vit chacun de leurs termes, bien différente de la logique des philosophes et des penseurs purs, qui tente de les résoudre. Les poètes de l'âge romantique ont assumé avec éclat cette particulière fonction pensante de la poésie; ils l'ont élevée à son niveau le plus haut sans en changer le caractère : ils n'ont pas déguisé de la pensée en poésie, ils ont fait de la poésie une méditation et une pensée; ils n'ont pas abjuré la poésie, ils l'ont glorieusement élargie, à la dimension des inquiétudes de leur temps. En eux le *moi* poétique a voulu parler pour tous. Faut-il regretter qu'ils aient fait ainsi concurrence à Cousin, Lamennais, Pierre Leroux, Tocqueville? Font-ils double emploi avec eux quand ils pensent? La pensée qu'ils nous offrent n'est pas seulement différente de la leur; elle est autre chose : elle émeut, elle entraîne l'imagination, elle oblige à douter autant qu'à croire. S'ils n'existaient pas, ce ne sont pas seulement leurs vers, c'est la sorte de pensée qu'ils renferment qui manquerait à leur époque, et à nous.

*

Ce volume est consacré aux trois plus grands poètes français de l'âge romantique, tous trois de la même génération : en effet, malgré leurs différences d'âge – ils sont nés respectivement en 1790, 1797, 1802 –, Lamartine, Vigny, Hugo ont vécu, en approchant de la maturité, la même expérience : ils se sont formés en un temps où les regards se tournaient de nouveau vers l'avenir. En ces années 1820, les cruautés et les mécomptes de la période révolutionnaire reculaient dans le passé, même aux yeux de la jeune génération royaliste. Les épreuves de leurs aînés ne leur étaient connues que par ouï-dire, comme sujets d'élégies sur une matière douloureusement mémorable. Ce que ces jeunes hommes voyaient, c'était qu'un monde achevait de mourir, qu'un autre irrésistiblement lui succédait. Cette évidence avait déjà gagné avant eux plus d'un illustre parmi leurs prédécesseurs, contemporains et témoins de la Révolution, non seulement libéraux comme Benjamin Constant ou Mme de Staël, mais royalistes aussi comme Chateaubriand et Ballanche. Il n'est pas surprenant que les nouveaux venus les aient suivis dans cette voie. Leur projet commun fut de conduire ce qui survivait du passé vers l'avenir attendu [1]. Ainsi disposés, les poètes de cette grande génération crurent voir, dans 1830, un passage enfin ouvert; ils s'y dirigèrent, chacun combinant à sa manière la fidélité à ce qui fut et la célébration de ce qui devait être.

Très différents l'un de l'autre, ils sont de la même *croyance*. Chacun d'eux, comme il arrive en toute religion, professe cette croyance selon sa propre version; mais ils sont porteurs de la même confiance dans l'avenir, indépendante de tout dogme, nourrie d'objections et de débats, et qui ne prend appui que sur ce dont on ne peut se résoudre à douter : le bien de la liberté et de la communication des esprits, le prix du souvenir et de l'espérance, la haute vertu de l'art, l'autorité transcendante du bien, le mieux nécessaire dans l'homme et dans la société. Ils ont vivifié en les célébrant diversement ces valeurs que de pures définitions doctrinales auraient bien insuffisamment servies. Ils les ont enrichies de toutes les incertitudes dont le sentiment romantique les accompagnait : tentations contraires, dénégation de l'humain et malédictions, auxquelles ils n'ont jamais laissé, quant à eux, le dernier mot. Sans eux, ce qu'on peut appeler la foi du XIXe siècle, qui demeure la nôtre et que rien n'a remplacée, serait restée enfermée dans la prose doctri-

---

1. J'ai essayé de dire ailleurs ces « Débuts de la grande génération » (voir le chapitre du *Sacre de l'écrivain* qui porte ce titre). Nous revenons ici à ces poètes, en les prenant à partir du tournant de 1830.

nale, les journaux, les proclamations. C'est leur voix qui lui a donné, avec le bienfait de l'inquiétude, la vibration et la vie. Nullement naïfs, et n'ignorant rien des obstacles et des dangers, ils abordèrent les temps nouveaux avec patience, comptant sur le futur à défaut du présent. Cette attente et cette espérance sont l'âme de ce qu'on appelle le Romantisme français, dans sa première et grande époque, à laquelle sont consacrées les trois études qui suivent.

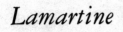

Lamartine

La victoire du romantisme, autour de 1830, n'a pas été seulement celle d'une poétique nouvelle. Les novateurs littéraires font virtuellement triompher l'idée d'une fonction éminente du poète dans la vie spirituelle de l'humanité. La légitimité de cette fonction ne fait pas question en milieu romantique, mais seulement son mode d'exercice. On avait ressuscité, au cours des dix années précédentes, l'image légendaire du Poète législateur et guide des hommes; Orphée et Amphion avaient été réactualisés. Mais en fait, pour les Temps modernes, on bornait plutôt le rôle du poète à l'exhortation et au conseil; on ne le voyait que par hyperbole instituant ou convertissant les sociétés. D'ailleurs, le ministère romantique du poète dérive immédiatement, dans l'ordre historique réel, de celui que le siècle des Lumières avait attribué aux écrivains et penseurs laïques. Or, leur promotion au rang de puissance sociale ne les mettait pas au niveau de l'homme d'État; les deux types d'homme restaient différents, le passage d'une condition à l'autre demeurant une éventualité peu plausible. Quand l'ordre moderne se fut consolidé, seuls ceux qui, dans la classe pensante, avaient, par la nature de leurs études, des titres particuliers au gouvernement y accédèrent à l'occasion : tels Guizot et Thiers, historiens et philosophes de la Révolution française et de ses effets. Mais dans la masse de ceux qui méditèrent et écrivirent sur le passé et l'avenir, la condition ordinaire était celle de simple publiciste, plus ou moins voué selon les cas à la doctrine ou à l'action militante, quelquefois parlementaire, mais très généralement en deçà des régions du gouvernement effectif. Selon la conception habituelle, la pensée avait pour rôle d'influencer l'opinion, et par là seulement d'agir sur les affaires, qu'elle n'était pas douée pour manier directement. À plus forte raison la pensée poétique. La figure du Poète conducteur des sociétés a beau se dessiner partout dans les écrits du temps, appuyée sur une mythologie immémoriale que l'imagination moderne fait revivre, elle reste à distance du réel. Le poète peut bien prendre part aux luttes politiques, et militer parmi ses concitoyens avec l'autorité particulière de sa parole. S'il veut exercer, comme il le doit, une influence plus étendue, il faut qu'il se tienne au niveau de sa vocation naturelle, à la jointure de l'idéal et du réel, et commente de là les événements. Sa place en tout cas n'est pas dans les régions du pouvoir. Les poètes eux-mêmes l'entendent ordinairement ainsi. Ce qui rend unique le cas de Lamartine, c'est que poésie et gouvernement l'ont occupé également, et qu'il s'est cru investi de la même mission dans les deux domaines. Ayant été le premier en date des poètes français à étendre comme il l'a fait la portée spirituelle de la poésie, il a vécu 1830 alors que sa carrière de poète était déjà en grande partie remplie; il l'a continuée en l'infléchissant dans de nouvelles directions, mais il a en outre poursuivi, sous la monarchie de Juillet, l'accomplissement d'un grand projet politique; il a cru tenir dans ses mains la clef de tout l'avenir social.

Il est le seul qui ait voulu être homme d'État et conducteur de peuple autant que poète, et qui l'ait été en effet. Son projet politique l'occupait au temps même où il écrivit *Jocelyn, La Chute d'un ange,* les poèmes des *Recueillements.* Il y avait dix ans, c'est vrai, qu'il n'avait pas produit d'œuvre poétique majeure quand il gouverna la France en 1848; mais il resta grand poète jusque dans sa vieillesse, comme en fait foi *La Vigne et la maison,* qui est de 1856. Comment a-t-il vécu cette double carrière? Et quelle relation établissait-il entre ces deux aspects de sa vie et de sa mission? Tel est le principal problème qu'il nous pose, qui chez lui embrasse en doctrine tous les autres, et qui, nous allons le voir, s'est posé à lui dès le début et jusqu'au terme de sa carrière active.

I

LA DOUBLE MISSION

Quand l'ancienne monarchie périt en 1830, Lamartine avait déjà orienté son œuvre dans le sens de l'avenir. L'idée initiale d'une mission royaliste et chrétienne du poète, idée commune et presque conventionnelle au temps des *Méditations,* n'avait été pour lui qu'un point de départ; un appel au futur était en puissance dans cet apparent sacerdoce poétique du passé. Le poète qui s'imagine en 1817 comparaissant au conseil éternel pour y recevoir de Dieu la mission de fulminer contre la France révolutionnaire, et de lui prêcher l'expiation, déclare déjà posséder « les clefs du terrible avenir » [1]. Quelques années après naissait, sous le titre de *Visions,* le projet d'une épopée religieuse de l'humanité, pour laquelle le poète, organe du Saint-Esprit, lui demande le don prophétique [2]. Enfin, à la veille de 1830, un poème *À l'Esprit-Saint* évoque longuement l'attente d'un avenir providentiel [3]. Dans l'intervalle, le poète avait invoqué, avec non moins de ferveur que le Saint-Esprit, la « Muse des derniers temps », c'est-à-dire, selon le contexte, la Muse des Temps modernes, inspiratrice de Liberté [4]. Il faut dire que la foi de Lamartine, dès l'origine, ne coïncidait que très mal avec

1. *Ode* [aux Français], qu'on croit écrite en 1817, version manuscrite, strophe 3 (voir LAMARTINE, *Œuvres poétiques complètes,* éd. M.-F. Guyard, Paris, Gallimard, Bibliothèque de la Pléiade, 1963, p. 1805). Cité dorénavant : *Œuvres poét. compl.* La version définitive, très écourtée, de ce poème, n'a paru qu'en 1823, dans la « 9ᵉ édition » des *Méditations.*

2. LAMARTINE, *Les Visions,* éd. Henri Guillemin, Paris, 1936, p. 91, vers 2 et suiv. (1823); voir aussi, *ibid.,* p. 239, un appel semblable à l'Ange inspirateur de l'Apocalypse.

3. *À l'Esprit-Saint,* cantique (*Harmonies,* IV, 12).

4. *Le Dernier chant du pèlerinage d'Harold* (1825), début.

la foi traditionnelle. Il a refusé assez tôt les velléités de théocratie catholique qui se manifestaient de son temps. Il écrit en 1826 : « Je voudrais voir la religion toute entre Dieu et l'homme. Les gouvernements la profanent quand ils s'en servent comme d'un instrument [1]. » La même année, il s'adresse en ces termes aux chrétiens :

> *Ah ! nous n'avons que trop, aux maîtres de la terre,*
> *Emprunté, pour régner, leur puissance adultère;*
> *[...] Voilà de tous nos maux la fatale origine [2].*

Ces formules d'indépendance du spirituel ne doivent pas s'entendre au sens ultramontain du premier Lamennais; ce sont les prétentions de l'Église à dominer temporellement qu'elles condamnent. « Jamais, écrit-il l'année suivante, ma raison n'a acquiescé aux missions politiques, aux congrégations de police. J'ai toujours pressenti où cela nous menait [3]. »

Naturellement, le temporel, pour lui comme pour beaucoup de ses contemporains, n'avait plus rien de subalterne; dans sa conception, le gouvernement terrestre s'enrichissait spirituellement de l'autorité que l'Église perdait, Dieu étant censé agir directement sur les peuples selon un dessein providentiel. Lamartine, dès ses vingt ans, ou presque, a déjà une théorie du pouvoir politique indépendante des anciens prestiges catholiques et monarchistes et fondée sur la toute-puissance du fait actuel, où s'inscrit selon lui la volonté divine. « Ne convenez-vous pas, écrit-il, que la Révolution et ses idées ont absolument vaincu, malgré le retour des Bourbons, que c'est eux qui composent avec elle, et non pas elle avec eux; qu'il n'y a malheureusement plus à combattre, mais à marcher ensemble et dans les mêmes voies s'il est possible [4]? » Pendant toute cette période, en quête d'un pouvoir nouveau, il consultait la réalité, non les doctrines; il y cherchait une force capable de

---

1. Lettre du 20 avril 1826 au chevalier de Fontenay, dans *Correspondance de Lamartine*, publiée par Valentine de Lamartine, 2ᵉ éd., in-16, Paris, 1881-1882, 4 vol., t. II, p. 336. Citée dorénavant : *Corr.*

2. *Aux chrétiens dans les temps d'épreuves*, dans *Harmonies*, I, 6.

3. Lettre du 18 février 1827 à Virieu (*Corr.*, t. III, p. 11). On appelait alors « missions » les tournées ecclésiastiques de propagande avec agitation parfois provocante et cérémonies publiques. Voir aussi la lettre du 6 juillet 1828, au même, *ibid.*, t. III, pp. 101-102.

4. Lettre du 4 septembre 1814 à Clériade Vacher, publiée par Jean Richer dans les *Archives des lettres modernes*, n° 50, 1963-1964, p. 52.

fonder l'autorité, et ne croyait la trouver dans aucun des deux partis antagonistes. Il ne la voyait pas du côté libéral : car il répudiait alors la liberté et les droits de l'homme comme chimériques : « Le seul bien de la société, écrivait-il, c'est la force, et la seule source de la force, le courage et Dieu [1]. » « Je crois que la seule fin pour laquelle on doit gouverner est la paix, l'ordre et la justice, mais que le seul moyen de gouvernement est la force [2]. » Or « ce ne sont pas les belles phrases *ultra* ou *libérales* qui peuvent la créer; c'est la vigueur de volonté écrasant à la fois les deux partis extrêmes et n'accordant rien à aucun [...]. Il y a longtemps que les ultra m'appellent libéral et les libéraux ultra : je ne suis ni l'un ni l'autre [3] ». Les allusions constantes à la force, à si peu de distance du régime impérial, pouvaient tromper; en fait, il était pour la Charte, ne voyant rien qui pût fonder avec plus de solidité le gouvernement présent de la France : « Je ne vois pas de salut *actuel* hors la Charte, et je ne désire pas une dictature : rassure-toi [4]. »

La force dont il parlait n'est donc pas la pure capacité de contenir et de réprimer; c'est celle qui émane de la réalité sociale et du vœu dominant, celle dont un gouvernement nourrit son action en vertu d'une légitimité qui tient de l'évidence. En fin de compte, il fait remonter cette force à la Providence qui gouverne les sociétés. C'est ce qu'il ne cesse de dire : « Je crois que tout est soumis dans l'univers physique et moral à une toute-puissante Providence que je nomme quelquefois fatalité. » Ou bien : « Il y a une providence, un Dieu, une fatalité qui conduit toutes choses, et en apparence sans raisons humaines. » Mieux : « Le monde est gouverné par une grande force inconnue, aveugle, incontestable, tyrannique de sa nature, et non jamais par nos pauvres idées métaphysiques sur les gouvernements plus ou moins bons [5]. » Il est curieux qu'il ne manque presque jamais, en évoquant la Providence, de l'assimiler à la Fatalité, qui est en principe son contraire [6]. On

1. Lettre du 11 mai 1818 à Virieu, *Corr.*, t. I, p. 301.
2. Lettre du 27 juin 1818 à Mlle de Canonge, *ibid.*, t. I, p. 313.
3. Lettre du 28 janvier 1819 à Mlle de Canonge, *ibid.*, t. II, p. 9.
4. Lettre du 20 août 1827 à Virieu, *ibid.*, t. III, p. 47.
5. Lettres du 11 mai 1818 à Virieu, *ibid.*, t. I, p. 301; du 27 juin 1818 à Mlle de Canonge, *ibid.*, t. I, p. 313; du 27 mai 1819 au comte de Saint-Mauris, *ibid.*, t. II, p. 38.
6. On peut voir la curieuse équation répétée dans plusieurs autres lettres :

pourrait reconnaître là l'espèce de tentation négatrice, la figuration d'athéisme qui court à travers toute l'œuvre de Lamartine [1]. Mais il ne s'en tient jamais là; il ne se livre à la négation
que pour mieux rejeter ce « vide affreux » [2], pour invoquer
l'impossibilité de demander des comptes à Dieu. Tel est le
terme ou l'effort suprême de sa pensée. Mais comment fonder
sur cette base obscure une politique moderne? On serait plutôt
tenté d'y voir un héritage de la contre-révolution, qui situe les
références de sa sociologie hors de l'intelligence humaine. Mais
Lamartine, sous des formules semblables, met une intention
opposée : il prêche à des royalistes, dont il est, l'acceptation
d'un douloureux décret providentiel, celui qui sanctionne dans
les faits et dans les esprits la ruine de l'Ancien Régime et
l'avènement d'une société nouvelle. Là est l'évidence du présent,
qui passe les vues humaines et commande un sacrifice. Même
quand il sera devenu démocrate, Lamartine, fidèle à l'idée du
gouvernement comme service de Dieu, maintiendra ces vues
rigoureuses : l'ordre ici-bas supposera toujours pour lui l'abnégation. Sur ce fond de pensée sévère, lié à une idée suréminente du pouvoir, s'est inscrite l'évolution de sa politique
pratique.

On ne voit pas que l'idée libérale, par sa vertu propre, ait
exercé sur lui, en ces années, une influence quelconque. Il fait
peu de cas des « rêveries constitutionnelles »; il est tenté de
nier, de même, la perfectibilité du genre humain [3] : or, c'était
là toute la philosophie libérale. Il n'en était pas moins évident
à ses yeux que, sous le nom de liberté, un besoin nouveau
était apparu dans la vie publique, qui ne disparaîtrait plus. Il
y acquiesce donc, à sa façon. Dans plusieurs de ses poèmes des

ainsi celle du 25 décembre 1818 à Clériade Vacher (*op. cit.*, p. 62); du 4 mars
1819 à Mlle de Canonge, *Corr.*, t. II, p. 13; du 10 décembre 1819 à la marquise
de Raigecourt, *ibid.*, t. II, p. 92.

1. Qu'on se souvienne de ce qu'il écrivait un jour à son ami Aymon de
Virieu : « Mon fantôme habituel, c'est une espèce de je ne sais quoi de désordonné
et de malfaisant qui, sans justice, sans ordre et sans but, s'appelle la nature et
règne comme une divinité aveugle sur le monde physique et surtout sur le monde
moral » (lettre du 8 août et jours suivants, publiée par le Père DU LAC dans son
livre *Jésuites*, 1901, p. 384).

2. L'expression se trouve dans la lettre du 26 octobre 1818 au même Virieu
(*ibid.*, p. 378).

3. Lettre du 17 mars 1820 à Joseph de Maistre, citée par Léon SÉCHÉ, *Les
Amitiés de Lamartine*, Paris, 1911, p. 150; du 1er février 1821, à la duchesse de
Broglie, dans LAMARTINE, *Lettres inédites (1820-1851)*, éd. H. Guillemin, Por-
rentruy, 1944, p. 27.

années 1820, on le voit tenter un panégyrique de la liberté : mais toujours avec les réserves que son royalisme lui impose. Tout d'abord, la liberté ne saurait avoir sa source et son modèle dans l'esprit de la Révolution française, qui en a adultéré l'idée et discrédité le souvenir; c'est avec la Restauration que la liberté a paru en France. Cette argumentation, fortement appuyée sur l'évocation du despotisme impérial, dont le retour des rois avait délivré la France, implique que la liberté est déjà conquise et le distingue évidemment des libéraux de son temps : selon lui, ils réclament de la royauté ce qu'elle vient de leur donner [1]. La même distinction entre les deux libertés se trouve dans l'*Épître à Casimir Delavigne* [2] avec l'espoir d'une convergence future, sur un terrain commun, entre royalistes et libéraux. On lit dans l'Avertissement au *Dernier Chant du pèlerinage d'Harold* [3] : « *La liberté,* qu'invoque dans ce nouvel ouvrage la muse de Child Harold, n'est point celle dont le nom a retenti, depuis trente ans dans les luttes des factions, mais cette indépendance naturelle et légale, cette liberté, fille de Dieu, qui fait qu'un peuple est un peuple, et qu'un homme est un homme; droit sacré et imprescriptible dont aucun abus criminel ne peut usurper ou flétrir le beau nom. » La liberté doit s'entendre comme un don de Dieu à l'homme [4], plutôt que comme une institution humaine, et son contenu politique reste indéfini : dans *Le Dernier Chant,* il s'agit surtout de l'indépendance grecque, objet à cette époque d'un consensus favorable dans l'opinion. En somme, on a l'impression que Lamartine ne vit pas pleinement les virtualités libérales de sa pensée; la liberté politique n'était pas au centre de sa philosophie. Son adhésion à la Charte impliquait qu'il l'acceptât, comme accommodation nécessaire au temps, la monarchie devant être « la tutrice des droits et des progrès du genre humain » [5].

Ces derniers mots sont pourtant assez forts; ils ne précèdent que de quelques mois la chute des Bourbons. Il avait fait un assez grand pas en avant, sur la fin de la Restauration, en perdant la révérence qui le liait à l'Ancien Régime : « J'ai en

---

1. *La Liberté ou Une nuit à Rome,* poème paru dans les *Nouvelles Méditations* en 1823, écrit sans doute en 1821-1822. Même ordre d'idées dans l'invocation à la Liberté qui termine *Le Chant du sacre* (printemps 1825).
2. Parue en août 1824.
3. Écrit entre 1824 et 1825, publié en mai 1825.
4. Idée reprise dans le corps du poème, section II, v. 9 et suiv.
5. Discours de réception à l'Académie française, 1ᵉʳ avril 1830.

horreur ce qu'on entend chez nous par notre glorieuse révolution; mais j'ai en mépris ce qui l'a précédé et enfanté [1]. » L'auréole du passé morte, il voit la politique comme une découverte du futur : « Il faut, écrit-il, filer un câble nouveau [2]. » Sa politique, en changeant peu à peu de contenu et de direction, restait pourtant inchangée dans son principe fondamental : il prétendait lire dans la volonté publique le signe moderne de celle de Dieu; il y voyait à la fois la force d'impulsion et l'élément de pesanteur qui, ensemble, constituent désormais l'ordre. « J'ai l'instinct des masses, disait-il : voilà ma seule vertu politique. Je sens ce qu'elles sentent et ce qu'elles vont faire, même quand elles se taisent [...]. Je vois clairement qu'il y a dans la sociabilité une loi pareille à celle que Newton a trouvée dans les sphères : c'est la loi de l'unité et du pouvoir. Remuez les nations tant que vous voudrez, elles retombent toujours et nécessairement d'aplomb [3]. »

Le voici donc qui parle de son « instinct des masses » [4] comme il parlait, en tant que poète, de son investiture par l'Esprit-Saint. Le Poète, qui est le Verbe terrestre de Dieu, pourrait bien être aussi son bras : homme à la fois de pensée et d'action, de parole et de pouvoir. Un an après, en 1829, Lamartine préparait un manifeste en vue d'une éventuelle candidature législative [5]; aussitôt Polignac appelé au ministère il écrivait, prévoyant une crise : « Le moment va être grave : graissons nos bottes [6]. »

Les signes d'élection.

Tout homme croyant peut se croire influencé par Dieu dans ses écrits ou dans sa conduite. Mais il y a une distance notable

---

1. Lettre du 18 février 1827 à Virieu, *Corr.*, t. III, p. 10; dans celle du 20 août 1827 au même, *ibid.*, p. 47, il définit l'Ancien Régime « le temps le plus corrompu, le plus nul que jamais un empire ait vu ».
2. Lettre du 18 février 1827, *ibid.*, p. 10.
3. Lettre du 1ᵉʳ avril 1828 à Virieu, *ibid.*, p. 89.
4. Il répète ailleurs encore cette expression : voir notamment LAMARTINE, *Correspondance générale de 1830 à 1848*, publiée sous la direction de Maurice Levaillant, Lille-Genève, 1943 et 1948, 2 vol., t. II, pp. 11-12, lettre du 17 janvier 1834. Cité dorénavant : *Corr. gén.*
5. On le trouvera résumé dans H. GUILLEMIN, *Lamartine et la question sociale*, Genève, 1946, pp. 51-56.
6. Lettre du 16 août 1829 à Virieu, *Corr.*, t. III, p. 54.

entre l'affirmation doctrinale d'une omniprésence divine et le sentiment d'une élection particulière, avec ses signaux manifestes et ses tâches peu communes. Les poètes romantiques, quand ils affirment leur « mission », se situent généralement quelque part entre ces deux termes extrêmes. Lamartine va plus loin qu'un autre dans le domaine des signes d'élection ; il semble avoir eu bel et bien le sentiment d'être personnellement appelé et d'être seul à pouvoir répondre. Il est évidemment permis de s'interroger sur ce que peut être une telle conviction au XIXe siècle et chez un homme comme Lamartine, aussi peu illuminé, aussi peu enclin − beaucoup moins que Hugo, par exemple − à imaginer une communication avec l'au-delà. On peut se demander si la conviction d'un choix divin désignant sa personne n'a pas été simplement chez lui l'expression hyperbolique d'un impératif intime ; mais c'est peut-être une question oiseuse, alors que religion et sentiment, foi et éloquence sont devenus si difficiles à distinguer dans la génération où il est né. « Lamartine, nous dit un contemporain et admirateur de Lamartine, croyait en Dieu comme on n'y croit plus guère dans nos sociétés modernes [...]. Il vivait devant Dieu ; il voyait toutes choses du point de vue providentiel [...]. En d'autres temps et sous d'autres cieux que les nôtres, Lamartine eût été un prophète à la façon de Mahomet ; guerrier législateur et poète, il eût remué le monde au nom d'une idée religieuse [1]. » En tout cas, il s'est cru seul à pouvoir accomplir une grande œuvre salutaire. Les témoignages des tiers abondent sur ce sujet. Mais les siens propres ne manquent pas, et ils nous surprennent quelquefois.

La première allusion autobiographique à une mission providentielle se trouve sous la plume de Lamartine à la date de 1821 : « En sortant de Naples, le samedi 20 janvier, un rayon d'en haut m'a illuminé [2]. » Il ne s'agit là, à première vue, que d'inspiration poétique ; c'est l'idée d'un poème qui surgit dans son esprit, mais d'un poème qui l'occupera presque vingt ans : gigantesque projet d'épopée de l'humanité, en « visions » suc-

---

1. Louis DE RONCHAUD, Introduction à *La Politique de Lamartine, choix de discours et écrits politiques*, Paris, 1878, 2 vol., t. I, p. XXVI ; ces lignes se retrouvent dans une Préface (à une édition de *Jocelyn* et *Graziella*) du même auteur, Paris, 1866, pp. 14-15.
2. Lettre du 25 janvier à Virieu, *Corr.*, t. II, p. 147 ; récit plus détaillé dans le *Cours familier de littérature*, Entretien XVII, t. III, pp. 359-360.

cessives [1]. Un tel poème, dans la perspective romantique naissante, était le *summum opus* du ministère poétique, une sorte
d'Écriture des Temps modernes : mais il n'est pas indifférent
que Lamartine le fasse résulter d'une illumination spéciale. On
ne peut non plus négliger tout à fait les textes où Lamartine,
sans se l'appliquer à lui-même, évoque l'idée d'un élu de Dieu
préposé à la conduite des hommes : ces textes prouvent au
moins l'attrait qu'une telle figure exerçait sur lui. Passe encore
s'il s'agit de Socrate, tenu pour précurseur du Christ ; Lamartine
a bien pu dire à son propos, sans qu'on le soupçonne d'arrière-
pensée, que la vérité et la sagesse « descendent du ciel dans
des cœurs choisis qui sont suscités de Dieu selon les besoins
des temps » [2]. L'impression est différente quand il parle de
l'homme idéal que le siècle actuel appelle, et faute de qui
l'anarchie menace, d'« un homme, dit-il, résumé sublime et
vivant d'un siècle, fort de la force de sa conviction et de celle
de son époque, Bonaparte de la parole, ayant l'instinct de la
vie sociale et l'éclair de la tribune » [3] : tel en somme qu'il
s'entrevoit déjà lui-même après Juillet.

Il écrivait ces lignes apparemment impersonnelles au lendemain de 1830, quand la chute récente de la vieille monarchie
laissait le champ libre à ses projets politiques. Voici maintenant
des propos et des confidences moins voilés. On connaît la
relation qu'il a faite, dans son *Voyage en Orient*, de sa visite,
au Liban, à lady Stanhope [4]. Si l'on en croit son récit, cette
« magicienne moderne », cette « Circé des déserts » lui annonça
que Dieu l'avait choisi pour un grand but : « Je ne sais ce que
vous êtes selon le monde, lui dit-elle, ni ce que vous avez fait
pendant que vous avez vécu parmi les hommes ; mais je sais
déjà ce que vous êtes devant Dieu. » Le manuscrit du *Voyage
en Orient* [5] ajoutait ici : « et ce que vous pouvez faire pour sa

1. Ce qui nous reste de ces *Visions* (textes antérieurs à 1830) a été édité par
Henri Guillemin en 1936 ; au même projet, transformé plus tard, se rattachent
Jocelyn et *La Chute d'un ange*.
2. Avertissement de *La Mort de Socrate* (1823), 5ᵉ paragr., *in fine*.
3. LAMARTINE, *Sur la politique rationnelle*, octobre 1831, pp. 103-104.
4. Lady Hester Lucy Stanhope (1776-1839), nièce de William Pitt, quitta
l'Angleterre en 1810 et vint se fixer au Liban parmi les Druses ; de sa demeure
de Djoun, près de Saïda, elle exerçait son autorité sur la région environnante, où
elle passait pour devineresse. Elle mourut sans revoir l'Angleterre. La visite de
Lamartine se situe dans l'automne 1832.
5. Voir Christian MARÉCHAL, *Le Véritable Voyage en Orient de Lamartine
d'après les manuscrits originaux de la Bibliothèque nationale*, Paris, 1908, p. 186,

gloire et le bonheur de vos semblables ». Lady Stanhope continue : « Ne me prenez point pour une folle, comme le monde
me nomme souvent [...] Je lis dans les astres [...]. Je vois
évidemment que vous êtes né sous l'influence de trois étoiles
heureuses, puissantes et bonnes, qui vous ont doué de qualités
analogues, et qui vous conduisent à un but que je pourrais, si
vous vouliez, vous indiquer dès aujourd'hui. C'est Dieu qui
vous amène ici pour éclairer votre âme; vous êtes un de ces
hommes de désir et de bonne volonté dont il a besoin, comme
d'instruments pour les œuvres merveilleuses qu'il va bientôt
accomplir parmi les hommes. Croyez-vous le règne du Messie
arrivé? » La question finale donne le véritable sens de tout ce
qui précède, en suggérant que Lamartine pourrait être le Messie,
ou au moins collaborer à l'œuvre messianique. Naturellement,
il décline cette prétention : « Je suis né chrétien, lui dis-je; c'est
vous répondre [1]. » Là-dessus, son hôtesse lui cite une prétendue
parole de Jésus : « Je vous parle encore par paraboles, mais
celui qui viendra après moi vous parlera en esprit et en vérité »,
parole qui ne se trouve nulle part dans les Évangiles, et dont
cependant, par pure politesse peut-être, il ne dénonce pas
l'inauthenticité, semblant accepter l'idée d'un successeur du
Christ destiné à aller plus loin que lui [2]. Il finit par convenir
lui-même que les maux intolérables de l'humanité et le gémis-
sement universel de la nature ont besoin d'un réparateur, qui
ne peut manquer de se manifester, mais que l'Esprit-Saint peut
suffire à ce rôle : « Cet esprit saint toujours agissant, toujours
assistant l'homme, toujours lui révélant, selon les temps et les
besoins, ce qu'il doit faire ou savoir. » Cette théologie laisse
en suspens le rôle possible des personnes dans le projet providentiel, mais ne l'exclut nullement : car « que cet esprit divin
s'incarne dans un homme ou dans une doctrine, dans un fait
ou dans une idée, peu importe, c'est toujours lui : homme ou
doctrine, fait ou idée, je crois en lui, j'espère en lui et je
l'attends, et plus que vous, Milady, je l'invoque » [3]. Lamartine,
au sens qu'il vient de préciser, pourrait croire être lui-même

et l'édition critique du *Voyage* publiée par Lofty Fam, Paris, s.d. [vers 1960],
p. 300.
    1. *Souvenirs, impressions, pensées et paysages pendant un voyage en Orient (1832-
1833) ou Notes d'un voyageur*, Paris, 1835, 4 vol., éd. in-18, t. I, pp. 202-203.
    2. Voir, sur cette citation inexacte, *Le Temps des prophètes*, p. 243, n. 75;
Fourier s'est appliqué à lui-même cette parole attribuée à Jésus.
    3. *Voyage en Orient*, éd. citée, t. I, pp. 204-206.

l'instrument de Dieu. Plus rationnellement encore, il conçoit parfois que l'action divine pourrait s'incarner d'abord dans le mouvement général du siècle, l'homme de Dieu n'étant que l'interprète et le proclamateur de ce mouvement :

> *Il faut plonger ses sens dans le grand sens du monde;*
> *Qu'avec l'esprit des temps notre esprit s'y confonde!*
> *En palper chaque artère et chaque battement,*
> *Avec l'humanité s'unir par chaque pore,*
> *Comme un fruit qu'en ses flancs la mère porte encore,*
> *Qui vivant de sa vie éprouve avant d'éclore*
>   *Ses plus obscurs tressaillements!*
>
> *Oh! qu'il a tressailli, ce sein de notre mère!*
> *[...] Quelle main créatrice a touché ses entrailles?*
> *De quel enfantement, ô Dieu! tu la travailles* [1] *!*

Pour en revenir à la conversation avec lady Stanhope, Lamartine y joue un jeu curieux, entre deux degrés de conviction messianique dont il formule le plus démesuré par l'intermédiaire de son interlocutrice. Et il n'est pas douteux qu'il se plaît à entendre son opinion et à la reproduire. Pourquoi la publierait-il s'il en était gêné? « Croyez ce que vous voudrez, dit encore la prophétesse, vous n'en êtes pas moins un de ces hommes que j'attendais, que la Providence m'envoie, et qui ont une grande part à accomplir dans l'œuvre qui se prépare. Bientôt vous retournerez en Europe; l'Europe est finie, la France seule a une grande mission à accomplir encore; vous y participerez, je ne sais pas encore comment; mais je puis vous le dire ce soir, si vous le désirez, quand j'aurai consulté vos étoiles. » Il ne fut pas donné suite, semble-t-il, à ce projet astrologique, mais, en attendant, « Lady Esther » [2] voit sur le visage de Lamartine l'influence de plusieurs constellations : « L'une d'elles, dit-elle, est certainement Mercure, qui donne la clarté et la couleur à l'intelligence et à la parole; vous devez être poète : cela se lit dans vos yeux et dans la partie supérieure de votre visage; plus bas, vous êtes sous l'empire d'astres tout différents, presque opposés : il y a une influence d'énergie et d'action; il y a du soleil aussi, dit-elle tout à coup, dans la

1. *Utopie*, poème de 1837, publié dans les *Recueillements poétiques* en 1839, *Œuvres poét. compl.*, p. 1150.
2. C'est ainsi que Lamartine écrit le nom de lady *Hester* Stanhope.

pose de votre tête et dans la manière dont vous la rejetez sur votre épaule gauche [1]. » Tout ce que pouvait souhaiter Lamartine quand il publia ces pages, en 1835, se trouve là : outre le génie poétique, qu'il était sûr d'avoir, celui de l'action et du succès dans l'action, dont il pouvait encore douter. Plus d'un critique suppose qu'il fut mortifié de découvrir, à l'occasion de sa visite, que son nom ne disait rien à lady Stanhope ; c'est ne pas voir que cette ignorance de la prophétesse double la valeur de sa prophétie : sans avoir idée de qui il était, elle l'a reconnu poète et élu de Dieu. La complaisance narcissique de Lamartine pour son port de tête fait sourire ; un peu plus loin il est question de son pied, merveilleusement cambré, où son interlocutrice voit le « pied de l'Arabe », signe certain de l'origine orientale de Lamartine, et de son retour prochain dans la « terre de ses pères ». Ces extravagances ne sont pas sans signification : l'Orient est, par excellence, la fabrique des prophètes, et c'est là que les saint-simoniens cherchaient aussi la Mère qui manquait à leur Église. Lamartine n'ose prendre à son propre compte de telles imaginations ; cependant il les croit dignes d'être offertes au public, sous le couvert de l'excentrique dame anglaise. Il prend soin d'ailleurs d'écrire : « Non, cette femme n'est point folle [2]. »

Rien n'oblige à croire que Lamartine ait fidèlement reproduit les propos de lady Stanhope. Après 1848 et son effondrement politique, il les résume sur un tout autre mode : « Elle me prophétisa ce qui m'est arrivé par hasard, un rôle grave dans une courte pièce, à grand mouvement [3]. » Ce ton convient alors à son amertume et à son dédain ; la version de 1832-1835 reflétait sans doute ses espérances d'alors, plus que les dires de la prophétesse. Elle n'a en tout cas parlé de lui, après sa visite, qu'avec irritation et moquerie : elle tourne en ridicule ses manières, ses gestes, elle le croit versificateur, non poète, faute d'idées sublimes. En un mot, « il a pensé, dit-elle, produire un grand effet quand il est venu ici, mais il s'est cruellement trompé », et « la moitié de ce qu'il raconte dans son livre est faux » : tels sont les propos que rapporte d'elle son médecin, le docteur Meryon, dans l'ouvrage qu'il lui a consacré [4]. Des

---

1. *Voyage en Orient,* t. I, pp. 206-207.
2. *Ibid.,* p. 209.
3. *Cours familier de littérature,* Entretien LXXVIII, juin 1862 (t. XIII, p. 409).
4. [Docteur MERYON], *Memoirs of Lady Hester Stanhope as related by herself in conversation with her physician,* Londres, 1846, t. I, pp. 262-263, 321.

visiteurs survenus après Lamartine n'ont rien recueilli de plus favorable. Elle imitait devant l'un d'eux les attitudes de Lamartine, « les minauderies qui le faisaient ressembler à un dandy anglais de la plus médiocre catégorie » [1]. À un autre, elle confie que ce qu'il a dit dans son livre de leur conversation est « pour moitié inventé, pour moitié inexact » [2]. Il est fort possible que l'humeur de la dame, irritée de la publicité donnée sans son consentement à sa personne et à ses propos, l'ait conduite à remanier péjorativement ses souvenirs. Mais comment savoir? On pourrait trouver futile de s'étendre davantage sur ce sujet, si l'on ne souhaitait être mieux renseigné sur le mythe fabuleux de l'origine orientale de Lamartine − une de ses obsessions − et surtout sur la nature de sa vocation messianique.

Sur le premier point, lady Stanhope ne nie pas avoir dit à son visiteur qu'elle le croyait de sang arabe, à cause de la cambrure de son pied, du brillant de ses yeux et du fait qu'il pouvait voir avec les paupières à demi closes, comme beaucoup d'Arabes. Mais elle ajoute avec malice : « J'avais observé, quand il était assis devant moi, qu'il allongeait à plusieurs reprises un de ses pieds et le considérait avec beaucoup de satisfaction. » Sitôt évoquée son origine arabe, Lamartine, très excité à cette idée, aurait parlé d'une tradition selon laquelle, au temps des croisades, des prisonniers arabes natifs de Gaza s'étaient fixés en Bourgogne, où ils auraient fondé, outre le château où il habitait, deux villages où l'on parlait encore un langage particulier, dérivé certainement d'une corruption de l'arabe. Lamartine, croyant descendre de ces Arabes, aurait alors mentionné son port de tête incliné de côté (semblable à celui d'Alexandre le Grand) et aurait demandé si c'était là aussi un trait méridional. Lady Stanhope déclare lui avoir répondu qu'elle avait observé cette particularité précisément chez des Arabes de Gaza faits prisonniers au Liban, et qu'elle pouvait lui indiquer exactement quelle était cette tribu dont il descendait. Mais comme il se disait fier d'être issu d'une souche de guerriers si fameux, elle s'était bien gardée de lui donner les précisions

---

1. Selon Alexander William KINGLAKE, *Eothen*, 1844, cité in *The Life and letters of Lady Hester Stanhope, by her niece the Duchess of Cleveland*, Londres, 1914, pp. 306-307.

2. Prince DE PÜCKLER-MUSKAU, *Die Rückkehr*, Berlin, 1847, t. II, pp. 259-262 ; les pages relatives aux confidences de lady Hester sur Lamartine sont traduites en anglais dans l'ouvrage de la duchesse de Cleveland (voir note précédente), p. 381 et suiv.

supplémentaires qu'il demandait, et qui n'auraient pas flatté sa vanité : « Mes propos, d'ailleurs tout à fait véridiques, ne se rapportaient nullement à des guerriers fameux; je pensais à une honnête tribu de chameliers qui habite depuis des siècles les environs de Gaza et de Misarib, en pratiquant toujours la même profession. Il se peut bien que M. de Lamartine tienne d'eux les particularités qu'il a remarquées chez lui, car ils ont généralement le pied bien fait et cambré, sont fort estimés comme poètes et chanteurs, et ont habituellement la tête penchée vers l'épaule et les yeux mi-clos, habitude qu'ils ont acquise en regardant les têtes de leurs chameaux, et qui a fini par devenir chez eux une seconde nature [1]. » Il ressort de tout cela que, sur le point des origines arabes de Lamartine, les deux interlocuteurs ont extravagué de concert, chacun renchérissant sur l'autre dans leur lubie commune, avec le piment d'une vague ironie réciproque. L'épisode se prolongea après la visite, s'il est vrai que Lamartine reçut un jour une lettre de lady Stanhope où nous lisons (je cite le passage tel que je l'ai trouvé) : « Je trouve votre famille fut allié d'un de plus grand tribus de Yaman et dont il est sorti un savant beaucoup plus grand que Newton ou le Sage [2]. » De Gaza au Yémen, il y a loin. Croyait-elle à tout à la fois? Peut-être. Lamartine, en tout cas, se complaisait à ces fables de lignage fantastique, et il y croyait assez pour ne pas pouvoir se retenir de les communiquer à ses lecteurs français.

Sur le second point, celui du Messie attendu de nos jours, lady Hester ne confirme aucune des déclarations de Lamartine; elle ne dit, ni qu'elle ait vu en lui un Messie, ni qu'elle lui ait dit pareille chose. D'après les Mémoires rédigés par son médecin, elle a seulement déclaré à son visiteur : « Le Testament ne dit-il pas : Un autre viendra après moi, qui est plus grand que moi? » et elle lui a demandé qui cette phrase pouvait bien annoncer, mais il s'est borné à des hum! et des ha! et n'a trouvé rien à répondre [3]. Lamartine a-t-il

---

1. Tout cela se trouve dans les pages, indiquées plus haut, du Prince de Pückler-Muskau. Lamartine ne parle pas, dans le *Voyage en Orient*, des établissements arabes en Bourgogne, mais nous verrons qu'il en parle ailleurs, ce qui accrédite la véracité de la dame.

2. Lettre citée, sans indication d'origine et sans date, par Paule HENRY-BORDEAUX, *La Sorcière de Djoun*, Paris, 1926, p. 146. « Le Sage » est très certainement Georges-Louis Lesage (1724-1803), théoricien genevois de l'attraction.

3. *Memoirs*, t. I, p. 171. On remarquera que la phrase de l'Évangile invoquée

donc inventé les propos qu'il attribue à lady Hester sur son rôle à lui dans la régénération du siècle? Peu d'années après, on en retrouve l'idée chez lui, sous une autre forme, dans le « Récit » qui ouvre *La Chute d'un ange*. L'antique solitaire du Liban, l'héritier des Prophètes, dont le poème entier sera le discours, commence par révéler au poète que Dieu lui-même l'a choisi :

> *Jeune étranger, dit-il, approchez-vous de moi.*
> *Depuis des jours bien longs de bien loin je vous voi :*
> *[...] Toujours quelqu'un reçoit le saint manteau d'Élie,*
> *Car Dieu ne permet pas que sa langue s'oublie !*
> *C'est vous que dans la foule il a pris par la main,*
> *Vous à qui son esprit a montré le chemin,*
> *Vous que depuis le sein d'une pieuse mère*
> *De la soif du Seigneur sa grâce ardente altère;*
> *C'est vous qu'il a choisi là-bas pour écouter*
> *La voix de la montagne et pour la répéter* [1].

Le « jeune étranger », arrivé au Liban en bateau, qui fait ce « récit » à la première personne, est bien explicitement Lamartine lui-même; l'allusion à la « pieuse mère » confirme l'identification. Et nous avons bien ici la proclamation des titres d'un élu, anneau d'une chaîne sacrée d'hommes de Dieu.

À l'époque où il écrivait ces vers, Lamartine, homme politique de premier plan, pouvait se croire en effet en possession d'une mission exceptionnelle. Mais la conviction d'être destiné à un tel avenir datait chez lui de plus loin. La conversation même avec lady Stanhope reproduit en grande partie une légende personnelle que Lamartine nourrissait depuis son enfance. Il existe à Saint-Point une biographie manuscrite du poète, dont l'auteur anonyme, qui déclare avoir connu Lamartine enfant, raconte qu'il fut à quinze mois l'objet d'une étrange prédiction. Sa mère, fuyant la Terreur, l'avait emmené à Lau-

---

ici par lady Hester est différente de la citation fantaisiste que Lamartine lui attribue (voir ci-dessus, n. 2, p. 31, et le texte); cette citation-ci est correcte, mais l'Évangile fait prononcer ces mots par saint Jean-Baptiste, annonçant Jésus (Matthieu, iii, 11; Marc, i, 7; Luc, ii, 16), ce qui leur ôte toute portée touchant un successeur moderne de Jésus. Lady Hester ne le savait donc pas? Son biographe remarque judicieusement, en note : « *It is evident that Lady Hester applied the words of St. John to our Saviour.* »

1. *Œuvres poét. compl.*, p. 817.

sanne : « À peine était-elle arrivée à l'auberge, continue le biographe, que trois vieux messieurs allemands demandaient à lui parler. C'étaient trois philosophes qu'on appelait des *illuminés,* des chrétiens d'une secte particulière, disciples, je crois, du philosophe Saint-Martin. Madame de Lamartine fut très étonnée et leur demanda pourquoi ils venaient la voir : – Ce n'est pas vous, madame, que nous venons voir, c'est l'enfant que vous allaitez. Alors on apporta l'enfant. Le maître des vieillards s'approcha et prit l'enfant des bras de sa mère, l'examina avec une apparence de curiosité comme s'il eût trouvé quelque signe sur ses traits. Puis il dit à ses deux amis : – C'est bien lui. Ne perdez jamais de vue cet enfant. Il est marqué pour quelque chose de grand et d'inconnu. Promettez-moi de ne jamais oublier ce que je vous dis. Et ils se retirèrent [1]. » S'il est vrai, comme le dit le biographe, que Mme de Lamartine a raconté bien des fois cette histoire, Lamartine a dû la connaître dès ses premières années. D'ailleurs, il l'a racontée lui-même avec quelques variantes dans le Prologue de *Raphaël,* en l'appliquant à son héros. L'histoire a lieu cette fois dans le Forez, où la mère de Raphaël vit retirée avec son fils et son mari : « Deux saints vieillards, écrit Lamartine, poursuivis par la persécution, quelque temps après la Terreur, pour je ne sais quelles opinions religieuses qui tenaient du mysticisme et qui annonçaient un renouvellement du siècle, étaient venus se réfugier dans ces montagnes. Ils reçurent asile dans sa maison. Ils aimèrent Raphaël, que sa mère élevait alors sur ses genoux. Ils lui annoncèrent je ne sais quoi, ils lui marquèrent une étoile [2]; ils dirent à sa mère : Suivez du cœur ce fils! Une mère aime tant à croire! Elle se le reprocha parce qu'elle était très pieuse; mais elle les crut [3]. » Raphaël est évidemment Lamartine : il a romancé ses amours d'Aix avec Julie Charles sous le nom de ce héros. Cette seconde version de l'histoire, comparée à la précédente, est moins triomphale : en 1849, quand Lamartine écrivait *Raphaël,* son grand projet politico-religieux avait déjà été mis en échec. D'un autre point

1. Cité par H. Guillemin, *Lamartine et la question sociale,* pp. 81-82. Lausanne était en effet un centre illuministe, mais dans la tradition du quiétisme plutôt que de Saint-Martin : voir Aug. Viatte, *Les Sources occultes du romantisme,* Paris, 1928, t. I, p. 115 et suiv.

2. C'est-à-dire : désignèrent une étoile au ciel comme étant la sienne et marquant sa destinée.

3. *Raphaël,* Paris, 1849, Prologue, pp. 7-8.

de vue, le rapprochement des deux versions peut faire rêver :
en joignant les trois visiteurs de la première et l'étoile de la
seconde, on obtient une belle variante moderne de l'Adoration
des rois mages.

Vers la fin de sa vie, Lamartine se complaît encore à raconter
longuement un épisode analogue. Il le situe plus tard, à Moulins
dans l'année 1817, au moment où ayant pris congé à Paris de
Julie Charles qu'il ne devait plus revoir, il était en route vers
la Bourgogne. À la fin d'un dîner à table d'hôte, il est suivi
vers sa chambre par deux jeunes bohémiennes, qui lui déclarent
que leur grand-mère les envoie chaque jour guetter et avertir
ceux des voyageurs « qui ont une destinée sur le front ou dans
la main ». « Or, disent-elles, nous n'avons pas encore rencontré
des signes plus significatifs dans le front, dans la main, dans
le pied, que ceux dont nous avons été frappées en entrant ce
soir dans la salle. Vous vous croyez peut-être français d'origine,
mais vous ne l'êtes pas. Si vous remontez un peu loin dans
votre généalogie, vous découvrirez certainement que vous êtes
sarrasin. » Lamartine s'émerveille à ces mots, sachant bien, dit-
il, qu'une tradition faisait sortir ses ancêtres d'un village du
Mâconnais, « colonie exclusivement arabe jusqu'à nos jours, et
dont aucune mésalliance ne mêlait le sang arabe au sang
gaulois » : les traits de cette race sont, d'après lui, « la taille
haute et mince, l'œil noir, le nez aquilin, le cou-de-pied très
élevé sur la plante cambrée [...] marques de noblesse essentiellement arabes ». Les deux jeunes filles le conduisent chez
leur grand-mère, « magnifiquement vêtue de pourpre en hail-
lons avec des ornements d'or, des perles, des bracelets aux
jambes et aux bras, au milieu de nombreux petits enfants, et
de grands chiens lévriers de Perse ». La vieille bohémienne, dès
qu'il entre, se prosterne devant lui; puis, examinant les lignes
de sa main, elle se rejette soudain en arrière en poussant un
cri; nouvel examen, nouveau cri; troisième examen, troisième
cri « à l'aspect d'un troisième phénomène prophétique ». Enfin
la vieille parle aux jeunes filles, qui pâlissent et expliquent à
Lamartine que trois étoiles veillent sur lui et lui donneront
trois grandes destinées. Les jeunes filles expliquent que ce sont
peut-être trois personnes qui mourront avant Lamartine et qui
le protégeront du haut du ciel, ou bien « seulement trois facultés
diverses dont vous serez doué par Celui qui les distribue si
parcimonieusement aux hommes, telles que poésie, politique,

action peut-être » [1]. On reconnaît, à ces derniers mots, la multiple ambition de Lamartine : poésie, pensée politique, pouvoir. On comprend aussi, à cette nouvelle affabulation, que les éléments orientaux et astrologiques sont partie intégrante du mythe de l'Élection [2].

Lamartine dit avoir reçu cet oracle « en badinant », mais ne croit pas inutile de le rapporter. Nous ne saurons jamais quelle part de vérité biographique renferment ces divers récits. De tous les personnages prophétiques qu'ils mettent en scène, lady Stanhope au moins a existé et joué réellement un rôle dans la mythologie personnelle de Lamartine. Mais les autres? En tout cas, Lamartine, quand il vint à Djoun, vivait déjà sa légende.

« *Dieu a son idée sur moi.* »

Cette collection de thèmes légendaires pourrait sembler sans conséquence, et passer pour l'amusement fantastique d'un grand homme, ce qu'elle est sans doute d'une certaine façon; mais ces fables concordent trop bien avec la conviction de Lamartine et le projet que, pendant ses quinze ans de politique active, il ne tint qu'à moitié secret. Il ne s'agit plus ici de bohémiennes prophétiques ni de vieillards illuminés; c'est Lamartine lui-même qui parle. Il est vrai que, dans ses déclarations habituelles, il fait surtout état, en termes positifs, de la longue attente qu'il juge nécessaire, hors du pouvoir et à distance de lui, pour se constituer en « homme de réserve » et assumer, au moment décisif, le rôle salutaire auquel il se prépare [3]. Mais

---

1. LAMARTINE, *Mémoires politiques,* t. XVII des *Œuvres,* chez l'auteur, 1863, pp. 65-70.

2. Un détail nouveau s'ajoute ici au thème fabuleux de l'origine arabe de Lamartine, détail particulièrement saugrenu : la référence au nom primitif de sa famille, « Alamartine », qu'il orthographie « Allamartine » pour suggérer que ce nom a quelque chose à voir avec « Allah » (« Dieu » en arabe, comme chacun sait). Il y a en France des Alajouanine, Alamargot, etc., noms attribués originairement à tel ou tel particulier, qu'on distinguait ainsi, parmi les porteurs du même prénom que lui, par la référence au prénom de sa mère ou de son épouse : ainsi un Jean, Jacques ou Pierre « à la Martine » a dû porter le premier, sans rien d'arabe, le nom que son descendant interprète si bizarrement. Je trouve dans l'annuaire parisien du téléphone, outre le nom même d'Alamartine et les deux autres déjà cités, des exemples d'Alablanche, Alacatin (diminutif de Catherine), Aladenise, Alassimone, sans compter Alabergère, Alanièce, Alassœur.

3. Voir H. GUILLEMIN, *Lamartine, l'homme et l'œuvre,* Paris, 1940, pp. 71-76.

d'autres propos nous sont rapportés, moins mesurés; il a, dit-on, expressément déclaré à plusieurs personnes qu'il était le Messie. Il est question d'un entretien avec Royer-Collard en 1841, au temps où Lamartine était candidat à la présidence de la Chambre : « Il lui dit de si étranges choses, que M. Royer se faisait scrupule de les répéter. Il a cependant confié à quelques amis dont la discrétion lui inspirait confiance, que M. de Lamartine avait sérieusement prétendu être le Messie revenu sur la terre pour y accomplir la rénovation de l'ordre politique et social [1]. » En 1844, expliquant à Molé pourquoi il avait refusé d'être ambassadeur ou ministre [2], il lui déclara, nous dit-on : « Je l'ai évité parce que l'heure de ma mission n'était pas venue; mais les temps approchent où les peuples descendront dans la rue et où tous les hommes d'État d'aujourd'hui se trouveront impuissants et usés. Je paraîtrai alors avec l'autorité de la parole et l'influence que je suis appelé à exercer; car je sens en moi l'homme d'action, l'homme prédestiné à agir sur les masses [3]. » Celui qui rapporte ces propos dit les tenir de Molé lui-même, qui avait cru Lamartine fou. Ces témoignages de seconde main, et issus principalement du milieu doctrinaire et philippiste, sont évidemment sujets à caution. Lamartine a-t-il vraiment dit : Je suis le Messie? Il aura plutôt suggéré que la messianité pouvait s'entendre aujourd'hui d'un homme dési-gné pour accomplir les desseins de la Providence, et se sera déclaré lui-même doué pour ce rôle : Messie en ce sens, comme tant d'autres se disaient alors révélateurs ou fondateurs de religion; le langage humanitaire utilise volontiers des termes sacrés en en laïcisant aux trois quarts le sens. Il faut bien admettre, de toute façon, et de quelque manière qu'on veuille

---

1. Extraits des *Mémoires* du comte DE SAINTE-AULAIRE publiés dans *La Revue de Paris* du 15 juillet 1925 sous le titre « Lamartine et la politique », p. 249. M. de Sainte-Aulaire, beau-père de Decazes et royaliste libéralisant, fut plusieurs fois ambassadeur sous Louis-Philippe.

2. Il eut cette possibilité dans l'automne de 1840, après la chute de Thiers et le retour de Guizot.

3. Comte Joseph D'ESTOURMEL, *Derniers Souvenirs,* Paris, 1860, p. 108. Le comte d'Estourmel, après avoir servi la Restauration, se retira de la vie publique en 1830. Lamartine l'avait rencontré en Orient, et avait consacré, dans la *Revue des deux mondes* du 1er janvier 1846, un long et sympathique article à son *Journal d'un voyage en Orient* (Paris, 1844, 2 vol.). Dans son volume de 1860, cet auteur reproduit encore, p. 109, un autre propos de Lamartine à Molé, et rapporte, pp. 109-110, sans dire quelle est sa source, la profession de foi expressément messianique de Lamartine à Royer-Collard, et aussi, ajoute-t-il, à Barante, à qui il aurait « dit, en propres termes : Je suis le Messie ».

entendre Lamartine, qu'il s'est cru élu de Dieu pour une grande
tâche. Il écrit bel et bien à sa nièce, en avril 1848, au sommet
de sa carrière politique : « Il est évident que Dieu a son idée
sur moi, car je suis un vrai miracle à mes yeux. Je ne puis pas
comprendre, autrement que par un souffle de Dieu, l'inconcevable popularité dont je jouis ici [1]. »

Il ne suffit pas d'être jugé fou par M. Molé pour l'être
réellement : on sait combien les esprits conservateurs inclinent
à trouver insensé tout ce qui est hors de leur cercle. On a, c'est
vrai, beaucoup raillé l'illuminisme de Lamartine, même dans
la gauche, qui se méfia longtemps de lui. Ainsi : « Il est monté
sur le Liban [...]. Il a reçu de Dieu le mot d'ordre du siècle [...].
Lamartine sera tout à la fois la pensée et la parole, le verbe et
l'acte, le pape et l'empereur. Qu'on lui donne la France, il la
mènera à Jéhova au son de la lyre et du tambourin [2]. » Mais
le plus remarquable est que cette idée d'élection surnaturelle,
que certains dénonçaient en lui comme ridicule ou folle,
d'autres − et non des moindres − l'acceptaient en sa faveur le
plus sérieusement du monde, et, chose curieuse, dès avant la
chute des Bourbons. Dans une épître datée du 12 juin 1830,
Charles Brifaut, poète du tout premier romantisme et royaliste
tempéré, qui avait déjà observé l'attitude oraculaire de Lamartine récitant ses *Méditations* [3], pressait le poète d'abandonner
l'élégie pour une poésie d'action et de salut; il le conjurait
d'exorciser à la fois le génie décrépit du passé et l'anarchie du
présent; il le voyait « législateur-prophète », ressuscitant l'Europe mourante :

> *Lève-toi : que d'en haut tes lèvres inspirées*
> *Laissent tomber sur nous des paroles sacrées;*
> *Que la terre tressaille et que tes sons vainqueurs*
> *Comme un écho du ciel réveillent tous les cœurs* [4].

1. Lettre du 20 avril 1848, à sa nièce Valentine, dans *Lamartine et ses nièces,*
correspondance inédite, publiée par le comte de Chastellier, Paris, 1928, p. 126.
2. Eugène PELLETAN, à propos de *Jocelyn,* dans *L'Artiste,* 1ʳᵉ série, t. XI, 1836,
pp. 249-250. Les catholiques, moins enclins à plaisanter, le traitaient tout bon-
nement d'hérésiarque et de faux Messie (voir les textes des *Annales de philosophie
chrétienne,* de 1835 et 1838, cités par H. GUILLEMIN dans son étude sur
Le « Jocelyn » de Lamartine, Paris, 1936, p. 743). Dorénavant : *Le « Jocelyn »...*
3. Voir *Le Sacre de l'écrivain,* p. 175.
4. *Œuvres de M. Charles Brifaut,* Paris, 1858, 6 vol., t. VI, *Épître à M. de
Lamartine.* Brifaut, devenu tout à fait conservateur en 1848, parlait alors de

Quand Lamartine se fut engagé dans l'action, beaucoup voulurent voir en lui quelque chose de plus qu'un poète ou qu'un
homme politique ordinaire : un révélateur, un prophète, un
sauveur; ils le comparèrent à l'étoile des rois mages, le nom-
mèrent Daniel et Christ : ce n'était apparemment pas, à l'époque,
chose si folle que ces enthousiasmes [1]. Quand il fut décidément
passé dans le camp de l'opposition démocratique, ce côté de
l'opinion fut gagné à son tour. Michelet lui écrit en 1843 :
« Vous aurez été notre prophète, notre précurseur. Vous êtes
celui que nous attendons [2]. » Lamartine sembla alors représenter,
outre une poésie régénérée, une religion et une politique
modernes : conjonction dont rêvait tout l'humanitarisme, et
qui, visible en lui, désignait sa destinée comme unique. C'est
ainsi que son ambition la plus secrète et la plus vaste trouva
un écho hors de lui dans une époque encline aux mythes, qui
le flatta des mêmes espoirs dont il s'était toujours nourri. Cet
écho, après l'échec et la retraite, éternisa par le souvenir l'image
qu'il s'était faite de lui-même. Au lendemain de sa mort, Émile
Barrault, ancien saint-simonien, écrit avec vérité : « Il se croyait
divin, assuré d'un pacte avec la Providence [3]. » Cette assurance
peu commune éclaire en effet son œuvre et sa carrière entre
1830 et 1848.

Laïcité et transcendance.

Les Bourbons tombés, il pouvait être enfin lui-même, la
question de l'avenir s'imposant avec plus d'évidence dans un
régime dépourvu d'autorité traditionnelle. À la fin de l'été
1830 il remit, par loyauté légitimiste, sa démission de diplo-
mate, tout en faisant parler au nouveau roi pour lui expliquer
sa conduite. En fait, dégoûté des Bourbons, coupables de leur

Lamartine sur un tout autre ton, si l'on en croit d'Estourmel (*op. cit.,* pp. 108-
109).

1. Voir les textes, en grande partie inédits, cités par H. GUILLEMIN dans *Le
« Jocelyn »...,* pp. 742-744.

2. Lettre du 10 juin 1843 à Lamartine, citée par Jean-Marie CARRÉ dans la
Revue des deux mondes du 1ᵉʳ septembre 1926, p. 195. Dans cette phrase effer-
vescente, Lamartine paraît être à la fois *prophète* comme Isaïe, *précurseur* comme
saint Jean-Baptiste, et *attendu* comme Jésus-Christ.

3. Article nécrologique du *National,* 17 mars 1869, cité par H. GUILLEMIN,
Le « Jocelyn »..., p. 743.

propre désastre, il se rallia aux Orléans comme à une planche de salut. Ce royaliste n'a donc commencé d'exister politiquement que quand la vieille royauté s'est éteinte. Il rejeta alors catégoriquement le légitimisme comme parti, ne tarissant pas de sarcasmes contre l'attitude des « carlistes » français, obstinés à ignorer le fait dans un temps d'extrême péril, et faisant le jeu de l'« anarchie », alors que se déclare « un *to be or not to be* sur toute l'Europe » [1]. Évidemment, il ne répudiait pas moins l'autre extrême, les « jacobins ». Quant aux partis issus de Juillet, aux fractions diverses de ce centre louis-philippiste, vainqueur de 1830, auquel par sa position il se rattache lui-même, il n'est pas davantage en communion avec eux : car le centre n'a pas compris non plus la société nouvelle; il n'a pas su en mobiliser les forces latentes. Il faut dégager ces forces pour gouverner selon le vœu social profond, en application du décret de Dieu. C'est en ce temps-là le caractère fondamental de la politique humanitaire, de placer la souveraineté véritable, au-delà des rouages constitutionnels et du jeu des pouvoirs positifs, dans les aspirations de la masse humaine et en Dieu, supposés par postulat en communion l'un avec l'autre. Lamartine donne de cette doctrine une version originale : il fait entrer dans un schéma humanitaire un projet passablement conservateur, où la propriété et l'ordre tiennent leur place traditionnelle. C'est un humanitarisme curieusement étranger à l'esprit d'utopie et aux systèmes de transformation radicale. Il ne faudrait pas en conclure trop vite que, dans la politique de Lamartine, la forme « avancée » recouvre un fond banal. Ce qui le sépare des ministres de Louis-Philippe est très réel : c'est, outre la place qu'il donne au vœu des masses, c'est-à-dire à la nécessité d'une adhésion populaire au gouvernement, l'orientation vers l'avenir, et aussi, une certaine idée du Pouvoir difficilement compatible avec le pur esprit libéral. C'étaient là alors des caractères qui distinguaient l'esprit de la démocratie humanitaire, et leur présence chez Lamartine atteste une affinité réelle avec cette région de l'opinion.

Il ne s'agit plus pour lui de se résigner seulement à ce qui s'est produit depuis 1789; il faut, d'une certaine façon, le révérer et l'accomplir plus pleinement : « La Révolution-principe est une des grandes et fécondes idées qui renouvellent de

---

1. Voir notamment les lettres du 5-6 août et du 12 octobre 1830, à Virieu, dans LAMARTINE, *Corr. gén.*, t. I, pp. 55-56, 65-66.

temps en temps la forme de la société humaine; [...] l'idée de liberté et d'égalité légales est autant au-dessus de la pensée aristocratique et féodale que le christianisme est au-dessus de l'esclavage ancien [...]. Une idée que le monde entier avoue, adopte, conçoit, défend, ne peut être une erreur : l'erreur est dans sa pratique incomplète, mais non dans sa nature. Plusieurs siècles passeront sur nos tombes avant que cette idée ait enfin trouvé sa vraie forme, mais tout indique qu'à travers des flots de sang et de misères, elle la revêtira enfin; alors le monde sera transformé [1]. » Dans la brochure *Sur la politique rationnelle,* qui est sa profession de foi politique au début du nouveau règne, il compare plus explicitement encore la métamorphose actuelle de l'humanité à l'avènement du christianisme : « L'humanité est jeune, sa forme sociale est vieille et tombe en ruines; chrysalide immortelle, elle sort laborieusement de son enveloppe primitive pour revêtir sa robe virile, la forme de sa maturité. Voilà le vrai! Nous sommes à une des plus fortes époques que le genre humain ait à franchir pour avancer vers le but de sa destinée divine, à une époque de rénovation, et de transformation sociale pareille peut-être à l'époque évangélique [2]. »

Il est essentiel de souligner que la politique au service de Dieu selon Lamartine exclut toute théocratie; parmi ce qui lui semble à jamais mort, il place la sujétion de la société à un clergé dogmatique : « Je tiens au *rationnel,* et en choses de fait comme la politique, je ne crois à rien d'autre. De l'absolu et du divin, il n'y en a pas de visible en ceci [3]. » Dieu n'agit en politique que par l'intermédiaire de notre raison humaine, en laquelle se manifeste son verbe; le règne final du christianisme « ne sera autre chose que l'époque rationnelle, le règne de la raison, car la raison est divine aussi » [4]. La « politique rationnelle » doit donc s'entendre dans un sens à la fois laïque et transcendant. Elle repose bien sur une foi; mais « cette foi, c'est la raison générale; la parole est son organe, la presse est

1. Lettre du 24 octobre 1830, à Virieu, *Corr. gén.,* t. I, p. 69.
2. *Sur la politique rationnelle,* Paris, octobre 1831, p. 19. Cet ouvrage se présente comme une « Lettre à M. le Directeur de la *Revue européenne* »; cette revue en publia des fragments en ce même octobre 1831 (t. I, p. 125 et suiv.). Des développements analogues à ceux de cette brochure se retrouvent dans le *Résumé politique* qui conclut le *Voyage en Orient*; la date de composition de ce résumé ne nous est pas connue, mais ne peut dépasser 1834.
3. Lettre du 29 mars 1832, à Virieu, *Corr. gén.,* t. I, p. 265.
4. *Sur la politique rationnelle,* p. 111.

son apôtre ; elle se répand sur le monde avec l'infaillibilité et l'intensité d'une religion nouvelle » [1].

Lamartine et Lamennais.

C'est ici le lieu de dire quelques mots des relations de pensée qui ont pu exister entre Lamartine et Lamennais. On les a beaucoup étudiées et, pour commencer, beaucoup exagérées, étant admis, pour des raisons évidentes d'âge et de dates, que l'influence a dû s'exercer de l'abbé sur le poète. On en est beaucoup revenu aujourd'hui [2]. En fait, les carrières spirituelles des deux hommes ne coïncidèrent qu'un moment, et partiellement. D'une part, Lamartine n'a jamais réellement acquiescé à ce que nous appellerions aujourd'hui l'intégrisme catholique du premier Lamennais, encore moins à son ultramontanisme. Il a lu avec admiration en 1818 le premier volume du fameux *Essai sur l'indifférence* de l'abbé ; une lettre l'atteste, mais qui exprime plutôt une espèce de sympathie sentimentale et littéraire ; Lamennais, en fin de compte, y est appelé « un auteur d'un autre siècle » [3] : sous la plume de Lamartine, ces mots traduisent, déjà à cette date, l'impossibilité d'accepter sérieusement les doctrines rétrogrades de l'abbé. En 1830, quand Lamennais, évoluant selon ses propres motifs, conçut une union de la religion et de la liberté, on ne peut dire que Lamartine l'ait suivi sur cette voie : il l'y avait plutôt précédé. Naturellement, il acclama cette évolution, approuva la fondation de *L'Avenir* [4], entra en relation avec les jeunes disciples mennaisiens du *Correspondant* et de la *Revue européenne* [5], approuva Lamen-

1. *Voyage en Orient*, t. III, pp. 206-207 : passage daté, dans l'édition, du 24 mai 1833.
2. Les conclusions de Christian MARÉCHAL (*Lamennais et Lamartine*, Paris, 1907), qui voit dans la pensée de Lamartine, à partir de 1818, un reflet de celle de Lamennais, ont été sérieusement contestées par les critiques plus récents (voir H. GUILLEMIN, *Le « Jocelyn »...*, p. 191 et suiv., et Jean-René DERRÉ, *Le Renouvellement de la pensée religieuse en France de 1824 à 1834*, Paris, 1962, p. 562 et suiv.).
3. Lettre du 8 août 1818 et jours suivants, à Virieu, *Corr.*, t. I, p. 32.
4. Lettre du 19 février 1831, à Lamennais, publiée dans *Annales romantiques*, t. III, 1906 (reproduite au t. I, p. 117 de la *Corr. gén.*).
5. La *Politique rationnelle*, on l'a vu, parut en partie dans la *Revue européenne* ; Lamartine trouvait *Le Correspondant* timoré (voir la lettre du 19 février 1831 à

nais de « confesser la liberté devant les uns et le Christ devant les autres » [1]. Cependant Lamennais restait, en ce temps-là, foncièrement théocrate, faisant dépendre le sort du monde de l'acquiescement de la papauté à ses doctrines. Et Lamartine, en cette période de relative fraternité d'idées, continuait, comme nous l'avons vu, à rejeter ouvertement la théocratie; il le fait dans la lettre même, si enthousiaste, qu'il écrit à Lamennais pour le féliciter de la publication de *L'Avenir* : il croit, dit-il, à « la vérité divine se manifestant avec les temps aux intelligences, réfléchissant ses rayons dans les esprits, dans les cultes, dans les lois, dans les mœurs »; si c'est ce qu'on entend par théocratie, « cette théocratie, déclare-t-il, est la mienne »; par contre, « si vous entendiez une théocratie sensible et réalisée temporellement dans une forme de gouvernement humain, vous n'êtes plus les hommes de l'avenir, mais d'un passé que vous sauriez ranimer » [2]. La distinction est claire entre ce qu'il appelle une « théocratie religieuse et intellectuelle », qui est sa doctrine, et une théocratie dogmatique et cléricale à laquelle il voudrait voir Lamennais renoncer. On fait valoir aussi que l'idée lamartinienne de la raison générale, reflet de la raison divine, semble répéter, dans les termes mêmes, un des éléments constitutifs de la théologie mennaisienne. Mais Lamennais avait formulé sa doctrine de la raison générale, porteuse des vérités divines, en vue d'asseoir l'autorité des dogmes catholiques, dont il croyait retrouver l'empreinte à travers les croyances de toute l'humanité; Lamartine, à l'opposé de l'abbé, n'invoque la raison générale que pour justifier le rejet des dogmes particuliers. En 1830 et 1831, il était, en matière de christianisme humanitaire, bien en avant de Lamennais. Celui-ci, poursuivant la logique dramatique qui était la sienne, ne le rejoignit que pour le dépasser. En 1835, ayant rompu avec l'Église et écrit les *Paroles d'un croyant,* il trouve mesquins et vides les projets politiques de Lamartine; il écrit à un de ses disciples, qui avait rendu visite au poète : « Laisse-le faire, comme il l'entendra, son parti social, qui ne sera jamais

---

Cazalès, *Corr. gén.,* t. I, pp. 118-119); il essaya en vain d'opérer la fusion du *Correspondant* avec *L'Avenir,* plus hardi (lettre du 2 mai 1831 à Lamennais, signalée, *ibid.,* p. 138).

1. Lettre du 5 novembre 1831, à Aimé Martin, *Corr. gén.,* t. I, p. 217.
2. Lettre du 19 février 1831, à Lamennais, déjà citée.

qu'un arrière-bâtard du vieux parti doctrinaire [1]. » De son côté, Lamartine fut effrayé par les *Paroles d'un croyant* : « C'est en deux mots, écrit-il, l'Évangile de l'insurrection, Babeuf divinisé. Cela me fait grand tort à moi et à mon parti futur, parce que rien ne tue une idée comme son exagération [2]. » Les deux hommes n'ont eu, en fin de compte, de vraiment et significativement commun que leur marche analogue, quoique différemment tracée, de l'attachement au passé à la religion de l'avenir. Mais ils ne sont pas les seuls, en ce temps-là, à avoir fait ce voyage.

Le « *parti social* » et l'« *idée des masses* ».

Une des vertus de la « politique rationnelle » serait d'éteindre les vieilles disputes des partis, selon le vœu de la nouvelle génération [3]. Devant l'improbabilité de cette réconciliation, Lamartine imagina un parti nouveau, éclos de sa pensée : un « parti social », c'est-à-dire un rassemblement d'hommes qui fût représentatif de la société entière. C'était sa grande idée en 1834, après son entrée à la Chambre des députés [4]. En janvier, il parle à son père du « plan d'organisation future d'un nouveau parti de royalisme avancé et impartial »; il l'assure du succès qui viendra en son temps : « Croyez-moi bien, j'ai l'instinct des masses [5]. » Il est question, en février, de fonder « une *revue politique,* première expression, dit-il, de nos idées gouvernementales », mais ce projet, dès mars, est suspendu [6]. En général, Lamartine parle de son futur parti plutôt comme d'une idée destinée à triompher que comme d'une organi-

1. Lettre du 31 janvier 1835 à Eugène Boré, citée par Chr. MARÉCHAL, *op. cit.,* p. 313, avec référence à la *Revue britannique* de novembre 1894, pp. 61-63.

2. Lettre du 9 mai 1834, à Virieu, *Corr. gén.,* t. II, p. 43. Il conservait cependant son estime à Lamennais : voir sa lettre à Sainte-Beuve du 23 novembre 1836, *ibid.,* p. 239.

3. *Voyage en Orient,* t. I, p. 17.

4. Le « parti social » est expressément nommé dans le discours de Lamartine à la Chambre, du 13 mars 1834 : voir *La France parlementaire (1834-1851). Œuvres oratoires et écrits politiques par Alphonse de Lamartine,* éd. Louis Ulbach, Paris, 1864-1865, 6 vol., t. I, p. 30.

5. Lettres à son père du 9 et du 17 janvier 1834, *Corr. gén.,* t. II, pp. 5 et 12.

6. Lettres à Virieu du 17 février et du 17 mars 1834, *ibid.,* pp. 23 et 32.

sation à mettre sur pied. Il entend s'adresser à la « véritable
majorité pensante de ce siècle » [1]. Dans ce sens, le parti social
existe déjà : « Il est né viable, écrit-il. Il a des racines qui
ne périront pas [...]. Il a été saisi et formulé par tant de
cœurs droits et de fortes intelligences qu'il sera maître des
choses avant dix ans et, je crois, avant cinq [2]. » En 1839,
Lamartine dit encore : « Le parti social, ce n'est pas encore
un parti; c'est bien plus, c'est une idée [3]. » En fait, il n'exista
jamais en tant que parti [4].

L'impuissance des partis existants tient, selon Lamartine, au
fait qu'aucun d'eux ne bénéficie d'une autorité sociale suffisamment large et indiscutée, alors que la société moderne, en
inaugurant « l'époque du droit et de l'action de tous » [5], a
frappé de faiblesse toute assiette partielle du pouvoir. Ce pouvoir qui n'appartient plus au monarque, ni à l'aristocratie, ni
au clergé, ni à leur conjonction, parce que le droit politique
moderne se fonde sur la société tout entière, pourquoi appar-
tiendrait-il légitimement à la « classe moyenne », comme le
voudraient Guizot et les hommes du Juste Milieu? À cette
« base étroite et précaire » Lamartine oppose « l'universalité des
droits et des intérêts » comme fondement véritable de la société
issue de la Révolution [6]. Il ne manque aux masses que des
lumières proportionnées à leur droit : « Il faut tourner en bas
le miroir de la civilisation, c'est l'œuvre de ce temps-ci. Toutes
ces régions de l'humanité doivent être éclairées à leur heure
par cette clarté générale que les sommets trop élevés leur

1. *Sur la politique rationnelle*, p. 10; voir aussi *Des destinées de la poésie*,
brochure de 1834, dans l'édition Lanson des *Méditations*, Paris, 1915, 2 vol.,
t. II, p. 423.
2. Lettre du 3 juin 1834 à Virieu, *Corr. gén.*, t. II, p. 49.
3. Discours à la Chambre du 19 juillet 1839, dans *La France parlementaire*,
t. II, p. 160.
4. Il faut remarquer, à propos du « parti social », que cette dénomination
politique a été avancée, dans la même année 1834, par Jules Lechevalier, ancien
saint-simonien, puis fouriériste, qui avait fondé au début de l'année une *Revue
du progrès social*, où il professait un louis-philippisme plus ou moins progressiste.
La revue publia en juin un article anonyme, probablement de lui, intitulé *Du
parti social* (t. I, p. 557 et suiv.) et fit état de la sympathie de Ballanche, Victor
Hugo et Lamartine, attestée par trois lettres, une de chacun de ces écrivains
(pp. 571, 592 et suiv.). Je ne sais quels contacts plus étroits ont pu exister entre
Lechevalier et Lamartine. Je ne les vois signalés nulle part.
5. *Sur la politique rationnelle*, p. 30.
6. Discours à la Chambre, *Sur les fonds secrets*, 5 mai 1837, dans *La France
parlementaire*, t. I, p. 358.

dérobaient autrefois; on n'a nivelé la terre que pour cela depuis cinquante ans [1]. » C'est dans cette extension de la base du pouvoir à toute la société, et non dans l'élévation d'une classe gouvernante nouvelle à la place de l'ancienne, que réside le fait nouveau, irréversible. Vouloir l'ignorer, c'est méconnaître « la pensée de la France [...], la pensée de la Providence et des temps » [2]. Cette pensée, qui fut constamment celle de Lamartine, fait reposer le gouvernement sur l'« idée des masses » [3], prolétariat industriel compris [4]. De telles vues, qui peuvent sembler aujourd'hui aller de soi, n'étaient pas communes alors dans la classe politique en général, encore moins dans le secteur orléaniste auquel Lamartine, malgré tout, se rattachait. Lamartine était convaincu que céder à la logique de la démocratie était le meilleur moyen de conserver l'essentiel : la propriété, la loi du travail, l'ordre. L'immense majorité de la nation souhaitant cette conservation, l'exercice universel des droits politiques présenterait plus d'avantages que de dangers : il communiquerait au pouvoir, pour conserver autant que pour réformer, une force irrésistible, bien autre que celle des ministères de routine et d'expédients de la monarchie censitaire. Il n'a pas varié sur ce point entre 1830 et 1848; c'est dans cet esprit qu'il a gouverné après Février, pactisant avec la gauche avancée pour la contenir, comme fait le paratonnerre avec la

---

1. Lettre à M. de Cormenin, s.d., *Corr.*, t. IV, p. 159. On peut sûrement dater cette lettre de 1843, en raison de la mention qui y est faite de la lettre (sur le même sujet de l'éducation populaire) à M. Chapuys-Montlaville comme devant être bientôt imprimée : cette lettre datée du 6 juillet 1843 fut effectivement publiée dans *La Revue indépendante* du 10 août 1843 (t. IX, p. 357 et suiv.) sous le titre « Des publications populaires »; on peut aussi la lire dans *La France parlementaire*, t. III, p. 386.

2. Discours *Sur les fonds secrets*, déjà cité, *ibid.*, t. I, p. 356.

3. Discours à la Chambre, du 10 janvier 1839, *Sur la discussion de l'adresse*, voir *ibid.*, t. II, p. 148; et même expression dans le *Discours à l'Assemblée nationale*, 14 septembre 1848, *ibid.*, t. V, p. 417.

4. On sait l'importance qu'il attachait à la question ouvrière : voir, dès 1832, ses *Considérations préliminaires sur la question à proposer par l'Académie de Mâcon*, dans l'édition Gosselin-Furne des *Œuvres*, 1832, t. IV, p. 411 et suiv.; et aussi le discours à la Chambre du 3 février 1835 *Sur les caisses d'épargne*, dans *La France parlementaire*, t. I, p. 109; contre la politique purement répressive face aux émeutes ouvrières, le discours à la Chambre du 13 mars 1834, *Sur la loi contre les associations*, *ibid.*, t. I, p. 34 et suiv., et celui du 30 décembre 1834, *Sur l'amnistie*, *ibid.*, t. I, p. 100. Voir, sur cette question, H. GUILLEMIN, « Lamartine et la question des prolétaires », *Revue de France*, 15 août 1939, p. 480 et suiv. (article recueilli dans *Lamartine et la question sociale*, p. 195 et suiv.).

foudre, selon sa fameuse comparaison [1] : moins machiavélique en cela que sincèrement convaincu de tracer, moyennant d'indispensables réformes, la seule voie possible de l'intérêt et du salut communs.

Pouvoir et liberté.

Cette idée d'un pouvoir enfin revêtu de la force nécessaire colore curieusement le démocratisme de Lamartine. Il a rencontré la démocratie dans la quête, qui l'occupe dès la Restauration, d'un pouvoir moderne capable de s'affirmer de façon durable, de clore, par son évidente convenance aux temps nouveaux, une longue période de divisions. Voici comment il définit une politique moderne : « Raison, vérité et liberté, tout est là, après toutefois *pouvoir,* plus nécessaire encore [2]. » La démocratie se recommande précisément à ses yeux par le fait qu'elle est, désormais, la seule génératrice de pouvoir réel : « L'esprit social a remplacé l'esprit monarchique. C'est à cet esprit nouveau qu'il faut demander de la force pour l'avenir [3]. » En attendant, et tant qu'il a cru le régime de Juillet perfectible, Lamartine a soutenu le pouvoir royal contre les menaces que la « Coalition » des partis faisait peser sur lui; son soutien à Molé et au roi en cette occasion a étonné à tort : il veut que « les ressorts du gouvernement ne soient ni brisés ni même forcés par d'autres ressorts » [4]. Il ne veut pas non plus de la décentralisation des pouvoirs : « Votre système se résout par l'individualisme, la chose la moins patriotique et la *moins humaine*; le mien par la collection et l'unité donnant à l'action humaine l'intensité et l'irrésistibilité d'une action divine. Vous oubliez trop la grande utilité des gouvernements : c'est de produire non pas seulement la liberté, le droit, la sécurité, mais la force sociale pour opérer ce que Dieu veut gérer par l'homme et pour l'homme [5]. » L'individualisme, mot et idée, est d'usage

1. *À l'Assemblée constituante,* 30 mai 1848 (*La France parlementaire,* t. V, pp. 316-317).
2. Lettre du 25 mars 1832, déjà citée, à Virieu, *Corr. gén.,* t. I, p. 265.
3. Discours à la Chambre du 13 mars 1834, déjà cité (*La France parlementaire,* t. I, p. 37).
4. Discours à la Chambre du 10 janvier 1839, déjà cité (*ibid.,* t. II, p. 143).
5. Lettre du 12 septembre 1838, à Virieu, *Corr.,* t. IV, p. 470.

péjoratif chez Lamartine. « Social », « sociabilité » [1], voire
« socialisme », sont les mots que Lamartine emploie pour exprimer l'idée opposée : en 1834, il prévoit que la classe des
prolétaires, dans sa condition déplorable, « remuera la société
jusqu'à ce que le *socialisme* ait succédé à l'odieux individualisme » [2]. Le mot de socialisme n'effrayait pas encore trop à
cette date; Lamartine n'y met, bien sûr, aucune menace à la
propriété; le mot désigne seulement sous sa plume un état de
choses dans lequel un pouvoir fort, appuyé sur le vœu des
masses, peut opérer le progrès sans craindre la subversion.

Une doctrine du pouvoir et de l'unité sociale prolongeait
mieux sans doute la pensée première de ce gentilhomme royaliste et catholique qu'une philosophie des droits de l'individu.
On peut constater, par exemple, que le saint-simonisme, loin
de produire chez lui la même réaction hostile que chez les
libéraux, lui sembla d'une certaine façon sympathique : « Le
saint-simonisme, écrit-il dans le *Voyage en Orient,* a en lui
quelque chose de vrai, de grand et de fécond »; il reproche
aux adeptes de cette doctrine d'avoir mal entendu la religion
et la propriété (c'est dire combien il est loin d'eux), mais ne
dit mot des conceptions autoritaires de la secte, séduit qu'il
est par le rejet saint-simonien des partis existants et la recherche
d'une formule sociale neuve : « Je ne doute pas, ajoute-t-il,
que si un homme de génie et de vertu, un homme à la fois
religieux et politique, confondant les deux horizons dans un
regard, à portée juste et longue, se fût trouvé placé à la direction
de cette idée naissante, il ne l'eût métamorphosée en une
puissante réalité. » C'est là un de ces autoportraits inavoués
qui jalonnent l'œuvre de Lamartine. Ce qui reste des saint-
simoniens lui paraît sans doute fournir de bonnes recrues pour
le parti social : « Avant les grandes révolutions, on voit des
signes sur la terre et dans le ciel; les saint-simoniens ont été
un de ces signes : ils se dissoudront comme corps, et feront
plus tard, comme individus, des chefs et des soldats de l'armée
nouvelle [3]. »

---

1. Voir la lettre du 29 mars 1834 à Anacharsis Combes, *Corr. gén.,* t. II, p. 34.
2. *Résumé politique,* concluant le *Voyage en Orient, op. cit.,* t. IV, p. 241; voir
aussi dans une lettre du 28 décembre 1837, à Virieu, *Corr.,* t. III, p. 443 : « J'ai
30 hommes à moi à présent dans la Chambre, des *socialistes.* »
3. *Voyage en Orient,* t. III, p. 179, passage daté « mai 1833 ». Le saint-simonisme était déjà déclinant à cette date; mais en ce même mois de mai 1833,
Lamartine avait reçu à Smyrne une lettre de Cognat, saint-simonien, l'un des

Un homme aussi imbu de sa mission providentielle, proclamant la déchéance des partis existants et la primauté du pouvoir sur toute autre condition de la vie sociale, en vue de l'accomplissement d'une régénération nécessaire, inquiéterait aujourd'hui. Pourtant, la bonne foi libérale de Lamartine n'est pas suspecte et, de fait, sa carrière devait prendre fin avec la ruine des libertés publiques en France. Mais la liberté n'était entrée dans sa pensée que par voie indirecte, appelée par l'avènement du « droit de tous ». Elle lui avait semblé tout d'abord une chimère politique, en un temps où il concevait déjà la nécessité d'un pouvoir moderne et d'un mode nouveau d'existence sociale. Il en avait ensuite adopté l'idée avec modération, l'identifiant avec la justice, l'absorbant ainsi dans une loi supra-individuelle :

> *La liberté que j'aime est née avec notre âme*
> *Le jour où le plus juste a bravé le plus fort* [1].

Il se rendait sans doute compte, après Juillet, que dans la conscience publique l'idée de liberté, loin de se subordonner à aucune autre, était ressentie comme la révélation primordiale des temps nouveaux; il la célèbre lui-même ainsi : « Une idée vraie, une idée sociale descendue du ciel sur l'humanité n'y retourne jamais à vide; une fois qu'elle a germé dans quelques cœurs droits, dans quelques esprits logiques et sains, elle porte en soi quelque chose de divin, d'immortel, qui ne périt plus tout entier »; au jour fixé, l'idée vivace revient, elle éclôt partout, « toutes les opinions l'avouent comme le fond de leur pensée commune »; or, « l'idée de liberté a tous ces caractères » [2]. Il continuait pourtant à définir la liberté comme une sorte de vitalisation collective plutôt que comme une prérogative de l'individu; elle est pour lui « le seul grand moyen d'action des

---

« Compagnons de la Femme » partis pour chercher en Orient la Mère qui devait former avec Enfantin le couple pontifical de la nouvelle Église. Nous avons la réponse de Lamartine, où il décline tout rôle mystique, mais qualifie élogieusement les aspirations saint-simoniennes (voir *Corr. gén.*, lettre du 29 mai 1833, à M. Cognat, t. I, p. 340). Les réflexions du *Voyage* sur le saint-simonisme sont peut-être nées de cet échange de lettres. Déjà en 1831, Lamartine tenait le saint-simonisme pour « un heureux symptôme ». (*Sur la politique rationnelle*, p. 108.)

1. *À Némésis* (1831), strophe 11 (*Œuvres poét. compl.*, p. 509).
2. *Sur la politique rationnelle*, pp. 99-100.

temps modernes, car elle est la seule grande pensée commune; [...] un libéralisme créateur et justificateur doit renouveler et reconstituer le monde politique » [1].

C'est dans cet esprit qu'il subordonne la liberté à des fins plus hautes qu'elle : « La liberté, écrit-il, est conquise, elle est assurée, elle est inviolable, quels que soient le nom et la forme du pouvoir, mais la liberté n'est pas un but, c'est un moyen. Le but, c'est [...] la raison, la justice et la charité appliquées progressivement dans toutes les institutions politiques et civiles, jusqu'à ce que la société politique, qui n'a été trop souvent que la tyrannie du fort sur le faible, devienne l'expression de la pensée divine, qui n'est que justice, égalité et providence [2]. » Après sa chute, il disait encore : « Le règne de Dieu par la raison de tous s'appelle la République [3]. » La liberté donc seulement comme moyen, pour que se manifeste dans la collectivité une raison émanée de Dieu. Une telle vue n'est soutenable, sur le plan moderne, que moyennant un correctif dont la nécessité n'a pas échappé à Lamartine, à savoir l'exclusion de dogmes préconçus figurant la pensée divine. Lamartine qui semble, d'accord avec la tradition des Lumières, tenir de tels dogmes pour de pures créations humaines écrit, pour éclairer sa référence à la raison divine : « Je ne veux pas mettre ma pensée à la place de la pensée inconnue de Dieu [4]. » L'impénétrabilité de la pensée providentielle et, par suite, de l'avenir a été, dans toute cette époque, un des garde-fous libéraux de la démocratie modérée : nul ne possédant le secret des voies que Dieu trace, il faut en conclure qu'il nous a laissé le soin de les percevoir par nous-mêmes, dans un libre débat. Par là le dogme se trouve exclu de l'État, et renvoyée à un avenir indéfiniment lointain la restauration de l'unité de croyance : « Elle réapparaîtra un jour dans le monde, quand une foi presque unanime aura rallié l'esprit humain. Que Dieu fasse avancer ce jour [5] ! » En postulant, contre les dogmes et systèmes, le caractère problématique de l'avenir, une démocratie de ten-

---

1. Lettre du 21 mai 1831, à Armand Saullay de L'Aistre, *Corr. gén.*, t. I, p. 145.

2. Lettre du 10 octobre 1836, à Martin Doisy, *ibid.*, t. II, p. 232.

3. *Discours au peuple, prononcé à la cérémonie de l'inauguration de la Constitution*, 19 novembre 1848 (*La France parlementaire*, t. VI, p. 31).

4. Lettre du 30 octobre 1836, à Virieu, *Corr. gén.*, t. II, p. 237.

5. *L'État, l'Église et l'enseignement*, article paru dans *Le bien public* de Mâcon, 26 et 30 novembre 1843, reproduit dans *La France parlementaire*, t. III, p. 467.

dance instinctivement unitaire avoue la logique libérale à laquelle elle ne peut se soustraire.

Démocratie et libéralisme pouvaient donc fraterniser; ils ne coïncidaient pas encore en ce temps-là. Si la démocratie fait coïncider la foi du groupe et la liberté de ses membres, c'est, selon Lamartine, parce qu'il y a « une croyance commune, une foi nationale », et que « quand un peuple en est là, il est mûr pour la liberté » [1]. On reconnaît ici le penchant des démocrates d'alors à inclure la liberté dans une communauté préalable de pensée, à la célébrer comme le corollaire d'une foi commune plutôt que comme la source légitime d'une pluralité, et d'une façon générale de s'en référer à une foi plutôt qu'à un droit, à la totalité sociale plutôt qu'à ce qui lui résiste : « La démocratie? C'est l'unité! La révolution? C'est l'unité! Le vrai libéralisme? C'est l'unité [2]! » Ces formules ne s'accordent pas trop bien avec d'autres, selon lesquelles la souveraineté sociale est « partout », « dans chaque individu », et la Révolution s'est faite précisément en France « pour individualiser notre société politique » [3]. Le conflit des deux doctrines devait s'amortir en Occident, moyennant l'élimination du libéralisme censitaire jointe à l'acceptation démocratique du pluralisme. La synthèse unité-liberté a beaucoup préoccupé la pensée humanitaire; elle n'est pas facile à formuler avec rigueur, l'unité et la liberté, double condition de l'existence sociale, étant contradictoires dans leurs principes. L'expérience et la logique nous inclinent aujourd'hui vers un primat de la liberté. Elle n'a de sens qu'imprescriptible, et il en résulte qu'aucune unité de croyances ni de volonté n'a de légitimité contre elle, ni ne mérite son nom si elle n'est libre elle-même. Mais, d'autre part, la liberté ne pouvant être l'unique lien du corps social, doit souffrir des limites. Lamartine a naturellement vu le problème, et a réagi devant lui de façon originale par rapport aux doctrinaires du pur libéralisme [4]. Sa réponse, plus démocratique, reste quelque

1. *Discours au banquet offert par la ville de Mâcon à M. de Lamartine*, 4 juin 1843, *ibid.*, p. 373.
2. *Ibid.*, pp. 379-380.
3. Discours à la Chambre du 15 février 1842, *ibid.*, pp. 162-163.
4. Voir, par exemple, ses prises de position sur le partage de l'individu et de l'État en matière économique : *Sur la liberté du commerce*, 14 avril 1836, *La France parlementaire*, t. I, p. 223 et suiv.; *Sur les chemins de fer*, notamment 9 mai 1838, *ibid.*, t. II, p. 111 et suiv.; *Du droit au travail*, article de décembre 1844, *ibid.*, t. IV, p. 103 et suiv.; *Sur l'association houillère de la Loire*, 25 mars 1846, *ibid.*, t. IV, p. 339 et suiv.

peu confuse. Mais c'est le propre des antinomies comme celle-là d'offrir peu de chances à des solutions de pure logique.

Le grand projet.

Convaincu que la démocratie était déjà victorieuse dans son principe, et que la nécessité et l'opinion la transporteraient bientôt dans les faits, Lamartine ne varia que sur les moyens d'aider à cet avènement. Sa pensée a moins changé que sa tactique. Au début, il espéra surtout convertir les royalistes et les conservateurs, en particulier cette fraction d'entre eux qui avait été conquise au catholicisme libéral du Lamennais de 1830; il comptait fonder sur ce public son « parti social » [1]. En 1839, il espère encore « une réconciliation [...] entre le juste milieu et la sommité sociale », c'est-à-dire entre la bourgeoisie philippiste et l'aristocratie : moyennant quoi la gauche sera attirée et modifiée dans un sens moins subversif : « C'est là, dit-il, tout le secret de ma manœuvre [2]. » Il se convainquit finalement qu'il n'y avait rien à attendre des tenants du passé, légitimistes ou ministres de Louis-Philippe, ni de leur public, et que la force politique telle qu'il l'entendait était ailleurs. Il se résolut donc à une manœuvre inverse de celle qu'il avait d'abord tentée; c'était la gauche qu'il fallait amener à ses vues. Tel fut le motif dominant de son passage à l'opposition et de sa déclaration de guerre au régime en 1842-1843. La rupture se consomma, le 27 janvier 1843, par son *Discours sur l'adresse* [3], mais dès 1841 il se sentait destiné à relever le drapeau déchiré et souillé de la Révolution, « et à le porter comme un grand et honnête démocrate en réserve [4] ». Il ne faudrait cependant pas croire que, devenu effectivement un des chefs de la démocratie, il ait dû pour cela changer de principes. Il s'était dit très tôt « révolutionnaire », « socialiste »; dès le début, il avait

1. Voir la lettre du 22 décembre 1831, à Cazalès (*Corr. gén.*, t. I, p. 234); c'est aux jeunes gens de la *Revue européenne* qu'il adresse en 1831 sa *Politique rationnelle*; voir aussi ses lettres à son père du 9 janvier et du 6 février 1834 (*ibid.*, t. II, pp. 5 et 19) et son discours à la Chambre *Sur la Vendée*, le 3 février 1834 (*La France parlementaire*, t. I, p. 21 et suiv.).
2. Lettre à Virieu, février 1839, *Corr.*, t. IV, p. 4.
3. *La France parlementaire*, t. III, p. 288 et suiv.
4. Lettre du 15 octobre 1841 à M. de Champvans, *Corr.*, t. IV, p. 114.

eu en vue de grandes choses : et cependant, ni en 1843 ni en 1848, il ne s'est départi de sa pensée modératrice fondamentale [1]. Il crut seulement, et de plus en plus, que la France ne pouvait éviter le pire qu'au prix de réformes nécessaires, manifestement voulues de Dieu.

Il ne changea pas davantage dans la façon dont il concevait sa destinée personnelle. Il eut la conviction de posséder seul la formule du présent selon les hommes et Dieu, d'être seul capable de la dégager et, le jour venu, de la faire triompher. D'une telle conviction – démesure et fléau virtuel chez d'autres, naïveté chez lui – il ne faisait qu'à moitié confidence, jugeant inopportun de se découvrir tout à fait avant le temps voulu et se croyant requis pourtant de donner l'éveil aux esprits. Dès ses débuts, il écrit à son père qu'il a conçu un système politique qu'il ne révélera que « successivement ». « Vous vivrez assez pour le voir éclore [...]. En attendant, ne prenez aucune inquiétude. Celui qui m'inspire me soutiendra [2]. » Quand il fut passé à l'opposition, il ne cacha pas à ses collègues de la Chambre qu'il se tenait en réserve pour une grande tâche à venir : « Il y a une seule chose à faire pour les hommes qui, comme moi, se différencient chaque jour davantage du système qui compromet le pays au dedans et les affaires au dehors : une seule chose, c'est de se ranger, de se compter, de s'isoler. » En effet l'opinion est inerte, et il faut que de grandes circonstances la réveillent : « L'heure n'est pas venue [...] Je ne conseillerai jamais, pour ma part, à l'opposition de prendre le gouvernement avant une *crise* [3]. » Il disait le fond de sa pensée à ses correspondants : « *J'ai un but* [...]; personne ne sait lequel, excepté moi. J'y monte au pas que le temps comporte, et pas plus vite, assez vite pour être un peu en avant, assez lentement pour n'être pas tout à fait abandonné en route. Ce but est *impersonnel et uniquement divin*. Il se dévoilera plus tard [4]. » Étant celui

---

1. Voir, par exemple, sa lettre à M. de Beaumont du 17 octobre 1843, publiée par H. Guillemin dans la *Revue de France* du 1er septembre 1935 (et dans Lamartine, *Lettres inédites, 1820-1851, op. cit.*, p. 77); aussi la lettre du 24 mars 1844 à sa nièce Alix de Pierreclos, publiée par P. de Lacretelle dans *La Grande Revue* du 25 septembre 1909, p. 221.

2. Lettre du 17 janvier 1834, à son père, *Corr. gén.*, t. II, p. 11.

3. *Discours sur l'adresse*, déjà cité (*La France parlementaire*, t. III, p. 298); *Application possible des principes de l'opposition au gouvernement*, article du 5 novembre 1843 dans *Le Bien public* (reproduit *ibid.*, t. III, p. 458).

4. Lettre du 21 juillet 1843, au saint-simonien Arlès-Dufour, publiée par E. Sakellaridès dans la *Revue latine* du 25 août 1903.

qui sait comment le vœu des masses et la dynamique sociale manifestent la volonté de Dieu, il constate que tous sont aveugles auprès de lui : « Te souviens-tu du temps où j'étais écrasé par la poésie de l'Empire, où Luce de Lancival, Legouvé et Baour étaient des géants dont l'ombre m'étouffait ? Eh bien, c'est la même chose sous tous ces Baour de tribune [1]. » Il aime cette comparaison, il y revient, toujours à propos de sa position à la Chambre : « C'est un état pénible : c'est celui d'un homme qui parle une langue étrangère dans un groupe d'hommes étrangers et qui se consume sans se faire comprendre. J'ai connu cela dans un autre ordre de choses, au commencement de notre vie, quand je me sentais poète plus que Fontanes et que Baour, et que Baour et Fontanes régnaient [2]. » Le rapprochement que fait Lamartine entre les deux situations nous éclaire sur l'équivalence, dans son esprit, de ses divers pouvoirs de rénovation : en évoquant, implicitement, l'éclatant succès de sa poésie, il entend bien prophétiser celui de sa politique. Aucun autre, parmi les poètes missionnaires de son époque, n'a vécu aussi simplement que lui, comme une expérience personnelle, cette sorte de parité de la poésie et de la politique.

---

1. Lettre du 14 janvier 1836, à Virieu, *Corr. gén.*, *op. cit.*, t. II, p. 177.
2. Lettre du 13 janvier 1838, à Virieu, *ibid.*, t. III, p. 446.

II

L'ÉVANGILE PROGRESSIF

La politique, chez lui, n'est pas séparable en tout cas d'une certaine religion. Mais en ce temps de croyances ébranlées et fluides, de quelle religion s'agit-il? Celle de Lamartine est à bonne distance du catholicisme traditionnel. Dès 1831, il dit lui-même à Dargaud, qui le tient pour catholique orthodoxe : « Je le suis un peu des lèvres, mais je ne le suis plus guère de cœur. À vrai dire, je ne l'ai été à aucune époque [...]. Je voulais, j'ai voulu dix ans me reposer dans la tradition. Vainement [1]. » Ces dix ans de vains efforts vont des *Méditations* à Juillet. Désormais, il a pris son parti de ce qu'il est, de ce qu'au fond de lui il a toujours été. S'il est vrai qu'il ait fait du chemin, c'est en pressentant, dès le départ, le terme du voyage. Mais ce terme, qui aurait dû être la profession ouverte de son déisme, sans égard pour ce que ce déisme rejetait, il ne l'a jamais vraiment atteint. Il a donc moins changé qu'il ne s'est dévoilé progressivement, sans se dévoiler jamais tout à fait. Il a évité jusqu'au bout de répudier explicitement la foi traditionnelle quoiqu'il ait suffisamment laissé entendre, d'année en année et d'œuvre en œuvre, ce qu'il ne pouvait plus croire.

Il n'a jamais cessé d'invoquer l'autorité de l'Évangile, mais en l'interprétant à sa façon, comme tant de ses contemporains. Il est, à cet égard, de la famille des rationalisateurs, et non de celle des hérétiques proprement dits, qui remanient les dogmes au gré de leur imagination et de leurs vœux [2]. Il les interprète

1. Journal de Dargaud, reproduit dans Des Cognets, *La Vie intérieure de Lamartine*, Paris, 1913, pp. 184-185. Dargaud était un de ceux qui, dans l'entourage de Lamartine, essayèrent d'influer sur lui dans le sens de la libre pensée déclarée.
2. Voir, dans *Le Temps des prophètes*, le chapitre sur « L'hérésie romantique ».

seulement, quand il ne se contente pas de les ignorer, comme figures des grandes vérités que la raison accrédite à ses yeux. La raison, en 1830, est historienne, et Lamartine place l'enseignement évangélique sous la loi de l'histoire. Dieu a mis dans l'Évangile plusieurs significations, destinées à être successivement et progressivement comprises [1]. Lamartine, sur ce point, s'est prononcé relativement tôt; il suggère, en 1831, une lecture nouvelle du texte sacré : « Le Verbe divin sait seul où il veut nous conduire; l'Évangile est plein de promesses sociales et encore obscures; il se déroule avec les temps, mais il ne découvre à chaque époque que la partie de la route qu'elle doit atteindre » [2]; ou encore : « La loi du progrès ou du perfectionnement, qui est l'idée active et puissante de la raison humaine, est aussi la foi de l'Évangile [...]; plus nos yeux s'ouvrent à la lumière, plus nous lisons de promesses dans ses mystères, de vérités dans ses préceptes, et d'avenir dans nos destinées [3]. »

Cette doctrine, qui élargit l'horizon sans s'en prendre à proprement parler aux dogmes, n'est pas originale; Ballanche et Chateaubriand l'avaient professée avant Lamartine; tant qu'on la borne aux vérités sociales, elle ne réprouve dans l'Église que son alliance avec la contre-révolution. L'originalité de Lamartine est de l'avoir vivifiée et renouvelée en poète, par un luxe magnifique de symboles et de mouvements lyriques, et par une sorte de participation personnelle à la loi divine du changement. Il greffe cette loi, paradoxalement, sur la Toute-puissance qui gouverne l'univers; il la fait surgir dans le sillage et avec le style de la poésie hébraïque. C'est dans le Père omnipotent que tonne la loi de l'histoire, c'est-à-dire de la destruction créatrice; ainsi dans le grand poème des *Révolutions* [4], où le conservatisme se voit tourné en dérision au nom de la puissance de Dieu :

1. On peut remarquer que Lamartine imite Dieu dans cette démarche; lui aussi, on l'a vu, ne se découvre que peu à peu, selon les temps et la maturation des évidences.

2. *Sur la politique rationnelle*, p. 109.

3. *Des devoirs civils du curé*, paru en mars 1832 dans le *Journal des connaissances utiles*. Il en existe un manuscrit, dont GUILLEMIN a fait connaître les variantes dans *Le « Jocelyn »...*, Appendice II, p. 814 et suiv.

4. *Les Révolutions*, poème paru dans le recueil collectif dit *Livre des Cent-et-un*, t. III (début 1832), puis rajouté à la fin du livre IV des *Harmonies* dans l'édition Furne-Gosselin des *Œuvres* de 1832, à la suite du poème de *L'Esprit-Saint*, dont il précise et actualise la pensée. C'est dans les *Harmonies* que Lamartine, dès les années qui précédèrent 1830, avait constitué pleinement son style et son

En vain le cœur vous manque et votre pied se lasse :
Dans l'œuvre du Très-Haut le repos n'a pas place [...]

« *Marche!* » *Sa voix le dit à la nature entière.*
Ce n'est pas pour croupir sur ces champs de lumière
Que le soleil s'allume et s'éteint dans ses mains!
Dans cette œuvre de vie où son âme palpite,
Tout respire, tout croît, tout grandit, tout gravite :
Les cieux, les astres, les humains! [...]

Il ne s'arrête pas pour mesurer l'espace,
Son pied ne revient pas sur sa brûlante trace,
Il ne revoit jamais ce qu'il vit en créant;
Semblable au faible enfant qui lit et balbutie,
Il ne dit pas deux fois la parole de vie :
Son Verbe court sur le néant! [...]

Jéhovah d'un regard lève et brise sa tente [...] [1].

C'est en ce sens qu'il faut interpréter le perpétuel champ de
ruines de l'histoire [2], et renoncer à la chimère de la fixité [3].
L'Écriture même, dans la mesure où elle est faite pour des
hommes, ne saurait y prétendre :

Vos siècles page à page épellent l'Évangile :
Vous n'y lisez qu'un mot et vous en lirez mille;
Vos enfants plus hardis y liront plus avant!
Ce livre est comme ceux des sibylles antiques,
Dont l'augure trouvait les feuillets prophétiques
Siècle à siècle arrachés au vent.

Dans la foudre et l'éclair votre Verbe aussi vole [4] :
Montez à sa lueur, courez à sa parole,

orientation métaphorique touchant la puissance divine, déjà ébauchés dans les
Méditations.
    1. *Les Révolutions*, section I (*Œuvres poét. compl.*, pp. 512-513).
    2. C'est le sujet de la section II du poème, en dizains octosyllabiques, tradi-
tionnels dans l'ode (*ibid.*, pp. 513-516).
    3. Cf. la lettre du 1ᵉʳ mars 1832, à Virieu, *Corr. gén.*, t. I, p. 251, où on lit :
« L'instabilité est de droit divin ici-bas », formule fulgurante qui attache paradoxalement le droit divin aux nouveautés.
    4. « *Votre* Verbe » : celui des chrétiens à qui il s'adresse, et qui subit la loi
commune du changement.

> *Attendez sans effroi l'heure lente à venir,*
> *Vous, enfants de celui qui, l'annonçant d'avance,*
> *Du sommet d'une croix vit briller l'espérance*
> *Sur l'horizon de l'avenir* [1] *!*

Ainsi le Golgotha devient le symbole du progrès par l'épreuve; la Croix sanctifie les révolutions.

Jocelyn aussi, quelques années plus tard, fait gloire à la puissance divine des bouleversements du monde social; creusant « cet abîme sanglant des révolutions », il y devine une providence cachée :

> *Qui peut sonder de Dieu l'insondable pensée?*
> *Qui peut dire où finit son œuvre commencée?*
> *Des mondes à venir lui dérober le soin?*
> *Lui dire comme aux flots : Tu n'iras pas plus loin?*
> *[...] Non : Dieu n'a dit son mot à personne ici-bas;*
> *La nature et le temps ne le comprennent pas [...].*

Cependant :

> *On sent à ce travail qui change, brise, enfante,*
> *Qu'un éternel levain dans l'univers fermente,*
> *Que la main créatrice à son œuvre est toujours,*
> *Que de l'être éternel éternel est le cours.*

La carrière de l'homme ne peut contredire ce cours; elle en épouse les variations et les renouvellements :

> *Ainsi de siècle en siècle il lègue ses chimères;*
> *De vérités pour lui les vérités sont mères,*
> *Et Dieu les lui montrant jour à jour, pas à pas,*
> *Le mène jusqu'où Dieu veut qu'il aille ici-bas,*
> *Terme qu'il a lui seul posé dans sa sagesse,*
> *Et qu'on n'atteint jamais en approchant sans cesse* [2]*.*

---

1. Ces strophes se trouvent dans la troisième et dernière section du poème (*Œuvres poét. compl.*, pp. 517-518).
2. Les passages cités sont empruntés à la II⁰ Époque de *Jocelyn*, qui parut en 1836; mais le développement auquel ils sont empruntés fut écrit sans doute en 1832 (*Œuvres poét. compl.*, pp. 596-598).

Un christianisme rationnel.

Dans cette méditation de Jocelyn sur les révolutions, un passage énumère les « fragiles abris » de la sagesse conservatrice,

> *Empires, lois, autels, dieux, législations,*
> *Tentes que pour un jour dressent les nations*
> *Et que les nations qui viennent après elles*
> *Foulent pour faire place à des tentes nouvelles,*
> *Bagage qu'en fuyant nous laissons sur nos pas,*
> *Que l'avenir méprise et ne ramasse pas* [1].

La présence des *dieux* dans la liste des choses caduques appelle une question. Faut-il inclure parmi eux le Dieu des chrétiens ? Celui de Lamartine, certainement pas : il est le principe vrai et impérissable de toutes choses ; mais celui qu'on adore en trois personnes, à travers l'appareil formel des dogmes, des sacrements et des rites, faut-il croire qu'il subira aussi la loi de déchéance ? Lamartine dira que c'est le même que le sien ; mais ce Dieu approuvera-t-il toujours la façon chrétienne de le concevoir et de l'adorer, et tout le contenu d'une « révélation » périmée ? Cette nouvelle lecture de l'Évangile que Lamartine propose, doit-elle en exclure les mystères chrétiens ? Il parle dès 1831 d'« appliquer *la raison humaine, ou le verbe divin,* ou la vérité évangélique à l'organisation politique des sociétés modernes » [2]. Identifier le verbe de Dieu et la raison humaine, c'est en quelque sorte universaliser et métaphoriser l'Incarnation, autrement dit la nier au sens chrétien. Il admettait fugitivement, à la même époque, « la foi chrétienne au mystère de la Révélation, à la vérité incarnée » ; mais toute découverte salutaire peut se dire, figurativement, révélation, et la vérité peut s'incarner, pour ainsi parler, dans un sage ; encore a-t-il trouvé sa phrase trop orthodoxe, et l'a-t-il, à la réflexion, supprimée [3].

---

1. *Ibid.,* p. 598.
2. *Sur la politique rationnelle,* p. 33. C'est moi qui souligne.
3. Elle se trouvait dans le manuscrit (de 1831 sans doute) des « Devoirs civils du curé », texte déjà cité ; elle ne se trouve plus dans l'imprimé de 1832 (voir H. GUILLEMIN, *Le « Jocelyn »...,* p. 816).

Il est d'ailleurs bien difficile de saisir, à travers les repentirs de rédaction de Lamartine, une évolution réelle. Les variantes qui apparaissent entre les rédactions successives de ses écrits, en particulier entre les manuscrits (quand il en existe) et les textes publiés, marquent tantôt un rejet plus délibéré du christianisme, tantôt une résipiscence en sa faveur [1] : on a l'impression qu'il s'agit moins de variations dans la pensée que d'une oscillation dans le degré de la franchise [2]. À Dargaud, son ami depuis 1830, qui le pressait de se déclarer publiquement sur sa religion, il n'opposait aucune raison de fond, mais seulement la source maternelle de sa foi première, qu'il répugnait pour cette raison à renier, et la crainte de nuire, dans l'esprit du public, à ce qu'il tenait pour sa mission : « Il me faut encore du temps, disait-il, pour deux choses : d'abord pour me déterminer nettement, irrévocablement en moi-même, puis pour exprimer tout haut ma croyance intérieure. Il serait, par exemple, très inopportun en cet instant d'éclater. Quand j'aurai accompli mon rôle politique, à la bonne heure. Ce sera le commencement de mon action religieuse. Je ne suis qu'à mon point de départ [3]. » Quel eût été son point d'arrivée, si sa carrière politique n'avait été interrompue comme elle l'a été ? Ce qu'il annonce est vague, et on peut douter qu'il eût jamais proclamé la déchéance de la vieille foi, comme le firent Auguste Comte et Michelet. Sur ce chemin, quelque chose l'aurait toujours retenu ; il aurait seulement dévoilé un peu plus ce qu'il appelait son « rationalisme chrétien ».

En attendant, il annonce bien la fin des temples et des symboles, mais sans dire si cette prophétie vaut pour le catholicisme [4]. Il répudie avec véhémence la représentation matérielle

---

1. Il faut mettre à part les interventions bien-pensantes de sa femme : l'édition de 1861 de *La Chute d'un ange,* notamment, en a gravement souffert.

2. Des relevés de variantes ont été faits pour le *Voyage en Orient* par Chr. MARÉCHAL, *Le Véritable* Voyage en Orient *de Lamartine* et par Lofty Fam, *op. cit.* Pour *Jocelyn,* voir MARÉCHAL, *Josselin inédit de Lamartine d'après les manuscrits originaux,* Paris, 1909, et H. GUILLEMIN, Le « *Jocelyn* »..., p. 719 et suiv. et Appendice I ; et pour *Jocelyn* et *La Chute d'un ange,* les relevés de variantes de M.-Fr. GUYARD dans son édition des *Œuvres poét. compl.,* pp. 1873 à 1904, et l'édition critique qu'il a procurée de la Huitième Vision de *La Chute d'un ange* ou *Fragment du livre primitif,* Genève-Lille, 1954.

3. Journal inédit de Dargaud, cité par DES COGNETS, *op. cit.,* p. 220.

4. Voir le *Voyage en Orient,* t. I, p. 129, aussi t. III, pp. 34-88 ; également *La Chute d'un ange,* « Fragment du livre primitif », éd. Guyard déjà citée, v. 163 et suiv., supprimés en partie dans l'édition de 1840 ; dans *Recueillements* le poème intitulé *Utopie,* strophes 15 et 16 (*Œuvres poét. compl.,* pp. 1152-1153).

de la divinité, sans préciser s'il vise seulement l'idolâtrie, comme faisaient les premiers chrétiens, ou si l'Incarnation et l'Eucharistie tombent sous cette condamnation [1]. Il appelle Jésus un Verbe, et tandis qu'il épouse dans ce substantif le langage chrétien, il en annule le sens par l'usage de l'article indéfini, qui suggère, dans tout exercice particulier de la raison humaine, une manifestation divine [2]. Il proclame l'avènement de cette Raison, la désuétude des « prestiges vulgaires » et des « impostures » sacerdotales, sans désigner nommément le culte et l'Église de Rome [3]. Il prêche un œcuménisme déiste comme il prêcherait le christianisme universel, sans paraître se douter de la différence, qu'il ne pouvait ignorer [4]. Il se persuade que sa religion rationnelle est le véritable christianisme, et il voudrait en persuader ses interlocuteurs et correspondants [5]. Il tient les

1. Voir le « Fragment du livre primitif », v. 329 et suiv. (plus forts dans le manuscrit que dans l'édition de *La Chute d'un ange*, en 1838, et supprimés dans celle de 1840) ; aussi le poème qui a pour titre *Le Désert*, section IX, pp. 1480-1482 des *Œuvres poét. compl.* : ce poème, paru en 1856 dans le *Cours familier de littérature*, pourrait avoir été rédigé, dans la partie qui nous intéresse ici, sur des notes de 1832 (voir H. GUILLEMIN, dans la *Revue d'histoire littéraire de la France*, 1939, p. 69 et suiv.).

2. Voir le *Voyage en Orient*, t. I, p. 204 : Jésus est « un verbe divin » (et Lamartine ajoute : « comme il se nommait lui-même » [?]) ; aussi *La Chute d'un ange*, Septième Vision, dans la prière d'Adonaï : « un verbe fait chair » ; ailleurs, il est, par rapport à Dieu, celui qui devait porter son Verbe à l'univers (*Voyage en Orient*, t. II, p. 27) ; dans *Le Tailleur de pierres de Saint-Point*, Paris, 1851, pp. 238 et 239, il est « une parole, un Verbe, comme on dit » (c'est un pieux illettré qui parle), ou encore « un verbe de Dieu », « un fils du père » (dans l'édition de 1863, au t. XXXII des œuvres éditées chez l'auteur, on a corrigé *un* en *le* dans les deux derniers exemples).

3. Voir *Jocelyn*, IXᵉ Époque (Jocelyn parlant du catéchisme qu'il enseigne aux enfants : *Œuvres poét. compl.*, p. 757).

4. Voir dans *Graziella* les pages consacrées à Saint-Pierre de Rome : il voit dans l'architecture de cette église « un grand symbole de ce christianisme éternel » qui s'ouvre à la raison, et va unir tous les peuples en « une seule humanité » (*Les Confidences*, Paris, 1849, p. 175). *Graziella*, qui parut en 1849 dans *Les Confidences*, passe généralement pour avoir été écrite en 1843-1844. Mais en 1842 dans d'autres pages, également consacrées à des réflexions architecturales, il n'est pas question, pour le christianisme, d'un aussi glorieux avenir : l'architecture chrétienne est morte, et il faut songer à un Temple nouveau, qui sera « le Panthéon de la raison divinisée » (*De l'architecture*, manuscrit daté du 3 janvier 1842, que Lamartine n'a jamais publié ; il a paru par les soins d'H. Guillemin dans la *Revue de France* du 1ᵉʳ mai 1934, pp. 49-53).

5. Lamartine évoque son « rationalisme chrétien » dans le récit de sa rencontre avec lady Stanhope (*Voyage en Orient*, t. I, p. 206) ; sous diverses expressions, cette idée reparaît partout dans son œuvre ; notamment, *ibid.*, t. II, pp. 203-204 : « christianisme plus rationnel et plus pur », « religieuse raison » ; lettre à

dogmes et les mystères chrétiens pour de purs symboles, qu'il voudrait inclure dans la vaste imagerie historique du divin. Il faut, cependant selon lui,

> Arracher Dieu visible à l'ombre des symboles,
> [...] Faire l'homme pontife et le culte unanime [1];

la croix même manifeste pour lui le triomphe de la raison sur le mystère : quand, à la mort de Jésus, le voile du temple s'est déchiré, c'était pour signifier que le temps des obscurités mystiques était révolu; en cet instant,

> Le jour entra tout pur dans l'ombre des symboles [...]

> Ô Christ! n'était-ce pas ton signe?
> N'était-ce pas pour dire à l'antique maison
> Que de voiler le jour nulle arche n'était digne?
> Qu'une aube se levait sans ombre à l'horizon?
> Que Dieu ne resterait caché dans nul mystère?
> Que tout rideau jaloux se fendrait devant toi?
> Que ton verbe brûlait son voile? et que la terre
> N'aurait que ton rayon pour foi [2]?

Cazalès du 20 septembre 1834, *Corr. gén.*, t. II, p. 62 : « le catholicisme de la raison »; *Jocelyn*, Post-scriptum des éditions nouvelles, 1836 (3ᵉ éd., septembre 1836, p. 23) : « le christianisme a incarné la raison divine dans la raison humaine »; *La Chute d'un ange*, Post-scriptum à l'Avertissement, 1838 (paru dans la 7ᵉ éd., avril 1838, voir p. 21) : « la raison, révélation naturelle qui juge toutes les autres »; *ibid.*, « Fragment du livre primitif », v. 19 et suiv. : le seul livre où Dieu écrit son nom, c'est l'esprit de l'homme, « c'est *sa* raison, miroir de la raison suprême »; lettre à Virieu, du 3 juin 1837, *Corr.*, t. III, p. 424 : « la raison religieuse »; lettre au même du 19 août 1838 (*ibid.*, p. 468) : « le culte d'adoration, *rationnel* et non symbolique ». Ce qu'il a pu écrire ou dire à la louange de l'islamisme, en tant que religion exemplaire par la simplicité de ses dogmes, a moins d'importance, y compris le propos qui scandalisa Vigny en 1838 (voir Vigny, *Journal d'un poète*, éd. Baldensperger, Paris, Gallimard, Bibliothèque de la Pléiade, 1948, p. 1097), à savoir que la religion mahométane est un « christianisme purifié » : cette sympathie hâtive pour une religion qu'il ignorait ne trahit que son propre rationalisme.

   1. *Épître à Adolphe Dumas* (1838), publiée dans les *Recueillements* (*Œuvres poét. compl.*, p. 1131). Par « Dieu visible », il entend : Dieu évident à la lumière de la raison.

   2. *À M. Genoude sur son ordination*, pièce datée de décembre 1835, publiée en 1839 dans les *Recueillements* (p. 1096 des *Œuvres poét. compl.*). Dans *Utopie*, autre poème du même recueil, Lamartine appelle cette religion sans mystère le « verbe pur du Calvaire », et le « songe du Christ au jardin », interprétant semblablement Golgotha et mont des Oliviers.

Sacrifice et prière.

Entre le néo-christianisme et l'humanitarisme, Lamartine occupe ainsi une position unique : c'est bien là ce qui le distingue, et qui appelle une explication. Le fait qu'il tienne à conserver l'épithète chrétienne à une conception religieuse si différente de celle qui porte traditionnellement ce nom, qu'il donne constamment sa foi déiste pour le vrai christianisme, fait supposer qu'il reste attaché malgré tout – hors les dogmes et les rites, qu'il rejette – à quelque chose du christianisme que le pur déisme ignore. Le caractère dramatique de sa foi ne peut être ce quelque chose. On a souvent remarqué que le sentiment tragique de la vie, l'angoisse devant la cruauté de l'univers lui rendent d'abord Dieu absent, et qu'un doute ruineux précède chez lui l'adoration [1]. Par là s'explique son goût pour le livre de Job, sa source biblique de prédilection, où il trouve le prototype de cette démarche paradoxale : elle le situe loin du spiritualisme confiant et rayonnant, par lequel on le définit trop souvent, et qui n'est qu'un de ses langages. Il a plutôt éprouvé la foi comme un ressaisissement par lequel est déjouée la tentation du désespoir et de la révolte. Cette tentation est forte, et Lamartine a dit un jour à des amis : « La religion chrétienne est une religion d'esclaves [2]. » Ceux qui ont bien lu sa poésie savent que la foi est chez lui une sorte de réfutation *in extremis* du scandale du monde, l'affirmation que Dieu existe *quand même,* car « s'il en était autrement, ce monde serait un drame sans moralité et sans dénouement, indigne de son auteur, indigne même de l'homme ». « Si je ne pensais pas ainsi, ajoute-t-il, j'aurais en mépris ce monde et moi-même, j'étoufferais en gémissant ce flambeau de la raison qui n'aurait été allumé en nous que pour éclairer le gouffre sans fond du néant [3]. » Mais ce combat intérieur du doute et de la foi n'est pas propre au seul christianisme. Le déisme connaît fort bien

1. On trouvera quelques références à des textes antérieurs à 1830 dans *Le Sacre de l'écrivain,* p. 177 et n.

2. Ch. ALEXANDRE, *Souvenirs sur Lamartine par son secrétaire intime,* Paris, 1884, p. 272.

3. Post-scriptum à l'Avertissement de *La Chute d'un ange,* éd. citée, p. 17.

l'angoisse de ne pouvoir penser Dieu selon la raison comme il se l'est proposé, ni justifier humainement l'auteur d'un univers inhumain; il sait qu'il a moins de recours, contre cette angoisse, dans une foi positive que dans l'impossibilité d'accepter un monde aveugle. Lamartine avait comme prédécesseur en tout cela le Voltaire du *Poème sur le désastre de Lisbonne*. Ils n'affirment l'un et l'autre Dieu, malgré la révolte de la raison, que pour conjurer, dans l'athéisme, ce qui leur semble une insupportable dérision de l'humanité. Dieu invoqué malgré tout maintenait l'homme debout. Ce n'est donc ni l'horreur du néant ni le pari final pour Dieu qui peuvent suffire à rendre Lamartine chrétien; pas davantage l'humilité et l'espérance, qui vont de soi chez Voltaire même. Mais Lamartine y ajoute la morale du sacrifice et la prière, peu en honneur l'un et l'autre dans la religion des philosophes. Ces deux articles du credo de Lamartine, empreintes laissées dans sa foi par son christianisme originel, suffisent-ils à faire d'un déiste un chrétien? En fait, on les trouve adoptés dans tout le spiritualisme laïque contemporain de Lamartine indépendamment de toute adhésion, proche ou lointaine, au christianisme. Mais Lamartine, malgré lui, fidèle à ses impressions premières, le ressentait autrement. C'est peut-être pourquoi il n'a et n'aurait jamais renoncé à se dire chrétien, même après avoir réduit dogmes et sacrements à des figures de la raison. C'est dans ce sens peut-être qu'il prétendait « séparer le christianisme-principe de l'Église qui le représente » [1].

Tout ce que Lamartine a écrit après 1830 exalte, dans des figures multiples de l'épreuve terrestre, la vertu suprême de la souffrance. S'il hésite à l'entendre comme expiation, selon la tradition dogmatique relative à la chute et au péché, il la sanctifie comme épreuve et condition nécessaire du progrès [2]. La signification de *Jocelyn* est indiscutablement celle-là. C'est, d'un bout à l'autre, la célébration d'un sacrifice fait à Dieu. Cette signification est plus évidente encore dans *La Chute d'un ange,* où le destin du héros, plus implacable encore, paraît engendrer l'horreur ou la révolte plutôt que la soumission.

1. Lettre du 27 septembre 1831, à Aimé Martin, *Corr. gén.,* t. I, p. 202.
2. Lamartine avait déjà posé l'alternative Expiation ou Épreuve dans le poème des *Premières Méditations* intitulé : *L'Homme,* composé en 1819. Il trace de nouveau le même dilemme en 1856, dans le morceau qu'il intitule « Ma philosophie personnelle » (*Cours familier de littérature,* XIIᵉ Entretien, t. II, p. 492 et suiv.).

Mais c'est la loi de Dieu, exigeant la purification par la souffrance, qui est le dernier mot du poète. Un esprit descend du ciel et dit à l'ange déchu, mourant sur son bûcher :

> *Tu ne remonteras au ciel qui te vit naître*
> *Que par les cent degrés de l'échelle de l'être,*
> *Et chacun en montant te brûlera le pied* [1].

Plus tard, après 1848, dans les romans qu'il écrivit avec l'espoir d'atteindre un large public populaire, dans ces récits d'humbles destinées vouées au sacrifice et à la résignation, la leçon est la même. L'héroïne de *Geneviève,* le héros du *Tailleur de pierres de Saint-Point* se recommandent à Dieu par leurs épreuves et leur abnégation [2].

Résignation donc à la volonté de Dieu, et prière. Le déisme, d'ordinaire, ne prie pas, considérant toute requête adressée au Dieu omniscient comme une absurdité et une impertinence, et toute prétention à dialoguer avec l'Être suprême comme une chimère ridicule. Le déisme pourtant croit en un Dieu personnel, et cette croyance s'accorde mal avec une adoration à sens unique. Le débat sur ce sujet, qui tient tant de place, par exemple, dans *La Nouvelle Héloïse* entre Saint-Preux et Julie, Rousseau n'osant justifier la prière que par la bouche d'une femme, se retrouve à travers l'œuvre de Lamartine. Dans *Raphaël,* récit romanesque de ses amours d'Aix, c'est la bien-aimée, rationaliste pure, qui déclare : « Il n'y a point de prière », et c'est au contraire le héros – Lamartine lui-même – qui plaide pour le mystère et croit bon de prier Dieu, même s'il ne nous entend pas [3]. Dans *Le Tailleur de pierres,* le personnage qui représente Lamartine, le *Moi* du dialogue, oppose à la prière l'objection des philosophes, et c'est Claude, l'ouvrier ignorant, qui la justifie, comme le remède suprême à la souffrance : « Je me suis toujours imaginé que les souffrances,

---

1. *La Chute d'un ange,* Quinzième Vision, *in fine.* On remarquera que, dans ce poème, la conception même du sujet mêle les notions d'expiation et d'épreuve, puisqu'une faute première – la volonté chez l'ange de déchoir pour l'amour d'une femme – est à la source des épreuves. Il y a là indiscutablement, dans une affabulation par ailleurs peu catholique, un élément de théologie chrétienne; le fait est fréquent dans les fictions humanitaires, où abondent les variantes excentriques du complexe Chute-Rachat.

2. *Geneviève, histoire d'une servante,* Paris, 1850. *Le Tailleur de pierres de Saint-Point, récit villageois,* Paris, 1851.

3. *Raphaël,* p. 137 et suiv.

c'étaient les désirs du cœur de l'homme écrasés dans son cœur jusqu'à ce qu'il en sortît la résignation, c'est-à-dire la prière parfaite, la volonté humaine pliée sous la main d'en haut [1]. » Lamartine n'a jamais renoncé à la prière, quoiqu'elle fût chez lui, nécessairement, d'une sorte particulière, étant exempte, il l'avoue, du sentiment de la proximité divine : « Je ne me console, dit-il, qu'en priant Dieu souvent et toujours, mais la langue directe me manque : je le prie dans la langue mystérieuse qui s'adresse partout et à tout, mais qui ne regarde aucun point, comme un aveugle qui parle à quelqu'un qu'il ne voit pas [2]. »

Idée d'une réforme religieuse.

Les hésitations de Lamartine ne peuvent nous dissimuler le fait que sa foi, telle qu'elle est, est forte et expansive, et implique irrésistiblement l'idée d'une réforme religieuse. Lamartine ne peut pas ne pas se voir comme un Réformateur en puissance [3]. Mais la voix intérieure qui lui assigne ce rôle le met à dure épreuve : « C'est, dit-il, le combat de l'esprit qui souffle et qui renverse dans mes vaines pensées celles que j'aurais voulu le plus précieusement conserver telles que je les avais reçues; c'est cette voix intérieure à laquelle on résiste

1. *Le Tailleur de pierres de Saint-Point,* pp. 312-313. Claude identifie donc littéralement résignation et prière, comme si la seule prière parfaite était : « Que votre volonté soit faite! » Il est vrai que c'est, au moins, une clause implicite de toute prière.

2. Lettre du 6 février 1841, à Virieu, *Corr.,* t. IV, p. 97. Les mots « partout » et « à tout » pourraient soulever la question du panthéisme de Lamartine, quoique la phrase évoque clairement non un Dieu résidant en toutes choses, mais un Dieu personnel impossible à atteindre. Le panthéisme de Lamartine est une fable que le catholicisme a dressée contre lui comme contre tant d'autres de ses contemporains (pour cette accusation voir, par exemple, Jules DE FRANCHEVILLE, « Du panthéisme chez M. de Lamartine », *La France littéraire,* juin 1838, p. 179; l'auteur l'accuse simultanément d'« idéalisme », autre épouvantail dans la polémique catholique de l'époque). Lamartine s'est défendu dans le Post-scriptum des éditions nouvelles de *Jocelyn,* et dans le Post-scriptum à l'Avertissement de *La Chute d'un ange*; pour ce poème, les variantes introduites entre les premières éditions, parues en 1838 et l'édition de 1839, dite septième, trahissent précisément la volonté de dissiper tout soupçon de panthéisme ; voir, en particulier, dans l'édition Guyard du « Fragment du livre primitif », les vers 43 et suiv.

3. Voir la lettre du 7 juin 1845, au comte de Circourt, *Corr.,* t. IV, p. 205.

quelques années et qui crie à la fin si haut en nous qu'il n'y
a plus de milieu entre le crime d'étouffer sa conscience ou la
nécessité dure d'obéir à ce qui vous semble la voix céleste.
Combien de fois ne dis-je pas au Père céleste comme son fils
de prédilection le lui dit un jour : *Transeat a me calix iste* [1]! »
L'assimilation du poète-martyr au Christ est fréquente chez les
poètes du temps, petits et grands. Elle est ici quelque peu
décalée : car le *transeat a me* de Lamartine ne porte pas sur
l'échec et le supplice comme celui du Christ, mais sur les affres
d'une mission surhumaine qu'il n'ose entreprendre. Le Jésus
auquel il ressemble en vérité, dans son projet de réforme du
christianisme, est celui qu'il se représente réformant la religion
d'Israël. Faisant dater sa prise de conscience à cet égard de sa
méditation au Saint-Sépulcre, il écrit : « Ce fut un mystère
dans ma vie qui se révélera plus tard [2]. » Dans l'Avertissement
du *Voyage,* il fait savoir qu'il rapporte d'Orient de « hauts et
terribles enseignements », et qu'il pourrait avoir à dire son mot
à ce sujet, mais, ajoute-t-il, « ce moment viendra peut-être pour
moi, il n'est pas venu encore » [3]. Ou bien : « Une réforme est
indispensable au monde religieux plus qu'au monde politique.
Quand mes pensées seront mûres, je les laisserai tomber, comme
le doit tout arbre fertile [4]. » Et de même, douze ans après :
« L'avenir est à mes idées, car je suis aux idées de Dieu [...]
J'ai plus de foi que vous ne croyez, et une bien ardente, mais
je ne la dis pas. J'ai ma lanterne sourde tournée du côté de
mon cœur; je ne laisse voir encore que le côté obscur et la
fumée aux hommes du siècle : avant de mourir je la tournerai
du côté flamboyant; mais à présent on l'éteindrait [5]. »
Ainsi le grand projet politique est doublé d'un grand projet
religieux, donné pour plus secret et plus lointain. Mais y a-
t-il vraiment deux projets? Car le premier contient déjà l'autre,
si le renouvellement de la société implique, comme on l'a vu,
une nouvelle conception des relations de l'humanité avec Dieu,
si Lamartine donne aujourd'hui pour tâche à l'ordre humain
de « graviter vers Dieu », s'il peut écrire lui-même : « Je travaille
pour *Dieu* », et à la veille de 1848 : « Nous commençons une

1. Lettre du 23 novembre 1836, à Virieu, *Corr. gén.,* t. II, p. 241.
2. *Voyage en Orient,* t. II, p. 358.
3. *Ibid.,* Avertissement, pp. I-II.
4. Lettre du 10 décembre 1834, à Virieu, *Corr. gén.,* t. II, p. 82.
5. Lettre d'août 1846, à Mme de Girardin, *Corr.,* t. IV, pp. 229-230.

grande bataille, la bataille de Dieu [1]. » Nous sommes ici en terrain humanitaire, et sur ce terrain société et religion cessent de se distinguer. C'est ce qui ressort de la façon même dont Lamartine parle de la Révolution française. Dès 1840 il écrit : « La raison humaine tint, pour ainsi dire, son grand concile œcuménique dans l'Assemblée Constituante » [2]; et dans son *Histoire des Girondins,* il définit la Révolution comme « l'éclosion tardive et graduelle du christianisme dans la politique »; il écrit : « La loi religieuse de la fraternité des âmes devenait la loi civile de la fraternité des citoyens [3]. » Voilà déjà bien avancée, semble-t-il, la réforme du catholicisme. Il est ici tout à fait sur le même plan que d'autres penseurs humanitaires [4]. Envisageant dans le même esprit l'actualité qui l'entoure, il déclare que les rédacteurs d'un grand journal populaire dont il trace l'idée seraient « le véritable pouvoir moral de la Nation, les administrateurs de la pensée publique, le concile permanent de la civilisation moderne » [5]. L'emploi répété du mot « concile » est significatif : la nouvelle politique est une nouvelle religion, à laquelle il ne manque que d'être vécue par tous : « Tant que l'esprit du siècle ne deviendra pas une foi religieuse qui dévore à son tour les âmes, les établissements laïques [6] lutteront iné-

---

1. Post-scriptum à l'Avertissement de *La Chute d'un ange* (1838), p. 16; lettre à M. Dessertaux, du 20 mars 1843, *Corr.,* t. IV, p. 155; lettre à Dargaud du 17 août 1847, *ibid.,* p. 253.

2. Voir *Un discours inédit de Lamartine,* in Louis BARTHOU, *Lamartine orateur,* Paris, 1916, p. 120 (ce discours est de 1840).

3. La page du manuscrit de l'*Histoire des Girondins* qui contient ces lignes a été supprimée dans l'édition; voir H. GUILLEMIN, articles de février-mars 1839 dans la *Revue de France,* recueillis in *Lamartine et la question sociale, op. cit.,* p. 134; et Guy ROBERT, « L'*Histoire des Girondins* de Lamartine; quelques variantes du texte », *La Revue des sciences humaines,* 1947, p. 181.

4. Quinet disait sur la Révolution française et ses assemblées des choses très semblables en 1844 (voir *Le Temps des prophètes,* pp. 479-480); à la même date il écrit (*L'Ultramontanisme,* dans *Œuvres complètes,* Paris, Hachette, t. II, p. 395) que « l'homme n'a pas cessé un jour de graviter vers Dieu », expression que Lamartine emploie déjà en 1838 (voir ci-dessus, p. 70, *in fine*). La dignification religieuse des assemblées et des événements de la Révolution n'est pas rare dans l'humanitarisme. Mais il serait vain, en présence d'un mouvement aussi vaste, et non moins riche d'inventions que de contagions, de vouloir établir des priorités d'auteurs.

5. *Des publications populaires* (lettre à M. Chapuys-Montlaville, du 6 juillet 1843, déjà citée, voir ci-dessus, n. 1, p. 49), dans *La Revue indépendante,* t. IX, p. 365.

6. Il s'agit des établissements d'enseignement : vieille compétition!

galement avec les établissements du sacerdoce. Il faut que l'État devienne une religion aussi [1]. »

Comment entend-il cette surprenante formule ? Dans le sens certainement d'une certaine sacralisation du social, qui est, croit-il, la grande pensée de notre temps, mais où il voit un aspect rationalisé et épuré de la foi humaine en Dieu : tout le contraire d'une idolâtrie des institutions et du pouvoir. Il reste à se demander, puisque le nouveau statut religieux de l'humanité est déjà si clairement visible dans le mouvement de la société, ce qu'il entend par cette réforme future qu'il annonce, et qui selon lui couronnera ce mouvement. Une révélation nouvelle ? Sûrement pas, puisque la raison a éclairé tout ce qui pouvait l'être. Simplement, la conversion universelle du genre humain à cette lumière qui brille déjà ? C'est bien ce que ses vers semblent parfois annoncer, comme dans cet appel à ses contemporains :

> *Nouveaux fils des saintes demeures,*
> *Dieu parle ! regardez le signe de sa main,*
> *Des pas, encor des pas pour avancer ses heures;*
> *Le siècle a fait vers vous la moitié du chemin !*
> *Comprenez le prodige ! imitez cet exemple !*
> *Déchirez ces lambeaux des voiles du saint lieu* [2] *!*
> *Laissez entrer le jour dans cette nuit du temple !*
> *Plus il fait clair, mieux on voit Dieu !*

> *Hâtez cette heure fortunée*
> *Où tout ce qui languit de la soif d'adorer,*
> *Sous l'arche du Très-Haut, d'astres illuminée,*
> *Pour aimer et bénir viendra se rencontrer !*
> *Que le mystère entier s'éclaire et se consomme !*
> *Le Verbe où s'incarna l'antique vérité*
> *Se transfigure encor; le Verbe s'est fait homme,*
> *Le Verbe est fait humanité* [3].

Mais peut-il s'agir seulement de conversion générale au « christianisme rationnel », quand Lamartine écrit que la Révo-

---

1. *Les Confidences*, liv. XI, p. 369 (ouvrage écrit en 1843-1844, voir Ch. ALEXANDRE, *op. cit.*, p. 37).

2. Cette strophe fait suite à celle, citée plus haut, sur le voile du temple déchiré au moment de la mort de Jésus (voir ci-dessus, n. 2, p. 65 et texte).

3. *À M. de Genoude*, dans *Œuvres poét. compl.*, pp. 1096-1097.

lution doit en venir finalement « à son grand acte, l'acte religieux » [1]? Cet acte, mesure publique, loi d'État, quel peut-il être dans l'esprit de Lamartine? Consistera-t-il à déclarer officiellement caducs l'Église catholique et ses dogmes? Ce n'est guère concevable au XIXᵉ siècle, et de la part de Lamartine moins que de quiconque. Sera-ce au moins une proclamation par la République des principes de la raison religieuse? À quoi bon un tel acte d'autorité publique, si les anciens cultes restent libres, et si la liberté de conscience est accordée à chacun et à l'athée même. Or, ces deux points semblent hors de discussion. Lamartine lui-même écrit que la Révolution eut pour objet de « reconquérir l'indépendance des cultes sur la théocratie des religions d'État » [2]; et il est évident que l'indépendance des cultes ne se conçoit pas sans celle des consciences individuelles [3]. Les cultes libres, et la religion intime indépendante du concert social : c'est en somme la doctrine pratique à laquelle devait aboutir la République en France. Le projet d'une réforme religieuse couronnant la « politique de Dieu » semble donc s'évanouir à l'analyse, se renier même s'il faut aboutir, pour sauvegarder la liberté, à un État neutre, c'est-à-dire pratiquement agnostique, comme ce devait être le cas en France. C'est pour éviter cet agnosticisme d'État, auquel il répugne évidemment, que Lamartine songe à quelque officialisation du « christianisme rationnel ». Mais il n'ose trop se déclarer dans ce sens : son sentiment religieux le lui interdit autant que son libéralisme : car incorporer à l'État une réforme religieuse, c'est maltraiter les Églises et les consciences; mais c'est desservir l'idée de Dieu elle-même que l'assujettir à la politique. L'adoption d'une foi nouvelle commune reste donc l'objet d'un vœu; elle ne peut résulter d'un acte législatif. Cette prudence de Lamartine apparaît bien quand il appelle l'État « cette société suprême,

1. Variante du manuscrit de l'*Histoire des Girondins*, voir G. Robert, *op. cit.*, p. 179.

2. Discours à la Chambre *Sur la liberté des cultes*, 3 mai 1845 (*La France parlementaire*, t. IV, p. 161). Il faisait peu de cas, dans la Révolution, des fêtes civiques et de leurs rituels; il leur prête peu d'attention dans son *Histoire des Girondins*; ce n'était certes pas sous cette forme, ni dans cette direction qu'il concevait la réforme religieuse.

3. Le problème de la religion intime et personnelle préoccupe et parfois embarrasse l'humanitarisme : Quinet, Michelet, y ont réfléchi (voir *le Temps des prophètes*, pp. 495, 528).

cette Église du temps qui doit tout subordonner à sa foi sociale, sauf Dieu lui-même » [1].

Lamartine et la postérité républicaine.

On peut se demander pourquoi Lamartine a été si totalement éclipsé, dans la galerie des pères spirituels de la IIIe République, par Quinet, Hugo, Michelet, moins positifs que lui en somme, moins vraiment politiques. Il faut, pour répondre, revenir sur sa dramatique carrière. Sa popularité n'avait cessé de croître dans les dernières années de la monarchie de Juillet. Elle était à son comble en avril 1848, quand il était à la fois, sous la nouvelle et turbulente République, le sauveur de la société et le prophète de la démocratie. Le mois suivant, son étoile était mourante, parmi les menaces d'un conflit social violent, où la mission qu'il s'attribuait perdait son crédit : les conservateurs, brûlant de se mesurer à l'insurrection, n'avaient plus besoin de lui ; les révolutionnaires le voyaient comme un obstacle sur leur chemin. Les journées de Juin et la répression sanglante le mirent hors du jeu. « Je ne pense pas, écrit Tocqueville, qu'il lui fût possible, quelque conduite qu'il eût tenue, de garder longtemps le pouvoir. Je crois qu'il ne lui restait que la chance de le perdre avec gloire en sauvant le pays. » Il faut entendre : de le céder de bonne grâce aux conservateurs après leur avoir évité le pire ; et Tocqueville se plaint que Lamartine ne fût « pas homme à se sacrifier de cette manière » ; il ne le lui pardonne que dans la mesure où il doute que son effacement, s'il y avait consenti, eût pu empêcher l'épreuve de force ; et même la pensée que son obstination à garder le pouvoir a pu faire gagner du temps à la bonne cause ne le sauve pas à ses yeux [2]. Peu importe d'ailleurs ; le destin de Lamartine a bien été, de quelque façon qu'on l'envisage, celui d'un sauveur sacrifié.

Après l'échec et la perte du pouvoir, il conserva quelque optimisme ; il voulut se convaincre que, sa personne écartée, la France vivrait encore sous sa lointaine influence : « Je pense que mon œuvre humaine est peut-être finie par cette fondation

1. Discours à la Chambre, *Sur l'État, l'Église et l'enseignement*, des 26 et 30 novembre 1843, recueilli in *La France parlementaire*, t. III, pp. 465-466.
2. Alexis DE TOCQUEVILLE, *Souvenirs*, éd. Luc Monnier, in *Œuvres complètes*, Paris, 1964, t. XII, pp. 126 et 129-130.

de la République, qui fondera autre chose et où j'aurai ma
main de loin [...] Je vais me replier sur moi-même un peu, et
dans les intervalles de tumulte me nourrir de pensées en
attendant la volonté de Dieu [1]. » Il avait beau se dire retiré de
l'action, « humble disciple de Cincinnatus et de Washington » [2],
il espérait redevenir l'homme de la République consolidée,
« une République modérée et honnête » [3]. Il se trompait : la
République « modérée » n'avait pas besoin de lui. Quelques
mois après, son dérisoire échec devant Louis-Napoléon aux
élections à la présidence de la République le précipita dans la
solitude. Il se voyait l'objet de « la plus noire, la plus bête et
la plus universelle ingratitude dont les services d'un homme
aient jamais été payés, et cela à la fois par la classe du peuple,
que j'ai élevé, et par la bourgeoisie, la noblesse, que j'ai
couvertes de mon corps trois mois durant et que j'ai seul et
entièrement sauvées » [4]. Il lui arrivait parfois de se reprendre à
espérer, et alors que la France courait vers la dictature, de se
croire encore, sous l'impression de quelque succès d'éloquence,
en possession de l'avenir. Il écrivait : « Le Président parle,
comme si je dictais »; et : « En politique je reprends immen-
sément de crédit sur l'opinion. Je fais une manœuvre incom-
prise, mais très grande et très belle, qui me rattachera dans six
mois tous les amis de l'ordre et presque la Montagne »; il
explique que cette manœuvre consiste à contrecarrer Cavaignac
et à soutenir le Président : « Je soutiens le Président comme
pouvoir exécutif; s'il tourne à l'empire, je lui barre le passage [...] On ne me comprendra bien que dans quelques mois [5]. »
Ces tristes illusions ne devaient évidemment pas survivre au
coup d'État. En fait, dès 1850, il éprouvait l'amertume d'un
échec définitif; il demandait au comte d'Orsay, qui sculptait
son buste, d'en briser l'ébauche, faisant dire au « siècle hébété » :

1. Lettre du 1er juillet 1848 à sa nièce Valentine, dans *Lamartine et ses nièces*,
p. 136, voir ci-dessus, n. 1, p. 41.
2. Réponse aux gardes nationales des communes du canton sud de Mâcon,
25 octobre 1848, dans *La France parlementaire*, t. VI, p. 13.
3. Lettre du 6 août 1848, à Valentine, dans *Lamartine et ses nièces*,
p. 137.
4. Lettre du 11-12 décembre 1848, à la même, *ibid.*, p. 150 (écrite au su
des résultats de l'élection présidentielle).
5. Lettres du 15 novembre 1850 et du 31 janvier 1851, à la même, *ibid.*,
pp. 183 et 186. Il est probable qu'il montrait à sa nièce plus d'optimisme qu'il
n'en avait réellement.

> *« Celui-là chanta Dieu, les idoles le tuent !*
> *Au mépris des petits les grands le prostituent.*
> *Notre sang, disent-ils, pourquoi l'épargnas-tu ?*
> *Nous en aurions taché la griffe populaire !...*
> *Et le lion couché lui dit avec colère :*
> *Pourquoi m'as-tu calmé ? ma force est ma vertu !* »

La désaffection populaire l'affectait sans doute plus que les
sarcasmes des grands : c'était de ce côté-là qu'il s'était cru
invincible, qu'il avait cru sentir l'appel de Dieu. D'où le cri
final du poème :

> *J'ai vécu pour la foule et je veux dormir seul* [1].

Il devait écrire plus tard, évoquant l'enthousiasme et la déception de 1848 : « Quand on a participé à cette illusion des
grandes âmes, et qu'on l'a vu s'éteindre, on a trop vécu [2]. »
De fait, il ne vécut plus, il se survécut dans cette longue fin
de sa vie.

   Cette destinée pathétique aurait dû émouvoir ceux qui, sur
la faillite et les ruines du second Empire, ressuscitèrent en
France la République. Bien au contraire, ni 1871, ni 1880, ni
1900 ne virent la figure de Lamartine renaître à la gloire dans
l'opinion républicaine. Les difficultés et la brièveté de son
passage au pouvoir, dont la mémoire publique retenait surtout
l'échec final, sont sans doute pour beaucoup dans ce peu de
faveur. Il avait semblé démontrer l'inconsistance des idéaux de
la gauche; son nom évoquait une faillite plutôt qu'une infortune
héroïque. Il avait été déchiré entre la logique de la République,
qui appelait une politique audacieuse, et le vœu d'une démocratie pacifique : on le voit bien dans son *Histoire des Girondins*,
entreprise dans la pensée de glorifier un parti relativement
modéré et philosophique, et dans laquelle perce à tout moment
l'hommage à Robespierre en tant qu'incarnation de la nécessité
révolutionnaire. Cette contradiction n'est nulle part aussi patente

---

   1. *Au comte d'Orsay*, 5ᵉ strophe et vers final; ce poème parut dans *La Presse*
du 10 novembre 1850 (*Œuvres poét. compl.*, pp. 1402-1403). D'après les *Souvenirs
sur Lamartine*, de Ch. ALEXANDRE, p. 237, Lamartine, ayant donné lecture du
poème à ses amis le 4 octobre, le définissait le lendemain « un sublime va te
faire... lancé au peuple ! ».
   2. *Cours familier de littérature*, entretien LXXVIII, juin 1862 (t. XIII, p. 410),
dans une méditation à propos des prophéties de lady Stanhope sur sa mission.

que dans l'ultime conclusion de l'ouvrage, où il est dit à la fois qu'une nation ne doit pas regretter le sang versé pour faire éclore des vérités éternelles, car « Dieu a mis ce prix à la germination et à l'éclosion de ses desseins sur l'homme », et un peu plus loin : « Ne cherchons pas à justifier l'échafaud par la patrie et les proscriptions par la liberté; n'endurcissons pas l'âme du siècle par le sophisme de l'énergie révolutionnaire [1]. » Lamartine avait cru que les tragiques dilemmes de la grande Révolution seraient désormais évités grâce à la maturité politique du XIXe siècle, que l'on pouvait réaliser la démocratie sans violence, moyennant l'éducation du peuple et le ralliement des hautes classes. Cette dernière condition, indispensable autant que chimérique en 1848, ne semblait plus nécessaire à la fin du siècle; et en effet elle ne l'était plus, ce qu'on appelle aujourd'hui les pesanteurs sociales ayant basculé en faveur de la gauche. Celle-ci, adoptant de ce fait une assurance et un style de combat tout nouveaux, se sentait étrangère au grand homme malheureux de 1848, auquel il fallait en outre pardonner d'avoir, en somme, accepté l'Empire.

À cela s'ajoute ce qu'on pouvait supposer de son caractère et de ses mobiles profonds. Lamartine parlait de Dieu comme les républicains n'en parlaient plus vingt ans après sa mort. On sait les objections que Hugo lui-même, sur ce chapitre, rencontra de la part de la nouvelle génération républicaine; mais il avait, lui, défié glorieusement l'Empire pendant vingt ans. D'autre part, Lamartine était gentilhomme, et il en avait toujours eu les façons et la vie; il ne s'identifiait pas au peuple par une communauté d'expérience ou de passion; ce qu'il appelait la « sommité sociale », jusqu'à son échec, ne l'humiliait pas dans sa personne; il eut toujours conscience d'en faire partie : son « nous » était de ce côté-là; ne vivant en rien lui-même le besoin d'égalité, il était, si l'on peut dire, démocrate à vol d'oiseau. En 1843, plaidant pour l'unification de toutes les oppositions de gauche, il écrit : « Autrement nous irions par la platitude à un honteux et mesquin despotisme de la classe moyenne. » On appelait alors classe moyenne la bourgeoisie entière, et Lamartine parle ici en gentilhomme autant qu'en démocrate; aussitôt après il répudie tout aussi bien « la

---

1. Voir sur ce sujet le profond article du regretté Guy ROBERT, *Lamartine et le mythe de la Révolution dans l'Histoire des Girondins*, in *Revue des sciences humaines*, 1947, p. 239 et suiv.

République forcenée des classes infimes » [1]. Comme, d'autre part, il réprouvait l'état d'esprit des hautes classes, on comprend que la démocratie était pour lui le moyen de remédier, par la vertu d'un principe idéal et pour ainsi dire sacerdotal, à une disqualification générale, qui s'imposait à lui, de toutes les classes, hautes et basses, de la société contemporaine. Peut-être Tocqueville devinait-il, malveillance à part, quelque chose de vrai quand il disait de Lamartine en le distinguant des ambitieux vulgaires : « Il est le seul, je crois, qui m'ait semblé toujours prêt à bouleverser le monde pour se distraire [2]. » Disons, pour être plus juste, qu'il était occupé, passionnément, d'un pari sur Dieu, sur le destin de la France et sur le sien propre.

---

1. Lettre du 17 octobre 1843, à M. de Beaumont, publiée par H. Guillemin (*Revue de France*, 1ᵉʳ septembre 1835, pp. 89-90, reproduite dans *Lettres inédites, op. cit.*, pp. 75-76). Il faut bien remarquer, à propos de « sommité » et « infimes », que ces mots s'entendaient alors au sens latin de *summus*, « le plus haut », et *infimus*, « le plus bas » : ce sont des désignations de topographie sociale. Ces précisions touchant les termes laissent intacte la question du degré de communion réelle avec les classes pauvres dont Lamartine était capable. Un incident survenu à l'occasion de son discours à l'Athénée des ouvriers de Marseille, dans l'été de 1847, et rapporté par Joseph AUTRAN (*Œuvres complètes*, Paris, 1878, t. VII, p. 66), situe ce degré près de zéro. Mais ce n'est qu'un incident, et, même s'il est exactement rapporté, quelle portée exacte lui attribuer? (Voir H. GUILLEMIN, *Revue de France*, 15 août 1939, p. 496.)

2. TOCQUEVILLE, *Souvenirs*, p. 126.

III

POÉSIE ET POLITIQUE

Le poète sacré, le chantre inspiré de la France monarchique et chrétienne – c'était la première idée qu'il s'était faite de lui-même –, une fois désenchanté d'un attachement exclusif aux antiques croyances et aux prestiges du passé, et tourné vers la prose des opinions modernes, avait cru trouver, dans l'image d'un avenir providentiel, et du peuple porteur de cet avenir, un dédommagement poétique à ce qu'il avait perdu. Dès son entrée à la Chambre, il proclame : « Le peuple est le cœur de l'humanité, le foyer brûlant et créateur où les idées neuves et fécondes naissent et se propagent par une sorte d'instinct universel, longtemps avant que les gouvernements les adoptent [1]. » Les séductions spirituelles de l'ancienne société – la foi antique, la tradition des siècles, les pouvoirs consacrés –, où il avait puisé sa première inspiration, se transmuent en poésie du temps futur : c'est là un des secrets du romantisme poétique français tout entier, d'abord rêve du passé et magnification du souvenir, puissamment réélaboré ensuite comme espérance et comme prophétie. C'est sans doute par une hyperbole, fréquente en ce temps-là, qu'il allait jusqu'à identifier action et poésie, quand il disait, dans les premiers jours de la IIᵉ République : « Que fait aujourd'hui notre pays, si ce n'est la plus sublime de toutes les poésies [2] ? »

Mais si l'action n'est poésie que par façon de parler, la poésie peut être réellement action. Quelle sorte de poésie? Les libéraux,

---

1. Deuxième discours à la Chambre, *Sur l'Orient*, 8 janvier 1834 (*La France parlementaire*, t. I, p. 9).
2. Réponse à une délégation d'étudiants en mars 1848 (*ibid.*, t. V, p. 182).

vers 1830, faisaient grand usage de la lyre citoyenne : l'idée d'un lyrisme militant semblait naturelle alors, la poésie étant volontiers considérée comme une variété d'éloquence. Les royalistes en usaient comme les libéraux : témoin les *Odes* du jeune Hugo, et plusieurs des *Méditations* de Lamartine lui-même, qui développent, sur le ton et dans les formes lyriques, une rhétorique monarchiste et chrétienne. Sa politique ayant pris en 1830 une autre direction, il usa de la même formule poétique avec un contenu nouveau : ainsi son poème *Contre la peine de mort* [1], en exaltant le peuple victorieux, lui demande d'épargner les ministres de Charles X. Il semble même avoir songé à cette époque à exploiter plus largement cette veine; dans une lettre de novembre 1830, il essaie de définir les caractères du genre : « Songez que toute poésie politique doit être poésie populaire, et que pour être poésie populaire, elle doit se servir du mot propre et de grosses et fortes images saisies par toutes les rudes imaginations auxquelles elle s'adresse [...] Une série d'odes politiques commentant nos mouvements peut être une belle chose. J'y pensais aussi [2]. » Cependant on doit constater que les poèmes de ce type sont rares dans son œuvre : à peine peut-on citer, outre le poème *Contre la peine de mort,* les strophes *À Némésis* en 1831 (il répond à une satire politique en vers contre sa personne, qui appelait naturellement une réplique de même sorte), et en 1841 *La Marseillaise de la paix,* écrite à l'occasion d'une crise internationale pour contredire les passions belliqueuses du moment. Ces quelques pièces n'occupent en somme, dans l'œuvre de Lamartine, qu'une place marginale.

C'est sur un autre plan que sur celui du militantisme immédiat que Lamartine, dès son premier recueil, avait dignifié la poésie lyrique, en l'élevant au niveau d'une Méditation multiple sur Dieu, la condition humaine et l'immortalité. Dans les *Harmonies,* il avait accentué le caractère religieux de cette inspiration, tout en l'élargissant dans le sens d'une vision providentielle de l'avenir; c'était là, désormais, son inspiration essentielle : inspiration politique autant que religieuse, militante si l'on veut, mais au sens large et doctrinal, et non dépendante des circonstances ou des événements particuliers. Il venait à

---

1. Plaquette publiée en décembre 1830.
2. Lettre du 19 novembre 1830 (*Corr. gén.,* t. I, pp. 81-82), à Antoine de Latour, qui venait de publier un poème, *Sur le jugement des ministres,* et projetait apparemment un recueil de poésies de ce genre.

peine de publier les *Harmonies* qu'il répondait à un jeune homme, admirateur de ce recueil : « Oui, je crois que ces deux volumes ne sont vraiment pas mal [...] Mais au fond tout cela n'est que de la graine de niais [1]. » Il doute du sérieux de sa prédication passée : il n'a pas trouvé la note juste, le genre de gravité dont son époque a besoin; il tient pour vaine cette poésie, continuatrice sous un vêtement nouveau de la poésie sacrée du siècle précédent, dernier et glorieux soupir de l'éloquence chrétienne en vers. « J'ai trop pris, écrivait-il à Nodier, le ton convenu du cantique ancien [2]. »

Élu député, il demeurait préoccupé de ce que la poésie devait être désormais. En 1834 il développa ce qu'il pensait sur ce sujet dans une longue profession de foi intitulée *Des destinées de la poésie* [3]. Il y célébrait d'abord, rétrospectivement, la résurrection de la poésie au lendemain de la chute de l'Empire; il laisse entendre que son premier recueil en avait donné le signal. Cette poésie, qu'on croyait morte, et incapable de survivre au progrès des sciences exactes, démontra qu'elle portait en elle « toute la partie morale, divine, mélodieuse, de la pensée humaine ». Ainsi Lamartine devenu homme politique lève plus haut que jamais le drapeau de la poésie et de son éminente dignité : « C'est la langue complète, la langue par excellence qui saisit l'homme par son humanité tout entière, idée pour l'esprit, sentiment pour l'âme, image pour l'imagination et musique pour l'oreille! [...] Cette langue ne mourra jamais! Elle n'est point, comme on n'a cessé de le dire malgré les démentis successifs de toutes les époques, elle n'est pas seulement la langue de l'enfance des peuples, le balbutiement de l'intelligence humaine; elle est la langue de tous les âges de l'humanité [...] Cette voix ne s'éteindra jamais dans le monde; car ce n'est pas l'homme qui l'a inventée. C'est Dieu

---

1. Louis DE CARNÉ, *Souvenirs de ma jeunesse au temps de la Restauration,* 2ᵉ éd., Paris, 1873, p. 128. Louis de Carné, né en 1804, était un des jeunes rédacteurs du *Correspondant,* royaliste et modérément libéral : Lamartine pouvait trouver plaisir à le scandaliser un peu.

2. Lettre à Nodier du 13 juillet 1830, *Corr. gén.,* t. I, pp. 46-47; voir aussi, *ibid.,* p. 53, la lettre du 15 juillet à Hugo.

3. *Des destinées de la poésie,* brochure de 1834 (datée du 11 février de cette année); ce texte figure en tête des *Méditations,* à la place des préfaces antérieures, à partir de l'édition des *Œuvres complètes,* Gosselin-Furne, 1834; il apparaît comme « seconde préface » des *Méditations,* en 1849, dans l'édition Didot des *Œuvres,* dite des Souscripteurs. Mes citations renvoient au t. II, pp. 376-431 de l'édition Lanson des *Méditations* où cette « seconde préface » est reproduite.

même qui la lui a donnée, et c'est le premier cri qui est remonté à lui de l'humanité [1]! Ce sera aussi le dernier cri que le créateur entendra s'élever de son œuvre, quand il la brisera. Sortie de lui, elle remontera à lui [2]. »

Cependant, le moment est arrivé où la poésie, pour continuer à remplir sa mission, doit prendre une orientation nouvelle : « Elle ne sera plus lyrique dans le sens où nous prenons ce mot ; elle n'a plus assez de jeunesse, de fraîcheur, de spontanéité d'impression, pour chanter comme au premier réveil de la pensée humaine. » Passant en revue la succession historique des genres, telle que Hugo l'avait évoquée dans la Préface de *Cromwell,* l'épopée puis le drame succédant à la poésie lyrique, il récusait l'épopée comme ne convenant plus à l'humanité adulte, et le drame (il pensait surtout au mélodrame contemporain et à son influence) comme attiré vers un niveau inférieur de culture. Il définissait ainsi la poésie destinée à répondre au plan de renouvellement et d'élévation tracé par Dieu pour le siècle présent : « La poésie sera de la raison chantée, voilà sa destinée pour longtemps ; elle sera philosophique, religieuse, politique, sociale, comme les époques que le genre humain va traverser ; elle sera intime surtout, personnelle, méditative et grave [...], écho profond, réel, sincère, des plus hautes conceptions de l'intelligence, des plus mystérieuses impressions de l'âme. » Mais, d'autre part, « elle doit suivre la pente des institutions et de la presse ; elle doit se faire peuple, et devenir populaire comme la religion, la raison et la philosophie ». C'est ce lyrisme philosophico-social, à la fois personnel dans sa source et visant à un effet de communion le plus large possible, qui a nourri tous les grands poèmes de Lamartine depuis la fin de la Restauration jusqu'au temps de sa retraite poétique : tels sont entre autres, *À l'Esprit-Saint* (1829-1830), *Les Révolutions* (1831), *Utopie* (1837), *À M. Félix Guillemardet* (1837). Cette formule, difficile par la contradiction de sa double visée – à la fois hauteur de pensée et vaste diffusion – devait être logiquement celle du romantisme humanitaire. Elle reste lyrique, par le ton effusif, par l'élan de l'imagination, par la forme des poèmes. Mais elle est aussi prédication explicite, elle fait profession de l'être ; c'est sa définition, et Lamartine peut dire sans

1. Cette vue sur l'origine de la poésie lyrique était très commune depuis longtemps : voir *Le Sacre de l'écrivain,* pp. 82-83, 102, 136, 400-401.
2. *Des destinées de la poésie,* éd. Lanson des *Méditations,* t. II, pp. 378, 387-389.

détours d'une telle poésie : « C'est elle qui plane sur la société et qui la juge, et qui, montrant à l'homme la vulgarité de son œuvre, l'appelle sans cesse en avant, en lui montrant du doigt des utopies, des républiques imaginaires, des cités de Dieu, et lui souffle au cœur le courage de les tenter et l'espoir de les atteindre [1]. »

L'Épopée moderne.

Lamartine, en développant sa définition d'un lyrisme moderne, dont à cette date il fournissait lui-même des exemples, faisait entendre que l'homme politique et le poète n'étaient pas distincts en lui. Il annonçait d'ailleurs qu'une fois atteints les premiers buts de son action, il entendait revenir à la poésie. Mais, chose remarquable, ce qu'il faisait ainsi prévoir à ses lecteurs était une entreprise poétique toute différente, contenu et forme, de celle dont il venait de tracer le modèle; le monument qu'il voudrait laisser avant de mourir est autre : « Ce monument, c'est un poème; je l'ai construit et brisé cent fois, et les vers que j'ai publiés ne sont que des ébauches mutilées, des ébauches brisées de ce poème de mon âme. » On entendait alors par « poème » un poème narratif, une épopée en somme, et Lamartine nous révèle, non sans quelque exagération, que le projet d'un tel poème explique et englobe tout ce qu'il a écrit. Or, nous avons vu qu'il déclarait, quelques pages plus haut, l'épopée désuète avec, disait-il, ses « longs récits » et ses « merveilles » [2]. Mais il ne s'agit là que de l'épopée à l'ancienne, dont *L'Énéide* de Virgile avait fourni le modèle aux poètes épiques européens depuis la Renaissance : on y chantait, selon un plan continu et sans se départir de la majesté du genre, les exploits, traversés d'épisodes merveilleux ou surnaturels, d'un héros de haute renommée. Dans l'esprit de Lamartine et, après lui, de tout le romantisme humanitaire, le héros du poème épique est le Genre humain tout entier dans son développement, et le merveilleux tient à la présence et à l'action de Dieu dans les destinées de l'humanité; le sens moral du récit réside dans la grande lutte du Bien et du Mal, et aussi

1. *Ibid.*, pp. 412-415.
2. *Ibid.*, pp. 423-424; p. 412.

du sacrifice et de l'espérance; l'allure du poème est libre et diverse; la narration peut accueillir des intermèdes lyriques ou méditatifs; le ton, varier du sublime au familier. « Le temps des épopées héroïques est passé, écrit Lamartine. C'est la forme poétique de l'enfance des peuples [...]. » Aujourd'hui, « l'intérêt du genre humain s'attache au genre humain lui-même [...] L'épopée n'est plus nationale ni héroïque, elle est bien plus, elle est humanitaire »; le seul sujet possible du poème épique, « c'est l'humanité; c'est la destinée de l'homme; ce sont les phases que l'esprit humain doit parcourir pour arriver à ses fins par les voies de Dieu » [1]; c'est « l'âme humaine et les phases successives par lesquelles Dieu peut lui faire accomplir ses destinées perfectibles » [2].

Tocqueville, regardant autour de lui, et essayant de dire quelles nouvelles sources de poésie pouvaient naître de la démocratie, uniformisatrice des personnes et des nations, écrivait en 1840 : « Cela met pour la première fois au grand jour la figure du genre humain. Tout ce qui se rapporte à l'existence du genre humain pris en entier, à ses vicissitudes, à son avenir, devient une mine très féconde pour la poésie. » Les poètes, « apercevant le genre humain comme un seul tout, conçoivent qu'un même destin préside à ses destinées, et, dans les actes de chaque individu, ils sont portés à reconnaître la trace de ce plan général et constant suivant lequel Dieu conduit l'espèce » [3]. On ne peut mieux définir l'épopée romantique, individuelle dans des héros et collective dans son sujet. On sait aujourd'hui que cette épopée a été la grande entreprise de l'âge romantique [4].

Lamartine avait conçu la première idée d'un tel poème en 1821, et des fragments en avaient été écrits entre 1823 et 1829 : ce sont *Les Visions,* qui, on l'a vu, n'ont été réunies et publiées entièrement que de nos jours. Alors que Vigny, à la même époque, concevait déjà le genre épique moderne sous la forme d'une collection de poèmes relativement courts, aux sujets et

1. Avertissement à *Jocelyn,* pp. 11-12.
2. Avertissement à *La Chute d'un ange,* p. 2.
3. A. DE TOCQUEVILLE, *De la démocratie en Amérique,* chapitre intitulé « De quelques sources de poésie dans les Nations démocratiques » (1840), éd. J.-P. Mayer des *Œuvres complètes,* Paris, 1951, t. I, vol. 2, pp. 79-80.
4. Voir le beau livre de Léon CELLIER, *L'Épopée romantique,* Paris, 1954. L'étude la plus documentée sur ce sujet est celle de Herbert J. HUNT, *The Epic in Nineteenth Century France,* Oxford, 1941.

personnages divers et non liés organiquement – formule qui s'annonçait aussi dans quelques poèmes de Hugo, et qui devait triompher finalement dans *La Légende des siècles* –, il faut remarquer que Lamartine, dans son projet des *Visions*, maintenait la conception d'une trame narrative unique : il estimait sans doute que cette structure convenait naturellement à un poème où l'Humanité devait apparaître comme douée d'une existence une et continue. Mais il était inévitable que cette existence, s'étendant au long des siècles, fût représentée en épisodes divers. Lamartine avait cru résoudre – fabuleusement – cette contradiction en faisant figurer dans des actions séparées par le temps un héros unique : un ange déchu, parcourant ici-bas une carrière séculaire d'épreuves. Lamartine, vers 1830, renonça aux ébauches et aux plans qu'il avait alors mis en train pour ce projet, mais non au projet lui-même. « Peut-être, écrit-il alors, [...] je pourrais enfin en dix ans écrire mon poème, ou un autre plus de mon temps encore [1]. » Nous savons que cette nouvelle version du poème, plus moderne, c'est-à-dire plus émancipée du catholicisme traditionnel, et qui sera, dit-il, sa *Divine Comédie,* son *Énéide* [2], l'occupa longuement et continûment; c'est elle qu'il annonce en 1834.

De cette œuvre projetée, après laquelle Lamartine pensait clore sa mission de poète [3], seuls ont été publiés, en 1836, *Jocelyn* (commencé dès 1831) et, en 1838, *La Chute d'un ange* (commencée en 1835 ou 1836). Ce dernier poème est la preuve que le cadre adopté autrefois pour *Les Visions,* à savoir la carrière d'épreuves terrestres d'un ange déchu, avait bien été conservé. Quant à *Jocelyn,* qui devait sans aucun doute faire partie du grand poème [4], il atteste que l'œuvre s'étendait au moins jusqu'à la Révolution française. Nous sommes bien peu renseignés sur la nature et l'ordre des épisodes dont Lamartine projetait de la constituer, et il ne semble pas qu'il ait conçu à cet égard des plans aussi détaillés que ceux qu'il avait dressés pour *Les Visions.* Le poème devait commencer à l'origine des temps, puisque Lamartine nous dit de *La Chute d'un ange* qu'elle ouvre « presque » la série des épisodes [5]; un contem-

---

1. Lettre du 10 février 1830 à Virieu (*Corr. gén.,* t. I, p. 10).
2. Voir les lettres de juillet 1830 à Thiers, Nodier, Hugo (*ibid.,* t. I, pp. 43, 46-47, 53).
3. Voir la lettre du 17 juillet à Hugo (*ibid.,* p. 53).
4. Voir *Jocelyn,* éd. citée, Avertissement, pp. 7-8.
5. Voir *La Chute d'un ange,* Avertissement, p. 12 dans la 7ᵉ éd., avril 1839.

porain croit savoir qu'elle devait être précédée d'un poème intitulé *La Création* [1]. En tout cas, nous ne voyons nulle part que Lamartine ait pensé aller, comme dans *Les Visions*, jusqu'au Jugement dernier. Des épisodes qui ne nous sont pas parvenus ont-il été écrits ou esquissés? On peut en douter. Lamartine évoque plusieurs fragments jetés au feu, d'autres conservés [2]; il a parlé d'un épisode des *Pêcheurs*, d'un poème de *L'Ouvrier*, qui devait faire partie de la grande œuvre; furent-ils jamais écrits [3]? Les témoignages de ses amis ou de ses proches sont incertains : on nous parle tantôt de dix réincarnations de l'Ange, donnant lieu à dix « épisodes » ou « fragments » (la désignation varie), tantôt de douze [4]. Nous devinons que Lamartine fut bientôt convaincu que l'immense entreprise ne verrait jamais sa fin, et se résigna à la laisser inachevée.

Après *La Chute d'un ange*, rien d'autre ne parut du grand poème. Lamartine recula peut-être aussi devant l'étrangeté de son affabulation réincarnante. La poésie moderne, « raison chantée » selon sa propre définition, pouvait bien revêtir, pour atteindre un plus large public, le vêtement de la fiction narrative et se mettre en devoir de ressusciter les prestiges fabuleux de

---

1. Voir Ernest FALCONNET, *Alphonse de Lamartine*, Paris, 1840, p. 72.

2. Voir l'Avertissement de *Jocelyn*, pp. 13-14.

3. Il annonce *Les Pêcheurs* à la fin de l'Avertissement de *La Chute d'un ange* (mai 1838) et les deux poèmes dans la lettre du 28 juin 1838 à Virieu (*Corr.*, t. III, p. 467). D'après Henri DE LACRETELLE (*Lamartine et ses amis*, Paris, 1878, p. 33), Lamartine disait avoir écrit, puis perdu, celui des *Pêcheurs* (voir aussi sur ce sujet. H. GUILLEMIN, *Le « Jocelyn »*... p. 251). Certains supposent que Lamartine finit par rédiger ces deux épisodes en prose; celui des *Pêcheurs*, qui, selon Ch. ALEXANDRE, *op. cit.*, p. 28, devait être « un souvenir de sa vie de jeunesse sur le golfe de Naples », serait devenu *Graziella*; celui de *L'Ouvrier* aurait pris la forme du *Tailleur de pierres de Saint-Point*; ce ne sont là que des hypothèses.

4. Mme de Girardin, ayant lu *La Chute d'un ange* aussitôt parue, et entendant que Jocelyn n'était autre que l'ange Cédar réincarné, prévoit un total de dix incarnations (l'Esprit qui parle à Cédar à la fin de *La Chute d'un ange* lui annonce en effet neuf autres vies); elle suppose qu'on le verra roi (guillotiné peut-être); elle suggère qu'il pourrait être Byron! (voir ses lettres à Lamartine des 14 juin et 18 juillet 1838, dans *Lettres à Lamartine*, éd. Valentine de Lamartine, Paris, 1892, pp. 160 et suiv., 166 et suiv.). De son côté, Falconnet, qui peut avoir reçu des confidences de Lamartine, écrit qu'il y aura douze fragments, dont — on l'a vu — une *Création*, pour commencer, puis *Les Pêcheurs*, et que *La Mort de Socrate* (poème publié par Lamartine en 1823) devait faire partie de la douzaine, *Jocelyn* formant l'épisode final. Mais Socrate, réincarnation de Cédar? Il faut croire que rien n'effrayait Lamartine, au moins en projet ou en paroles. La composition du grand poème en *douze* épisodes semble confirmée par Lamartine lui-même (dernier vers du Récit qui ouvre *La Chute d'un ange*).

l'épopée. Mais ce qu'il avait conçu passait les limites de la prudence; il était plus facile d'en parler que de le réaliser. En fait, il n'est dit nulle part expressément dans *Jocelyn* que le héros soit un ange déchu et réincarné. Lamartine a écrit, séparément et successivement, un beau roman en vers où s'affrontent l'Amour, la Religion et la Révolution, puis une histoire des temps primitifs, atroce et fabuleuse à souhait.

L'épopée romantique visait très haut. C'est peu de l'appeler épopée, elle prétendait être bien davantage : l'équivalent, du point de vue humanitaire, d'une Histoire sainte. Et cette Histoire sainte ne s'est constituée, en fait, nulle part. Elle est restée incomplète et disparate chez les deux seuls qui en aient conçu l'entier projet, embrassant la carrière entière de l'humanité, à savoir Ballanche et Lamartine. Chez d'autres le projet fut partiel. Vigny, dans les années 1820, ne conçut qu'un *Satan sauvé,* sujet qui devait acquérir une importance capitale dans la théologie humanitaire, mais il ne réussit à en écrire que des fragments : il n'a laissé qu'*Éloa,* poème de perdition et non de salut. Hugo lui aussi a conçu seulement une *Fin de Satan*; il l'a écrite, et il considérait certes cet épisode théologique comme une clef pour l'histoire de l'Humanité; mais le seul épisode historique qu'il pensait évoquer en rapport avec son sujet était la prise de la Bastille; et encore a-t-il à peine ébauché cette section du poème, de sorte que *La Fin de Satan* est restée, elle aussi, inachevée [1]. Il faut croire que le projet d'une épopée humanitaire, charpentée historico-théologiquement, souffrait de quelque vice : c'était une de ces obsessions qui abusent une époque sur ses pouvoirs véritables, témoignant de ce que cette époque a désiré être plutôt que de ce qu'elle a été. Le XIXᵉ siècle n'était plus le temps des grandes synthèses spirituelles. Ce siècle, ayant rejeté les derniers restes de la synthèse médiévale, a rêvé alors de fonder la sienne; mais toute synthèse était désormais problématique ou arbitraire; la vocation réelle des temps nouveaux était de chercher, de découvrir, d'annoncer

1. Je ne mentionne que les auteurs les plus notoires. *L'Ahasvérus* de QUINET, en 1833, est une œuvre achevée, à la fois cosmique, historique et théologique, qui conduit son lecteur de l'origine à la fin des temps; mais elle est en prose, et plus proche par sa structure du drame que du récit épique. *La Divine Épopée,* d'Alexandre SOUMET, aujourd'hui tout à fait oubliée, n'est, en 1840, qu'une variante attardée des débuts du genre : c'est une fable théologique sur le seul épisode de la Rédemption finale, dans le goût de la Restauration et de *La Muse française,* passablement hétérodoxe, mais sans résonance humanitaire proprement dite.

pas à pas, plutôt que de proclamer une Loi nouvelle de la Terre et du Ciel. C'est pourquoi les seules réussites épiques de cette époque se trouvent dans *Les Destinées* et *La Légende des siècles* qui ont accepté d'être des œuvres diverses et discutables poème par poème. L'espérance d'une foi moderne, du type de l'ancienne, sonnait creux au fond des consciences; mais elle obsédait l'âme romantique. La poésie de cette époque n'a triomphé du temps que dans les créations lyriques où il est d'usage de faire résider tout le génie de ses poètes. Mais ce lyrisme est mal entendu quand on n'y voit, comme on fait trop souvent, qu'une régénération en France de la « poésie personnelle ». Car c'était bien autre chose : le souffle essentiel, qui a passé alors dans l'épopée comme dans le lyrisme, et qui continue de nous émouvoir, excédait les limites du *moi*. D'ailleurs, quand une époque est révolue, celles de ses créations qui passent pour démodées peuvent avoir, pour qui cherche la trace des moments d'intensité de l'esprit humain, plus de vertu évocatrice que celles qui semblent parler encore le langage de la vie.

JOCELYN *et* LA CHUTE D'UN ANGE.

Il n'est question ici que de dire la place que ces deux œuvres tiennent dans la carrière créatrice de leur auteur. *Jocelyn* a été, aux yeux de tout le XIXᵉ siècle, et d'une partie du nôtre, une grande œuvre, unique dans son genre et nullement manquée. C'est plus tard que les personnages et la morale de *Jocelyn* ont vu baisser leur crédit : l'abnégation, même mêlée de révolte; la jeunesse sacrifiée à un devoir familial, l'autorité d'un sacrement religieux faisant taire l'amour, la leçon des vertus, hautes ou humbles, n'ont plus semblé que des valeurs de convention; pour comble, le préjugé qui fait de Lamartine un poète mélodieux et flou a submergé indûment cette œuvre toute dramatique, riche de pensée et de vie autant que de douleurs. Tenons-nous-en ici à ce qui, en elle, put surprendre les contemporains, et qui définit les intentions de son auteur. D'abord l'histoire elle-même, admirablement située sur les confins du conformisme familial et chrétien et de son désaveu. Un jeune homme qui entre sans vocation dans la carrière ecclésiastique pour que sa sœur puisse avoir une dot et se marier; qui, arraché au séminaire et persécuté par la Révolution, réfléchit sur le sens providentiel des bouleversements humains et adore en Dieu leur auteur; qu'un évêque mourant dans une prison révolutionnaire fait prêtre pour ainsi dire de force, afin de recevoir de lui les derniers sacrements; qui de ce fait doit renoncer à un amour où il trouvait son bonheur; qui vieillit, curé obscur d'un village alpin, tandis que sa bien-aimée désespérée se corrompt dans le monde, et qui — épisode suprême — est amené par hasard à la confesser et à l'absoudre sur son lit de mort : voilà une trame irréprochablement chrétienne par la perfection du sacrifice, et chrétiennement scandaleuse par l'affabulation, et par tout ce qu'elle trahit de révolte avant la soumission et de complaisance pour un amour réputé sacrilège. Les catholiques n'y voulurent pas voir autre chose : ils réprouvèrent les orages choquants d'une vocation forcée; la passion d'un séminariste, survivant dans son cœur à l'ordination; les égarements de sa religion toute lamartinienne, et la scabreuse extrême-onction, scellée par un ultime baiser de l'héroïne expirante. Cependant rien ne convenait mieux qu'une telle fable à la position réformatrice de Lamartine, et à la prédication qu'il entendait faire dans le sens d'un élargissement du christianisme traditionnel. Ce qui était scandale pour les catholiques était source d'un pathétique de haut effet pour des lecteurs peu soucieux d'orthodoxie : ils pouvaient y goûter, sans irrespect déclaré, la transgression de plusieurs défenses sacrées. Dans cette œuvre saintement explosive étaient mis en question les sacerdoces sans vocation, les abus d'autorité spirituelle de la hiérarchie catholique, et, bien que Lamartine s'en défende, l'inhumanité du célibat sacerdotal. Lamartine avait, dès les *Méditations,* entrepris de réconcilier l'amour humain et le ciel; il continuait ici, franchissant les bornes, et il exaltait en outre la tolérance, le progrès des sociétés et des croyances, la sainteté du travail et des travailleurs. Sans rompre avec le christianisme, *Jocelyn* suggérait en somme beaucoup de nouveautés.

À nouvelle matière, nouveau langage. L'ancienne poétique imposait, dans les genres graves, un style de haute convention, un caractère de dignité dans le ton et dans les détails, évidemment impropres à toucher un public populaire, et précisément conçus pour exclure ce public. La révolution romantique avait eu en grande partie pour objet de faire tomber cette barrière; on connaît surtout, dans cette mutation du style, ce qui fit triompher une liberté agressive et colorée, dans *Hernani, Ruy*

Blas ou *Les Orientales*. Mais la modernisation du style littéraire se faisait dans le même temps, avec moins d'éclat et de contrastes, par un glissement vers le familier, par la recherche d'effets plus accessibles au public commun. C'est ainsi que Lamartine entendait son *Jocelyn*. Il avait déjà eu auparavant l'intuition d'une telle poésie. L'idée avait pu lui en venir, ou plutôt se confirmer en lui, par Sainte-Beuve et les *Poésies de Joseph Delorme,* qui ont été, dans cet ordre d'idées, le grand événement initial. Un mouvement dans ce sens se produisait en France, la connaissance des lakistes anglais aidant. On appelait alors cette poésie « poésie intime ». L'adjectif signifie, chez Lamartine, d'abord l'absence d'artifice formel ou d'apprêt, la spontanéité de l'effusion. C'est ainsi qu'annonçant en 1829 à un ami un de ses poèmes, il écrivait [1] : « Ce n'est pas du romantisme à la Hugo, c'est quelque chose de plus intime, de plus vrai, de plus dénué d'affectation de costume et de style. » Cette simplicité des pensées les met en communication directe avec l'idéal ; elle est élévation en même temps que vérité du cœur et du langage : la poésie intime est, par vocation, une poésie spirituelle. Mais en même temps elle exclut dans son style et ses matériaux tout prestige de culture ou d'intelligence ; elle est le fait de toute âme humaine disant sa destinée et ses vœux ; c'est dans les humbles et les obscurs qu'elle a toute sa force et son parfum. Elle ignore tout apparat de rang ou de convention ; elle empreint les choses de tous les jours et l'existence de tous les hommes.

La vie quotidienne et commune n'avait guère eu, dans la tradition, que les honneurs de la poésie satirique ou parodique. En la dignifiant, on dignifie le décor et les êtres du présent le plus commun ; on actualise et on démocratise la gravité et la beauté. Lamartine a appelé son *Jocelyn* « l'épopée de l'homme intérieur », « un épisode de vie cachée et intime », « deux petits volumes d'un genre nouveau et très intime », « un fragment d'épopée intime » [2]. Il est significatif qu'il ait espéré en même

1. Lettre du 1ᵉʳ août 1829, à Virieu, *Corr.*, t. III, p. 151. Il s'agit très probablement du poème des *Harmonies* qui s'intitule *Bénédiction de Dieu dans la solitude.*

2. Voir ces définitions de *Jocelyn* par son auteur dans les lettres du 11 décembre 1831 à Virieu (*Corr. gén.,* t. I, p. 226), de [janvier 1835] à Virieu (*ibid.,* t. II, p. 99), du 27 janvier 1835 à la marquise de Barol (*ibid.,* t. II, pp. 102-103), et dans l'Avertissement de *Jocelyn,* p. 16. L'œuvre est dite de même un « épisode de poésie *intime* » (adjectif pris en un sens particulier) dans la lettre à Virieu du 14 janvier 1836, *Corr. gén.,* t. II, p. 177.

temps que son livre toucherait le plus vaste public, qu'il serait
« populaire comme *Paul et Virginie* » [1]. Il admettait qu'on
pouvait n'y voir à la première lecture que « de la pastorale un
peu niaise »; mais il n'acceptait pas cette fois l'épithète qu'il
avait lui-même affecté d'appliquer à ses *Harmonies*, car *Jocelyn*
lui semblait quelque chose de neuf et de fort : « Cela sera
trouvé bête pendant six ans, et dans les poches des cordonniers
ensuite [2]. » Le sens triomphal que Lamartine donne à ces derniers mots montre bien ce qu'il voulait être alors : interprète
et inspirateur, en poésie comme en politique, de la foule
humaine la plus large.

Les réflexions que peut suggérer *La Chute d'un ange* rattachent plus nécessairement cet « épisode » au grand poème
dont il devait fournir le point de départ. C'est là que s'établit,
dans son origine théo-mythologique, le thème de l'Épreuve,
qui devait dominer tout l'ensemble projeté. Ce thème s'incarne
ici dans un ange déchu : souvenir des unions d'anges avec des
femmes que mentionne la Genèse, et auxquelles la théologie
ordinaire accorde peu d'attention. Ce type de personnage exerce
au contraire une grande séduction sur l'imagination humanitaire, qui cultive volontiers, surtout dans le « poème », les
régions mitoyennes entre Ciel et Terre. Mais l'épreuve particulière du Cédar de Lamartine met à l'origine de l'action une
sorte de mystère théologique. L'ange déchoit volontairement,
il devient homme pour l'avoir voulu, mais il ne l'a voulu que
pour pouvoir sauver d'un péril cruel la femme dont il était le
Gardien céleste : bien plus encore qu'Adam chassé de l'Éden,
il peut sembler victime d'un sort inique. Cependant, on ne
voit pas que ses malheurs lui vaillent la moindre miséricorde
divine, ni un semblant de rédemption : dans l'affreux dénouement du poème, il voit mourir, perdus avec lui dans le désert,
sa femme et ses enfants, et meurt, après eux, dans l'horreur et
le blasphème, sur un bûcher qu'il a lui-même allumé. C'est
ici le cas de se souvenir de l'identité que Lamartine établit si
volontiers entre Providence et Fatalité. Cédar vit cette expérience, et n'a pas le moyen de la surmonter. En général la
théologie humanitaire a eu fort à faire pour intégrer dans ses
constructions le Châtiment originel, dont elle accepte d'ordi-

---

1. Lettre du 13 février 1836 à Virieu, *ibid.*, t. II, p. 187.
2. Lettre du 14 janvier 1836 à Virieu, déjà citée.

naire le principe, au moins dans ses versions christianisantes.
On suppose alors, sous diverses variantes, que Dieu n'a puni
que pour mieux émanciper et racheter; on module le *felix
culpa* selon un humanisme plus ou moins hardi; on associe
Dieu à la célébration des merveilles de l'effort humain depuis
Adam jusqu'à nous. Ce n'est pas dans cette voie que Lamartine
s'engage. L'optimisme que la notion d'épreuve implique nécessairement n'efface jamais chez lui le sentiment de l'impénétrabilité de la justice divine. Il semble seulement qu'il imagine
cette obscurité plus épaisse et plus violente aux temps primitifs
qu'à présent, et que l'affabulation de son poème s'en ressente.
Seuls y ont part à la clarté et à la vérité divine les sages ou
les saints, dépositaires de la tradition des tout premiers jours
et annonciateurs de l'avenir. Lamartine en rencontre un ou deux
au Liban; et Cédar surtout découvre le vieillard Adonaï, détenteur des fragments du « Livre primitif », sorte de code poétique
de la religion rationnelle : là se trouve toute la consolation que
Lamartine a pu mettre dans son écrasant poème.

La Chute d'un ange n'est pas seulement une pensée, c'est
aussi et surtout une littérature : un poème véritablement épique
en même temps que sacré, original à sa manière, mais fidèle
aux habitudes légendaires et fastueuses du genre. Littérairement,
il est à l'opposé de *Jocelyn*. Rien d'« intime » ici. Lamartine,
en écrivant ce poème-ci, visait à tout autre chose. Il l'annonce
dans ses lettres comme un « fragment dantesque », une poésie
« antédiluvienne, primitive, orientale », une « grande poésie
antiquissime » [1]. Ce « fragment » (de douze mille vers) devait
balancer, par une majesté et un éclat d'imagination dignes des
grands modèles épiques, l'humilité d'accent et de couleur des
épisodes modernes du grand poème projeté. La représentation
des temps primitifs était à cet égard une matière rêvée. La
tradition littéraire, sur quelques allusions de la Genèse, imaginait sous une forme violente et colossale la période qui sépare
Adam de Noé. Les figures de Caïn et de ses descendants,
l'apparition des géants nés de l'union des anges et des mortelles,
les progrès du mal sur la terre et le déluge qui en fut le
châtiment donnaient à cette époque un caractère de grandeur
sinistre qui prolongeait la disgrâce du premier couple humain.
Lamartine, sous l'inspiration de son intrigue inhumaine, a

---

1. Lettres des 14 janvier, 13 février et 19 juin 1836, à Virieu, *ibid.*, t. II,
pp. 177, 187, 220.

renchéri sur les traits légendaires de ce monde; il n'a pas manqué de peindre l'innocence et l'idéale rusticité des premiers habitants de la terre; mais il a mêlé d'autres peintures à celles-là; il a fait aussi ce monde tantôt farouche et rudimentaire, tantôt gigantesque par le luxe et la puissance, animal par la bassesse et la démesure des instincts. Il semble avoir pris un étrange plaisir, mêlé d'horreur, à développer la luxure sadique de ces « dieux » humains, despotes subtils et féroces, et l'infortune indicible de leurs pures victimes, comme s'il libérait par cette peinture l'obsession d'une sensualité cruelle, épouvantail et fantasme de son spiritualisme.

L'énormité de cette fresque, malgré ses considérables beautés, n'a cependant pas séduit le public. *La Chute d'un ange* a été généralement mal reçue, et on en aperçoit les raisons. Le fabuleux ne peut convaincre de nos jours que sous des conditions et avec des précautions dont Lamartine ne semble pas s'être soucié. Recherchant cette fois la grandeur épique, il est entré malgré lui dans des conventions anciennes d'imagination et de style, à peine modifiées. Un récit continu en quinze « visions » – autant dire quinze chants, selon le vieil usage – avec quelques récits secondaires emboîtés dans le principal, un déroulement immense et monotone d'exploits et de prodiges rappellent trop, en dépit de la différence d'esprit, l'ancienne forme épique, tant de fois reprise en France sans succès depuis la Renaissance. Lamartine qui, depuis 1820, dépouillait la poésie lyrique française de ses ornements surannés, a fait en 1838 un usage excessif des procédés d'élocution – périphrases nobles, lexique expurgé – de la poésie néo-classique. Non qu'il n'ait fait effort, ici aussi, en sens contraire; le fait est qu'il donne moins qu'ailleurs l'impression d'y être parvenu. Quoi qu'il en soit, *La Chute d'un ange,* peu capable d'un succès populaire, ne plut pas davantage aux lettrés, et la critique lui fut contraire. Il semble bien que cet échec ait définitivement convaincu Lamartine de renoncer à son grand et chimérique projet. En tout cas, il s'en tint là.

Une littérature pour le peuple.

Le peuple, de toute évidence, est lecteur de romans plus que de toute autre chose. Il est naturel qu'une littérature d'intention missionnaire tente d'aborder par là son édification. Lamartine, ayant renoncé à son grand projet, inclina dans ses années de retraite, après 1848, à substituer la prédication romanesque à la prédication épique. Dans un temps où les espérances humanitaires battaient de l'aile, la portée plus modeste, plus simplement morale, du roman le tenta. C'était par là qu'il pouvait encore enseigner le peuple, en séduisant son imagination par la représentation de figures exemplaires. Les récits en prose qu'il avait écrits jusque-là étaient d'une sorte assez différente. *Graziella,* qu'il écrivit, croit-on, en 1844, n'annonce le genre que de fort loin. *Raphaël,* qu'on date de 1847, en est plus éloigné encore [1]. Ces récits romancés de ses amours de jeunesse touchent le grand public, c'est vrai, non le peuple en particulier. Il s'agissait maintenant de s'adresser à lui dans la ligne de *Jocelyn,* ramenée à un ton plus bas et à la prose. Il est significatif que *Geneviève,* histoire d'une servante, qui parut en 1850, soit, par le sujet, une sorte de suite ou de complément latéral à *Jocelyn.* Geneviève, nous dit l'auteur dans sa préface, est le nom véritable de Marthe, la servante de Jocelyn; elle était en effet la servante de l'abbé Dumont, l'original de Jocelyn [2], et Lamartine raconte sa vie d'après les confidences qu'elle lui a faites. La destinée de la servante a des chances d'être, bien sûr, plus parlante pour le peuple que celle du maître. Il y a plusieurs niveaux dans l'enseignement de Lamartine, comme dans la prédication de la foi chrétienne, quoique l'Évangile enseigné ne varie pas.

Geneviève est précédée d'une préface qui pose le problème de la littérature populaire, en racontant une conversation de l'auteur avec Reine Garde, couturière en Provence, autrefois servante, à qui le livre est dédié. Mlle Reine, qui était poétesse [3], était venue voir Lamartine à Marseille, où il se trouvait dans l'été de 1846, et elle s'était plainte, nous dit-il, que les livres ne fussent jamais faits pour le peuple; même *Télémaque,* même *Paul et Virginie,* qui plaisent universellement, évoquent un

<hr />

1. *Graziella* et *Raphaël* ne parurent, l'un et l'autre, qu'en 1849.
2. Lamartine renvoie aux *Confidences* (publiées en 1849) où il a révélé l'existence de cet original (« l'abbé D... »).
3. Elle devait publier en 1851 un recueil de vers, *Essais poétiques,* dédié à Mme de Lamartine. D'après le *Grand Larousse du XIXe siècle,* elle avait fait, grâce à une protectrice, de bonnes études. Son recueil eut trois éditions; elle publia, entre 1855 et 1869, deux romans : *Marie-Rose, histoire de deux jeunes orphelines,* et *Hélène ou l'Ange du dévouement,* et des *Nouvelles Poésies.*

monde trop au-dessus du commun : « C'est, disait-elle, plus haut que notre main, nous n'y pouvons pas atteindre. Qui est-ce donc qui fait des livres pour nous? Personne!» Là-dessus, Lamartine passe en revue les grands noms et les grands genres de la littérature universelle, et il ne trouve rien, en effet, ou presque rien, qui soit à l'usage du peuple. Or, le peuple d'une démocratie a besoin de lire, et justement nous sommes dans un temps où les hommes de talent se multiplient, et n'ayant plus de débouché dans l'Église, sont inactifs et turbulents; écrire des livres pour le peuple sera l'emploi de cette classe nouvelle : « N'en doutez pas, l'ère de la littérature populaire approche.» Autrefois l'écrivain se faisait gloire de plaire aux grands; « de même ce sera un honneur, et une vertu bientôt, d'instruire les petits, de parler aux masses, de plaire au peuple honnête ». Mais de quelle sorte de livres a besoin le peuple? Il ne lui faut ni philosophie, ni histoire, ni science, ni poésie, ni beaux romans. Lamartine place ici au plus bas le niveau du « populaire » en littérature; il semble contredire ses vues antérieures sur les destinées de la poésie et de l'épopée; ce qu'il faut donc au peuple, ce sont « de simples histoires vraies et pourtant intéressantes, prises dans les foyers, dans les mœurs, dans les professions, dans les familles, dans les misères, dans les bonheurs, et presque dans le langage du peuple lui-même » [1]. Ce « presque » revient à accepter que la littérature pour le peuple lui vienne malgré tout d'en haut, et utilise, même en se proposant de lui être accessible, un langage différent du sien. Lamartine en prend naturellement son parti, car il cherche moins à communier qu'à édifier et convaincre. D'autres, George Sand, Hugo même, ont rencontré le même problème, et l'ont résolu comme lui, par un nouveau style de récit, sans prétendre non plus parler peuple, ni trop s'affliger de la distance qui subsiste malgré tout entre leur littérature et le langage réel du peuple. Les désespoirs de Michelet sur ce sujet [2] sont exceptionnels et, semble-t-il, peu fondés.

L'idée d'une littérature pour le peuple n'était pas nouvelle chez Lamartine, et il lui donnait d'autres applications que celle du roman populaire, à laquelle il semble la borner ici. Dans cette préface même de *Geneviève,* il reproduit un long passage

1. *Geneviève,* Paris, 1850, Préface, sections XIX à XXVII, notamment pp. 20, 26-27, 30.
2. Voir *Le Temps des prophètes,* pp. 549-550.

de l'article de 1843, où il avait traité d'une Histoire à l'usage des masses [1]. Il annonce aussi son intention de publier « quelques récits en prose et quelques chants populaires en vers pour les dimanches du peuple affamé de lecture et qui n'a pas encore d'écrivains à lui », de raconter en particulier « sept ou huit vies obscures » dont il a été le témoin ou le confident, et qui iront au cœur du peuple, car elles lui prêcheront « l'Évangile du sentiment », le seul enseignement qu'il entende; mais il n'a écrit, on l'a vu, que deux de ces récits. Il s'est davantage consacré, dans les années qui ont suivi sa chute politique, à des ouvrages plus directement éducatifs. Entre 1849 et 1851, il publia en livraisons périodiques à bon marché, destinées à « la population laborieuse et honnête des villes et des campagnes », *Le Conseiller du peuple,* mensuel, sorte de commentaire populaire, au jour le jour, à la fois politique, moral et littéraire, de la vie de la République entre Juin et le coup d'État [2]; puis, quand la politique fut interdite, et jusqu'en 1854, *Le Civilisateur, histoire de l'humanité par les grands hommes,* recueil de biographies éducatives depuis Homère jusqu'à l'amiral Nelson [3]. Je ne dis rien de l'immense *Cours familier de littérature,* où les vies de personnages illustres de toute sorte tiennent une large place [4]. Ce genre, né au xviiie siècle sous le nom d'Éloges des grands hommes, devait remplacer plus ou moins explicitement, dans les Lumières et la philosophie de l'Humanité, les anciennes Vies des saints. Tout ce côté de l'œuvre tardive de Lamartine a été certainement stimulé, comme on le remarque souvent, par la nécessité où il se trouva, dans cette dernière époque de sa vie, d'assurer son existence matérielle. Mais cette vaste production n'en suppose pas moins la vocation et l'ambition d'instruire et de « civiliser » le peuple [5].

1. *Geneviève,* Préface, section XXVIII, pp. 33-35. C'est un extrait de l'article, cité plus haut (voir la note 1, p. 49 ci-dessus), « Des publications populaires »; Lamartine a fait disparaître de cet extrait une longue critique du 18-Brumaire, question brûlante sous le prince-président, et s'est arrêté sur des lignes de points, p. 35, qui remplacent un développement sur l'opportunité de fonder un grand journal démocratique, projet normal en 1843, beaucoup moins en 1850. Dans la réédition de *Geneviève* sous l'Empire libéral en 1863 (*Œuvres complètes,* éd. chez l'auteur, t. XXX), le projet de journal reparaît, mais le 18-Brumaire reste évidemment supprimé.

2. *Le Conseiller du peuple* s'étend sur trois volumes, Paris, 1849-1850-1851.
3. *Le Civilisateur,* etc., Paris, 1852-1853-1854, 3 vol.
4. *Cours familier de littérature,* Paris, 1856-1869, 28 vol.
5. Lamartine considère comme œuvre de « civilisation » l'éducation intellec-

Pour en revenir au genre particulier du roman populaire, il faut constater que les seules « vies obscures » que Lamartine ait racontées sont *Geneviève* en 1850 et *Le Tailleur de pierres de Saint-Point* en 1851; on peut y ajouter, en 1863, *Fior d'Aliza* [1]. Ces récits, aujourd'hui tombés dans l'oubli, n'ont pas eu la faveur du public populaire à l'intention de qui ils ont été écrits. Ce qui les distingue, parmi la vaste et diverse littérature que les écrivains romantiques ont destinée à l'éducation du peuple, c'est la sainteté navrante de leurs héros ou héroïnes, martyrs d'une condition sociale et d'une destinée personnelle également écrasantes : ces personnages résignés, inébranlés dans leur modeste et haute dignité et, au milieu des pires coups du sort, purs de toute révolte, intacts dans leur foi sous l'accumulation pathétique des douleurs, sont moins conformes à une figuration humanitaire de l'infortune qu'à la dure et vertigineuse religion lamartinienne. Ils nous aident à comprendre que l'exaltation du sacrifice se fortifiait chez Lamartine d'une pensée sociale : le sort du peuple lui serait-il supportable sans abnégation? On ne peut douter que cette interrogation ait eu une part dans la répugnance de Lamartine à rompre avec la foi traditionnelle. Mais ses héros, ainsi conçus, appellent plus fortement la pitié que la fraternité. Par la représentation du supplice terrestre des humbles, ils ont fourni au roman démocratique des époques suivantes une de ses couleurs, qui pourtant ne pouvait être la seule. Une littérature romanesque plus chargée d'audace et de revendication, dont *Les Misérables* sont un glorieux exemple, les a rejetés dans l'ombre.

Le débat de la poésie et de l'action.

De tout ce qui précède il ressort qu'il y avait convergence, dans l'esprit de Lamartine, entre sa mission politico-religieuse et sa mission de poète. C'est à cette lumière qu'il faut juger

tuelle et morale du peuple : d'où le titre de son *Civilisateur*. Cet emploi du mot va de pair avec celui qui faisait souvent désigner alors les classes incultes comme une « barbarie » intérieure à la société civilisée (voir *Le Sacre de l'écrivain*, pp. 236-237).

1. *Fior d'Aliza* est de 1863. Il y eut encore, en 1867, *Antoniella*, mais ce dernier récit est d'un autre caractère, noir abominablement, et d'une affabulation plutôt extravagante.

les textes où il semble les opposer l'une à l'autre. Ces textes sont assez nombreux (on les trouve un peu partout chez Lamartine entre 1830 et 1848), et la poésie y paraît assez maltraitée en contraste avec l'action. Que penser, par exemple, de ceci : « Je vais, je crois, être nommé député ici ou ailleurs. Le moment est trop grand pour perdre des heures à aligner des rimes [...] Le monde politique a besoin de tous les courages et de toutes les lumières. Adieu donc à la douce et belle poésie de nos jeunesses. Je vais la pleurer [...] Si la terre se raffermit sous nos pas, je tâcherai de me faire reconnaître d'elle en des jours meilleurs » [1]? La poésie est-elle alignement stérile de rimes, ou bien trésor de jeunesse auquel il faut revenir? Il écrit quelques jours après : « Je ne me suis présenté à la politique qu'à mon cœur défendant, et pour accomplir un devoir d'homme toujours au-dessus d'une inclination de l'esprit [...] Les temps sont trop graves pour qu'une intelligence consciencieuse et complète se contente de cadencer des syllabes et de réfléchir des sentiments et des images [2]. » La contradiction, toujours la même, semble opposer à un impératif moral d'action une volupté de l'esprit, futile en comparaison, quoique précieuse en elle-même. Les strophes *À Némésis,* qui sont d'une date voisine, évoquent semblablement une poésie tout en soupirs et en hymnes, qui doit s'effacer dans les temps de péril où le devoir prime :

Honte à qui peut chanter pendant que Rome brûle [3].

Il semble donc y avoir conflit entre deux valeurs, inégalement contraignantes, et dont on ne peut sans s'égarer ignorer la hiérarchie : « Une voix importune et forte, une voix qui descend du ciel, comme elle s'élève de la terre, nous dit que ce temps n'est pas celui du repos, de la contemplation, des loisirs platoniques, mais que si on ne veut pas être moins qu'un homme, on doit descendre dans l'arène de l'humanité [4]. »
Lamartine va plus loin quand il affirme, sans grande vraisemblance : « J'étais né pour l'action. La poésie n'a été en moi que de l'action refoulée [5]. » En tout cas, dans le dilemme qui oppose en lui la pure poésie à l'action, figure, sous l'étiquette

1. Lettre du 1ᵉʳ juillet 1831, à Victor Hugo, *Corr. gén.*, t. I, pp. 166-167.
2. Lettre du 8 juillet 1831, à Jules Canonge, *ibid.*, t. I, p. 171.
3. *À Némésis* a paru pour la première fois le 20 juillet 1831 dans *L'Avenir.*
4. *Sur la politique rationnelle,* (octobre 1831), pp. 6-7.
5. *Voyage en Orient,* t. III, p. 116, sous la date du 9 avril [1833].

poétique, non seulement le lyrisme sous sa forme subjective et solitaire, mais aussi bien, semble-t-il, la poésie dans son ministère d'enseignement, elle-même encore trop contemplative. C'est toute la poésie qui, à certains moments, cesse d'être sainte pour devenir vaine. On peut lire en effet, dans l'Avertissement de *Jocelyn,* à propos du grand poème souvent interrompu : « On ne doit donner à ces œuvres de complaisance de l'imagination que les heures laissées libres par les devoirs de la famille, de la patrie et du temps; ce sont les voluptés de la pensée; il ne faut pas en faire le pain quotidien d'une vie d'homme »; celui qui toute sa vie « n'aurait fait que cadencer ses rêves poétiques » en un temps de luttes serait « une espèce de baladin », enfermé dans « une grande impuissance ou un grand égoïsme » [1]. « La poésie, dit-il encore en tête des *Recueillements,* c'est le chant intérieur. Que penseriez-vous d'un homme qui chanterait du matin au soir [2] ? » On pourrait croire, à première vue, que Lamartine ajoute sa voix au chœur nombreux de ceux qui, de son temps, condamnent une poésie étrangère aux intérêts de l'humanité. Son discours est semblable au leur; et il va même plus loin qu'eux, puisqu'ils ne demandent à la poésie que de s'engager, comme nous disons aujourd'hui, et non de se taire.

Il faut, pour s'expliquer cette attitude de Lamartine, tenir compte de la situation particulière où il se trouve. Grand initiateur en poésie, glorieux à ce titre, célébré et imité sur le modèle de ses premières œuvres par une foule de poètes, il avait désappointé beaucoup de ses admirateurs et disciples en se jetant dans la lutte politique : il doit leur expliquer que la poésie n'est pas tout, et, irrité que des étourdis prétendent lui faire la leçon au nom de lui-même sans l'avoir compris, il les malmène un peu dans leur dévotion à la poésie. D'un autre côté, nombreux sont ceux qui ne croient pas qu'un poète soit capable de se changer en homme d'action, et on ne peut convaincre ceux-là qu'en leur disant qu'on cesse d'être poète pour agir. On dit souvent qu'être seulement poète et ne passer que pour tel répugnait à Lamartine. Il est vrai que, comme gentilhomme, il fuyait l'apparence d'un professionnel des lettres, et qu'il affecta toujours d'être au-dessus du métier. Mais être

---

1. Avertissement de *Jocelyn* (janvier 1836), p. 15; voir de même la lettre à Guichard de Bienassis du 6 décembre 1835, *Corr. gén.,* t. II, p. 168.
2. Lettre à M. Léon Bruys d'Ouilly, servant de préface aux *Recueillements poétiques,* Paris, 1839, p. IV; voir la même idée, dix ans plus tard, dans la Préface de 1849 aux *Méditations* (dite Première Préface, p. 368 du t. II de l'éd. Lanson).

poète n'était plus en son temps, et beaucoup grâce à lui, tout
à fait un métier, et ce n'est pas là, je crois, la clef des propos
qui nous surprennent de sa part. Il faut regarder de plus près
comment il conçoit les deux termes, poésie et action, qu'il
oppose si souvent l'un à l'autre.

En ce qui concerne l'action, il ne l'exalte jamais comme une
manifestation d'énergie ou d'efficacité qui se recommanderait
par elle-même, en s'opposant aux rêves de l'esprit. Bien au
contraire, l'action à laquelle il pense se coordonne à l'Esprit ;
si agir est pour lui, comme on a vu, une obligation, c'est dans
la mesure où l'action s'emploie à conduire l'humanité sur le
chemin de Dieu. Car l'Esprit souffle aujourd'hui dans les luttes
des hommes : « L'esprit humain, plus plein que jamais de
l'esprit de Dieu qui le remue, n'est-il pas en travail de quelque
grand enfantement religieux ? Qui en doute ? C'est l'œuvre des
siècles, c'est l'œuvre de tous. L'égoïsme seul peut se mettre à
l'écart et dire : Que m'importe [1] ? » Et cette poésie à laquelle
il conseille de ne pas se consacrer exclusivement n'est pas non
plus pour lui, quoi qu'il en dise, un simple jeu de langage ou
de versification, un divertissement insignifiant. Comment le
penserait-il, alors qu'il s'est tant de fois vanté d'avoir réintroduit
les aspirations de l'âme dans une poésie jusque-là frivole ? La
poésie, il en est convaincu, touche aussi à Dieu par le côté
intime de l'esprit. Il n'a jamais cessé de la glorifier dans sa
forme même la plus solitaire :

> *Dans sa langue sans mots, dans le verbe suprême*
> *Qu'aucune main de chair n'aura jamais écrit*
> *Que l'âme parle à l'âme et l'esprit à l'esprit* [2].

Car « ce qu'il y a de meilleur dans notre cœur n'en sort
jamais » [3] ; le cœur en nous l'écoute et la bouche ne le dit pas :

> *N'écouterais-tu pas pendant l'éternité*
> *Le bruit mélodieux de ces ailes de flamme*
> *Que fait l'aigle invisible en traversant ton âme* [4] *?*

---

1. Avertissement de *La Chute d'un ange*, pp. 3-4 ; et dans les *Recueillements*,
voir dans l'*Épître à Adolphe Dumas* (1838) le tableau des tâches du genre humain
(*Œuvres poét. compl.*, pp. 1130-1131).
2. *Pensées en voyage* (1832), *ibid.*, p. 555.
3. Lettre-préface aux *Recueillements*, déjà citée, p. xii.
4. *Épître à Adolphe Dumas*, p. 1131.

Il le répète dans des pages qu'après sa retraite il a consacrées à retracer sa vocation poétique : « Ce qu'il y a de plus divin dans le cœur de l'homme n'en sort jamais, faute de langue pour être articulé ici-bas »; c'est sous cette inspiration qu'il place « ce chant intérieur qu'on appelle poésie », et dont les *Méditations* sont un exemple [1]. Il est naturel que la notion d'une poésie aussi purement spirituelle ait conduit Lamartine à déprécier parfois la forme poétique, le jeu des mètres et des rimes : « La rime, a-t-il écrit, me fait rougir de honte. Sublime enfantillage dont je ne veux plus »; mais il précise : « Ainsi adieu sérieux non à la poésie, mais aux vers [2]. » Cet adieu de 1842 s'est plus d'une fois démenti; et Lamartine a dit aussi tout autre chose : il a supposé un jour que le rythme poétique « pourrait bien être une contre-empreinte de l'ordre divin, du rythme incréé de l'univers » [3]. Il est clair, en fin de compte, que la poésie la plus purement poétique et la plus étrangère à l'action n'est pas nécessairement méprisable à ses yeux, mais qu'elle peut participer, sur un autre mode et selon des moments différents d'opportunité, de la même nature sacrée que la politique telle qu'il la conçoit. De là leur compatibilité profonde; elles relèvent du même ordre transcendant.

Bien des choses, en cet âge romantique, s'éclairent quand on se souvient comme on était enclin alors à transposer des thèmes religieux sur le mode laïque. Poésie et action, chez Lamartine, font écho à ce qui, dans l'ordre chrétien, se nommerait oraison et charité active : en un moment donné, l'une exclut l'autre, et l'on peut discuter de leur valeur relative; mais l'une et l'autre sont jugées excellentes, et toutes deux ont la même source. Le Dieu qui assurait cette unité est toujours celui de Lamartine, quoique volontiers laïcisé sous le nom de l'Esprit.

Le règne de l'Esprit est à la fin venu [4],

écrit-il; et ce règne, succédant à celui de la force, est bien certes celui de la pensée créant le droit, de la méditation des valeurs

1. Première Préface aux *Méditations* (1849), déjà citée (éd. Lanson, t. II, pp. 362, 365).
2. Lettre du 23 novembre 1842, à Mme de Girardin, *Corr.*, t. IV, p. 142. Et voir de même *Les Confidences*, liv. XII, section XIII, pp. 414-415; et le *Cours familier de littérature*, vol. I, Entretien IV, avril 1856, p. 263 et suiv.
3. Première Préface des *Méditations*, p. 352. « Incréé » est, je suppose, un écart de plume; il faut entendre « antérieur à toute action humaine », original et divin.
4. *Ressouvenir du lac Léman*, poème de 1841 (*Œuvres poét. compl.*, p. 1180).

prolongées en acte. L'Esprit ainsi entendu, héritier de l'Esprit-Saint, naturalisé par la suppression de l'épithète, mais non séparé de la référence divine, est bien cette Raison dont Lamartine a si souvent célébré la souveraineté : elle fonde l'autorité du philosophe, elle lui fait, par l'idée, dominer l'histoire et devancer l'avenir [1]. Mais cette raison confine à la poésie, elle est la poésie des modernes : « La poésie c'est l'idée; la politique, c'est le fait : autant l'idée est au-dessus du fait, autant la poésie est au-dessus de la politique [2]. » L'idée est au-dessus de l'action parce qu'elle la commande; mais en la commandant elle lui donne, du point de vue du devoir, une sorte de primauté. Ainsi poésie et action peuvent se livrer un apparent combat; mais il n'y a pas d'opposition véritable entre elles. Il est vrai qu'on ne les voit guère jointes dans un même homme; cependant « le beau serait de réunir les deux destinées : nul homme ne l'a fait, mais il n'y a aucune incompatibilité entre l'action et la pensée dans une intelligence complète; l'action est fille de la pensée; – mais les hommes, jaloux de toute pré-éminence, n'accordent jamais deux puissances à une même tête » [3]. Lamartine écrivait ces lignes après son premier échec politique [4]; elles sont, à cette date, un portrait implicite de ce qu'il pensait être lui-même en dépit des envieux, et le cri de sa conviction contre ceux qui prétendaient l'exclure des affaires en tant que poète. Le dilemme qu'on lui opposait fut, en tous temps, ce qu'il pouvait y avoir de plus contraire à sa pensée.

Le sacerdoce poétique.

Il n'est pas difficile, en rassemblant quelques textes, dispersés dans l'œuvre de Lamartine, de montrer qu'il portait en lui une idée, présente en tous ses éléments, du sacerdoce poétique. Quoiqu'il n'ait jamais tracé de pied en cap la grandiose figure

---

1. *Sur la politique rationnelle*, p. 16, à propos du philosophe : « Sublime prophète de la raison, il écrira l'histoire de l'avenir. »
2. *Des destinées de la poésie*, éd. citée, p. 421.
3. *Voyage en Orient*, t. I, p. 120, daté du 18 août 1832, en mer.
4. Il a repris la même protestation, appuyée sur l'exemple des Anciens, dans l'Avertissement de *La Chute d'un ange*, pp. 4-5. Et voir dans le *Voyage en Orient*, t. II, pp. 69-70 (daté du 22 octobre 1832) ce qu'il dit d'Élie et des prophètes hébreux, bardes et politiques à la fois.

du Poète, il y a dans ses écrits de quoi composer cette figure dans tous ses traits. Elle fut certainement toujours proche de son esprit, et ses grandes lignes se dessinent à travers l'étendue de son œuvre.

Ce qui fonde avant tout l'excellence du poète, c'est l'instinct d'une *langue* étrangère au commun des hommes. Nous désirerions pouvoir révéler « dans la langue des esprits ce qui se passe dans notre esprit » [1]; mais nous n'avons pas l'usage de cette langue, et ce que nous voudrions dire reste enfermé en nous. Mais, à défaut de cette pure langue de l'âme, il est un langage qui s'échange entre la nature et l'homme : verbe à demi spirituel, puisqu'il nous fait dialoguer avec le Créateur à travers les choses créées. C'est cette langue que les poètes ont le privilège d'entendre mieux que le reste des hommes : « Je suis né poète, écrit Lamartine, c'est-à-dire plus ou moins intelligent de cette belle langue, que Dieu parle à tous les hommes, mais plus clairement à quelques-uns par la voie de ses œuvres [2]. » « Cette première langue [...] qu'entendaient jadis les hommes, langue dans laquelle toute la nature s'expliquait par toute la nature », l'homme en a dû perdre la clef « en sortant de cet état supérieur, de cet Éden dont tous les peuples ont une confuse tradition » [3]. L'humanité ne la perçoit plus qu'obscurément, et les poètes seuls en ont gardé quelque vive intelligence. Cette idée d'une langue primitive a obsédé la fin du XVIIIᵉ siècle et une bonne part du XIXᵉ. Lamartine, héritier en cela de la théosophie mystique, imagine cette langue différente par nature de toutes celles que nous connaissons aujourd'hui. Elle survivait au temps où Cédar devenu homme apprit à parler, car :

> [*Il*] *parla des humains ce sublime langage*
> *Où chaque verbe était la chose avec l'image,*
> *Langage où l'univers semblait se révéler,*
> *Où c'était définir et peindre que parler,*
> *Car l'homme n'avait pas encor, dans son délire,*
> *Brouillé ce grand miroir où Dieu l'avait fait lire,*
> *Et, semant au hasard ses débris en tout lieu,*
> *Mis son verbe terni sur le verbe de Dieu* [4]*!*

1. *Voyage en Orient*, t. I, p. 76, daté du 1ᵉʳ août 1832, à minuit.
2. *Voyage en Orient*, t. I, p. 14.
3. *Ibid.*, t. I, p. 171, daté 16 septembre 1832.
4. *La Chute d'un ange*, Troisième Vision (*Œuvres poét. compl.*, p. 865).

Le caractère supposé de cette langue, chez Lamartine comme chez Saint-Martin [1], est donc que les mots y sont identiques aux choses qu'ils désignent; qu'ils n'en sont pas seulement l'indication ou le rappel, mais proprement la peinture; que la parole en somme, incluant la réalité de la chose, est par elle-même et immédiatement connaissance. Il nous est évidemment malaisé de nous représenter un tel langage, dont nous n'avons plus la pleine expérience, en poésie ni en prose. Mais la poétique illuministe et la romantique à sa suite l'entendent à un degré plus modeste et plus concevable, comme une langue essentiellement analogique, évoquant les objets les uns par les autres, et surtout les objets spirituels sous la figure des matériels :

> *Du grand monde impalpable à ce monde des corps,*
> *Nul ne sait, ô mon fils, les merveilleux rapports* [...]
> *Mais la terre à nos pieds nous en rend témoignage,*
> *De ce qu'on ne voit pas ce qu'on voit est l'image* [2].

Nous comprenons que ce mouvement de pensée vise moins, en réalité, à une chimérique théorie du langage primitif qu'à une théorie du monde, et que ce qu'on reproche aux langues actuelles c'est d'être, face aux choses, un instrument de connaissance abstraite. Bien au-dessus de cette abstraction, où triomphent les sciences exactes, on exalte les analogies ou « correspondances » parce qu'elles donnent une sorte d'existence spirituelle, une superréalité signifiante à la nature matérielle. Le poète passe dès lors au premier rang des esprits, dans la mesure où on considère l'analogie comme l'âme de son art : la poésie ne vit-elle pas de métaphores, de symboles, de comparaisons? On ne s'est pas toujours fait une idée aussi simple de la poésie; les diverses espèces du genre « similitude » n'étaient qu'une partie des figures dont faisait état l'ancienne poétique. Depuis que l'intérêt pour la « poésie primitive » a gagné les esprits, il y a deux cents ans et plus, la métaphore a envahi la définition de la poésie [3], et le poète est devenu, ou redevenu, un découvreur et un révélateur de l'Univers. La conception analogique du monde, l'idée d'une parole et d'une poésie

---

1. Voir *Le Sacre de l'écrivain*, pp. 99-100.
2. *La Chute d'un ange*, Première Vision (*Œuvres poét. compl.*, p. 821).
3. Le romantisme est déjà allé fort loin dans ce sens; la poésie moderne, beaucoup plus encore.

primitives, et le sacre métaphysique de la poésie sont allés de pair; à vrai dire, ils se sont engendrés et confirmés l'un l'autre. Les prérogatives attribuées au poète dans l'ordre de la connaissance lui valent tout l'honneur qu'elles font perdre au savant. Lamartine a toujours mis en opposition poésie et science, d'accord en cela avec toute la lignée intellectuelle dont il était issu [1]. La conviction de remplir une fonction, dans l'ordre de la connaissance, au niveau de laquelle le savant ne saurait atteindre, apparaît bien dans les lignes suivantes : « Chaque pensée a son reflet dans un objet visible qui la répète comme un écho, la réfléchit comme un miroir [...] Les hommes appellent cela comparaison : la comparaison, c'est le génie. La création n'est qu'une pensée sous mille formes. Comparer, c'est l'art ou l'instinct de découvrir des mots de plus dans cette langue divine des analogies universelles que Dieu seul possède, mais dont il permet à certains hommes de découvrir quelque chose. Voilà pourquoi le prophète, poète sacré, et le poète, prophète profane, furent jadis et partout regardés comme des êtres divins [...] Si vous comptez pour tout, le monde matériel et palpable, cette partie de la nature qui se résout en chiffres, en étendue [2], en argent ou en voluptés physiques, vous faites bien de mépriser ces hommes qui ne conservent que le culte du beau moral, l'idée de Dieu et cette langue des images, des rapports mystérieux entre l'invisible et le visible [3]. » Le poète, en posant ainsi son art au niveau d'une connaissance plus haute

---

1. Voir *Le Sacre de l'écrivain*, « Contre-Révolution et littérature », section II et les références, notamment à Chateaubriand, Bonald et Lamartine. À l'époque qui nous intéresse ici, Lamartine écrit (*Voyage en Orient*, t. I, p. 76, daté 1er août 1832) : « Ah! si l'on savait une langue! Mais il n'y a pas de langue, surtout pour nous Français; non, il n'y a pas de langue pour la philosophie, l'amour, la religion, la poésie; *les mathématiques sont la langue de ce peuple*; ses mots sont secs, précis, décolorés comme des chiffres. » C'est moi qui souligne ce qui concerne les mathématiques, objet de réprobation; les sarcasmes contre la langue française étonnent; ils tiennent peut-être à une vague et ancienne sympathie pour l'Allemagne (voir la lettre du 21 octobre 1818 à Virieu, *Corr.*, t. I, p. 341); au début du *Voyage* (t. I, p. 14), c'est toute l'Europe qui ne jette à l'homme que « peu de paroles divines »; ce que Lamartine a dans l'esprit comme terme de référence, ce sont très probablement les langues de l'Orient (qu'il ne connaissait pas).
2. Allusion évidente à l'activité du mathématicien, prince des savants positifs.
3. La valeur de la métaphore, et généralement de l'imagination humaine, comme instrument de connaissance et d'accès à la vérité, est, bien sûr, fortement discutable. Mais, surtout, ce symbolisme ouvrant sur l'être est-il vraiment pratiqué (et pas seulement allégué et professé) par les poètes romantiques et leurs successeurs? C'est une question.

et plus vraie que la science positive, entre naturellement en compétition avec le prêtre. Il se réclame d'une révélation plus ancienne que la sienne, originelle et contemporaine en somme de la création. Sa parole est l'écho immédiat de celle de Dieu; elle le dévoile et le célèbre, elle est révélation et prière.

Cette doctrine fondatrice du sacerdoce poétique s'accompagne d'un portrait :

> *Il est parmi les fils les plus doux de la femme*
> *Des hommes dont les sens obscurcissent moins l'âme,*
> *Dont le cœur est mobile et profond comme l'eau,*
> *Dont le moindre contact fait frissonner la peau,*
> *Dont la pensée en proie à de sacrés délires*
> *S'ébranle au doigt divin, chante comme des lyres,*
> *Mélodieux échos semés dans l'univers*
> *Pour comprendre sa langue et noter ses concerts :*
> *C'est dans leur transparente et limpide pensée*
> *Que l'image infinie est le mieux retracée*
> *Et que la vaste idée où l'Éternel se peint*
> *D'ineffables couleurs s'illumine et se teint !*
> *Ceux-là fuyant la foule et cherchant les retraites*
> *Ont avec le désert des amitiés secrètes;*
> *Sur les grèves des flots en égarant leurs pas*
> *Ils entendent des voix que nous n'entendons pas,*
> *Ils savent ce que dit l'étoile dans sa course,*
> *La foudre au firmament, le rocher à la source* [...] [1].

De là découle la mission de ces élus, mission de catéchèse et de progrès religieux, par laquelle s'accomplit la « gravitation vers Dieu » du genre humain :

> *Écoutez-les prier, car ils sont vos prophètes :*
> *Sur l'écorce ou la pierre, ou l'airain écrivez*
> *Leurs hymnes les plus saints pour l'avenir gravés;*
> *Chargez-en des enfants la mémoire fragile,*
> *Comme d'un vase neuf on parfume l'argile;*

---

1. *La Chute d'un ange*, Huitième Vision (*Œuvres poét. compl.*, p. 952). De telles formules ont eu en poésie, et dans la langue littéraire, un prodigieux pouvoir de diffusion; on les a trouvées longtemps partout. Il est à noter qu'on dit toujours que le poète comprend le message de tel ou tel objet de l'univers, mais le contenu de ce message n'est jamais explicité, comme il conviendrait à une communication proprement symbolique.

Et que le jour qui meurt dise aux jours remontants
Le cri de tous les jours, la voix de tous les temps!
C'est ainsi que de Dieu l'invisible statue,
De force et de grandeur, et d'amour revêtue,
Par tous ces ouvriers dont l'esprit est la main,
Grandira d'âge en âge aux yeux du genre humain,
Et que la terre, enfin, dans son divin langage,
De pensée en pensée, achèvera l'image [1]*!*

Cependant la destinée du Poète, sainte dans son principe, est, comme celle de toute l'humanité terrestre, soumise à la loi de l'épreuve. La figure glorieuse est aussi une figure souffrante. Une tradition ancienne existait à cet égard, indépendante de la notion chrétienne du sacrifice. Les tribulations et les malheurs du Poète, victime habituelle de la jalousie, de la méconnaissance et de l'ingratitude des hommes autant que de la cruauté du destin, sont un thème déjà connu de l'Antiquité classique, et qui a joui d'une grande fortune, sans donner lieu à une interprétation mystique, à la Renaissance et dans les siècles suivants. Lamartine a reproduit cette tradition à propos d'Homère [2]. Naturellement, quand l'idée se fit jour au xviii⁰ siècle, d'un apostolat de l'Homme de Lettres, on interpréta à sa gloire cette traditionnelle destinée de douleurs, comme un effort des ténèbres contre les Lumières. Ses malheurs furent le sceau de sa sublimité, Socrate et Jésus étant, en tant que sages persécutés, ses ancêtres lointains. Dans le romantisme l'idée prospéra sous diverses formes, toutes plus ou moins inspirées de l'idée chrétienne de la fécondité du sacrifice. Le dolorisme romantique voulut faire des épreuves de la vie l'aliment formateur de la sensibilité et la condition du génie poétique :

Ainsi le cœur n'a de murmures
Que brisé sous les pieds du sort!
L'âme chante dans les tortures;
Et chacune de ses blessures
Lui donne un plus sublime accord [3]*!*

1. *Ibid.*
2. Voir la section XXI du *Dernier Chant du pèlerinage d'Harold* (1825); Lamartine a reproduit ces vers sur Homère au t. V, Entretien XXV, p. 105, du *Cours familier de littérature* (1858); voir aussi son *Homère* de 1852 au t. I du *Civilisateur.*
3. À Mme *Desbordes-Valmore* (1831), *Œuvres poét. compl.*, p. 527. Tout le monde connaît les vers de Musset sur ce thème dans ses *Nuits.*

Et naturellement on peut, sur le plan humain et profane, trouver la condition dure et maudire le génie et la gloire qui coûtent si cher. Ainsi Lamartine lui-même dit avoir souhaité à un enfant de ne pas être poète à ce prix :

> *Que jamais la gloire ne creuse*
> *Sur ce front blanc le moindre pli !*
>
> *[...] Que jamais cette main, qui vibre*
> *Dans ma poitrine à tout moment,*
> *N'arrache à son cœur une fibre,*
> *Comme une corde à l'instrument* [1] *!*

Mais ce n'est là qu'un sursaut d'amertume ou de lassitude. Cette version amère de la destinée poétique, décrite comme martyre ou malédiction, qui devait l'emporter dans la génération suivante, ne fait que passer dans l'œuvre de Lamartine; l'idée d'une mission féconde sanctifie nécessairement des douleurs qui ont pour fruit non seulement la gloire et le génie du poète, mais le salut des hommes :

> *Loin de nous amollir, que ce sort nous retrempe!*
> *Sachons le prix du don, mais ouvrons notre main.*
> *Nos pleurs et notre sang sont l'huile de la lampe*
> *Que Dieu nous fait porter devant le genre humain* [2] *!*

Et l'optimisme humanitaire, écartant volontiers de cette christologie poétique l'idée de la foule indifférente ou persécutrice, veut que le poète ressente sa souffrance en communion avec celle des hommes. Il l'assume moins pour expier le mal universel que pour rassembler en lui la douleur humaine et en témoigner devant Dieu. Lamartine ne vivait d'abord que son propre malheur, dit-il; c'était au début de sa vie.

> *Puis mon cœur, insensible à ses propres misères,*
> *S'est élargi plus tard aux douleurs de mes frères;*

1. *À M. Léon Bruys d'Ouilly* (1836), *ibid.*, pp. 797-798.
2. *Ferrare*, poème daté de 1844, publié pour la première fois en 1849 (voir *Œuvres poét. compl.*, p. 1198). La strophe citée ci-dessus est la dernière de ce poème « improvisé en sortant du cachot du Tasse », et dont les trois premières strophes dénoncent le martyre du génie.

Tous leurs maux ont coulé dans le lac de mes pleurs,
Et, comme un grand linceul que la pitié déroule,
L'âme d'un seul, ouverte aux plaintes de la foule,
    A gémi toutes les douleurs!

[...] Alors, par la vertu, la pitié m'a fait homme;
J'ai conçu la douleur du nom dont on le nomme,
J'ai sué sa sueur et j'ai saigné son sang;
Passé, présent, futur, ont frémi sur ma fibre
Comme vient retentir le moindre son qui vibre
    Sur un métal retentissant.

Alors, j'ai bien compris par quel divin mystère
Un seul cœur incarnait tous les maux de la terre,
Et comment, d'une croix jusqu'à l'éternité,
Du cri du Golgotha la tristesse infinie
Avait pu contenir seule assez d'agonie
    Pour exprimer l'humanité [1] *!...*

Ce Golgotha de fraternité, où il est question des maux et non des péchés, est le sommet du sublime humanitaire. Mais dans l'arc-en-ciel des composantes du Sacerdoce poétique tel que nous venons de le parcourir, on peut voir combien Lamartine était loin de mettre en contradiction la pure poésie avec la participation active aux destinées de l'humanité. Il faisait honneur à la Restauration, qui fut le temps de ses découvertes, d'avoir rendu à la France tout à la fois la poésie et la vie politique, bienfaits accueillis avec bonheur au sortir de l'Empire [2]. Il a toujours pensé que ces deux pôles du présent, qui étaient ceux de sa carrière, réglaient ensemble la gravitation humaine.

---

1. *À M. Félix Guillemardet sur sa maladie* (1837), paru dans les *Recueillements* (voir *ibid.*, pp. 1110-1111).
2. *Des destinées de la poésie*, p. 386.

Vigny

Vigny, au sein du groupe romantique, pose un problème particulier : une amertume, non commune dans sa génération, empreint son œuvre, sans l'empêcher de participer au mouvement qui entraîne la poésie de ce temps-là vers la communion et l'espoir. L'idée d'une mission féconde du poète, médiateur entre le Réel et l'Idéal, et par là guide d'une humanité en progrès, se trouve comme nouée en lui à un parti pris de réserve et de distance. Il est naturel qu'il ait été porté à souligner ce parti pris, qu'on a appelé son pessimisme; mais on s'est vite aperçu que son œuvre, en dépit de cette note particulière, prétendait bien, comme celle de ses illustres contemporains en poésie, enseigner aux hommes une direction de salut. Il avait conçu sous la Restauration, comme Lamartine et comme Hugo, l'idée d'un ministère spirituel du Poète, approprié aux temps nouveaux et accompagnant la marche de l'humanité. Il avait, dans cet esprit, largement pris part à cette refonte romantique des genres littéraires, qui devait rendre possible l'exercice d'un tel ministère. Ses innovations avaient porté dès avant 1830 sur le théâtre, le roman, surtout la poésie; il avait essayé dans ce domaine plusieurs formes nouvelles : « mystères », « élévations », « poèmes » surtout. Au poème, récit en vers selon l'acception du mot à cette époque et héritier abrégé du genre épique, il avait donné valeur d'enseignement figuré, puisant ses sujets « antiques » ou « modernes » dans l'histoire plus ou moins légendaire, ou dans la vie quotidienne de son temps. Il s'était d'emblée distingué par le caractère de ses moralités, le Poète ayant à guider une humanité abandonnée de Dieu et victime d'un Pouvoir indifférent.

1830 donna à ce travail créateur et à cet enseignement une actualité renouvelée; pour Vigny comme pour tous, la couleur du temps changea. Il comprit que les méditations modernes ne se développeraient pas, comme on avait pu le croire, dans les cénacles du royalisme littéraire, à l'abri des institutions anciennes restaurées, mais dans un monde et sur des chemins différents. D'autres avaient d'avance mué, pressentant la mue générale. Lamartine, dès 1823, sembla incliner à des sympathies libérales [1]; Hugo, vers 1827 et 1828, changea visiblement de ton; Juillet saisit plus vivement Vigny : sa qualité de gentilhomme l'avait toujours obsédé, et la chute définitive en 1830 de l'ancien monde aristocratico-monarchique le toucha au plus vif de sa pensée. Non qu'elle en ait brisé le cours : il n'avait jamais compté sur une longue survie ni sur une heureuse destinée moderne de la noblesse et des races royales; mais l'horizon, se dévoilant en 1830, ouvrit un champ nouveau à des pensées qu'il avait depuis longtemps conçues. Cependant, il est difficile de discerner chez lui, du début à la fin de sa carrière, une évolution marquée ou des étapes décisives de pensée. Ceux qui ont essayé d'établir un calendrier de mutations ne se sont guère trouvés d'accord. La perspective chronologique, si révélatrice en d'autres cas, ne découvre dans le sien rien d'essentiel. Ni circonstances ni lectures ne semblent altérer sensiblement le fond de réflexions qui nourrit en tout temps son œuvre.

Cette œuvre se signale matériellement par le fait que ce qui a été publié du vivant de l'auteur se double, en dehors même de la correspondance, d'une masse considérable de textes et fragments posthumes de toute sorte, appartenant aux époques les plus diverses. On y distingue un *Journal* qui va, d'année en année, de 1823 à 1863; des *Mémoires* partiellement rédigés, dont certaines pages ont plus d'une version; enfin d'abondantes notes, ébauches et plans de toutes sortes. Cette masse de manuscrits ou de copies, conservée dans des dépôts divers, a été révélée progressivement par des recueils particuliers, où Journal, Mémoires et Notes sont souvent indistincts. Il en était déjà ainsi dans le recueil posthume initial, intitulé *Journal d'un poète,* de sorte qu'on a souvent donné le nom de *Journal* à tout

1. C'est précisément Vigny qui l'en soupçonne : voir sa lettre du 3 octobre 1823 à Hugo dans sa *Correspondance,* éd. F. Baldensperger chez Conard, t. I (seul paru), Paris, 1933, pp. 44-45 (je désignerai désormais cette édition sous l'abréviation : *Corr.,* éd. B.-C.).

l'ensemble des papiers parus après la mort [1]. Ni le Journal ainsi entendu ni davantage le Journal proprement dit, écrit jour après jour et année après année, n'encouragent à une étude proprement chronologique de la pensée de Vigny. On peut isoler, à certaines époques, des coulées de textes d'une même inspiration, correspondant à des impressions ou à des lectures récentes [2]. On voudrait pouvoir jalonner par ce moyen le cheminement d'un esprit; mais on se détourne d'une histoire apparemment peu caractérisée, pour essayer plutôt une géographie où la distribution et l'apparentement des thèmes s'organisent sur un fond de permanence. D'ailleurs, comment faire autrement quand tant de fragments ne sont ni datés dans les manuscrits ni datables? Plusieurs des fonds originaux, ou des copies qui en avaient été faites, étant aujourd'hui perdus, les dates assignées aux fragments par les éditeurs, voire l'appartenance effective à telle année du *Journal* des textes qui y figurent dans les éditions, ne sont plus vérifiables [3]. Il arrive que

1. *Journal d'un poète,* éd. Louis Ratisbonne, Paris, 1867; éd. F. Baldensperger, Londres, Scholartis, 1928; éd. F. Baldensperger, t. I seul paru (1823-1841), Paris, Conard, 1935; éd. F. Baldensperger, au t. II de l'éd. des *Œuvres complètes,* Paris, Gallimard, Bibliothèque de la Pléiade, 1948, pp. 875-1392. Chacun de ces recueils a profité des précédents, ainsi que des citations inédites parues entre-temps dans des ouvrages de critique que je ne mentionne pas ici. Il faut ajouter à ces éditions du *Journal* les contributions d'Henri GUILLEMIN (VIGNY, « Pages inédites », *La Nef,* septembre 1948, pp. 3-23; *M. de Vigny, homme d'ordre et poète,* Paris, 1955) et de Jean Sangnier (Alfred DE VIGNY, *Mémoires inédits, fragments et projets,* Paris, 1958).

2. Sur le rapport des fragments du *Journal* avec les lectures de Vigny, voir surtout l'ouvrage de Georges BONNEFOY, *La Pensée religieuse et morale d'Alfred de Vigny,* Paris, 1944.

3. Une édition méthodique des papiers posthumes de Vigny reste à faire, d'autant plus qu'il subsiste encore, assurément dispersés çà et là, des fragments inédits, reliques détachées des fonds déjà connus. Mais une telle édition, si souhaitable, ne serait pas une mince entreprise : voir sur ce sujet l'article de Marie CORDROC'H et Roger PIERROT, *Pour une édition des écrits intimes de Vigny,* in *Revue d'histoire littéraire de la France,* 1964, pp. 230-235. Les fragments de Vigny cités dans le présent ouvrage seront accompagnés de la date qu'ils portent dans l'édition à laquelle ils sont empruntés; je ne mets entre guillemets, dans la mention de cette date, que ce que l'éditeur donne expressément comme figurant sur le manuscrit. Je citerai généralement les textes de Vigny d'après les éditions Baldensperger des *Œuvres complètes,* celle (inachevée) parue chez Conard en 1914 et années ultérieures (tomaison non numérotée) sous l'abréviation « Œ. C., éd. B.-C. », et celle parue en deux volumes dans la Bibliothèque de la Pléiade sous l'abréviation « Œ. C., Pl. I » ou « Œ. C., Pl. II ». – Au moment où le présent ouvrage va paraître, j'apprends que la nouvelle édition des *Œuvres complètes* de Vigny dans la Bibliothèque de la Pléiade, dont le tome Ier (Poésie

le même fragment, ou deux fragments analogues, parfois trois, se présentent, dans les recueils imprimés, sous des dates très éloignées l'une de l'autre, confirmant l'impression générale d'une pensée soustraite, au moins pour l'essentiel, à l'influence des années.

et théâtre, éd. François Germain et André Jarry) a déjà paru, doit comprendre un volume d'Écrits intimes (textes autobiographiques et journal), dont l'édition sera assurée par Roger Pierrot et André Jarry. – D'autre part, *Dix-neuvième siècle*, bulletin de la Société des études romantiques, a annoncé dans son numéro d'avril 1987, p. 9, la publication prochaine des deux premiers volumes d'une *Correspondance générale* d'Alfred de Vigny, sous la direction de Madeleine Ambrière.

I

1830 ET SES LENDEMAINS

Pour Vigny, comme pour tous les hommes de sa génération, l'idée d'une littérature pure, étrangère à la considération des destinées de l'humanité, était une sorte de non-sens. Ces hommes, arrivés à la conscience adulte au lendemain de la Révolution et de l'Empire, étaient convaincus de vivre un des grands moments de l'histoire humaine. 1830 les confirma dans ce sentiment : l'échec de la Restauration manifestait le caractère irréversible des changements qui s'étaient produits en France, et posait le problème de l'avenir. De là partit toute leur pensée. Vigny, à cet égard, tout gentilhomme qu'il fût et voulût être, ne différa pas des autres. Il balança entre le passé et l'avenir à sa manière, en prenant ses distances avec l'un et l'autre. On fait état de ses sympathies pour les ouvriers insurgés des Trois Glorieuses; en fait, il a seulement admiré leur courage : « Pauvre peuple, grand peuple, tout guerrier [...] Bravoure incomparable des ouvriers serruriers » [1]; mais s'il avait jugé leur cause détestable, il l'aurait dit. Il jugeait surtout mauvaise celle des Bourbons; son attachement à la royauté ne l'abusait pas; il avait, aux jours qui précédèrent la chute de Charles X, méprisé son aveuglement : « Les vieilles femmes de la Cour et les favoris le gouvernent [2]. » Il s'est rappelé plus tard l'euphorie courtisane

1. *Journal, Œ. C.,* Pl. II, p. 911, « de mercredi à jeudi 29 » [juillet 1830], et p. 912, « jeudi 29 ».
2. *Ibid.,* p. 910, « mardi 27 juillet [1830] ».

au temps du ministère Polignac : « Le vieil esprit des vieilles cours m'était apparu au moment où il allait faire retomber les Bourbons dans les cendres de Saint-Denis. » Il était, si on l'en croit, déjà désenchanté : « Je rentrai dans ma cellule et repris mes livres [1]. »

En général il considérait sans grande révérence, sinon l'antique monarchie elle-même, du moins son dernier siècle, l'âge corrompu des courtisans blasés, des philosophes incrédules et du libertinage royal. Il suivait en cela le sentiment de beaucoup de gentilshommes de la génération précédente, devenus graves dans les malheurs, et celui des poètes royalistes de *La Muse française,* parmi lesquels il avait fait ses premières armes littéraires. Il a raconté, avec une sorte de dégoût voilé, comment, quand il avait douze ans, une vieille marquise lui fit entendre avec complaisance, aidée de son mari non moins satisfait qu'elle, qu'elle avait été dans sa jeunesse la maîtresse de Louis XV [2]. Le fond de sa pensée était surtout que cet ancien monde était révolu, que rien ne pouvait le ressusciter, qu'il fallait, étant en vie, envisager autre chose. Il se croyait seulement lié aux Bourbons par un lien d'honneur, une obligation personnelle de type féodal, hors de proportion avec l'impératif universel qui lie les modernes : « Si le roi appelle tous les officiers, j'irai. » Mais cette adhésion formelle recouvre une profonde hésitation : « Cela est absurde [...] superstition, superstition politique, sans racine, puérile, vieux préjugé de fidélité noble, d'attachement de famille, sorte de vasselage, de parenté du serf au seigneur [3]. » Cependant Charles X n'a pas appelé et n'appellera plus; d'où le soulagement final : « Donc, en trois jours, ce vieux trône sapé! J'en ai fini pour toujours avec les gênantes superstitions politiques. Elles seules pouvaient troubler mes idées par leurs mouvements d'instinct [4]. » L'allusion aux « idées » donne le sens profond de cette libération : rendu à lui-même, le gentilhomme-écrivain entend désormais mettre son honneur à penser pour le public.

Il ne pouvait être question pour Vigny d'un ralliement formel au nouveau règne. Il croyait la monarchie elle-même morte;

1. *Mémoires,* éd. Sangnier (désormais : *Mémoires*), p. 80 [26 janvier 1853].
2. *Ibid.,* pp. 163-165. Cette « Marquise de M. » reparaît, semble-t-il, dans un souvenir du *Journal, Œ. C.,* Pl. II, p. 1288 [1851].
3. *Journal, Œ. C.,* Pl. II, p. 911. Il faut noter qu'il n'était plus formellement officier, ayant quitté définitivement le service trois ans auparavant.
4. *Ibid.,* p. 912, « samedi 31 » [juillet 1830].

dans la société française telle que la Révolution l'avait faite,
la royauté ne pouvait être qu'une apparence. « Le duc d'Orléans,
constate-t-il, est Roi des Français et les Français sont Républicains. Je le suis moi-même plus qu'eux tous, à présent que
la faiblesse de Charles X et du Dauphin, qui n'ont pas su se
battre, m'a dégagé de ma superstition d'attachement pour
eux [1]. » De quelque façon qu'on déguise la France, « elle est,
dit-il encore, République démocratique » [2]. Comment qualifier
un état de choses où tous les caractères séculaires de la monarchie, droit divin, ordres privilégiés, droit d'aînesse, ont été
abolis? Beaucoup de royalistes en jugeaient déjà ainsi sous les
Bourbons; à plus forte raison sous Louis-Philippe. Cependant
on ne trouve, ni dans le *Journal* ni nulle part, aucune réprobation sévère de Vigny touchant l'usurpation dont Louis-Philippe s'était rendu coupable aux dépens du petit-fils de Charles X
en montant sur le trône : « Jamais, écrit-il plus tard, je ne
voulus faire opposition sous son règne [...] Respectueux envers
lui et sa femme, mais n'acceptant pas les invitations des Tui-
leries. Le ménageant comme petit-fils du frère cadet de
Louis XIV, mais opposé à cette usurpation de forme(?) qui lui
avait fait prendre la couronne du petit-fils du grand roi [3]. » Il
ne plaçait plus son devoir que dans l'appui qu'il prêtait, comme
officier de la garde nationale, au maintien de l'ordre. Dès le
1er août, au lendemain même des trois journées, il écrit : « On
a fait table rase et les fondateurs pâlissent. Il ne peut exister
de force à présent qu'une force militaire; les forces d'*habitudes*
et d'*illusions* sont brisées; de deux choses l'une, ou force
militaire ou désordre; nous verrons [4]. » Peu d'écrivains de ce
temps souhaitaient, après Juillet, un nouveau renversement de
l'ordre social établi; mais Vigny l'accepte moins qu'aucun
autre; il est même, dès le début, passionné sur ce chapitre, et
il le resta. Le désir qu'il avait d'être de son temps, son
humanisme et son progressisme, qui sont réels, ne balancent
pas son horreur atavique des mouvements de peuple, des
irruptions d'hommes nouveaux, des assemblées délibérantes. Il

1. *Ibid.*, pp. 915-916, « 9 août » [1830].
2. *Ibid.*, p. 953 [1832].
3. *Ibid.*, p. 1271 [1849], sous le titre « Anecdote de 1830 » (il reproduit une
conversation qu'il a eue à cette date) : « usurpation *de forme* » est une expression
fort indulgente; et le point d'interrogation, s'il est de lui, le serait davantage
encore.
4. *Ibid.*, p. 913, « 1er août » [1830].

définit les troubles qui suivirent l'instauration de la monarchie de Juillet comme une lutte entre « des ambitieux orléanistes qui veulent conserver leurs places et des ambitieux républicains qui veulent en acquérir »; il ajoute : « Le mépris m'étouffera quelque jour [1]. » Vers le même temps, il écrit : « Il est dit que jamais je ne verrai une assemblée d'hommes quelconque sans me sentir battre le cœur d'une sourde colère contre eux, à la vue de l'assurance de leur médiocrité, de la suffisance et de la puérilité de leurs décisions, de l'aveuglement complet de leur conduite [2]. » Son invariable conclusion, pourvu que l'ordre soit sauf, c'est la retraite : « Dès que les émeutes furent réprimées et les périls éloignés, je me retirai dans cette silencieuse existence, voulant demeurer indépendant, inoffensif et séparé [3]. » Au moment où il écrivait ces dernières lignes, vingt ans après l'événement, le triple adjectif qui les conclut était pour lui comme une devise, applicable sous tout gouvernement [4].

La politique du poète.

Sa politique fut toujours indécise. Un sentiment humanitaire la colore, comme toute sa pensée : couleur romantique ineffaçable, qui peut bien jurer parfois avec ses opinions. Entre les nostalgies féodales, l'acceptation de la monarchie bourgeoise et le vœu du progrès humain sa position peut sembler incertaine. Ou banale : car tenir l'ordre, la propriété, la liberté et l'humanité pour sacrés, c'est aussi, à des nuances près, le cas de Lamartine, de Hugo, de Lamennais même ou de Michelet, et ce n'est pas par là qu'on peut le distinguer dans son temps. Sur le point du pouvoir et de la liberté, il est perplexe. Il a toujours eu, à l'égard du pouvoir, une attitude de défiance : son pessimisme à cet égard, qu'il s'agisse des rois ou de Dieu lui-même, marque déjà ses premiers poèmes, *Moïse*, *La Prison*,

---

1. *Ibid.*, pp. 926-927, « 19 décembre » [1830]; il s'agit des troubles provoqués à la fin de l'année par le procès des ministres de Charles X.
2. *Ibid.*, p. 930 [décembre 1830].
3. *Mémoires*, p. 123 (fin du long fragment intitulé « Un jour au Palais-Royal », que l'éditeur croit postérieur à 1853 : voir *ibid.*, p. 446, la note sur la page 92).
4. Voir H. GUILLEMIN, *M. de Vigny, homme d'ordre et poète* (désormais : *M. de Vigny*), p. 102 (texte de 1852); et le *Journal*, Œ. C., Pl. II, p. 1291, « 14 mars » [1852] : triple formule, pareille dans ces deux passages.

Le Trappiste. Ce pessimisme fait sans doute le fond de son libéralisme. L'auteur de *Cinq-Mars* n'a jamais éprouvé aucune véritable nostalgie de l'ancienne royauté. Il a cru, dès avant 1830, que le temps était venu d'un ordre libéral, moyennant « l'empire toujours croissant de l'intelligence », et il a interprété dans ce sens les luttes de son temps : « Tout le travail de l'humanité qui fermente est le combat de l'ordre contre la liberté. Elle marche vers leur accord [1]. » À la fin du règne de Louis-Philippe, il pense que le pouvoir est un mal, et que « si c'est un mal nécessaire, il importe de le réduire le plus possible » [2]. Cependant sa conviction sur ce sujet était loin d'être assurée. Son ami le marquis de La Grange ayant été élu député, il se demande quelle sera son attitude à l'égard du pouvoir : « Le traiterez-vous comme une plaie nécessaire qu'il faut amoindrir, rétrécir, calmer et engourdir peu à peu, ou le regarderez-vous comme un fruit salutaire qu'il est bon de nourrir, d'engraisser, de fortifier et de soutenir à tout prix? »; il ajoute : « Dans de fréquentes causeries nous pèserons le pour et le contre [3]. » Il se demandait, comme tant d'autres à son époque, si la liberté n'était pas purement destructrice; il interprétait en ce sens l'amertume finale de Benjamin Constant, et faisait de lui cette oraison funèbre, parmi de vifs éloges : « La tristesse qu'il a confessée à la tribune lui est venue de l'impuissance où il se sentait plongé de rien fonder sur les ruines qu'il nous a faites [4]. » Comment espérer assurer l'ordre sans contrainte, quand on connaît le peuple et ses impulsions naturelles [5]? Mais, d'autre part, tout gouvernement se nourrit d'une mauvaise passion : « *Droit divin* : principe. *Aristocratie* : corollaire. Enfantés par l'esprit d'orgueil. *Souveraineté du peuple* : principe. *Démocratie* : corollaire. Enfantés par l'esprit d'envie. Voilà donc les dieux de la société humaine, entre lesquels elle flotte depuis qu'elle s'est formée [6]. »

1. *Journal*, Œ. *C.*, Pl. II, p. 888 [1828].
2. Voir *M. de Vigny...*, pp. 100-101, « 31 janvier » [1847]. Autres textes aussi typiquement libéraux dans le *Journal* aussi bien p. 1021 [1835] que p. 1284 [1851].
3. *Lettres inédites au marquis et à la marquise de La Grange*, édition A. de Luppé, Paris, 1914, pp. 28-29; l'éditeur date cette lettre de 1837.
4. *Journal*, Œ. *C.*, Pl. II, p. 925, « 12 décembre » [1830]; voir aussi *ibid.*, p. 926, « 19 décembre » : les libéraux « habiles à détruire et inhabiles à fonder ».
5. *Ibid.*, pp. 1115-1116 : le travailleur ne cessera jamais de se plaindre, et l'espoir chrétien n'existe plus; aussi *ibid.*, p. 1157, « 4 septembre » [1841].
6. *Ibid.*, pp. 929-930, « 28 décembre » [1830]; même scepticisme dans *Stello*,

Faut-il alors désespérer de la société? C'est bien à quoi Vigny incline : « L'ordre social est toujours mauvais. De temps en temps il est seulement supportable. Du mauvais au supportable, la dispute ne vaut pas une goutte de sang. C'est une théorie d'assassin. – C'est celle des septembriseurs et des inquisiteurs [1]. » Toute doctrine de la société est-elle donc mensongère? Il en faut bien une pourtant pour justifier le lien social. Faudrat-il inventer cette justification salutaire? Vigny a beaucoup réfléchi sur l'usage qu'il convient de faire des « fictions » pour conduire le peuple [2]. Mais fiction n'est pas nécessairement tromperie, si la vérité sans voile risque de rendre la société impossible. Le scepticisme de Vigny, loin de conduire au cynisme, est le principe d'une bienveillance universelle; le Christ, selon lui, fut sceptique : « Oui, il le fut, et d'un doute plein d'amour et de pitié pour l'humanité [...] Pardonnez-leur, car ils ne savent pas ce qu'ils font! C'est le doute même [3]! » Vigny croit être d'accord en tout cela avec la grande masse des hommes, qu'il appelle la « majorité neutre et sceptique »; il pensait consacrer un livre à l'histoire de cette majorité : « L'idée-mère serait que c'est une majorité grave, saine, laborieuse, qui, en tout temps, a sauvé la Nation et l'a poussée au progrès [4]. » Ce point d'arrivée, si c'en est un, atteste au moins un optimisme pratique; il permettait à Vigny d'envisager le présent avec confiance malgré les périls : « La Garde nationale, écrit-il superbement, est le scepticisme armé [5]. » On ne peut lui refuser le don des formules; celle-là, après tout, peut donner à réfléchir.

Un gentilhomme et son siècle.

Il ne faudrait pas, sur la foi de telles déclarations, prendre Vigny pour un sage. Sa sagesse, en tout cas, était la conclusion

chap. XXXIX, avec l'idée que toute autorité est naturellement haïe : « notre ennemi c'est notre maître ».

1. *Ibid.*, p. 941 [1832]. Entendre : c'est une théorie d'assassin de prétendre le contraire.

2. *Ibid.*, « 28 décembre » [1830], fragment déjà cité : Les hommes les plus intelligents de chaque époque ont sauvé la société de la contradiction et des naufrages par des fictions; voir aussi *ibid.*, pp. 1272-1273, « Considérations sur la barbarie » [1850].

3. *Ibid.*, p. 924, « 11 décembre » [1830].

4. *Ibid.*, p. 928, « 23 décembre » [1830]; même pensée sous une autre forme, p. 1011 [1834].

5. *Ibid.*, à la fin du fragment du 28 décembre déjà cité.

et le remède d'amers ressentiments. Il se sentait vivre en une époque où les gens de sa classe étaient dupes et victimes. Le *Journal* et les *Mémoires* sont riches en renseignements, souvenirs et légendes touchant l'antique splendeur de ses ascendants, leur spoliation sous la Révolution et le martyre de certains d'entre eux [1]; en particulier le récit d'une visite qu'il fit en 1823 au manoir familial du Maine-Giraud, que conservait pour lui une tante chanoinesse, trahit un attachement majeur à tout ce qui rappelle, avec les mœurs de l'ancienne société, les titres et l'existence historique de sa famille [2]. Mais ces rappels d'un passé familial prestigieux sont empoisonnés chez Vigny par d'obsédants griefs. Il raconte lui-même que, son père lui ayant expliqué, à la Restauration, qu'il avait droit comme aîné des Vigny au titre de comte, il en fut plutôt attristé, car il souffrait de ne pouvoir imiter ses amis d'enfance, riches en même temps que nobles, dans « cette quantité de choses qu'on ne peut pas faire sans de grandes dépenses pour tenir dans le monde un certain rang » [3]. Il dit ailleurs : « Il n'y a dans le monde, à vrai dire, que deux sortes d'hommes, ceux qui ont et ceux qui gagnent [...]. Pour moi, né dans la première de ces deux classes, il m'a fallu vivre dans la seconde, et le sentiment de cette destinée qui ne devait pas être la mienne me révoltait toujours intérieurement [4]. »

Il est douteux qu'une telle situation ait résulté pour la famille de Vigny des mesures révolutionnaires : « Lorsqu'il lui arrivait, rapporte Sainte-Beuve, de parler de la grande fortune de sa famille ruinée par la Révolution, sa mère l'interrompait en lui

---

1. Voir notamment *Journal, Œ. C.,* Pl. II, p. 959, fragment intitulé « Mémoires et journal » [1832]; *ibid.,* pp. 1253-1263, « Fragments de mémoires » [1847]; *Mémoires,* pp. 10-38, quatre chapitres datés *in fine* « 20 avril 1832 », dont la date est certainement plus tardive, sans doute 1852 (voir André JARRY, dans *Romantisme,* n° 25-26, 1979, p. 230, n. 64); *Mémoires,* chapitres (pp. 39-70) datant probablement aussi des années 1850. Les indications généalogiques de Vigny et l'opulence de son lignage ont été contestées sérieusement. Sur les malheurs de son entourage familial sous la Révolution, voir F. BALDENSPERGER, « Deux familles dans la tourmente », in *Alfred de Vigny, nouvelle contribution à sa biographie intellectuelle,* Paris, 1933, pp. 1-38.

2. *Mémoires,* pp. 13-38 (texte partiel dans *Journal, Œ. C.,* Pl. II, pp. 876-878 [1823]) : pour la date réelle, voir la note précédente.

3. *Mémoires,* pp. 60-61 (non daté).

4. *Journal, Œ. C.,* Pl. II, pp. 1261-1262, dans des « Fragments de mémoires » sous l'année 1847. Il rappelle qu'il a mis ce mot sur les « deux sortes d'hommes » dans la bouche de Bonaparte (dans *Servitude et grandeur militaires*), pour ne pas le laisser perdre.

disant : mais Alfred, tu oublies qu'avant la Révolution nous n'avions rien [1]. » Vigny a tenu à faire de son mauvais sort un signe des temps : la France s'est soudain dressée contre ses nobles. Dans une page qu'on date de 1852, on lit ces lignes surprenantes : « Dans mille occasions de ma vie, je vis que les nobles sont en France comme les hommes de couleur en Amérique, poursuivis jusqu'à la vingtième génération et au-delà [2]. » On sait que Vigny fait remonter cette expérience de persécution jusqu'à ses premiers souvenirs de collège. Ses camarades, le sachant noble, le battaient, lui donnant le sentiment d'appartenir à une « race maudite » [3]. Cependant, dans la version la plus longue qu'il ait donnée du récit de cette persécution de collège, il l'explique en même temps par sa supériorité scolaire [4]. Le rapprochement des deux ordres d'idées est peut-être fortement significatif; tout Vigny est là, s'il est vrai que son recours contre le malheur des temps fut de greffer sur sa gentilhommerie déchue une haute noblesse intellectuelle. Ce rétablissement glorieux lui permettait, sans se renier, d'affronter dignement l'époque, voire de lui servir de guide et d'exemple; il honorait ainsi ses aïeux en les dépassant : « Après moi, écrit-il, périra ce nom qui, avant moi, était inconnu et qui n'a été prononcé hautement par le pays que depuis que je l'ai porté [5]. » C'est ainsi que, par le miracle de la littérature, le gentilhomme qui n'oublie pas ses titres est en position de les dédaigner.

Sainte-Beuve, faisant appel au préjugé de l'ancienne France pour ridiculiser le gentilhomme littérateur, appelait Vigny « le comte de Trissotin » [6]. Vigny, bien au contraire, se voyait à une avant-garde. Il situait son propre cas dans une mutation de la société, qui dignifiait l'écrivain, penseur ou poète. On lit

1. Sainte-Beuve (« Notes et pensées », n° CCIV) au t. XI des *Causeries du lundi*, p.523.

2. *Journal*, Œ. C., Pl. II, p. 1298, « Des nobles et des hommes de couleur » [1852]; voir aussi *Mémoires*, p. 56.

3. *Journal*, Œ. C., Pl. II, p. 1260, « Fragments de mémoires » [1847?].

4. *Ibid.*, p. 1261.

5. *Mémoires*, p. 36 (sans doute 1852).

6. Lettres du 8 février 1846 à Juste Olivier et du 14 février 1846 à Victor Pavie (*Correspondance générale* de Sainte-Beuve, éd. Bonnerot, t. VI, pp. 357 et 362). En plusieurs autres endroits il traite Vigny de « pédant » (voir *Cahiers, I. Le Cahier vert*, édition R. Molho, Paris, 1973, p. 239, n° 297; aussi « Notes et pensées » dans *Causeries du lundi*, t. XI, p. 523). Son irritation contre le « gentilhomme » datait de longtemps (voir ses lettres à Hugo des 13 et 14 novembre 1832, *Corr. gén.*, t. I, pp. 320-322).

dans son *Journal* : « L'Aristocratie européenne succède malgré l'esprit démocrate à la noblesse féodale européenne. L'élite par la naissance et l'hérédité remplacée par une élite de supériorité intellectuelle qui appartient à toutes les nations [1]. » Dans cette transmission de dignité d'une aristocratie à l'autre, Vigny ignore superbement la bourgeoisie régnante et « les pouvoirs qui ne connaissent que la richesse » [2]. Il n'y a pas pour lui de supériorité bourgeoise; les Lumières qui ont découronné l'aristocratie nobiliaire n'ont conféré aucun titre particulier aux roturiers les plus riches : « Eh quoi! la civilisation n'a-t-elle pas marché pour tout le monde? » Le droit des hommes de lettres vaut, en dignité historique, celui des bourgeois : « Poètes, grands écrivains, hommes de lettres (et ce dernier nom est resté, tout mal fait qu'il est, le nom général de la nation de l'esprit), tous ont droit, de par les travaux et les peines de leurs devanciers autant qu'au nom des leurs, à une meilleure et plus digne existence. Ceux-là aussi sont des serfs affranchis [...] [3]. » Telle est leur origine comme celle des bourgeois, avec les titres de l'esprit pour différence. Ainsi un gentilhomme pensant se plaît à lever, face à la société bourgeoise naissante, le drapeau de l'*intelligentsia roturière*.

Ressentiments et anathèmes.

La mutation du gentilhomme n'éteint pas ses rancunes. Si elles sont exclues, comme il se doit, de son œuvre publique, c'est une des fonctions de ses écrits intimes de les recueillir. On aurait tort de croire qu'elles ne tiennent qu'à des griefs récents. Depuis des générations la noblesse maudissait la marche du temps comme sa spoliatrice perpétuelle. Plus qu'aux destructeurs de la royauté, Vigny s'en prend à la royauté elle-même : n'a-t-elle pas, par un systématique abaissement de la noblesse, préparé aveuglément la catastrophe finale? Il ne s'agit donc pas seulement pour Vigny de l'inutile dévouement de sa

1. *Journal*, Œ. C., Pl. II, pp. 1376-1377, « 12 septembre » [1862].
2. Lettre du 27 août 1844 à Edgar Quinet, *in* A. DE VIGNY, *Correspondance*, éd. L. Séché, Paris, s.d. [vers 1914], 2 vol., t. I, p. 170.
3. VIGNY, *De Mademoiselle Sédaine et de la propriété littéraire* (article du 15 janvier 1841 dans la *Revue des deux mondes*), Œ. C., Pl. I, pp. 931-932; et voir p. 940, où il parle de l'« ouvrier en livre » et des « travailleurs de la pensée ».

jeunesse aux Bourbons restaurés; l'ingratitude de la famille royale marque toute l'histoire des siens : « Je suis né d'une race de lion, enchaîné par une famille qui, de loin comme de près, tira à elle notre chaîne pour la faire bien sentir, et veut nous sommer de verser l'impôt du sang que lui doivent ses anciens vassaux [1]. » Quelle reconnaissance en attendre? « Depuis Henri IV la politique des Bourbons fut toujours de ne pas s'occuper des familles acquises et compromises à leur cause par des services anciens et de nombreux martyres. Aussi étais-je compté par eux au nombre de ceux qui ne pouvaient leur nuire : ils avaient raison, je l'ai prouvé jusqu'à la fin [2]. »

Vigny avait adopté, avec cette vision générale et personnelle de l'histoire de France, la doctrine politique par laquelle la noblesse y répondait traditionnellement. La royauté, en humiliant l'aristocratie, se détruisait elle-même; la Révolution en fut la suite. *Cinq-Mars,* en 1826, prétendait illustrer cette vue historique. Vigny ne pensait pas s'en tenir là. Longtemps après, commentant *Cinq-Mars,* il écrivait : « J'avais d'ailleurs le désir de faire une suite de romans historiques qui serait comme l'Épopée de la Noblesse et dont *Cinq-Mars* était le commencement [3]. » Le plus anciennement projeté de ces romans, le seul dont il ait écrit quelques chapitres, est celui qui s'intitule *L'Almeh* [4] : il devait illustrer le cas de conscience de la noblesse émigrée sous la Révolution et sollicitée de servir l'étranger. L'ensemble de la série devait, dans un plan initial, comporter quatre romans : le premier représenterait la noblesse au Moyen Âge (son règne paisible); ensuite venait *Cinq-Mars,* déjà publié (Richelieu décime les nobles); puis l'époque de Louis XIV (la monarchie corrompt la noblesse pour la dominer); enfin la Révolution (les nobles deviennent des parias). Un volume d'introduction serait intitulé *Histoire de la grandeur et du*

---

1. *Mémoires,* « Tradition d'aveuglement », p. 65. Voir aussi pp. 66-68.
2. Lettre du 16 juin 1833 au capitaine de Lacoudrée, dans *Corr.,* éd. B.-C., p. 344; il fait ces réflexions à propos de la croix qu'il vient de recevoir, « dette de la Restauration, dit-il, que la Révolution acquitte » (la révolution de 1830, sous les espèces de la monarchie de Juillet).
3. *Journal, Œ. C.,* Pl. II, p. 1065, « Sur Cinq-Mars » [1837].
4. « Scènes du désert, fragments de *L'Almeh* », paru dans la *Revue des deux mondes,* avril et mai 1831, pp. 70 et suiv., 248 et suiv. (*Œ. C.,* Pl. II, pp. 723-765); il en est déjà question dans le *Journal* sous 1828 (*Œ. C.,* Pl. II, p. 889). Vigny semble y avoir pensé longtemps (voir *ibid.,* p. 1153 [1841]; et dans les *Mémoires,* pp. 372 (1838) et 378 (1840)).

martyre de la noblesse de France [1]. Sur les titres et les personnages des divers romans projetés, nous n'avons que les allusions accumulées, confuses et peu explicites du *Journal*; aucune œuvre ne s'y dessine vraiment [2]. Rien de tout cela n'a été fait, et l'histoire amère de la noblesse française est restée pour Vigny matière de fragments intimes. Il a pu écrire et donner au public *Stello* et *Servitude et grandeur militaires,* deux livres à la gloire du Poète et du Soldat, types modernes. Il n'a pas fait le même honneur au Noble : il avait ce sujet au fond du cœur; mais il répugna sans doute à s'identifier aux yeux des contemporains à une cause qu'il savait perdue, et, qui pis est, impossible à défendre. Il s'était convaincu qu'il fallait penser au présent.

Semblablement on ne trouve que dans son *Journal* les déclarations par lesquelles il adhère aux idées du duc de Saint-Simon et de Fénelon en faveur du rôle politique de la noblesse [3]; ces doctrines du passé n'ont pas place dans son œuvre publiée. Encore moins y trouve-t-on la chimère de l'origine franque et conquérante de la noblesse française, chère aux doctrinaires du féodalisme [4]; mais on la trouve plus d'une fois dans ce que Vigny n'écrit que pour lui, dans un projet de roman, dans des allusions diverses de ses notes [5]. Vigny était-il vraiment sûr

1. Voir *Journal, Œ. C.,* Pl. II, p. 989, « 7 juin » [1833]; et p. 1049, « Trois romans, série historique : Histoire de la noblesse » [1836].
2. Un des titres qui reviennent le plus souvent est *La Duchesse de Portsmouth, Œ. C.,* Pl. II, p. 923 [1830]; 955, 958 [1832]; 989 [1833]; 1049 [1836]; 1108 [1838]. Louise de Keroualle, demoiselle d'honneur d'Henriette d'Angleterre, duchesse d'Orléans, la suit en 1670 dans un voyage anglais et devint la maîtresse du roi Charles II qui la fit duchesse de Portsmouth et qu'elle influença, d'accord avec le gouvernement français, dans le sens de la politique de Louis XIV. Ce roman devait montrer, après la terreur exercée par Richelieu, le deuxième degré de la décadence de la noblesse, celui de la dégradation morale. Il est question, sous d'autres titres, de romans sur la noblesse au xviie siècle, faisant eux aussi suite à *Cinq-Mars* : *Hermine* ou *Hermine de Blanzac,* vers 1838-1840 (*Œ. C.,* Pl. II, pp. 1131, 1150 et suiv., et *Mémoires,* pp. 371-378). Et il y a d'autres titres et d'autres projets.
3. Voir *M. de Vigny...,* pp. 105-107 [1855]; et aussi, sur Fénelon, les *Mémoires,* p. 349.
4. Boulainvilliers, Montesquieu, et, au temps de Vigny, Montlosier; théorie reprise à la même époque par Augustin Thierry, mais à la gloire du peuple gaulois qui a su s'affranchir en 1789 de ses anciens vainqueurs.
5. J. CATALA et R. POMEAU, *Vigny au Maine-Giraud en 1827* (*Revue d'histoire littéraire de la France,* 1964, p. 220), citent, d'après un carnet inédit, le sujet de roman suivant : « Un Franc maître d'une famille gauloise en l'an 1000. Cette même famille révoltée contre le Franc en 1789. » Voir aussi les *Mémoires,* p. 78 : « La race des Francs presque détruite, le Tiers-État maître de tout »; p. 337, à

d'être de race franque ? Son père et sa mère au moins ne s'en doutaient pas quand ils lui chantaient, dans son enfance, la chanson de M. de Coulanges, qui donne à tout le monde des ancêtres laboureurs [1]. Gouvernement féodal et race franque n'étaient que des rêveries. Les affects profonds de Vigny importent davantage. Il ne portait pas dans son cœur la France de Juillet, et redoutait les subversions nouvelles. Il est vain d'établir la courbe des éruptions réactionnaires de sa pensée : ces variations naissent d'un fond permanent ; en fait, les occasions d'inquiétude et de réprobation ne lui ont jamais manqué. On a vu ce qu'il pensait, en 1830, des mouvements populaires et des assemblées. En 1835 déjà, apparaissent dans son *Journal,* pour se multiplier dans les années suivantes, des sarcasmes contre Lamennais devenu démocrate, contre les doctrines socialistes, le mauvais esprit public. À la veille et à la suite de 1848, la fréquence de ces anathèmes s'accroît : ils s'étendent au suffrage universel, à Lamartine homme politique, au positivisme même. L'humeur et la raison sont toujours en conflit chez Vigny, la seconde disposant seule de la parole publique ; ses animosités n'ont guère passé dans ses écrits. Il n'y a qu'une exception ; elle est d'importance : elle concerne le type du Parlementaire, de l'homme politique d'assemblée, auquel il s'en est pris dans *La Maison du berger.* Il était essentiel pour lui de le rabaisser pour lui opposer le poète-penseur, comme s'oppose le génie hautement inspiré à sa vaine caricature, et l'éternel à l'éphémère [2] : antithèse majeure dans le système de valeurs de Vigny, qui fait dépendre le progrès d'une longue maturation spirituelle. La satire du parlementarisme étant chose commune en France, Vigny n'a pas, sur ce point, contenu sa verve.

propos du prince de Condé : « La race noble, franque et française » ; *Journal,* *Œ. C.,* Pl. II, p. 1391 : « Francs, pères de mes pères » (ce passage, qui figure sous 1863 dans le *Journal,* est daté de 1832 dans les *Mémoires,* p. 38 : voir ci-dessus notre note 1, p. 123).

1. *Journal, Œ. C.,* Pl. II, p. 1262, sous 1847 ; aussi *M. de Vigny,* p. 126. Coulanges cite deux vers de sa chanson à Mme de Grignan pour l'encourager à marier son fils à la fille d'un roturier riche (voir Mme DE SÉVIGNÉ, *Lettres,* éd. Monmerqué, t. X, p. 164). Vigny estropie la chanson en la citant ; voici le texte exact : « D'Adam nous sommes tous enfants, — La preuve en est connue, — Et que tous nos premiers parents — Ont mené la charrue ; — Mais las de cultiver enfin — La terre labourée, — L'un a dételé le matin, — L'autre l'après-dînée. »

2. *La Maison du berger,* II, strophes 7 à 9 (1844).

Ce qu'il a dit de Louis-Philippe appelle d'autres remarques. Vigny, on l'a vu, était trop peu attaché aux Bourbons de la race aînée pour en vouloir à leur cousin de son usurpation. Au cours de son règne, il s'abstint seulement de lui faire la cour ou de le louer. Mais au lendemain de sa chute, si l'on en juge par ses écrits intimes, son apparente indifférence s'est changée en détestation rétrospective. C'est dans les *Mémoires* qu'il entreprit de rédiger plusieurs années après 1848 [1] que Louis-Philippe est représenté comme un personnage blasé et roublard, aux manèges et aux sourires incertains, intarissable en anecdotes cyniques, expert en manœuvres avilissantes, plein du « mépris d'un roué pour la nation, pour son siècle, pour la dignité des hommes et pour lui-même » [2]. Ces pages, qui retracent une rencontre vieille de plus de vingt ans avec le roi de Juillet, l'accablent comme jamais auparavant; elles nous laissent entrevoir une hostilité longtemps contenue, qui se donne enfin libre cours. Le poème des *Oracles* la répercute, dans l'évocation renouvelée du roi sous le nom d'Ulysse, et de son désastre accompli en trois heures [3]. On ne comprend bien cette hostilité qu'en la rapprochant d'une autre, qui a même histoire couverte et même explosion finale : celle qui dresse le Gentilhomme contre la Bourgeoisie.

Vigny n'avait jamais attaqué le tiers état victorieux; il semblait résigné, comme tout le monde après 1830, à cette victoire. Mais voici qu'il écrit sur la bourgeoisie, après 1850, des pages qui n'ont pas en virulence leurs pareilles dans la littérature du demi-siècle, pourtant féconde en débats et en invectives. C'est ici une véritable haine léguée par les siècles, un système d'inimitié âpre et implacable, ou du moins qui devrait passer pour tel s'il avait été professé publiquement. Le mal de la bourgeoisie est l'envie : même maîtresse de tout, « elle n'a pas cessé d'être ombrageuse et jalouse »; la survivance d'une aristocratie suffit à la désespérer : « Déjà sous l'Empire, quelque chose la gênait, c'était la vue d'un certain groupe de familles survivant à la

1. Les fragments sur la monarchie de Juillet contenus dans les *Mémoires* édités par Jean Sangnier (pp. 71-135) portent *in fine* la date du « 28 septembre 1856 »; le texte, dès le début, parle de 1848 comme d'un temps écoulé.

2. *Ibid.*, p. 115, dans le long récit d'un dîner chez le roi et d'un entretien avec lui (pp. 100-122) tout au début du règne, en décembre 1830 apparemment, puisqu'il y est fait allusion à une agitation populaire autour de Vincennes et du Luxembourg, qui désigne sans ambiguïté les troubles qui eurent lieu alors à l'occasion du procès des ministres de Charles X.

3. *Les Oracles*, strophe 4 (dans *Les Destinées*) : poème posthume, écrit en 1862.

race massacrée [1]. » Au retour des Bourbons commença la grande conspiration, le « secret travail de la *taupinière bourgeoise* », en vue de renverser les rois restaurés; Vigny prétend avoir suivi dès longtemps les sillons de ce souterrain dont pourtant il n'avait parlé nulle part, même dans son *Journal* [2]. L'erreur mortelle de la bourgeoisie, c'est qu'au lieu d'exceller comme telle, elle veut être aristocratie et s'est entêtée à créer « une monarchie bourgeoise dont elle serait la cour » : en vain; et ne pouvant jamais être que bourgeoisie, lorsqu'elle vit qu'« autour du nouveau trône, aussi bien qu'aux pieds de l'autre, se trouvaient debout comme l'ombre de Banquo les fantômes inutilement massacrés et dont le sang est comme inépuisable » [3], elle n'eut d'autre recours que de se faire républicaine et de chasser Louis-Philippe. Ainsi toute l'histoire contemporaine est expliquée par la rage de la bourgeoisie contre la supériorité noble. Le Gentilhomme arrache furieusement le masque de vertu civique à la laide figure bourgeoise : « La face vraie, c'est celle de la bourgeoisie, tantôt gonflée, tantôt pâle, de vanité et d'envie [4]. » Il dévoile le secret bourgeois, « au fond duquel était scellé le mot de l'énigme, sous une triple enveloppe de fiel : ce mot était difficile à prononcer, le péché lourd à porter, amer aux lèvres qui l'auraient confessé, parce que c'était une pensée envieuse et basse, un sentiment d'affranchi [5]. Aussi ne fut-il prononcé par personne. Deux révolutions se sont passées depuis, après deux règnes, et une fièvre de liberté a fait sortir de toutes les âmes tous les aveux hors celui-là » [6]. Peut-être dit-il vrai. Mais lui qui parle d'un secret de bourgeoisie jamais dévoilé, il ne dévoila jamais non plus le sien : autre secret de haine

---

1. *Mémoires*, p. 75.
2. *Ibid.*, pp. 58-59 (texte de 1852 d'après l'éditeur).
3. *Ibid.*, pp. 63-65, non daté, sûrement postérieur à 1848 (voir la note au bas de la page 65).
4. *Ibid.*, p. 74.
5. Ce mot, appliqué à la bourgeoisie victorieuse, en dit plus long qu'un volume. Voir *ibid.*, p. 311, un fragment daté de 1853 sur les bourgeois, intitulé « Les affranchis », où Vigny attribue à cette classe sociale « une antique haine de serfs affranchis ».
6. *Ibid.*, p. 77. Tous ces textes, on le voit, sont postérieurs à 1848. Certains fragments des pages antibourgeoises des *Mémoires* sont reproduits dans le *Journal*, Œ. C., Pl. II, pp. 1162 (« La Bourgeoisie ») et 1163 (« La Bourgeoisie est maîtresse de la France », etc.) sous l'année 1842, sans doute à tort : ces fragments reproduisent, quelquefois avec leurs erreurs, des citations que Pierre FLOTTES (*La Pensée politique et sociale d'Alfred de Vigny*, 1927) avait faites des *Mémoires* alors inédits (pp. 98, 99, 193 de son livre; voir *Mémoires*, pp. 74 et 75).

impuissante, non moins gênant, et qu'il tint enfoui dans ses papiers [1].

Pourquoi cette haine se libéra-t-elle si tard? Tant que Louis-Philippe régnait on pouvait penser que l'avènement de la royauté bourgeoise était un moindre mal acceptable. Mais voici que son gouvernement s'écroule, qu'elle n'a pu mieux résister à la subversion que la vieille royauté aristocratique. Où est la force qu'elle disait tirer de sa vigueur présente et de ses talents, en se comparant aux vieilles races usées et inutiles? À l'usurpation sur laquelle on voulait fermer les yeux, elle joint la faiblesse; non contente d'avoir détruit le vieux monde, elle est incapable de faire subsister le nouveau. Le moment est venu de penser de bon cœur tout le mal qu'on pense d'elle. C'est ainsi qu'il faut voir l'adhésion de Vigny au coup d'État du prince-président parjure et de sa suite : les nouveaux venus sauvent l'essentiel, et par eux l'orgueilleuse bourgeoisie va faire à son tour l'expérience de l'humiliation.

Vigny, qui avait plutôt bien accueilli la République en février 1848, changea de sentiment en quelques mois, comme beaucoup d'autres. Après les journées de juin, puis dans les derniers temps de la IIe République, il semble avoir perdu toute sympathie pour le nouvel ordre de choses [2]. Cependant, s'il est

1. C'est ici le lieu de rappeler la fameuse mésaventure de Vigny lors de sa réception à l'Académie française le 26 janvier 1846. Le discours de Molé, alors directeur de l'Académie, en réponse au sien fut, comme on sait, inusuellement désobligeant, et Vigny refusa en conséquence d'être, selon l'usage, présenté au roi par ledit Molé; le roi l'ayant alors invité personnellement à venir le voir, il considéra l'offense comme réparée. On peut voir dans cet épisode une explosion d'hostilité ouverte entre Vigny et quelques importants personnages d'obédience ou de sympathie orléaniste, irrités par sa « gentilhommerie » et son personnage de Poète séparé de la société. Il y eut indiscutablement une cabale à laquelle participèrent, outre Molé, et dans une mesure difficile à préciser, Villemain et Sainte-Beuve, pour lui faire payer cher sa réception. Les griefs exprimés de part et d'autre, dans le détail desquels on ne peut entrer ici, recouvrent une invincible antipathie entre Vigny et la haute « intelligentsia » philippiste : elle éclata à cette occasion, sans s'exprimer dans ses termes véritables, mais elle était latente. Voir sur cette affaire les fragments du *Journal* contemporain de l'événement; les pages 179-289 des *Mémoires* et *M. de Vigny*, pp. 31-62; aussi Sainte-Beuve, *Portraits littéraires*, III, p. 396 et suiv., *Nouveaux Lundis*, VI, p. 398 et suiv., et une lettre de Sainte-Beuve à Brizeux, *Revue d'histoire littéraire de la France*, août 1978, pp. 627-628.

2. Voir sa lettre optimiste à Brizeux du 7 avril 1848 (A. de Vigny, *Lettres à Brizeux*, éd. Éric Lugin, Paris, 1954, p. 56 et suiv.); et sur son évolution Georges Bonnefoy, *La Pensée religieuse*, p. 345 et suiv.

indiscutable qu'il a applaudi au coup d'État [1], et s'il a été en bons termes avec le régime impérial, ses relations avec le gouvernement de Napoléon III se sont bornées à peu de chose, et il n'y a rien gagné. Mais en prenant aussi facilement son parti de l'asservissement de la presse et de la tribune, il se séparait des grands écrivains de son temps. Il est allé fort loin dans ce sens, au moins en privé, se félicitant, pour le bien de la poésie, que l'éloquence politique eût été réduite au silence : « C'est l'heure du silence, écrivit-il à un ami, que choisissent les rossignols [2]. » On peut dire seulement pour sa défense que tous les écrivains de sa génération ont à la fois désiré le progrès et redouté la subversion; tous ont rêvé de l'avenir et craint les périls du présent. On ne constate guère entre eux, à cet égard, que des différences de degré, assez grandes parfois pour entraîner des positions politiques différentes, mais affectant peu leur vision du monde, largement commune.

Les doctrines du jour.

Revenons en arrière, des rancunes et des humeurs de Vigny à ses pensées. Le poète-penseur du temps présent s'intéressa naturellement aux doctrines qui, dans la France nouvelle, prétendaient formuler l'avenir.

SAINT-SIMONISME

Parmi ces doctrines, celle qui, en 1830, attirait le plus l'attention, était le saint-simonisme. Nous savons que Vigny s'y intéressa dès 1829 : « J'aurais voulu, écrit-il alors à un membre de l'École, m'entretenir avec vous de la doctrine de Saint-Simon, qui m'occupe souvent [3]. » La même année, il écrit dans son *Journal* : « Je m'occupe de la doctrine de Saint-Simon [4]. » En cette fin de 1829, le « saint-simonisme », la « Doctrine de Saint-Simon » étaient des expressions ambiguës :

1. Voir ses lettres du 5 janvier 1851 à l'éditeur Charpentier (*Corr.*, éd. Séché, t. II, p. 60) et du 2 septembre 1853 au général Le Breton (dans *M. de Vigny*, pp. 184-185).
2. Lettre à Ph. Busoni, du 23 décembre 1852 (*Corr.*, éd. Séché, t. II, p. 104).
3. Lettre du 9 septembre 1829 à Robert, *Corr.*, éd. B.-C., p. 193.
4. *Journal*, Œ. C., Pl. II, p. 900 « décembre » [1829].

ce qu'on peut appeler ainsi, au sens strict, se trouve dans les écrits de Saint-Simon; mais ces écrits étaient moins connus déjà (il était mort en 1825) que la pensée de ceux qui, sous le nom de saint-simoniens, se disaient ses continuateurs, et qui, tout en ayant sensiblement modifié sa doctrine, prétendaient la professer et la répandre. Pour n'indiquer que leur principale innovation, alors que Saint-Simon, dans son *Nouveau Christianisme,* avait seulement ébauché un complément religieux de son positivisme, les disciples, tout en conservant les postulats scientifiques de la doctrine, entendaient fonder sur la primauté du sentiment une Église véritable, et sur une dogmatique nouvelle un sacerdoce hiérarchisé [1]. Nous n'avons chez Vigny aucun indice d'emprunts aux œuvres de Saint-Simon lui-même; et ce qui chez lui semble venir de ses disciples peut relever souvent d'une autre source contemporaine. Ainsi l'idée que « dans le moyen-âge le clergé eut la force parce qu'il eut la science », et qu'aujourd'hui il a perdu l'une en perdant l'autre [2], est une vue de Saint-Simon qui a passé intacte chez ses disciples; mais elle s'était entre-temps, dès 1826, répandue chez Lamennais et les siens, qui entreprenaient justement de recréer, pour remédier au déclin de l'Église, une science catholique [3]. Autre cas semblable, le jugement de Vigny sur l'éclectisme : « L'éclectisme, lisons-nous dans le *Journal,* est une lumière comme celle de la lune, qui éclaire sans réchauffer [4]. » C'est ce que disent, contre la métaphysique éclectique, les saint-simoniens, qui se vantent de fonder une foi et une religion communautaires; et après eux tous les doctrinaires de l'Humanité le redisent. Mais est-il sûr que la chaleur spirituelle à laquelle pense Vigny ne soit pas plutôt celle de la poésie, feu pur et vif, ferveur intime accompagnant la lumière de la pensée, tel qu'il l'exaltera lui-même tout au long de son œuvre?

Pour citer un autre exemple, la conception selon laquelle le génie individuel est l'émanation et le porte-parole de l'esprit public existe implicitement au moins dans le saint-simonisme, chez le maître comme chez ceux qui invoquent son nom. Or, nous lisons bien dans le *Journal* de Vigny, vers le même temps : « Dire, écrire, proclamer que le génie doit être modeste et assimilatif, non intuitif, que la lumière est à tous et vient de

1. Voir *Le Temps des prophètes,* p. 277 et suiv.
2. *Journal, Œ. C.,* Pl. II, p. 895 [1829].
3. Voir *Le Temps des prophètes,* p. 142 et notes.
4. *Journal, Œ. C.,* Pl. II, pp. 897-898 [fin 1829].

tous. Dans la littérature proclamer cela dans la préface d'*Othello,*
dans la politique me mettre à la tête des producteurs [1]. » Mais
il a au même moment insisté plusieurs fois sur la marche en
avant du génie, à distance du sentiment commun. Il ne renon-
çait donc pas au privilège de distance et de découverte du
penseur : en faisant de l'idée l'expression d'une époque du
genre humain, il la revêtait seulement d'une dignité historique
et collective sans laquelle la puissance spirituelle moderne n'est
pas concevable. Encore est-il loin d'être sûr que le saint-
simonisme l'ait seul influencé dans ce sens. Outre que la phrase
de Bonald qui fait de la littérature « l'expression de la société »
était déjà une banalité, il faut remarquer que, dans le passage
même où il est question des « producteurs », le vocabulaire de
Vigny est aussi bien emprunté à Ballanche, qui, bien avant les
saint-simoniens, concevait l'histoire des idées d'un point de vue
collectif : c'est à lui que Vigny emprunte l'antithèse des « intui-
tifs », découvreurs et précurseurs, et des « assimilatifs », porte-
parole de leur époque, et aussi l'idée que le temps des premiers
est aujourd'hui révolu [2].

   Du peu que nous savons des relations de Vigny avec le
saint-simonisme, il semble résulter qu'il a été surtout en contact
avec Buchez et ses amis : en 1829, ils pouvaient lui parler au
nom de l'École, à laquelle ils appartenaient encore ; et même
quand ils en furent sortis, ils se prétendaient toujours les
véritables continuateurs de Saint-Simon. Buchez avait appartenu d'abord à la Charbonnerie, puis était venu vers 1825 ou
1826 au saint-simonisme presque exclusivement positiviste du
Producteur ; dans les années suivantes il participa, en tant que
dirigeant, à la métamorphose sentimentale et religieuse que la
Doctrine subissait alors. La rupture de Buchez et de ses amis
(Boulland, Jules et Adolphe Alisse, Ernest Sain dit de Bois-
le-Comte, Hippolyte Auger) avec le gros du groupe eut lieu
progressivement dans l'automne de 1829 et fut consommée en
janvier 1830 : ils n'approuvaient pas la constitution du saint-
simonisme en Église, ni la doctrine nouvelle avancée par Enfantin, d'une réconciliation de l'esprit et de la chair, qui choquait

---

1. *Journal, Œ. C.,* Pl. II, p. 900 [fin 1829]. *Le Producteur* avait été en 1825-
1826 le nom d'un périodique saint-simonien connu. Le mot était en grand usage
dans l'École.
   2. Voir notamment Pierre-Simon BALLANCHE, *Orphée* (1829), éd. in-12 des
Œuvres, Paris, 1833, t. VI, p. 276.

leur spiritualisme [1]. Les relations de Vigny avec le groupe
buchézien sont bien attestées. Robert, le destinataire de sa lettre
du 9 septembre 1829, citée au début de ce développement,
était disciple de Buchez [2]. Vigny, ayant eu communication par
lui d'un écrit saint-simonien, lui demande s'il n'en a pas
d'autres à lui procurer, pour lui permettre d'avoir une idée
plus complète de la doctrine : « J'ai, sur l'état actuel de la
société, des idées qui m'agitent et m'affligent et me travaillent
le jour et la nuit, je n'ai vu qu'un point de réunion entre elles
et celles de Saint-Simon, mais il m'a fait plaisir [3]. » On suppose
généralement que ce point de réunion est l'idée d'une aristocratie intellectuelle occupant le sommet de la société [4]. Les
souvenirs que Vigny a résumés, bien plus tard, sur l'année 1830
de sa vie le montrent presque affilié au groupe buchézien :
« 1830. Efforts et luttes de l'École Saint-Simonienne. Lettres
de mes amis : Buchez, Robert, Bois-le-Comte [5], Boulland.
Lettres d'inconnus adhérents. Notre école, dissidente de celle
d'Enfantin qui joue à la chapelle et tombe dans le ridicule.
Principes, controverses [6]. » Vigny a donc connu les divergences
surgies à la fin de 1829 entre le groupe de Buchez et les saint-
simoniens d'Enfantin, et il a été au courant des discussions. Il
partageait certainement la répugnance des buchéziens à envisager une nouvelle Église et un nouveau sacerdoce. Buchez lui
apparaissait, dans sa dissidence, plus rationnel que les disciples

1. Ce n'est pas ici le lieu de nous étendre sur le schisme et sur la doctrine de
Buchez. Disons seulement que cet esprit syncrétique entendit allier au saint-
simonisme une double fidélité au jacobinisme et à la doctrine catholique. On
peut consulter sur lui Armand Cuvillier, *P.-J.-B. Buchez et les origines du
socialisme chrétien,* Paris, 1948; et, plus récemment, les ouvrages de François-
André Isambert, *De la Charbonnerie au saint-simonisme, étude sur la jeunesse de
Buchez,* Paris, 1966; et *Politique, religion et science de l'homme chez Philippe Buchez
(1795-1865),* Paris, 1967.
2. Voir au sujet de ce Robert, jeune chirurgien, qui devait mourir en 1831,
à vingt-cinq ans, Fr.-A. Isambert, *Politique...,* pp. 49, 54.
3. *Corr.,* éd. B.-C., p. 193.
4. Cette aristocratie, chez Saint-Simon et ses disciples, était surtout scientifique
et dogmatique.
5. Il est question de Bois-le-Comte dans une lettre de Vigny à Sainte-Beuve,
en avril 1830 (*Corr.,* éd. B.-C., p. 225).
6. *Journal, Œ. C.,* Pl. II, p. 904 [1830]; mais cette date est sans doute
erronée : « 1830 » est l'époque des souvenirs évoqués, et non de la rédaction;
voir P. Flottes, *La Pensée politique,* p. 65, une citation qui est la source unique
du fragment : il s'agit d'un chapitre projeté par Vigny pour les *Mémoires,* à
une époque que nous ne pouvons préciser, mais qui est très probablement
postérieure à 1848.

orthodoxes de l'École : il l'appelle l'« Arius des Saint-Simo-
nistes » [1]. On peut se demander les raisons de cet attrait exercé
sur Vigny par le saint-simonisme. Non qu'il y ait jamais adhéré,
mais il s'y est plus vivement intéressé qu'aucun de ses grands
contemporains en poésie. Peut-être, plus affecté qu'un autre
par la ruine des anciennes institutions, était-il plus enclin aux
spéculations intellectuelles destinées à les remplacer. De Gentilhomme devenu Penseur, il voyait volontiers l'Esprit tracer
la loi de l'avenir. Cela dit, il est trop certain qu'il n'était pas
homme à embrasser l'Utopie, sous quelque forme que ce fût.

Nous avons bien peu de renseignements sur ses contacts avec
les membres de l'École, avec Buchez en particulier, qu'il n'a
rencontré que deux ou trois fois, en 1830 [2]. Dans une seule
de ces rencontres, en août, nous entrevoyons ce qu'ils ont pu
se dire : « J'ai vu Buchez, écrit-il, pour un journal dont il est
question [3]. Son idée est que le Roi soit la tête et le cocher de
l'État, que la Chambre des Pairs et le Conseil soient composés
des plus savants, et la Chambre des Députés, des industriels.
– C'est bien. – Il veut s'opposer aux libéraux avec une doctrine
d'unité. – Je l'adopte; il faut la *France-Monarque.* » On reconnaît là un schéma de constitution saint-simonienne – savants
et industriels au pouvoir – et aussi le projet unitaire (« organique » selon leur langage), c'est-à-dire antilibéral, de toute
l'École. Mais Vigny interprète selon ses propres vues ce qu'il
a entendu : il imagine aussitôt, pour sauver, dit-il, la France
d'une nouvelle Convention, un « pouvoir royal fortifié des idées
du peuple ». Encore doute-t-il de sa recette; on lit à la même

1. *Journal, Œ. C.,* Pl. II, p. 924, « 9 décembre » [1830]. L'hérésie d'Arius, en
refusant d'identifier absolument le Fils au Père, rationalisait dans une certaine
mesure la Trinité.
2. En février 1830, à la veille de la bataille d'*Hernani,* Vigny écrivait à Hugo :
« Je vous demande [...] un billet d'auteur pour les premières galeries au nom de
M. Buchez, jeune et romantique étudiant » (lettre du 23 février 1830, *Corr.,* éd.
B.-C., p. 219). Est-ce bien notre Buchez? (Il avait trente-cinq ans en 1830.)
Vigny l'avait-il déjà rencontré? C'était chose faite en août; en effet, le *Journal,* à
la date du « 21 août » [1830], *Œ. C.,* Pl. II, pp. 917-918, fait état de la conversation que nous commentons ci-contre. Enfin le 9 décembre, Buchez, d'après le
Journal, p. 924 (voir ci-dessus note 1) a rendu visite à Vigny.
3. Buchez ne publia aucun journal avant décembre 1831, date à laquelle il
fit paraître le *Journal des sciences morales et politiques* qui, à son cinquième numéro,
devait prendre comme titre *L'Européen.* Il y a, à la date du « 12 septembre
1833 », une lettre de Vigny à un destinataire inconnu, par laquelle il refuse de
collaborer à une revue politique (*Corr.,* éd. B.-C., pp. 358-359), mais rien ne
dit qu'elle ait été adressée à Buchez.

page : « La Fortune, en jetant ses dés, n'avait pas encore amené la royauté démocratique. Nous allons voir ce que c'est [1]. » On voit que s'il est devenu buchézien c'est d'assez loin. Il fréquentait les conférences que le groupe avait organisées rue de Choiseul, mais l'impression qu'il faisait est significative; un buchézien écrit dans ses *Mémoires* que, le jour de l'inauguration du local, « Vigny arriva en gentilhomme de lettres » [2] : il n'avait apparemment ni l'allure ni l'attitude d'un adepte.

En fait, son *Journal,* dès les premiers temps de sa liaison avec le groupe, avait formulé des réserves majeures sur cette doctrine de Saint-Simon à laquelle il déclarait s'intéresser : « Ses élèves, écrivait-il, sont surtout des économistes habiles et font les religieux pour séduire les artistes [...]. Mais une théocratie philosophique ne peut être ainsi fondée *a priori.* Elle annule l'individu sur la terre [...] [3]. » Que reste-t-il de la doctrine, si la religion des saint-simoniens est factice [4]; leur bienveillance envers les artistes, intéressée; leur conception de l'humanité, mortelle à l'individu? Deux ans après, il y a dans *Stello* un mot terrible pour le saint-simonisme; le Docteur Noir se souvient de la désolation du père d'André Chénier quand il lui conseilla par prudence de ne rien faire pour tirer son fils de prison : « Il me regardait comme un criminel à la question regardait son juge dans quelque bienheureuse Époque Organique [5]. » Une époque organique, en langage saint-simonien, est celle où une foi, des dogmes et une hiérarchie gouvernent la société : ainsi le Moyen Âge catholique; et le projet de l'École était d'instaurer une époque organique moderne. Vigny se prononçait donc publiquement contre ce projet. Ses amis buchéziens en vinrent vite à le traiter fort mal. L'un d'eux, dans un compte rendu de *Stello,* l'appelait « égoïste solitaire et inutile » :

1. *Journal, Œ. C.,* Pl. II, pp. 917-918, « 21 et 22 août » [1830]. Il faut entendre : « La Fortune n'avait jamais amené (avant ces jours-ci) la royauté démocratique », etc. Vigny a dû connaître en effet ces idées de Buchez par une conversation; je ne les trouve imprimées qu'à la fin de 1831 et au début de 1832 dans des articles de *L'Européen* (anonymes, mais très probablement de Buchez); notamment 24 décembre 1831, pp. 50 et 55; 7 et 14 janvier 1832, pp. 83, 98.

2. Hippolyte AUGER, *Mémoires,* éd. Paul Cottin, Paris, 1891, p. 381. Les conférences de la rue de Choiseul s'ouvrirent fin septembre 1830 pour concurrencer l'*Exposition de la Doctrine* que le groupe Enfantin-Bazard donnait rue Taitbout.

3. *Journal, Œ. C.,* Pl. II, p. 900, « décembre » [1829].

4. Voir aussi, *ibid.,* p. 964 [1832] « Les Saint-Simoniens se figurent qu'ils croient », etc.

5. *Stello,* chap. XXII (édition Fr. Germain, Classiques Garnier, 1970, p. 94).

l'incompatibilité s'était révélée entre les idées saint-simoniennes sur la mission du poète, auxiliaire et porte-étendard des doctrines organiques, et les vues que Vigny développe dans *Stello* sur cette mission, solitaire et distante du pouvoir [1]. Est-il au moins resté quelque chose à Vigny de ses contacts saint-simoniens? « Je continuerai *Éloa* ainsi, écrit-il en 1830 : Éloa est condamnée à animer successivement les corps de l'*Esclave* de l'antiquité, du *Serf* du moyen-âge, du *Salarié* moderne [2]. » L'ange de la pitié expie donc sa chute selon les étapes de l'histoire sociale, tant de fois retracées dans les prédications saint-simoniennes. Mais il faut lire jusqu'au bout ce projet d'une *Éloa* humanitaire; Vigny poursuit : « Et toujours Éloa, au moment de l'affranchissement, ne peut en jouir. Enfin, elle est *mon âme* et souffre [3]. » Ainsi Éloa, ayant accompli tout le cycle des époques humaines, rejoint finalement l'âme du poète lui-même, lieu d'un souci éternel. C'est au Poète-penseur que l'histoire aboutit, sans doute parce qu'il est au cœur des épreuves et des progrès du genre humain, et que sa pensée douloureuse leur survit. Les saint-simoniens avaient beau promettre un sort prestigieux au Poète ou à l'Artiste dans leur société, jamais, de quelque obédience qu'ils fussent, ils n'imaginèrent qu'il pût prétendre à un privilège spirituel aussi essentiel : être au cœur et au terme du développement humain appartenait pour eux aux fondateurs et aux prêtres de la Doctrine. Vigny n'a sans doute appris des saint-simoniens que l'importance du problème social et sa pressante actualité. Il arrive qu'il leur donne raison sur des points particuliers de leur programme [4], mais aussi qu'il n'approuve leurs solutions qu'en

---

1. L'article parut dans *L'Européen* du 26 avril 1832 (t. I, n° 22, pp. 344-346); il est anonyme. On en trouvera un résumé plus détaillé dans P. FLOTTES (*La Pensée politique*, pp. 126-127); il est certain que les buchéziens en voulaient aussi à Vigny du peu de considération qu'il montrait pour Robespierre et les Jacobins dans l'histoire d'André Chénier.
2. *Journal, Œ. C.,* Pl. II, p. 922 « 14 novembre » [1830]. Le même schéma est repris ailleurs, sans Éloa, comme plan d'un « Livre de Dieu » à épisodes avec comme étapes l'anthropophagie, l'esclavage, le servage et le salariat (*Mémoires,* p. 394, fragment non daté). L'idée même de tels plans, de conception humanitaire, ne saurait être attribuée à l'influence saint-simonienne; on en trouve un déjà dans le *Journal* sous l'année [1823] : voir *Œ. C.,* Pl. II, p. 878. Et Lamartine, vers le même temps, concevait la première idée de son ange, réincarné dans les étapes successives de l'histoire.
3. *Journal, Œ. C.,* Pl. II, p. 922 « 14 novembre » [1830].
4. Par exemple lorsqu'il les loue de vouloir détruire dans la *domesticité* le

les modifiant à sa manière. Il écrit : « L'amélioration de la classe la plus nombreuse et l'accord entre la Capacité prolétaire et l'Hérédité propriétaire sont toute la question politique actuelle » [1]. Or, les saint-simoniens étaient, comme on sait, purement et simplement ennemis de l'héritage [2].

MENNAISIANISME

Une autre doctrine, en 1830, se signalait par sa nouveauté. Le catholicisme de Lamennais et de ses disciples, qui s'était présenté, dans les années 1820, comme un système de réaction, et qui n'avait intéressé que par un radicalisme théocratique sans précédent en France, venait de changer d'orientation : par une logique dramatique, Lamennais répudiait la monarchie gallicane, et faisant dépendre le salut de l'Église de l'exercice de la liberté moderne, prenait le chemin d'un conflit avec la hiérarchie catholique et la papauté. Par la fondation de *L'Avenir*, en octobre 1830, « Dieu et la liberté » devenait la devise d'une école catholique nouvelle.

Nous savons que Vigny fut en relation dès le début de 1831 avec le jeune Montalembert, un des rédacteurs de *L'Avenir*, qu'en février il souhaita rencontrer Lamennais par son entremise, et participer à la rédaction du journal. Cependant il prévoyait la nécessité, quand il verrait Lamennais, de s'expliquer avec lui « avec franchise » et ne voulait tenir à *L'Avenir* qu'une rubrique littéraire [3], de sorte que son attitude sympathique envers un catholicisme libéral ne saurait être considérée comme une adhésion véritable au groupe mennaisien. En fait, il ne

dernier reste de l'esclavage (*ibid.*, p. 964 [1832]) ; et voir dans *M. de Vigny*, pp. 151-152, un texte sur riches et pauvres, classé parmi des fragments de 1836-1838 (contre l'inégalité et sur la nécessité de la diminuer).

1. *Journal, Œ. C.*, Pl. II, p. 968 [1832].

2. Vigny n'a, par deux fois, condamné l'héritage que sur le plan moral ou sentimental : voir *ibid.*, pp. 1071-1072 [1837] et 1344, « 15 avril » [1859]. Mais il a toujours défendu l'institution : voir la façon dont il justifie l'héritage dans *La Sauvage*, v. 180-199, par l'exemple du lait maternel passant de la mère à l'enfant ; or, dans le manuscrit du canevas en prose de ce poème, qui porte l'indication « Question de l'Héritage », on peut lire l'addition significative « À un saint-simonien » (ms. Bibl. nat., Nouv. acq. fr. 24984, f° B5, texte de décembre 1839 ; reproduit sans cette addition dans *M. de Vigny*, p. 68).

3. Voir sa lettre à Montalembert du 15 février 1831 (*Corr.*, éd. B.-C., pp. 239-240).

donna à *L'Avenir* qu'une première « Lettre parisienne » [1], qu'il ne voulut pas signer de son nom [2]; c'était une chronique des théâtres, précédée d'une apologie, d'apparence enjouée, du faubourg Saint-Germain. Cette lettre devait être suivie d'une autre. Mais ces lettres, d'un romantisme aristocratique, jurent avec l'esprit du journal. La seconde n'y parut pas; elle fut publiée en juin à la *Revue des deux mondes* [3]. Un an après, Vigny était tout à fait désenchanté du catholicisme libéral; il avait cessé de croire que la religion fût plus capable que la monarchie de sauver la société : « La France n'est plus chrétienne. La majorité est sceptique, indifférente, à peine déiste. L'épreuve la meilleure a été faite. – Sous les auspices d'un grand talent un journal a été entrepris réunissant les deux idées de religion et de démocratie. Il n'a pu être populaire [4]. » Quelques années plus tard, il redoute dans Lamennais, alors sorti de l'Église, un pape laïque en puissance [5]. Il avait été sans doute en garde, dès 1831, contre l'esprit théocratique de l'abbé. Il lui reproche surtout désormais l'excès de son démocratisme [6].

THÈMES HUMANITAIRES

Si Vigny a résisté, comme l'ont fait généralement les poètes romantiques, à l'influence des nouvelles doctrines dogmatiques que son temps mettait en circulation, il n'en a pas moins participé au mouvement général qui poussait alors les esprits à méditer sur le progrès et les destinées de l'humanité, en particulier sur une réforme du système pénal, de la condition féminine et des relations entre les nations, enfin sur le projet d'une religion élargie selon le sentiment et l'imagination modernes. Aucun de ces aspects de l'humanitarisme ne lui a été étranger, quelles que pussent être ses réserves en tel ou tel

1. Parue dans le numéro du 6 avril 1831; reproduite dans *Corr.*, éd. B.-C., p. 246 et suiv.

2. Elle était signée *Y.;* sur cet anonymat, voir sa lettre à Montalembert du 3 avril (*ibid.*, p. 242).

3. Reproduite dans *Corr.*, éd. B.-C., p. 264 et suiv. Cette seconde lettre est un compte rendu favorable d'*Antony*, présenté comme une œuvre morale.

4. *Journal*, Œ. C., Pl. II, p. 961, « 6 août » [1832].

5. *Ibid.*, p. 1059, « 11 février [1837] » : « La M[ennais]. – Une assemblée de directeurs de famille, enrégimentés à un Pape démocratique, rendraient ce Pape tout-puissant. – Belle théocratie. »

6. Voir *ibid.*, p. 1125 [1839]; p. 1160 [1841]; le fragment de la page 1285 [1851] est une pure invective : « Ô prêtre impie », etc.

domaine. On peut même dire que l'œuvre de Vigny, en dépit des dispositions conservatrices de son auteur, est empreinte tout entière d'une teinte humanitaire. Il ne s'agit pas seulement de certains projets d'œuvres, de romans surtout, consignés dans son *Journal* : en 1834, un roman sur trois forçats libérés, que la société repousse et accule au suicide; en 1836, l'histoire supposée d'un condamné à mort qui, ayant échappé à l'exécution, est ressaisi et exécuté alors qu'il s'est, entre-temps, moralement régénéré [1]. Des thèmes humanitaires animent les œuvres majeures : dans la réflexion sur l'armée, qui fait le fond de *Servitude et grandeur militaires,* ont place la prévision et le vœu de la paix universelle et de la disparition des armées. L'image de la Femme, liée à des considérations de philosophie sociale, occupe plusieurs poèmes des *Destinées* [2]. Et dans la méditation sur la religion qui est un des éléments constitutifs de l'œuvre entière de Vigny, poèmes et écrits intimes, on voit surgir, en projets ou en œuvres, ces remaniements des récits de l'Écriture ou de la Tradition chrétienne sous lesquels l'humanitarisme aime à figurer ses pensées, et en particulier sa représentation du Jugement dernier comme une Rédemption universelle [3]. Vigny est, avec Lamartine et Hugo, un des mythologues de l'humanitarisme romantique.

PARIS, élévation.

La première œuvre notable que Vigny ait écrite après 1830 est ce poème de *Paris* [4]. L'« élévation » était un genre poétique auquel Vigny songeait depuis plusieurs années sans bien le définir : une méditation, en somme, mais s'élevant à partir d'un incident ou d'un objet réel. L'objet ici est prestigieux; c'est Paris, centre de l'univers moderne, énigme et promesse, atelier fabuleux des nouvelles destinées de l'homme. La Ville,

---

1. *Ibid.,* p. 1015 [1834], « Les trois forçats »; p. 1038 [1836], « Une fable ». Voir aussi, sur la traite et l'esclavage des Noirs, *ibid.,* pp. 1113-1115, « Temple-Bar » [1839]; p. 1152 [1841], projet d'une lettre aux députés.
2. Voir, plus loin, le commentaire de ces œuvres.
3. Dans ce domaine, Vigny ne fait que continuer, après 1830, *Moïse* et *Éloa,* qui sont de sa jeunesse. Voir plus loin « Vigny et la religion ».
4. *Paris, élévation* parut en plaquette en 1831, avec la date du 16 janvier de cette année; le poème fut inclus en 1837 dans la réédition des *Poèmes antiques et modernes.*

jusque-là célébrée sur le mode pompeux pour ses bâtiments, ou sur le mode satirique pour ses embarras, devait prendre bientôt figure de mythe littéraire majeur avec Balzac et Baudelaire. Paris, chez Vigny, revêt avec éclat un des traits de sa légende nouvelle : c'est la ville des Esprits, qui recèle et doit enfanter l'avenir de l'humanité. Cette investiture sacrée, suite des événements de la Révolution et de l'Empire, prend naturellement forme épique. Nul concept abstrait ne suffit à la représenter. Paris est un être vivant, un fourmillement énorme de choses en travail, annonciateur de prochaines métamorphoses, selon les symboles de la Roue qui avance et de la Fournaise qui crée et illumine. À vrai dire, la puissance, redoutable et sainte, de Paris procède d'une force surnaturelle : au lieu où il plaça Paris, c'est justement là

Que Dieu même a posé le centre du compas [1].

Paris est le moyeu dont l'univers est la roue, l'axe ou le centre autour duquel rien ne peut refuser de tourner sans être frappé de mort : métaphore de l'irrésistible Providence qui a son centre ici, ou de l'Histoire qu'on identifie à elle. Et la Fournaise est le feu nocturne dont la pensée éclaire la voûte céleste au-dessus de la Ville, l'auréole que fait à Paris la lumière des lampes, quand veillent et travaillent les ouvriers d'une œuvre immense et sainte.

Parmi ces esprits qui interrogent et fécondent l'avenir, Vigny a distingué Lamennais, Benjamin Constant et les saint-simoniens. Néo-catholicisme, libéralisme, saint-simonisme étaient bien, au lendemain de 1830, les trois grandes voies nouvelles. Le poète, extérieur à toute école particulière, voit dans chacune le même effort pour s'enfoncer

Dans l'énigme sans fin dont Dieu sait la réponse,
Et dont l'humanité, demandant son décret,
Tous les mille ans rejette et cherche le secret [2].

Cette énigme est celle qui régit les mutations périodiques du genre humain. Une de ces mutations s'annonce. Mais Lamennais, appelant le Christ à son secours pour renouveler l'Église,

---

1. V. 38 ; je cite d'après l'édition Estève des *Poèmes antiques et modernes*, Paris, 1914.
2. V. 92-94.

Prêtre pauvre et puissant pour Rome et malgré Rome,

ne saurait réussir dans son entreprise : il n'y aura pas de
régénération miraculeuse de l'Église ; la Croix n'a plus de vertu ;
à peine pourra-t-il rapprocher de l'humanité le sacerdoce catholique :

> *Le Cadavre adoré, de ses clous immortels,*
> *Ne laisse plus tomber de sang pour ses autels ;*
> *— Rien... Il n'ouvrira pas son oreille endormie*
> *Aux lamentations du nouveau Jérémie,*
> *Et le laissera seul, mais d'une habile main,*
> *Retremper la Tiare en l'alliage humain.*

En ce qui concerne Benjamin Constant et le libéralisme, le
poème est aussi réservé :

> *« Liberté ! » crie un autre et soudain la tristesse*
> *Comme un taureau le tue au pied de sa Déesse,*
> *Parce qu'ayant en vain quarante ans combattu,*
> *Il ne peut rien construire où tout est abattu.*
> *— N'importe ! Autour de lui des travailleurs sans nombre,*
> *Aveugles inquiets, cherchent à travers l'ombre*
> *Je ne sais quels chemins qu'ils ne connaissent pas,*
> *Réglant et mesurant, sans règle et sans compas,*
> *L'un sur l'autre semant des arbres sans racines,*
> *Et mettant au hasard l'ordre dans les ruines.*

Les saint-simoniens, nés de ce désordre, prétendent y mettre
fin :

> *Derrière eux s'est groupée une famille forte*
> *Qui les ronge et du pied pile leur œuvre morte,*
> *Écrase les débris qu'a faits la Liberté,*
> *Y roule le niveau qu'on nomme Égalité,*
> *Et veut les mettre en cendre, afin que pour sa tête*
> *L'homme n'ait d'autre abri que celui qu'elle apprête :*
> *Et c'est un Temple ; un Temple immense, universel,*
> *Où l'homme n'offrira ni l'encens, ni le sel,*
> *Ni le sang, ni le pain, ni le vin, ni l'hostie,*
> *Mais son temps et sa vie en œuvre convertie,*
> *Mais son amour de tous, son abnégation*

De lui, de l'Héritage et de la Nation ;
Seul, sans père et sans fils, soumis à la parole,
L'union est son but et le travail son rôle,
Et selon celui-là, qui parle après Jésus,
Tous seront appelés et tous seront élus [1].

Contrairement aux deux écoles précédentes, le saint-simonisme n'est ici ni voué à l'échec ni critiqué expressément. Les deux autres entreprises sont plus proches de Vigny et il croit avoir mesuré leur faiblesse. Celle-ci est nouvelle et grandiose ; elle l'impressionne apparemment et il ne veut hasarder ni louange ni blâme. Mais tous les traits par lesquels il en souligne la grandeur semblent dire en même temps son effroi : l'Égalité niveleuse, plus d'autre abri que dans le sein de la secte, ni famille naturelle, ni moi, ni héritage, ni patrie, la communauté, milieu unique et maîtresse absolue. Vigny a eu le secret de mettre dans ces vers, en même temps que la ressemblance du sublime, une raréfaction d'air qui éloigne et dissuade [2].

C'est surtout la fièvre générale des esprits qui est le thème de son « élévation » : la fournaise de lumière devient une fournaise de flamme, qui broie, brûle et refond à grand fracas, créant à la fois l'espoir d'un Éden et la crainte d'un Enfer. On croit sentir qu'un monde nouveau sortira de cette forge :

Qu'il surgira brillant à travers la fumée,

1. Les vers cités ci-dessus concernant les trois doctrines sont respectivement les vers 109-114, 115-124, 127-142.
2. Ce que disent ces vers du saint-simonisme atteste chez Vigny la connaissance de l'École. Le vers sur l'Égalité pourrait surprendre, vu le caractère fortement hiérarchique du projet de société saint-simonien, l'égalité au sens de 1793 étant considérée par les adeptes de l'École comme un concept « critique » ou « métaphysique », contraire à un ordre de choses « organique ». Il est vrai que les saint-simoniens rejetaient toutes prérogatives autres que celle de la capacité, et c'est peut-être à quoi pense Vigny. Mais il est beaucoup plus probable qu'il est ici l'interprète des idées particulières de Buchez et de ses amis. Buchez, qui combinait des idées jacobines au fonds commun de l'École, donne à l'Égalité une grande place dans sa doctrine. Il fait dériver l'égalité révolutionnaire de l'égalité devant Dieu proclamée par le christianisme, et voit dans la France le champion de cet idéal (voir dans le premier numéro du *Journal des sciences morales et politiques,* du 3 décembre 1831, l'« Introduction » signée Buchez, et dans *L'Européen* qui continua ce journal, les articles de Buchez « De l'Égalité », les 11 février et 3 mars 1832. L'hostilité réciproque des libéraux et des saint-simoniens, telle que l'évoque Vigny, est un fait connu ; et le vers final de ma citation reproduit une formule saint-simonienne).

Qu'il vêtira pour tous quelque forme animée,
Symbolique, imprévue et pure, on ne sait quoi
Qui sera pour chacun le signe d'une foi,
[...] Et, dans des flots d'amour et d'union, enfin
Guidera la famille humaine vers sa fin.

Cet acte de foi, si c'en est un, est sans contenu précis : l'invocation aux merveilles d'un avenir inconnu, substitut à la fois fervent et circonspect des certitudes utopiques, est fréquente en ce temps-là. Ces vers d'annonce diffuse semblent appeler l'avènement d'un monde magico-symbolique, dispensateur d'évidences et de révélations : un monde de poésie vécue en somme, objet originel de ce qu'on peut appeler l'oraison romantique, terme ineffable et inaccessible de l'ascension humaine. Encore cette foi de pure espérance est-elle aussitôt contredite chez Vigny par le doute; l'incendie de cette forge ne va-t-elle pas plutôt tout détruire?

Peut-être que, partout où se verra sa flamme,
Dans tout corps s'éteindra le cœur, dans tout cœur l'âme.

L'avenir est mortellement ambigu, et s'agitant déjà dans la fournaise,

Il nous montre une tête énorme, et des regards
Portant l'ombre et le jour dans leurs rayons hagards [1].

Les penseurs évoqués plus haut ne sont que des passagers dans le poème de Paris; celui qui l'occupe entier, c'est le Poète. C'est lui qui, ayant guidé un Voyageur au haut d'une tour, commente pour son enseignement le spectacle de la Ville. Le Voyageur se sentant gagné par une angoisse d'apocalypse [2], le Poète lui dit son ultime pensée qui est la conclusion du poème. Il doute que l'ange exterminateur puisse frapper Paris sans craindre de commettre une sorte de déicide. Mais la loi de la souffrance et de la mort est universelle; le Voyageur pourra

---

1. Les trois citations ci-dessus renvoient aux vers 163-166 et 169-170, 179-180, 193-194 du poème.
2. Aux vers 214-223, le Voyageur développe, comme étant une citation des prophètes hébreux (elle est imprimée en italique dans ses fragments successifs), une paraphrase très lointaine de l'Apocalypse, 17-18 (versets où est annoncée la destruction de la Rome païenne sous le nom de Babylone).

trouver un jour les cendres de Paris sur son chemin; mais
alors : lui dit le poète,

Tu crîras : Pour longtemps le monde est dans la nuit!

Dans cette longue nuit de la mort de Paris, de qui faudrait-il
se souvenir?

Pense au triple labeur que je t'ai révélé,
Et songe qu'au-dessus de ceux dont j'ai parlé
Il en fut de meilleurs et de plus purs encore,
Rares parmi tous ceux dont le temps se décore,
Que la foule admirait et blâmait à moitié,
Des hommes pleins d'amour, de doute et de pitié,
Qui disaient : Je ne sais, *des choses de la vie,*
Dont le pouvoir ou l'or ne fut jamais l'envie,
Et qui, par dévouement, sans détourner les yeux,
Burent jusqu'à la lie un calice odieux [1].

Ainsi, au-dessus des trois écoles de pensée dont le poète a
parlé, le rang suprême est à d'autres plus purs. Vigny les décrit
comme des Christs : à la fois admirés et persécutés par la foule,
pleins de doute (comme Jésus, on l'a vu, selon Vigny), en
même temps que d'amour et de pitié, et comme Jésus buvant
par dévouement leur calice jusqu'à la lie. Quels sont ces
hommes, à qui Vigny, bien apparemment, s'identifie? De toute
évidence les poètes, purs d'ambition et « sceptiques » au sens
où il l'entend, à qui appartiennent l'espérance de l'avenir
inconnu, la lente conduite des hommes, et le dévouement payé
d'amertume. Ce rôle, qui est le leur, transcende, pour Vigny,
toute doctrine.

1. V. 245-254.

II

POÉSIE ET ACTION

Le problème s'est vite posé de savoir si ces poètes, qui possèdent l'intuition de l'avenir, doivent ou non se mêler activement aux luttes qui y conduisent. La question est partout. Chez Vigny, la secousse de 1830 a produit presque aussitôt *Stello* [1]. C'est à peine si l'on trouve, dans cette célébration des épreuves du Poète, quelques lignes qui rappellent l'autre victime, le Noble. Elles y sont pourtant, et véhémentes : « Je désire ardemment, pour le bien que je vous souhaite, dit le Docteur Noir à Stello, que vous ne soyez pas né dans cette caste de Parias, jadis Brahmes, que l'on nommait Noblesse, et que l'on a flétrie d'autres noms [*suit le tableau des dévouements et du martyre de cette classe*], race aujourd'hui rayée du livre de vie et regardée de côté, comme la race juive [2]. » Cette évocation est bien faite pour rappeler à quel type défunt, le Noble, l'auteur entend apparenter le Poète d'aujourd'hui [3].

1. *Consultations du Docteur Noir. Stello ou les Diables bleus. Première Consultation*, Paris, 1832. – L'ouvrage avait paru en trois livraisons dans la *Revue des deux mondes* (15 octobre, 1er décembre 1831, 1er avril 1832). L'ouvrage parut en juin en librairie.
2. *Stello*, chap. xxxix, p. 201. Je cite d'après l'édition de François Germain (*Les Consultations du Docteur Noir* [...] *Stello* [...] *Daphné*, Paris, Classiques Garnier, 1970). L'assimilation des malheurs de la race noble à ceux de la race juive peut donner une idée de l'hyperbolique affectivité de Vigny sur ce chapitre.
3. Il y avait rapport de sujet dans l'esprit de Vigny entre *Cinq-Mars* et *Stello*; témoin ces mots où, peu avant de mourir, il résume son œuvre : « Étant né gentilhomme, j'ai fait l'oraison funèbre de la noblesse [...] Étant poète, j'ai montré l'ombrage qu'a du poète tout plaideur public, et le vulgaire des salons et du peuple », *Journal*, Œ. C., Pl. II, p. 1390 [1863].

Stello et le Docteur Noir.

Le livre représente un poète des années 1830, maladivement
tenté, au cours d'une crise de spleen, de s'engager dans la lutte
politique; son médecin, pour l'en dissuader, lui raconte l'histoire de trois poètes également victimes du pouvoir sous chacun
des trois régimes politiques connus jusqu'alors : Gilbert, mort
fou sous Louis XV, monarque absolu; Chatterton, que la misère
a conduit au suicide sous la monarchie constitutionnelle anglaise;
André Chénier, guillotiné sous la démocratie révolutionnaire.
Ainsi, trois narrations significatives conduisent à une définition
lucide de la situation du poète : tous les régimes politiques lui
étant hostiles, il ne doit espérer agir sur aucun d'eux ni servir
l'humanité avec leur soutien, mais seulement influer à distance
par sa pensée sur la marche du genre humain.

Stello est donc un groupe de trois nouvelles historiques
romancées, à thèse ou à moralité. Ce type de narration est
familier à Vigny, en vers et en prose; il raconte pour enseigner :
c'est depuis le début la formule de sa littérature. Cependant
les trois récits sont faits par un même personnage, le médecin
qui fut témoin de la fin de chacun des trois poètes. Il raconte
successivement leur histoire, et en développe la moralité au
poète qui est venu le consulter et qui converse avec lui. Le
sens de cette construction dialoguée qui enveloppe les trois
récits, et la signification symbolique des deux interlocuteurs
posent une question à laquelle il faut répondre d'abord. Qui
sont et que représentent, l'un par rapport à l'autre, le Docteur
Noir et Stello, le Poète exalté et le Docteur sans illusions? On
a souvent accepté la façon dont Vigny lui-même définit leur
contraste, dans les lignes qui terminent le livre : « Stello ne
ressemble-t-il pas à quelque chose comme le *sentiment?* Le
Docteur Noir à quelque chose comme le *raisonnement?* Ce que
je crois, c'est que si mon cœur et ma tête avaient agité entre
eux la même question, ils ne se seraient pas autrement parlé [1]. »
Mais il faut bien entendre que sentiment et raison sont d'égale
dignité. Vigny, commentant son livre, dit ailleurs que « le
Docteur Noir est le côté humain et réel de tout; Stello [...] le

---

1. *Stello,* éd. citée, p. 210.

côté divin » [1]. Le livre ne nous montre donc pas vraiment la raison censurant le cœur. Une fois admise la double convention de caractère qui fait parler différemment le Docteur et Stello, en quoi, finalement, diffèrent-ils par la pensée? Stello désespère de tout, mais il est tenté, pour se sauver, d'espérer et d'agir; le Docteur, qui prétend récuser toute espérance, conseille pourtant de penser l'avenir et de le préparer. Ils ne s'opposent donc que par le plus ou le moins de hâte ou de patience; autrement, la même conviction est en eux : tous deux croient le Poète et la Société unis par un lien douloureux : celui par lequel l'idéal est joint au réel. C'est bien pourquoi Vigny a pu écrire que *Stello* était né d'« une seule pensée » [2]. Et d'une seule émotion : quand Chatterton proclame, dans un moment pathétique, la mission terrestre de la poésie, le Docteur ne peut se retenir de courir à lui et de lui serrer la main [3]. Le contraste de Stello et du Docteur Noir est si peu celui de deux facultés opposées, que Vigny a pu imaginer, pour rendre le même combat intérieur, un rôle inverse du « cœur » et de l'« esprit » : dans un fragment de ses *Mémoires* il se représente depuis toujours partagé entre son « cœur sauvage » et son « esprit civilisé »; et ici, au contraire de ce qui a lieu dans *Stello,* c'est le cœur qui, dit-il, « se sentit tout d'abord effarouché par les hommes et, délicat comme une sensitive, trouva son bonheur à se refermer et à les fuir »; et c'est l'autre, l'esprit, qui « s'élança toujours en avant pour se répandre et combattre » [4].

Le Docteur, qui déconseille l'engagement immédiat, ne conteste à aucun moment la mission de Stello, ni ne projette de l'en décourager absolument : « S'il est vrai, dit-il, que l'on guérisse par les semblables, comme les poisons par les poisons mêmes, je vous guérirai en rendant plus complet le mal qui vous tient [5]. » Autrement dit, l'état violent dont souffre Stello doit d'abord être approfondi, et toute impulsion inconsidérée à agir, purgée par une analyse de la réalité; mais le terme de cette analyse n'est pas la négation du rôle même du poète parmi les hommes, et l'abstention totale qui devrait s'ensuivre. En fait, l'Ordonnance finale du Docteur Noir est, dans le demi-siècle romantique, un des manifestes les plus formels en faveur

1. *Journal, Œ. C.,* Pl. II, p. 1218 [1844]; voir aussi *ibid.,* p. 969 [1832].
2. *Ibid.,* p. 949, « mars 1832 ».
3. *Stello,* chap. XVII, p. 64.
4. *Mémoires,* p. 69, non daté.
5. *Stello,* chap. III, p. 9.

du Poète comme guide spirituel du genre humain. La thérapeutique du Docteur, prise de conscience d'une vérité douloureuse en vue de régler et non d'annuler la volonté d'agir, se retrouve dans la phrase que Vigny a placée en tête de son livre : « L'Analyse est une sonde. Jetée profondément dans l'Océan, elle épouvante et désespère le Faible, mais elle rassure et conduit le Fort, qui la tient fermement en main [1]. » Une telle épigraphe ne nous permet pas de nous tromper sur le sens de *Stello,* ni sur l'unité d'intention qui domine le débat du Poète et de son Docteur.

Mission et séparation.

L'originalité de Vigny dans sa conception du ministère spirituel du Poète consiste en ce qu'il exclut l'engagement politique proprement dit. Il appuie ce refus sur deux raisons. La première est qu'en politique la connaissance certaine nous manque : « Il est évident que Dieu n'a pas voulu que cela fût autrement. Il ne tenait qu'à lui de nous indiquer, en quelques mots, une forme de gouvernement parfaite, dans le temps où il a daigné habiter parmi nous [2]. » La seconde raison est l'éternelle opposition du Pouvoir et des hommes de pensée : « Comme le pouvoir est une science de convention selon les temps, et que tout ordre social est basé sur un mensonge plus ou moins ridicule, tandis qu'au contraire les beautés de tout art ne sont possibles que dérivant de la vérité la plus intime, vous comprenez que le pouvoir, quel qu'il soit, trouve une continuelle opposition dans toute œuvre ainsi créée [...] Son essence est contraire à la vôtre [3]. » Voici donc retrouvée la séparation théologique de la vérité éternelle et du siècle transitoire, au bénéfice cette fois de la Pensée ou de l'Art profanes, et non plus de la Religion. Il y a donc mission de l'écrivain, mais, comme celle du prêtre, distante du gouvernement, et consacrant, non la confusion des ordres, mais la prééminence de l'un sur l'autre. Tout engagement est par nature occasionnel, et doit se

---

1. La phrase est tirée de *Stello* même (*ibid.,* chap. XXXII, p. 152), où elle s'applique, dans la bouche du Docteur Noir, à la condition humaine en général.
2. *Ibid.,* chap. XXXIX, p. 198 ; cette pensée ironique se retrouve, presque sous la même forme dans le *Journal, Œ. C.,* Pl. II, p. 941 [1832].
3. *Stello,* chap. XXXIX, p. 197.

savoir tel : dans l'action immédiate, conseille le Docteur, « suivez votre cœur ou votre instinct; soyez (passez-moi l'expression) bête comme un drapeau [...]. C'est pure affaire de *sentiment* et *puissance de fait, d'intérêts* et de *relations* » [1].

La séparation des deux ordres, spirituel et politique, est formulée en tête de l'Ordonnance du Docteur, dont le premier article prescrit de « séparer la vie poétique de la vie politique » [2]. Vigny professait depuis longtemps une telle idée, puisqu'on lit déjà dans *Cinq-Mars* : « Quand on veut rester pur, il ne faut pas se mêler d'agir sur les hommes » [3]; et on retrouve textuellement cette maxime en 1832 dans son *Journal,* suivie de cette phrase de *Stello* : « L'application des idées aux choses n'est qu'une perte de temps pour les créateurs de pensées [4]. » Il faut pourtant bien que quelque relation soit admise entre l'idée et la réalité pour que l'homme de pensée ou le poète puisse se prévaloir d'une mission. Cette mission, Chatterton l'affirme solennellement dans la page la plus fameuse de *Stello* : il vient de comparer l'Angleterre à un vaisseau où tous ont leur rôle; on lui demande : « Que diable peut faire le Poète dans la manœuvre? » « Le Poète, répond-il, cherche aux étoiles quelle route nous montre le doigt du Seigneur [5]. » Et le deuxième article de l'Ordonnance du Docteur prescrit : « Seul et libre, accomplir sa mission »; seul et libre, car « La solitude est sainte » [6]; mais elle n'est pas stérile humainement, n'étant pas « une séparation et un oubli entier de la Société, mais une retraite où l'âme se puisse recueillir en elle-même, puisse jouir de ses propres facultés pour produire quelque chose de grand » [7]. L'idée poétique ne se sépare donc des hommes que pour mieux agir sur eux, et la solitude n'est qu'une façon d'entrer en rapport avec l'avenir. Enfin, et ceci est la troisième prescription

1. *Ibid.,* pp. 200 et 201.
2. *Ibid.,* chap. XL, p. 205.
3. *Cinq-Mars,* chap. XXV (Œ. C., Pl. II, p. 337); voir aussi, pour l'opposition du penseur à l'homme politique, le *Journal, Œ. C.,* Pl. II, p. 905, dernière partie du fragment intitulé « Vue » [1830].
4. *Journal, Œ. C.,* Pl. II, p. 975 [1832], et voir cette phrase dans *Stello,* chap. XXXIX, p. 204 – et une idée semblable dans le *Journal, Œ.C.,* Pl. II, au bas de la page 986 [1833].
5. *Stello,* chap. XVII, p. 64.
6. *Ibid.,* chap. XL, p. 205.
7. *Journal, Œ. C.,* Pl. II, p. 963 [1832] : ce fragment du *Journal* commente expressément la phrase de *Stello* (« La Solitude est sainte ») pour exclure le malentendu.

du Docteur : « La Neutralité du penseur solitaire est une *Neu-tralité armée* qui s'éveille au besoin. Il met un doigt sur la balance et l'emporte [...] Il dit le mot qu'il faut dire, et la lumière se fait. Il dit ce mot de loin en loin et, tandis que le mot fait son bruit, il rentre dans son silencieux travail et ne pense plus à ce qu'il a fait [1]. » Ces interventions du penseur dans l'action sont évidemment d'un autre ordre que celles qui étaient évoquées plus haut comme purement personnelles et contingentes : elles résultent d'un impératif de pensée qui, dans une circonstance donnée, impose l'action.

Il faut donc bien se garder, en s'arrêtant sur telle ou telle formule isolée de Vigny, de prendre une idée fausse de son pessimisme : sa plainte et son parti pris de distance tiennent à une mission positive. Le dernier axiome du Docteur : « L'Es-pérance est la plus grande de nos folies » [2] doit s'entendre de la condition métaphysique de l'homme, de son éternel « Pour-quoi? » sans réponse et de son définitif « Hélas! » devant le mal et la souffrance [3]. Quant à l'avenir de l'espèce, l'espérance de progrès, folle peut-être à l'échelle d'une existence indivi-duelle, ne l'est pas pour qui voit plus loin dans le temps : « Votre royaume n'est pas de ce monde sur lequel vos yeux sont ouverts, dit le Docteur Noir à Stello, mais de celui qui sera quand vos yeux seront fermés [4]. » *Stello* s'achève donc sur des conclusions relativement sereines, le Poète, victime de tous les pouvoirs, se voit investi d'un pouvoir plus éminent et plus durable qu'aucun autre.

1. *Stello*, chap. xl, p. 207. Voir aussi le *Journal*, *Œ. C.*, Pl. II, p. 1217 [1844] : « Le Canon » (projet d'un poème) : comparaison du poète au canon qui sait frapper à l'occasion ; le symbole du canon se trouvait déjà, à propos d'articles écrits par Lamartine sur la question d'Orient, dans une lettre de Vigny à la marquise de La Grange du 3 octobre 1840 (*Lettres de Vigny au marquis et à la marquise de La Grange*, éd. Luppé, p. 61).

2. *Stello*, chap. xl, p. 208 ; voir aussi *Journal*, *Œ. C.*, Pl. II, p. 950 [1832] : « Il faut surtout anéantir l'espérance dans le cœur de l'homme. »

3. *Stello*, chap. xl, p. 209 ; voir de même *Hélas!* et *Pourquoi?* dans le *Journal*, *Œ. C.*, Pl. II, p. 1058 [1837].

4. *Stello*, chap. xl, p. 208. La croyance en la marche progressive de l'humanité est partout exprimée ou sous-entendue chez Vigny : voir déjà en 1829, le symbole des trois aiguilles dans la *Lettre à Lord******** (*Œ. C.*, Pl. I, p. 347) ; aussi la formule du *Journal* « Aucun siècle n'est regrettable pour le nôtre. – Cela ressort de toute vue de l'histoire », *Œ. C.*, Pl. II, p. 1022 [1835] ; ou dans les *Mémoires*, p. 361 : « Qu'il n'y a pas une heure à regretter dans les temps passés », et, p. 431 : « Ce jour vaut mieux qu'hier, hier mieux qu'aujourd'hui. »

Pouvoir et dogme.

Entre les deux premières histoires de *Stello* et la dernière existe une sensible différence de signification et de portée. La moralité commune aux trois récits est qu'il n'y a rien à attendre, pour le poète, du pouvoir établi et de ses représentants. Les raisons de cette défaveur varient avec chaque régime : dans l'ancienne monarchie, il se heurte à la morgue et à la futilité aristocratiques; sous le règne bourgeois, à l'utilitarisme grossier des notables. De ces deux états de choses, le premier n'est plus, en France du moins, qu'un souvenir; le deuxième est actuel, mais sa dénonciation, article de foi romantique, trouve un bon écho dans l'opinion. Le troisième régime, celui de la Terreur, a peu de chances de reparaître en France, quoiqu'il ait, en cette monarchie issue de Juillet, ses apologistes; il mérite qu'on se défie de lui comme des deux autres, mais une leçon particulière se dégage de lui, autrement redoutable. Ce qu'il montre dressé contre l'Esprit, ce n'est pas le préjugé ni l'égoïsme, c'est un mal né de l'esprit lui-même : un système de pensée fermé devenu pouvoir sans limite.

Ce pouvoir ne *laisse* pas seulement mourir le poète comme Louis XV ou le Lord Maire; il le pourchasse et le *fait* mourir, étant en même temps que pouvoir une pensée exclusive de toute autre, un dogme, ce qui le rend plus meurtrier qu'aucune autre sorte d'autorité humaine : fondé sur la proscription de la pensée indépendante, il ignore tout autre droit que le sien; il est *total* par définition et par nature, et se glorifie de l'être. Quelle qu'ait pu être la part des préjugés de classe ou d'opinion dans la peinture que Vigny a faite du gouvernement de Robespierre, il est certain qu'il a réfléchi avec lucidité à la logique d'un tel pouvoir; en même temps qu'une diatribe antijacobine, il a fait l'analyse d'un type de gouvernement. Il a vu qu'un système totalement unitaire devait proscrire l'intelligence comme une aristocratie : « Il faut une volonté *une,* prononce Robespierre. Nous en sommes là. Il la faut républicaine, et pour cela il ne faut que des écrits républicains; le reste corrompt le Peuple [...] Qui s'oppose à mes vues? Les écrivains, les faiseurs de vers [...]. La Convention doit traiter tous ceux qui ne sont pas utiles à la République comme des contre-révolution-

naires [1]. » Et encore : « Nulle race n'est plus dangereuse pour
la liberté, plus ennemie de l'égalité que celle des aristocrates
de l'intelligence, dont les réputations isolées exercent une
influence partielle, et contraire à *l'unité* qui doit tout régir [2].
» Il est très remarquable que Robespierre, au cours de la même
conversation, désigne Saint-Just comme poète véritable (quoiqu'il ne le soit pas au sens ordinaire), « parce qu'il jette des
mots comme des éclairs dans les ténèbres de l'avenir » : cette
extension du sens de « poète » aux hommes d'action et de
pouvoir, surtout agissant par la parole, était fréquente dans les
milieux saint-simoniens [3] ; c'est peut-être là que Vigny en a
pris l'idée, considérant jacobinisme et saint-simonisme comme
doctrines parentes quant au Poète. Robespierre ajoute : « La
destinée des hommes secondaires qui s'occupent du détail des
idées est de mettre en œuvre les nôtres [4]. » Les poètes sont, en
somme, les exécutants littéraires du Pouvoir.

C'est très logiquement que Vigny a complété ses réflexions
sur Robespierre par un chapitre, non moins accusateur, sur
Joseph de Maistre [5]. Il ne se place pas, ce faisant, entre deux
doctrines extrêmes; il les tient pour analogues, si différents que
soient leurs aboutissements, et relevant, du point de vue où il
se place, du même type de pensée. Lui si porté, dès ses débuts,
à dénoncer le mépris de l'homme, non seulement dans les
détenteurs du pouvoir terrestre, mais dans Dieu lui-même,
comment pouvait-il épargner la version théologique du système
d'inhumanité qu'il combattait? La Terreur était pour Vigny,
comme pour beaucoup d'autres, le sacrifice des innocents; et
c'est justement un sacrifice analogue que Joseph de Maistre

1. *Stello*, chap. xxxiv, p. 157.
2. *Ibid.*, p. 160.
3. Voir *Le Temps des prophètes*, pp. 292-293. Les saint-simoniens employaient
aussi « artiste » dans ce sens.
4. Tout ce passage sur Saint-Just prétendu poète, *Stello*, chap. xxxiv, p. 160.
5. Ce chapitre xxxii de *Stello* a été, semble-t-il, intercalé au dernier moment
dans le troisième récit; il n'existait pas en avril 1832 dans la *Revue des deux
mondes*; il parut pour la première fois en juin de la même année dans le volume :
voir là-dessus les observations de Fr. Germain dans son Introduction à l'édition
de *Stello*, pp. l-li et lv-lvi. Si l'on admet avec lui que le troisième récit, tout
entier (celui qui représente Robespierre), a été conçu et écrit après les autres,
entre janvier et mars 1832, et introduit alors dans l'ouvrage, on en conclut que
la méditation de Vigny est allée s'élargissant sans cesse : de la simple critique de
l'inhumanité des détenteurs de tout pouvoir, il en est venu à l'idée d'un pouvoir
totalitaire à fondement dogmatique semblable à lui-même sous deux formes
successivement considérées.

prétend justifier selon le plan divin, et dont il veut étendre la loi à la vie, à la société et à l'histoire tout entières. Il tirait du supplice rédempteur de Jésus l'idée générale du supplice des innocents comme pouvant racheter les péchés des coupables : cette théorie de la substitution expiatoire des souffrances lui permet d'affirmer le caractère purificateur de la guerre, où tant d'innocents souffrent et meurent, et d'une façon générale de sanctifier l'effusion du sang [1]. Vigny ne discute guère cette doctrine dans les quelques pages de son chapitre ; il tient pour évidemment absurde et impie le fondement théologique qu'on veut lui donner [2] ; il ne veut voir en elle qu'une justification du meurtre et de la violence, ce à quoi elle aboutit incontestablement dans les faits. Il n'épargne pas Joseph de Maistre, il l'appelle « Esprit falsificateur », auteur d'« une chaîne interminable de sophismes ambitieux et impies » [3]. Sophismes, car : « L'orgueil humain sera éternellement tourmenté du désir de trouver au Pouvoir temporel absolu une base incontestable, et il est dit que toujours les sophistes tourbillonneront autour de ce problème, et s'y viendront brûler les ailes. Qu'ils soient tous absous, excepté ceux qui osent toucher à la vie! [...] Droit terrible de la peine sinistre, que je conteste même à la Justice [4]! » Toucher à la vie, c'est ce qui leur est commun à tous, à Robespierre comme aux inquisiteurs : « Voyez-vous par quelles courbes, partis de deux points opposés, ces purs idéologues sont arrivés d'en bas et d'en haut à un même point où ils se

---

1. Cette doctrine est répandue dans toutes les œuvres de Joseph DE MAISTRE. Voir en particulier, sur la théorie de la substitution ou de la réversibilité des souffrances, les *Considérations sur la France* (1797), chap. III, et les *Soirées de Saint-Pétersbourg* (1821), 9ᵉ Entretien.

2. Le glissement du sacrifice de la Croix à une loi de l'ordre universel, immolant l'innocent pour laver le péché, est évidemment arbitraire ; Vigny signale qu'on doit une telle extension à Origène, et qu'elle a été adoptée par de nombreux Pères de l'Église, et contestée par d'autres. L'idée que l'effusion du sang innocent a une vertu expiatoire, qu'elle apaise la divinité offensée par le péché, est une idée des plus archaïques, et bien sûr totalement irrationnelle. Dans le supplice de Jésus apparaît la circonstance particulière (outre le caractère de divinité attribué à la victime elle-même) qu'il s'agit d'un sacrifice volontaire (ce qui n'est nullement exigé dans l'extension maistrienne du modèle). Vigny, qui ne voulait pas récuser la Croix, l'a admise ici (p. 149) comme un cas exceptionnel et unique, abusivement et criminellement généralisé.

3. *Stello*, chap. XXXII, pp. 147 et 148. La qualification d'« esprit falsificateur » appliquée à J. de Maistre se retrouve dans le *Journal*, Œ. C., Pl. II, p. 951 [1832], p. 954, « 1ᵉʳ mai » [1832], et est confirmée p. 1016 [1834].

4. *Stello*, chap. XXXII, p. 149.

touchent, à l'échafaud [1] ? » En traitant de la sorte Joseph de Maistre [2], Vigny se séparait du milieu de poésie royaliste et chrétienne dont il était issu, et où les doctrines maistriennes avaient souvent trouvé un accueil favorable [3]. C'est un des points sur lesquels ce gentilhomme, si obsédé de sa noblesse, s'est trouvé le plus séparé de l'esprit de la Contre-Révolution.

Mais c'est moins par l'échafaud, par la façon dont tous deux « honorent et caressent le Meurtre », que Robespierre et Joseph de Maistre coïncident que par la structure de leur esprit : « Dans cette violente passion de tout rattacher, à tout prix, à une cause, à une *Synthèse,* de laquelle on descend à tout, et par laquelle tout s'explique, je vois encore l'extrême faiblesse des hommes qui, pareils à des enfants qui vont dans l'ombre, se sentent tous saisis de frayeur, parce qu'ils ne voient pas le fond de l'abîme que ni Dieu créateur ni Dieu sauveur n'ont voulu nous faire connaître. Ainsi je trouve que ceux-là mêmes qui se croient les plus forts, en construisant le plus de systèmes, sont les plus faibles et les plus effrayés de l'*Analyse,* dont ils ne peuvent supporter la vue, parce qu'elle s'arrête à des effets certains, et ne contemple qu'à travers l'ombre, dont le ciel a voulu l'envelopper, la *Cause*... la Cause pour toujours incertaine. Or, je vous le dis, ce n'est que dans l'Analyse que les esprits justes, les seuls dignes d'estime, ont puisé et puiseront jamais les idées durables, les idées qui frappent par le sentiment de bien-être que donne la rare et pure présence du vrai [4]. »

1. *Ibid.,* p. 151. De même dans le *Journal, Œ. C.,* Pl. II, p. 941 [1832], il associe septembriseurs et inquisiteurs.

2. Les textes réprobateurs de Vigny sur Joseph de Maistre sont nombreux : entre autres, outre ce chapitre xxxii de *Stello* et les passages du *Journal* cités ci-dessus, note 3, p. 155, voir *Servitude et grandeur militaires,* liv. II, chap. 1ᵉʳ (p. 67 de l'éd. Fr. Germain, Classiques Garnier) : il l'appelle encore « sophiste »; et dans *Le Mont des Oliviers,* il fait prédire et désavouer ses doctrines par Jésus mourant.

3. Alexandre SOUMET, entre autres, collaborateur de *La Muse française* comme Vigny, avait publié dans cette revue en octobre 1823 un compte rendu enthousiaste des *Soirées de Saint-Pétersbourg* (rééd. Marsan de *La Muse,* t. I, 1907, p. 189 et suiv.).

4. *Stello,* chap. xxxii, pp. 151-152. L'emploi du couple verbal « analyse-synthèse », quoique d'usage commun, est certainement ici un trait d'influence buchézienne : chez Buchez l'antithèse des époques « synthétiques » et « analytiques » équivaut au duo « organiques-critiques » des saint-simoniens; et naturellement les époques synthétiques sont les grandes époques de l'humanité (voir Philippe BUCHEZ, *Introduction à la science de l'histoire ou science de l'histoire universelle,* pp. 122-375, « Physiologie sociale », où on lit, par exemple, p. 290 :

Ces lignes admirables ne sont pas seulement une parfaite définition, logique et psychologique, de la pensée qui fonde le Pouvoir total. Dans un ouvrage qui traite de la mission du Poète, elles suggèrent de séparer cette mission elle-même de tout postulat dogmatique. Le dogme, qui persécute le penseur, corrompt et annule la pensée. Les lignes que l'on vient de lire, aussi bien que contre Robespierre et Joseph de Maistre, valent contre Saint-Simon et contre toute l'Utopie organiciste contemporaine. On comprend l'irritation avec laquelle, comme on a pu voir, les anciens amis saint-simoniens de Vigny ont accueilli *Stello.* Vigny connaissait cette école de pensée; il a pu avoir en commun avec elle l'idée d'un ministère moderne du poète et de l'artiste, mais il est clair qu'il s'est refusé à le concevoir comme elle, à faire de la poésie l'auxiliaire d'un dogme. De tous les poètes romantiques, il est celui qui a le mieux pensé et le plus explicitement formulé le caractère libéral, au sens le plus rigoureux du mot, de la mission de l'écrivain.

Poète ou philosophe ?

Cette influence, qui doit conduire les hommes, est-elle seulement Poésie? Vigny l'appelle aussi Pensée, ce qui peut paraître différent. Mais c'est un des caractères de la poésie romantique de vouloir être une poésie pensante, éducatrice du genre humain : « Ne jamais perdre de vue ce but, écrit Vigny : moraliser la nation et la spiritualiser [1]. » Cependant le penseur pur, non poète, continue d'exister comme tel en dehors du poète, et peut s'étonner que le poète prétende, dans l'ordre de l'intelligence, à une autorité qui lui fut toujours refusée. Dans cette compétition les savants ont peu à dire, la poésie prétendant se situer en dehors et au-dessus de leur domaine : « Il n'y a, écrit superbement Vigny, que

« Il n'y a d'art véritable que dans les époques synthétiques »). Il y a donc ici emprunt de vocabulaire et opposition diamétrale de pensée, puisque Vigny exalte l'« analyse » critique et répudie la « synthèse » dogmatique. Il prend la même attitude dans le *Journal* : ainsi Œ. C., Pl. II, p. 951 [1832], à propos précisément de Joseph de Maistre, qu'il range parmi « ceux qui veulent fonder un système et ramener tout à une seule idée »; aussi p. 1000 [1834] : « Toutes les synthèses sont de magnifiques sottes. »

1. *Journal, Œ. C.,* Pl. II, p. 1031 [1835].

deux choses à considérer dans les écrits des hommes, leur poésie ou leur philosophie. Les œuvres de science ne sont qu'une accumulation de faits ou de mots dans la mémoire [1]. » Si la philosophie est mieux traitée, c'est qu'elle s'occupe du sens de l'univers, des valeurs, des fins dernières : à quoi d'autre pense la poésie, dès qu'elle entend penser? Or, la philosophie fait peu de cas des vertus propres de la poésie, qui lui paraît tendre à l'agrément plus qu'à la vérité. Les philosophes éclectiques contemporains de Vigny, Cousin et Jouffroy, si esthéticiens qu'ils fussent, donnaient malgré tout le premier et le dernier mot à la pensée philosophique, comme Platon, qui, dans les citations de Vigny, déclare le poète à la fois inspiré des Dieux et penseur subalterne [2]. Ce n'est certes pas le sentiment de Vigny, qui a introduit dans *Stello* une diatribe forte contre Platon et une glorification d'Homère [3].

Sans doute la corporation intellectuelle est-elle, en un certain sens, une, et Vigny l'envisage souvent ainsi. Il célèbre la république des lettres, née « depuis que la pensée a trouvé son expression dans la parole, et la parole sa durée dans les écrits », et qu'« il s'est formé de génération en génération un Peuple au milieu des Peuples, une Nation élue par le génie au milieu des Nations, et qui semblable à la sainte famille des Lévites conserve à chacun des âges le trésor séculaire de ses idées » [4]. Il parle en général du « pouvoir de l'intelligence », de « la dignité toujours croissante de l'homme de la pensée » [5]. Mais cette vue globale, latente dans son œuvre, tend souvent à se restreindre, à s'appliquer avec prédilection au Poète (et ce nom inclut l'Artiste, qui ne fait qu'un, selon les vues romantiques,

1. *Ibid.*, p. 944 [1832].
2. Comparez *De Mademoiselle Sédaine*, *Œ. C.*, Pl. I, p. 936, et *Stello*, chap. XXXVIII, p. 190 et suiv.
3. Les « pauvretés » et les « injustices » de Platon (*Stello*, chap. XXXVIII, p. 190) sont expliquées comme celles de tous les ennemis de la poésie : « il veut tout soumettre à une règle universelle », c'est un homme à système.
4. *Journal*, *Œ. C.*, Pl. II, p. 1151 [1841], « Essais sur la République des Lettres » (écrit projeté).
5. *Mémoires*, p. 363; *De Mademoiselle Sédaine*, *Œ. C.*, Pl. I, p. 931. Voir aussi *M. de Vigny*, pp. 118-119 (s.d.) : « la grandeur toujours croissante du rôle que tient l'homme de lettres »; et dans le *Journal*, *Œ. C.*, Pl. II, p. 1371, « 1er juin » [1862] : « Sur les hommes de plume. – S'ils étaient *unis*, ils seraient maîtres du monde et du siècle. » Ces expressions diverses, « intelligence », « homme de la pensée », « homme de lettres », « hommes de plume », désignent une corporation intellectuelle aussi large que possible.

avec le Poète) [1] ; et il a pris quelquefois la peine de développer expressément la hiérarchie qu'il établit dans la corporation intellectuelle, et où le poète occupe la place la plus haute. Il fonde cette primauté, dans *Stello,* sur le privilège de l'imagination. Il fait dire à Homère, contre Platon : « L'Imagination, avec ses élus, est aussi supérieure au Jugement, seul avec ses orateurs, que les Dieux de l'Olympe aux demi-dieux. » Car « l'Imagination contient en elle-même le Jugement et la Mémoire sans lesquels elle ne serait pas » ; et elle enseigne en outre aux hommes, par les œuvres d'art, « la loi impérissable de l'*Amour* et de la *Pitié* » [2]. C'est dire que l'imagination n'est pas, ici, seulement la faculté qu'on désigne d'ordinaire sous ce nom ; elle s'étend en outre du côté de l'intelligence par le pouvoir de conception qu'elle implique, et du côté du sentiment, qui lui est intimement associé. Si ce sentiment prend, au terme du discours, la forme mystico-morale de l'amour et de la pitié, c'est que la sensibilité du Poète ne se conçoit pas sans « le sentiment continuel de sa mission, que doit toujours avoir en lui l'homme qui se sent une Muse au fond du cœur » [3]. Ce que Vigny appelle Imagination, c'est bien en effet la Muse romantique avec tous ses attributs ; elle transcende la vérité, elle la couronne d'une valeur suprême que la pure intelligence du philosophe ne peut atteindre : c'est elle qui conserve, pour l'homme moderne, l'héritage de la charité.

Cette conviction est affirmée par Stello, presque au début du livre, sous forme de credo : « Je crois en moi, parce que je sens au fond de mon cœur une puissance secrète, invisible et indéfinissable, toute pareille à un pressentiment de l'avenir et à une révélation des causes mystérieuses du temps présent. Je crois en moi, parce qu'il n'est dans la nature aucune beauté, aucune grandeur, aucune harmonie qui ne me cause un frisson prophétique [...] Je crois fermement en une vocation ineffable qui m'est donnée, et j'y crois à cause de la pitié sans bornes que m'inspirent les hommes, mes compagnons en misère, et aussi à cause du désir que je me sens de les élever sans cesse par des paroles de commisération et d'amour [...]. Je sens s'éteindre les éclairs de l'inspiration et les clartés de la pensée lorsque la force indéfinissable qui soutient ma vie, l'Amour,

1. Voir *Stello,* chap. xiii, p. 37 : « Nous convenons bien d'entendre par Poètes tous les hommes de la *Muse* ou des *Arts.* »
2. *Ibid.,* chap. xxxviii, pp. 195-196.
3. *Ibid.,* chap. xxxix, p. 196.

cesse de me soutenir de sa chaleureuse puissance; et, lorsqu'il circule en moi, toute mon âme en est illuminée [...] [1]. » Ainsi justifiés, les titres du Poète comme guide spirituel peuvent éclipser ceux du Philosophe, à qui manque l'amour, ceux aussi des littérateurs qui n'ont pas reçu le don de poésie.

Vigny s'est plusieurs fois expliqué sur ce dernier point, par exemple en distinguant dans la nation littéraire trois degrés : l'« homme de lettres », adroit à écrire et à plaire, sans profondeur [2]; le « grand écrivain », studieux et profond, militant de la cause humaine; enfin le Poète, « nature plus passionnée, plus pure et plus rare », « inhabile à tout ce qui n'est pas l'œuvre divine » : celui que « l'imagination possède par-dessous tout », enclin aux extases et aux émotions infinies comme aux dégoûts et à l'humeur solitaire, et qui crée dans l'agitation et le tourment [3]. C'est celui-là que Vigny place au premier rang.

Dès 1828, Vigny définissait le Poète à la fois par un moins et par un plus : « Le poète est toujours malheureux parce que rien ne remplace pour lui ce qu'il voit en rêvant [4]. » Est-il malheureux parce que la vie ne vaut pas son rêve, ou rêve-t-il parce que la vie le rend malheureux? Il dit ailleurs : « Je fus si opprimé dès l'enfance que mes sentiments et mes idées effarouchés se sont retirés pour toujours dans le fond du cœur et du cerveau et dans la moelle de l'âme, dans les retraites les plus profondes du cœur [5]. » Mais que le tourment y conduise ou en résulte, l'expérience du rêve est essentielle au poète; dès l'enfance, nous dit-il, « mon attention excessive à suivre mes idées intérieures, à demi formées et dont le rêve m'enchantait déjà, me forçait à demeurer quelquefois sans mouvement » [6]; et, en 1834 : « Ce qui se rêve est tout pour moi. Le rêve est aussi cher au penseur que tout ce qu'on aime dans le monde

---

1. *Ibid.*, chap. VII, « Un credo », p. 18.

2. C'est ici, me semble-t-il, un des premiers emplois péjoratifs de l'étiquette « homme de lettres ».

3. *Dernière Nuit de travail* (Préface à *Chatterton*), Œ. C., Pl. I, p. 814. En 1841, défendant la propriété littéraire dans *De Mademoiselle Sédaine* (Œ. C., Pl. I, p. 931), il reprend la triple distinction, en regrettant qu'on applique le nom d'hommes de lettres à toute la « nation de l'esprit ».

4. *Journal*, Œ. C., Pl. II, p. 887 [1828]; voir, dans le même sens, *ibid.*, p. 1221, « 18 juillet » [1844].

5. *Ibid.*, p. 1280 [1851]; voir aussi *ibid.*, p. 986 [1833], « Analyse de moi »; p. 960 [1832], « Aperçus généraux à classer » : « Une sensibilité extrême – etc. »; p. 1297 [1852], « De la vie ».

6. *Mémoires*, p. 54, s.d.

réel et plus redoutable que tout ce que l'on y craint [1]. » Il écrit, apparemment sur le même mode : « La *mémoire* et l'*imagination* ne cessent de planer dans les régions secrètes et infinies de notre âme [...] Elles cherchent en gémissant le *bonheur* passé, en souriant les félicités passionnées, en priant les vérités inconnues et les saintetés ineffables [2]. » Mais on entrevoit ici, à travers les inquiétudes du rêve, qu'il a la dignité d'une connaissance, puisqu'il peut nous initier à ce qui est vrai et à ce qui est saint. Et en effet Vigny le peint aussi souvent comme une étude que comme un entraînement du cœur : « Au fond de moi-même est une sorte de rêve fatigant, c'est le mouvement intérieur et invincible de l'Étude infatigable de tout [3]. » Ailleurs, il décrit « ce travail obstiné, perpétuel, né avec moi et dont la grande roue tourne jour et nuit dans mon cerveau » ; ce « secret travail », commencé dans l'enfance, « qui était de me rendre compte de tout et découvrir de tout art la beauté, de toute science les secrets, de tout mystère le mot, de tout homme le caractère, de tout événement la cause » [4]. C'est parce que le rêve et la solitude sont ainsi entendus qu'ils sont compatibles avec un ministère spirituel.

Il faut considérer de plus près cette équation du rêve et de la connaissance, si répandue en milieu romantique. On l'y établit fréquemment sur la nature symbolique de la poésie : par le privilège du symbole, la poésie pénètre mieux que la science dans la vérité d'un monde dont la texture est elle-même symbolique. Vigny ne se hasarde nulle part à ce dernier postulat. La mythologie des correspondances ne semble pas avoir touché ce poète, dont l'œuvre ne peut être dite symbolique, quant aux sujets choisis, qu'au sens où le sont les fables d'Ésope ou les paraboles de l'Évangile ; quant à l'affabulation de ses poèmes, et à ses motifs métaphoriques de prédilection, ils nous sont donnés pour un langage de poésie, non pour un signal des choses invisibles [5]. Si la poésie est connaissance, dans l'expérience de Vigny, c'est d'abord parce qu'elle est, en son

1. *Journal, Œ. C.,* Pl. II, p. 1008 [1834]; la première phrase se retrouve ailleurs (p. 1221, passage cité).
2. *Ibid.,* p. 1307 [1853] : ce fragment tardif « De l'exaltation calme », qui demanderait à être cité en entier, définit admirablement la vie poétique telle que Vigny l'entend.
3. *Ibid.,* p. 1342, « 14 août » [1858].
4. *Ibid.,* p. 1320, « 24 avril » [1856], « De moi-même ».
5. Voir à ce sujet François GERMAIN, *L'Imagination d'Alfred de Vigny,* Paris, 1961, notamment p. 72 et suiv.

fond, pensée, quoique avec des moyens qui passent ceux de la pure intelligence. Mais le poète gouverne ses intuitions et figures; il ne prend pas ses métaphores pour des vérités; quand sa parole semble passer les limites du rationnel, elle est « la raison élevée à sa suprême puissance » [1]. Car, « lorsque l'imagination part du fond même du laboratoire intime, où mûrissent, où se concentrent, où se retournent les délibérations de la Raison, elle choisit le pur froment et le féconde » [2]. Telle est la vertu de la « rêverie solitaire et prolongée » : la raison n'y abdique pas ses droits; elle y trouve, au contraire, l'exercice de son plus haut pouvoir, car « c'est alors véritablement que l'on sent en soi-même la présence d'une âme qui s'exerce selon ses forces, qui jette ses lueurs sur les choses et sur les temps, et rayonne en nous comme une étoile intérieure [3] ».

Ce sujet poétique pensant, exalté si haut, et qui n'a besoin de la garantie d'aucun Dieu, prend envie d'étendre son empire. Vigny en vient, curieusement, à écrire : « La poésie doit être la synthèse de tout [4]. » Quand on se souvient de ses anathèmes, dans *Stello,* contre les synthèses dogmatiques, on se demande s'il n'a répudié les dogmes que pour y substituer le sien. Mais la poésie ne peut être dogme, étant tout entière libre recherche; c'est pourquoi il n'accepte qu'elle pour couronner l'analyse par une haute consolation. Il ne s'agit pas d'un simple remède de charme et de beauté; la poésie est censée porter en elle toute valeur, Beauté et Amour. Mais cette association du Beau poétique et du Bien, aussi ancienne que discutée, Vigny entend la renouveler selon son expérience de poète : « La poésie en vers, écrit-il, dans la forme du rythme et de la rime, est un élixir des idées [5]. » Toute sa doctrine de la dignité pensante de la poésie et de sa mission humaine implique donc cette Langue des dieux [6], dont les philosophes n'ont pas l'usage.

---

1. *Journal, Œ. C.,* Pl. II, p. 1190 [1843], « Deuxième lettre aux députés »; voir aussi *ibid.,* pp. 1191-1192, le fragment intitulé « L'Élixir ».
2. *Ibid.,* p. 1359, « janvier » [1861].
3. *Mémoires,* p. 69, s.d.
4. *Journal, Œ. C.,* Pl. II, p. 1223 [1844].
5. *Ibid.,* p. 1192 [1843]. Vigny rejette la poésie en prose : p. 998 [1834]; voir aussi p. 975 [1832] : ces deux passages concernent Ballanche.
6. Comment concilier cette façon de voir avec une déclaration comme celle-ci : « Le silence est la poésie même pour moi » (*ibid.,* p. 941 [1832])? En fait, ce qui semble contradictoire permet de mieux comprendre la nature de la poésie selon Vigny : à la fois oraison et prédication, s'inspirant et s'engendrant l'une

Tout cela dit, on peut bien se demander pourquoi Stello, voulant décrire le sommet de l'enthousiasme poétique, déclare : « C'est alors que l'Illusion, phénix au plumage doré, vient se poser sur mes lèvres, et chante [1]. » L'Illusion? Vigny a dit ailleurs : « Les Illusions sont le pain des sots [2]. » Le mot a-t-il deux sens, et l'illusion n'est-elle pas toujours erreur? Ou s'agit-il en poésie aussi d'une erreur, mais sublime, d'un « glorieux mensonge », comme dira Mallarmé? On est en droit de soupçonner qu'entre la poésie-vérité et la poésie-illusion, Vigny au fond de lui est incertain, comme tout le siècle romantique est partagé entre la croyance et le doute. Il ne naît pas de foi dans la littérature de ce temps-là qui ne soit sujette à cette ambiguïté, et même qui n'en vive. C'est bien pourquoi ce siècle a eu pour meilleurs interprètes, et plus écoutés, ses écrivains que ses philosophes.

Le poète paria.

Le génie souffre, à proportion de sa qualité et de sa solitude. Il a pouvoir sur le monde futur, mais sans régner sur le présent; sa condition est d'annoncer et de souffrir. Comme le Christ, dont le type, transposé, se laisse apercevoir en lui, le Poète joint l'anathème à la promesse. Au Poète guide qui illumine fait écho le Poète paria qui accuse. *Stello* illustre ce que Vigny avait écrit à Brizeux : « Les parias de la société sont les poètes, les hommes d'âme et de cœur, les hommes supérieurs et honorables. Tous les pouvoirs les détestent, parce qu'ils voient en eux leurs juges [3]. » Stello et le Docteur Noir sont souvent tentés d'oublier la glorieuse explication pour gémir sur le fait : « Il ne faut que le nom de poète dans le monde pour être ridicule et odieux », pense le Docteur; et Stello : « Triple divinité du ciel! que t'ont-ils fait, ces poètes que tu créas les premiers des hommes, pour que les derniers des hommes les

l'autre. Cette conjonction, bien connue dans l'ordre religieux, se retrouve ici rendue à sa pure vérité humaine.

1. *Stello*, chap. VII, p. 18; voir aussi *Dernière Nuit de travail* (Œ. C., Pl. I, p. 816) à propos du poète condamné aux « travaux du chiffre » pour vivre : « Le calcul tuera l'illusion. »

2. *Journal*, Œ. C., Pl. I, p. 950 [1832].

3. Lettre à Brizeux du 30 mars 1831, *Corr.*, éd. B.-C., pp. 244-245.

renient et les repoussent ainsi [1]? » Un tel excès dans la plainte peut passer pour pure rhétorique, ou sembler trahir, par la démesure des griefs, celle des revendications. Mais le fait est que les années 1830 ont cru voir se poser, comme un problème social, le mal des jeunes poètes. Une disproportion cruelle s'était révélée entre les espoirs de la jeune classe intellectuelle et les réalités d'après Juillet : « N'êtes-vous pas saisi d'une affliction interminable, en considérant que chaque année dix mille hommes en France, appelés par l'éducation, quittent la table de leur père pour venir demander à une table supérieure un pain qu'on leur refuse [2] ? »

C'est surtout quand il transporta au théâtre l'histoire de *Chatterton* que Vigny développa sa pensée sur ce sujet. Il croyait avec *Chatterton* avoir trouvé la formule d'un drame moderne, philosophico-moral par la pensée et populaire par le rayonnement : double caractère qui pouvait faire du théâtre l'organe par excellence de l'apostolat littéraire. À la faveur du succès de son drame, il entrevit, comme Hugo vers le même temps, la possibilité d'une large action publique par le théâtre [3]. En passant du récit au drame, il a fortement accentué, par de nombreux traits nouveaux, la mise en accusation de la société. La relation de victime à persécuteur, instituée dans *Stello* entre le Poète et l'Homme de pouvoir, devient le type général des relations sociales : « Les hommes sont divisés en deux parts : martyrs et bourreaux [4]. » Au Poète s'ajoutent deux autres victimes, dont Vigny, en développant à la scène le personnage de John Bell comme Bourgeois despotique, a fait surgir les douleurs : Kitty Bell ou la Femme, et l'Ouvrier [5]. Les malheurs du Poète deviennent ainsi la figure de « toutes les iniquités et toutes les douleurs d'une société mal construite », qui engendre

1. *Stello,* chap. IX, p. 27, et XIX, p. 74.
2. *Ibid.,* chap. XIII, p. 37.
3. Voir *Journal, Œ. C.,* Pl. II, pp. 1023-1024, « 12 février, à six heures du soir », « 12 février, à minuit » (c'était le jour de la première représentation de *Chatterton*) ; la lettre du 21 février 1835 à Brizeux, *Corr.,* éd. B.-C., pp. 378-379 ; *Sur les représentations du drame joué le 12 février 1835 à la Comédie française,* dans *Œ. C.,* Pl. I, notamment p. 901 ; enfin *Journal, Œ. C.,* Pl. II, p. 1184 [1842].
4. *Chatterton,* acte I, sc. IV, *Œ. C.,* Pl. I, p. 835. Cette maxime, et plusieurs de celles qui suivent, sont attribuées au Quaker, personnage grave et sympathique, et porte-parole de Vigny comme Chatterton, quoique sur un mode différent.
5. Voir acte I, sc. II pour l'Ouvrier ; sc. III et IV pour la Femme.

inexorablement le suicide [1]. Quand Chatterton attribue son incapacité de vivre à « la fée malfaisante trouvée, dit-il, dans mon berceau, la Distraction, la Poésie » [2], quand il avoue : « Tout le monde a raison, excepté les poètes ; la Poésie est une maladie du cerveau » [3], il ne faut pas l'en croire ; ce sont les sarcasmes du désespoir. La « maladie incurable » est celle de l'humanité qui le persécute [4]. Chatterton sait bien ce qu'il vaut ; quand on lui reproche d'avoir tué l'action par la rêverie, il sait répondre : « Eh! qu'importe! si une heure de cette rêverie produit plus d'œuvres que vingt jours de l'action des autres [5] ? »

Par ce réquisitoire de la Poésie contre la Société, de l'Idéal contre le Réel, le Vigny de *Stello* et de *Chatterton* participe de l'esprit des Jeune-France contemporains [6]. La critique conservatrice multiplia les polémiques ; son argument principal était que Vigny avait exagéré démesurément le mal. Sainte-Beuve se contenta d'abord d'égratigner en lui le champion de la pure Poésie et l'inventeur du Poète humilié, en attribuant son obsession du martyre poétique au faible succès relatif de ses premières œuvres ; dix ans après, il fit savoir ce qui surtout l'irritait en Vigny : « cette pensée dont il était rempli, l'idée trop fixe du désaccord et de la lutte entre l'artiste et la société » ; enfin, à la mort du poète, il écrivit que Vigny, entraîné après 1830 dans le mouvement foisonnant des prophètes et des révélateurs, s'était cru « investi à demeure d'un ministère sacré » pour la défense du Poète [7]. Antipathie à part, il est clair que Sainte-

1. Acte II, sc. v, p. 863 (le Quaker parle).
2. Acte I, sc. v, p. 839. Vigny, qui en un sens ne nie pas non plus être distrait et en souffre, trouve injuste, étant poète, qu'on le lui reproche : voir *Journal*, *Œ. C.*, Pl. II, les deux fragments intitulés « De moi-même », pp. 1221 « 18 juillet » [1844] et 1320 « 24 avril » [1856].
3. Acte III, sc. v, p. 882.
4. Acte I, sc. v, p. 839. Le dialogue est curieux ; Chatterton vient de parler de la Distraction, autrement dit la Poésie, sa « fée malfaisante » : « LE QUAKER : La maladie est incurable! STELLO : La mienne? LE QUAKER : Non, celle de l'humanité. » – Pourtant, il venait de sermonner Chatterton sur son inaction ; sa dernière réplique semble inverser charitablement sa pensée. À l'acte III, scène v, quand Chatterton parle de « maladie du cerveau », il « n'aime pas qu'il dise cela ».
5. Acte I., sc. v, p. 837.
6. Un article de Théophile GAUTIER sur une reprise de *Chatterton* en décembre 1857 (*Le Moniteur*, 14 décembre), recueilli en partie dans *L'Histoire du romantisme*, p. 152, témoigne dans ce sens en évoquant la première représentation : « Le parterre [...] était plein de pâles adolescents aux longs cheveux [...] regardant le bourgeois avec un mépris [...] », etc.
7. SAINTE-BEUVE, *Portraits contemporains*, t. II, p. 68 (article de la *Revue des*

Beuve mettait au centre de la personne et de la pensée de Vigny l'idée du sacerdoce poétique. En fait cette idée avait acquis assez de crédit dans le public pour défier le sens rassis des critiques. Le succès éclatant de la pièce dès les premières représentations et l'émotion sympathique qu'elle souleva dans les milieux les plus divers en firent la preuve. La réaction double à *Chatterton,* scandale et enthousiasme, montre que notre société a porté avec elle dès ce temps-là et, jusqu'à un certain point, nourri son propre procès.

Le pain des poètes.

On posait en même temps la question difficile du statut matériel de la corporation littéraire et artistique. On pouvait magnifier le Poète et l'Artiste, déplorer leur sort; mais comment y remédier et que revendiquer pour eux? La critique reprend ici le dessus : qui distinguera, en ce domaine intellectuel, le travail vraiment productif, le vrai talent? Et convient-il que cette sorte de travail ait un salaire [1]? À ces froides remarques on pouvait opposer la réalité des souffrances et des humiliations subies, l'injustice des carrières avortées, le calvaire des talents étouffés par des circonstances sociales ingrates; on pouvait demander à la société d'éviter ou de soulager le pire, et d'accorder aux desservants malheureux de l'Esprit et de l'Art un minimum d'assistance. Ce corollaire pratique et corporatif

deux mondes, 15 octobre 1835); *Portraits littéraires,* t. III, p. 410 (article de la *Revue des deux mondes,* 1ᵉʳ février 1846); *Nouveaux Lundis,* t. VI, p. 426 (article de la *Revue des deux mondes,* 15 avril 1864). Il est toujours resté, dans l'attitude de Sainte-Beuve à l'égard de Vigny, quelque chose de sa mauvaise animosité des années 1820 contre le « Gentilhomme », dont il retrouvait les doléances et la hauteur dans le Poète. Quoiqu'il honorât décemment la poésie de Vigny, il persiflait en secret cet idéalisme chagrin : il appelait Vigny, dans ses papiers intimes, « bel Ange qui a bu du vinaigre » (Sainte-Beuve, *Cahiers,* éd. Molho, t. I, *Le Cahier vert,* Paris, 1973, nᵒ 818, p. 221, texte de 1842); Vigny mort, il publia cette aigre définition, discernant en Vigny l'« ironie de l'ange dont la lèvre a bu l'éponge imbibée de vinaigre et de fiel » (article plus haut cité des *Nouveaux Lundis,* p. 428) : l'introduction de l'éponge évangélique hausse ironiquement Vigny jusqu'à Jésus.

1. Voir, entre autres, les réflexions sur *Chatterton* de Saint-Marc Girardin (*Cours de Littérature dramatique,* 1843, t. I, p. 162 et suiv.), et celles de Gautier dans l'article de 1857 cité plus haut (voir n. 6, p. 165); aussi Sainte-Beuve dans l'article de 1864 déjà cité.

n'a pas cessé depuis d'accompagner la dignification de l'homme de pensée et du créateur d'art; l'histoire de ses conséquences institutionnelles s'étend jusqu'à nous, sans que les objections originelles aient pu être tout à fait réfutées, ni que l'opportunité d'une action publique ait été jamais sérieusement contestée : le mécénat disparu, il fallait bien trouver autre chose.

Vigny en tout cas ne séparait pas de son *Chatterton* une volonté d'agir en faveur des poètes. « Je voudrais, écrit-il, qu'on dît de *Chatterton* : C'est vrai, et non : *c'est beau* » [1]; l'impression de la vérité devait faire sentir l'urgence du remède. De fait, Vigny n'a cessé de militer dans ce sens [2]. Il sentait pourtant la difficulté du problème : autant il plaçait haut la dignité de l'homme de lettres et du poète [3], autant ses revendications pratiques sont modestes. Il souhaitait seulement qu'une vigilance confraternelle et, au besoin, une sollicitude nationale pussent empêcher qu'aucun poète ne mourût de faim ou de désespoir. Il demandait qu'on accordât à tout homme ayant donné un gage du « talent divin » deux choses seulement : le *pain* et le *temps* [4]. Il s'en tenait à cet appel sévère, aux frontières de la justice et de la charité. Il prêchait pour un sauvetage : « Eh! n'entendez-vous pas le bruit des pistolets solitaires? Leur explosion est bien plus éloquente que ma faible voix [5]. » Il aurait voulu une Académie composée exclusivement d'écrivains [6], et devenant le sénat bienfaiteur de toute la corporation littéraire. Devenu académicien lui-même, il essaya d'orienter dans ce sens l'action de la compagnie; il y joua le rôle « d'ami et de défenseur des lettres » [7]; il essayait d'obtenir des prix académiques pour des poètes en difficulté, ainsi qu'on peut le voir dans toute sa correspondance et son *Journal* [8]. À l'occasion

---

1. *Journal, Œ. C.,* Pl. II, p. 1034 [1835]; même phrase à peu près dans une lettre à E. Biré du 4 septembre 1847 (*Revue d'histoire littéraire de la France,* 1914, pp. 751-752).

2. Voir, dans Œ. C., Pl. I, la section que Baldensperger a intitulée « La défense obstinée de la poésie et des poètes », pp. 577-583 et 591-617.

3. Voir la lettre de Vigny aux fondateurs de *L'Europe littéraire,* dans le prospectus-spécimen de cette revue [début 1833]; on peut la lire dans *Corr.,* éd. B.-C., p. 335.

4. *Dernière Nuit de travail, Œ. C.,* Pl. I, p. 820.

5. *Ibid.,* p. 819.

6. *Journal, Œ. C.,* Pl. II, p. 1152 [1841].

7. Voir la lettre de Brizeux à Auguste Lacaussade, du 27 mars 1847, citée par F. BALDENSPERGER dans *Alfred de Vigny, nouvelle contribution,* p. 115.

8. Ainsi encore en 1859 : *Journal, Œ. C.,* Pl. II, pp. 1350-1351, « 15 décembre ».

d'un débat parlementaire, il réclama un système de pensions à accorder à tout poète dont l'œuvre « aura excité l'enthousiasme parmi les esprits d'élite », non sans reconnaître que la constitution d'un jury serait d'une « extrême difficulté »; il proposa en vain une durée illimitée des droits d'auteur pour l'écrivain et ses héritiers [1]. Son intérêt allait surtout aux plus jeunes : *Stello* et *Chatterton* lui valurent une nombreuse correspondance avec de jeunes désespérés, qu'il essayait de réconforter [2]. Il n'obéissait pas, ce faisant, à un devoir abstrait : « Ah! fait-il dire à Stello, je sens en mon âme une ineffable pitié pour ces glorieux pauvres dont vous avez vu l'agonie, et rien ne m'arrête dans ma tendresse pour ces morts bien-aimés [3]. » Ce n'est pas une des moindres singularités de Vigny, qu'en lui la religion du gentilhomme aboutisse à une communion avec le personnage si différent, et si peu flatté dans la tradition aristocratique, du poète famélique : il y voyait sans doute le type souffrant d'une noblesse aux titres immémoriaux qui survivait à toutes les autres.

Un nouveau martyrologe.

Vigny ne prêchait pas en l'air. Son apostolat prenait appui sur des faits récents, qui affligeaient l'opinion. À la liste traditionnelle des poètes infortunés, Homère, Le Tasse, Camoens, Milton, on avait ajouté au xixe siècle des poètes plus récents, Malfilâtre, Gilbert, Chatterton, puis Byron. Vigny étendit encore la liste, en y faisant entrer Cervantès, Corneille, Lesage, Dryden, Spenser, Butler, Rousseau et quelques autres [4]. Mais voici que,

1. *De Mademoiselle Sédaine*, Œ. C., Pl. I, pp. 929, 937-938; en revanche la propriété littéraire (droit de disposer de l'œuvre, d'en retenir ou autoriser la publication ou la représentation) devait cesser à la mort de l'auteur.
2. Voir ses réflexions et ses scrupules sur ce sujet dans le *Journal*, Œ. C., Pl. II, p. 970 [1832] et 1004 [1834]. Œ. C., Pl. I, pp. 579-581, cite plusieurs échantillons de cette correspondance; un autre est rapporté dans sa lettre du 16 novembre 1849, à la vicomtesse du Plessis (*Corr.*, éd. Séché, t. I, pp. 278-279).
3. *Stello*, chap. xix, p. 75. Voir dans le *Journal* de Vigny, Œ. C., Pl. II, p. 1168, comme exemple de son culte des lettres et de son profond sentiment de confraternité littéraire, la page où il raconte sa visite à Baour-Lormian, vieux, pauvre et presque aveugle. Baour avait, vingt ans avant, après un temps d'amitié, combattu le romantisme et ses poètes; il était leur aîné d'une génération.
4. *Stello*, chap. xxxviii, p. 194.

dans les années 1830, l'actualité multiplie le nombre des auteurs morts misérablement, soit que ce nombre se soit effectivement accru, soit que la reviviscence du thème ait attiré un surcroît d'attention sur des cas qui, en d'autres temps, seraient restés inaperçus. Mais la vogue du type a pu aussi influencer des destinées réelles, multiplier les vocations et aiguiser les désespoirs.

L'événement le plus souvent commenté fut le suicide, en février 1832, de deux jeunes gens de dix-neuf et seize ans, Victor Escousse et Auguste Lebras, à la suite de l'échec d'une pièce écrite en commun [1]. Cet événement précédait de peu la première publication par Vigny de l'histoire de Chatterton dans la *Revue des deux mondes*. Suicidés, morts de misère, de maladie ou de désespoir, de jeunes poètes contemporains continuèrent à occuper la chronique. Charles Brugnot, poète bourguignon qui était mort poitrinaire en 1831, inspira à Aloysius Bertrand un poème où, comparant son ami au Christ en croix, il le glorifiait d'avoir regagné sa patrie céleste [2]. Bertrand, comme on sait, devait mourir lui-même dix ans plus tard à l'hôpital, phtisique et misérable, et devenir « un des saints du calendrier poétique » [3]. Entre ces deux morts se succédèrent celles de plusieurs autres poètes, de talents divers et de même infortune. L'obscur et aventureux Aimé de Loy, qui disait du Poète :

C'est un être déchu, c'est un ange exilé [4],

était mort à trente-six ans en 1834 [5]. Je ne sais si Vigny le connut, mais il n'ignora pas Émile Roulland, qui se suicida le 14 février 1835, deux jours après la première représentation de *Chatterton* : « Quoi! écrit Vigny, pendant que je plaidais sa cause, il mourait ainsi [...] Voilà un martyr de plus. Hélas! ai-

---

1. Les allusions à ce double suicide ne se comptent pas dans la littérature du temps.
2. Louis BERTRAND, *Aux mânes de Charles Breugnot,* dans *Le Patriote de la Côte-d'Or,* 7 juillet 1832 (poème recueilli dans L. BERTRAND, *Œuvres poétiques,* édition C. Sprietsma, Paris, 1926, pp. 38-39). On peut voir, sur Brugnot : Henri CHABEUF, *Louis Bertrand et le romantisme à Dijon,* Dijon, 1889. Brugnot avait trente-trois ans quand il mourut.
3. C'est ainsi que le désigne Asselineau (Introduction à son édition de *Gaspard de la Nuit,* Paris-Bruxelles, 1868, p. IV). Bertrand mourut à trente-quatre ans en 1841.
4. Aimé DE LOY, *Préludes poétiques,* Lyon, 1827, p. 57.
5. Voir la notice biographique en tête de *Feuilles au vent,* poésies par feu Aimé DE LOY, Lyon-Paris, 1840.

je crié dans le désert? En fera-t-on encore de nouveaux [1]? » Un an avant *Chatterton,* le 7 janvier 1835, Élisa Mercœur, la « Muse armoricaine » [2], qui avait eu avant 1830 son moment de célébrité, était morte à vingt-six ans, désespérée de n'avoir pu faire représenter sa tragédie de *Boabdil* à la Comédie-Française : elle aussi avait communié avec les souffrances d'Homère, de Socrate, du Tasse, de Camoens, de Galilée, et chanté la mort libératrice [3].
En 1838, Hégésippe Moreau mourut à l'hôpital après des années de misère : il avait vingt-huit ans, et n'avait cessé de faire entendre la plainte du poète qui n'a d'autre issue que la mort [4]. Il avait écrit en mai 1835 un poème *À l'auteur de « Chatterton »,* où il demandait un secours à Vigny, qui l'aida encore, nous dit-on, à la fin de sa vie [5]. Il évoque plus d'une fois dans ses poèmes Gilbert et Escousse, et il lui arrive de dresser lui aussi une liste des poètes martyrs des Temps modernes; il fut, en tant que représentant de cette lignée, l'objet de controverses aussi vives que le Chatterton de Vigny [6]. Vigny connut également et aida Charles Lassailly, pour lequel Lamartine fit à sa demande une quête à la Chambre des députés. Vigny s'occupa de lui quand il fut devenu fou, et jusqu'à sa mort en 1843 [7].

1. Lettre de Vigny à Hippolyte Lucas, du 20 février [1835], *Corr.,* éd. B.-C., p. 377. Roulland était breton, ami de Boulay-Paty et d'Hippolyte Lucas : voir, du premier, une Notice en tête des *Poésies posthumes et inédites d'Émile Roulland,* Paris, 1838; et du second, quelques pages sur Roulland dans son recueil *Le Cœur et le Monde,* Paris, 1842, t. II.

2. Elle était nantaise.

3. Voir son poème de *La Gloire* dans les *Annales romantiques* de 1829, p. 27.

4. Voir notamment la Préface de son *Diogène* (*Œ. C.,* éd. René Vallery-Radot, Paris, 1890, 2 vol., t. II, p. 39).

5. Pour le poème à Vigny, voir la même édition des *Œ. C.,* t. II, p. 118.

6. Liste de martyrs dans *Thérèse Sureau* : l'héroïne, poétesse provinciale venue à Paris et qui y meurt, fait dans son dernier délire la liste des convives qui l'attendent dans l'au-delà : Dryden, Malfilâtre, Chatterton, Gilbert, Escousse, Élisa Mercœur (*Œ. C.,* éd. Vallery-Radot, t. I, p. 254; voir aussi p. 248). Pour les controverses sur H. Moreau, voir d'une part Sainte-Beuve dans les *Causeries du lundi,* t. IV, p. 51 et suiv. (article du 21 avril 1851 dans *Le Constitutionnel,* où il minimise la signification sociale de l'œuvre), et sa note, *ibid.,* t. V, p. 541; aussi Dessalle-Régis (*Revue des deux mondes* du 1er février 1840, p. 312) qui nie lui aussi la réalité du poète victime sociale; et, en sens contraire, Félix Pyat (*Revue du progrès,* t. I, 15 janvier 1839, pp. 33-41) dont l'article nécrologique sur Hégésippe Moreau se termine par un réquisitoire contre la société.

7. Voir Vigny, *Journal, Œ. C.,* Pl. II, p. 1135, « 12 mai » [1840] : « Bonne action de Lamartine »; et *ibid.,* p. 1139 [1840], ainsi que les lettres de Vigny

Tous les jeunes poètes auxquels Vigny prêta son aide ne furent pas aussi malheureux. Un au moins devait lui survivre. Émile Péhant, qui publia à la fin de 1834 un recueil de *Sonnets*, et qui faillit demander en duel Buloz, directeur de la *Revue des deux mondes*, pour la défense de *Chatterton*, ne mourut qu'en 1876 après une assez longue carrière littéraire; il avait bientôt regagné sa province natale, et fut toute sa vie bibliothécaire à Nantes [1]. Il n'appartenait au tragique chattertonien que par les thèmes de sa poésie. Dans la Postface de ses *Sonnets*, il se dit l'interprète de toute une classe de jeunes gens qui, n'ayant d'autre activité que celle de la pensée et de l'imagination, « cherchent leur place dans la société et ne la trouvent nulle part »; et en effet, ce thème du poète paria est l'essentiel du livre, avec ses implications alternées de misère et de semi-divinité, le poète étant comparé tantôt au Jésus du jardin des Oliviers, tantôt à celui de la Transfiguration [2].

Je n'ai rien pu savoir de la destinée d'un autre jeune poète, Auguste Cavé, de Rouen, qui en 1837 ouvrait ses *Mélancolies poétiques* par un poème dédié à Vigny, où il s'indignait qu'on reprochât à Chatterton de ne pas travailler. Vigny le remercia par une longue lettre [3]. Je voudrais indiquer, pour terminer, que si je n'ai pas davantage insisté sur l'attitude proprement politique de ces poètes chattertoniens, c'est qu'elle est très diverse. La nature même de leurs doléances peut bien leur faire

---

aux La Grange, éd. Luppé (lettres du 23 mai et 30 octobre 1840 et du 24 novembre 1843). Lassailly mourut à trente-sept ans. Il a été assez étudié; voir à son sujet *Le Temps des prophètes*, p. 410.

1. Péhant était né en 1813. On peut voir sur lui Léon Séché, *Études d'histoire romantique, Alfred de Vigny*, Paris, 1913, t. I, chap. v. Sur ses relations avec Vigny, voir les lettres que Vigny lui écrit les 20 et 22 décembre 1833 et le 16 septembre 1835 (*Corr.*, éd. B.-C., pp. 362, 363, 395), le *Journal*, Œ. C., Pl. II, p. 1027 [1835], la lettre de Marie Dorval du 24 décembre 1836 (*Lettres à Vigny*, éd. Ch. Gaudier, Paris, 1942, p. 156) et la lettre de Vigny à Villemain du 4 juillet 1839 (*Corr.*, éd. Séché, t. I, p. 109). Le recueil des *Sonnets* de Péhant porte la date de 1835. Pour le duel avec Buloz, voir Séché, *op. cit.*, t. I, p. 244 : il s'agissait de venger Vigny d'un article de Planche paru dans la *Revue des deux mondes*.

2. Voir *Sonnets*, p. 191, *À M. Le Comte Alfred de Vigny*; et dans la réédition du recueil en 1875, augmentée de poèmes de la période 1834-1839, *Le Suicide d'un poète*, p. 199.

3. Auguste Cavé, de Rouen, *Mélancolies poétiques*, Paris-Toulouse, 1837, p. 1 : *L'Avenir du poète*, dédié à Vigny; lettre de Vigny à Aug. Cavé du 4 mars 1837, *Corr.*, éd. Séché, t. I, p. 89. Il résulte de cette lettre, et d'une indication de Cavé lui-même (p. 206 de son livre) qu'il était né en 1814 ou 1815.

maudire la société, mais ils n'inclinent pas nécessairement à la révolte ou à l'esprit d'insurrection : Lassailly, Hégésippe Moreau sont, chacun à sa façon, indiscutablement dans ce cas; les autres très vaguement ou, comme Vigny lui-même, pas du tout [1].

1. Emporté par le désir de justifier *Stello,* Vigny a fait une fois une erreur de personne. On lit dans son *Journal, Œ. C.,* Pl. II, p. 984, 20 avril 1833 : « Évariste Gallois à dix-sept ans, inventeur comme Pascal, s'est fait tuer par désespoir d'être méconnu. C'est le Chatterton de la Suisse. » Évariste Galois, jeune mathématicien déjà renommé, venait en effet d'être tué en duel, à vingt et un ans; mais le désespoir n'y était pour rien, et il n'était nullement suisse. Vigny le confond avec Jacques-Imbert Galloix, poète et personnage fortement chattertonien, Genevois venu à Paris, qui était mort en 1828, à vingt et un ans aussi. Hugo lui a consacré un article dans *L'Europe littéraire* du 1er décembre 1833 (reproduit dans *Littérature et philosophie mêlées*).

III

PENSÉE DU SOLDAT

Après le Poète, le Soldat, autre paria. Et autre discussion sur un groupe humain que la société maltraite. On pourrait contester ce parallélisme en alléguant la position particulière du Poète : non pas seulement groupe social, mais incarnation de l'Esprit. Vigny répondrait que le Soldat, voué au sacrifice de sa volonté dans le service et de sa vie dans le combat, offre, par-delà sa condition particulière, l'image exemplaire des nécessités les plus graves de la condition humaine. En ce sens, il sollicite peut-être plus fortement la réflexion philosophique que le Poète. Car la figure romantique du Poète se dessine volontiers auréolée d'un spiritualisme assez conventionnel, et Vigny lui-même représente le martyre du Poète sur un fond de transcendance divine : « Le poète, fait-il dire à Chatterton, cherche aux étoiles quelle route nous montre le doigt du Seigneur [1]. » Mais les épreuves du Soldat n'ont pas de titre particulier à ce patronage céleste; les moralités qu'elles suggèrent, abnégation et silence, se formulent en dehors de Dieu. Peu importe que tout soldat ne vive pas son expérience en ces termes; c'est ainsi que Vigny l'interprète, dans une méditation sur l'Honneur, dont la portée métaphysique, qui intéresse toute conscience, est bientôt apparente : car, partie d'une réflexion sur l'histoire sociale et morale de l'Armée, elle va fournir une réponse possible à cette indifférence divine, qui est l'obsession de Vigny depuis ses premiers poèmes. Les impératifs de l'Honneur, tels qu'ils se définissent dans *Servitude et grandeur mili-*

---

1. *Stello,* chap. XVII, p. 64; et *Chatterton,* acte III, sc. VI, texte analogue.

taires, font entrevoir une moralité valable hors de la présence
et des commandements de Dieu.

L'Armée martyre.

Le nouveau recueil se compose, comme *Stello,* de trois récits,
alternant avec des réflexions générales, et rangés dans l'ordre
chronologique de leur composition, qui semble s'être étendue
de 1832 à 1835 [1]. Les deux premiers, *Laurette et le cachet
rouge,* et *La Veillée de Vincennes,* ont pour titre global « Souvenirs de servitude militaire ». Dans le premier, un vieil officier
raconte en 1815 comment, sous le Directoire, commandant un
navire français en route vers Cayenne, et ayant décacheté au
moment prescrit un pli officiel qui lui avait été remis au départ,
il y trouva l'ordre de fusiller un jeune passager déporté pour
qui il s'était pris d'amitié; il dut avec horreur exécuter cet
ordre et recueillit la jeune femme du fusillé, devenue folle. La
deuxième histoire est celle de la vie d'un jeune paysan, devenu
soldat sous Louis XVI, de ses touchantes amours et de son
mariage; en 1819, adjudant de la garde et déjà vieux, il meurt
dans l'explosion de la poudrière de Vincennes où il était en
service. Le troisième récit, *La Vie et la mort du capitaine Renaud*
ou *La Canne du jonc,* constitue à lui seul les « Souvenirs de
grandeur militaire »; c'est un récit, fait en 1830 par un ancien
soldat de l'Empire : longtemps prisonnier sur parole à bord
d'un navire anglais, puis libéré et rendu au service, il prend
part à la campagne de France, tue dans une attaque nocturne
un enfant russe, ressent l'horreur de cette action, reste pourtant
dans l'armée sous les Bourbons, et finit par mourir, pendant
les journées de Juillet, tué à son tour d'un coup de pistolet
par un enfant. Ces histoires sont bien connues [2]. On essaie

1. Les trois récits ont d'abord paru respectivement dans la *Revue des deux
mondes,* le 1er mars 1833, le 1er avril 1834 et le 1er octobre 1835; le volume, daté
in fine du 20 août 1835, parut en octobre de la même année. Des brouillons et
plans antérieurs sont parvenus jusqu'à nous; sauf exception, ils ne sont pas datés;
on peut les voir dans VIGNY, *Servitude et grandeur militaires,* éd. Baldensperger
chez Conard, Paris, 1914, pp. 259-262, 270-275, 283-288. Sauf indication
contraire, je renvoie à l'édition Fr. Germain, Classiques Garnier, 1965.
2. Elles appelleraient beaucoup de commentaires sur l'art de Vigny dans le
récit, la façon dont il ménage la distribution des épisodes et le passage dans un

d'accompagner la chronologie de leur composition d'une chronologie de la pensée de Vigny. Vigny lui-même y a donné lieu, en affectant de mettre les deux premiers récits sous le signe de la servitude, et le dernier sous celui de la grandeur. En fait, la servitude est dans les trois récits, et la grandeur n'est absente d'aucun [1]. Mieux, elles se résolvent l'une dans l'autre dans cette abnégation, qui porte indissolublement leur double caractère, et dont Vigny fait l'essentiel de l'état militaire.

Nous savons que Vigny a été tenté de faire, à propos de la condition d'officier telle qu'il l'avait vécue, une vaste sociologie romanesque de l'armée à travers les siècles. Il la faisait dériver d'autant plus facilement de ses idées sur l'histoire de la noblesse que le Noble et le Soldat avaient à son époque un passé largement commun. Traçant le plan de *Servitude,* il écrivait : « La profession du soldat est le martyre comme la race du noble » [2]; et projetant, comme on a vu, une série de romans destinés à illustrer l'histoire de la noblesse, il songeait à consacrer le dernier d'entre eux au Soldat, figure ultime et résidu moderne du gentilhomme [3].

même récit d'un narrateur à un autre, entremêlé à la narration des personnages et des événements historiques, recrée pour chaque histoire une couleur d'époque. J'ai ignoré à regret cet aspect de *Servitude,* m'intéressant surtout ici aux intentions philosophiques et aux moralités de Vigny. J'aurais pu faire la même remarque à propos de *Stello.*

1. Les chapitres où Vigny philosophe sur ses propres récits l'attestent bien, et notamment le chapitre II du livre I, avec le commentaire sur la grandeur de l'abnégation, qui précède les deux premiers récits.

2. La phrase se trouve, telle quelle, dans le brouillon dit « Plan de 1832[?] », ainsi conjecturalement daté, reproduit dans l'éd. B.-C. de *Servitude...,* pp. 260-261 (pp. 228-230 dans l'éd. Germain), sous l'indication « C[hapitre] 13 » (il y a deux C[hapitres] 13 dans le manuscrit; celui-ci est le premier).

3. *Journal, Œ. C.,* Pl. II, p. 989 [1833]. Et voir, dans les *Mémoires,* les pages 335-354, où sont encore constamment mêlés, à une date très tardive, des fragments relatifs à la continuation de *Cinq-Mars* (histoire de la noblesse) et des réflexions sur *Servitude et grandeur militaires.* Avant d'entrer dans les doléances de Vigny sur la condition militaire, rappelons un épisode familial qui, s'il l'a connu, a pu colorer son imagination et ses idées touchant les relations du Soldat avec l'Autorité. Joseph-Pierre de Vigny, oncle du poète, lieutenant de vaisseau, avait été condamné en 1783 par un conseil de guerre pour avoir livré sa frégate aux Anglais au lieu de se couler avec elle, et emprisonné au château de Loches, dont la lieutenance pour le roi appartenait héréditairement à la famille de Baraudin. Il fut libéré en 1785. Cinq ans plus tard, les Baraudin donnèrent en mariage à son frère une fille de leur famille : c'est de ce mariage que devait naître Alfred de Vigny. Le contrat fut établi au château, et Vigny, comme on sait, naquit et vécut sa première enfance à Loches. Nous devons la connaissance de ces faits aux articles fortement

Parti d'une telle association, il appliqua naturellement à l'histoire de l'armée ses vues féodalistes et ses rancunes présentes. Il se propose, dès le premier canevas de son ouvrage, de « considérer *depuis quelle époque* les armées sont dans une servitude avilissante » [1]. Et voici sa réponse : « Dans le moyen-âge et au-delà, jusqu'à la fin du règne de Louis XIV, l'Armée tenait à la Nation, et ses chefs nobles se refusaient à trop d'abaissement dans l'obéissance [2]. » C'est l'absolutisme, créateur de « nos Armées permanentes, où l'homme est séparé du citoyen » [3], qui est la cause du mal présent : il a mis dans la main du soldat « un sabre d'Esclave au lieu d'une épée de Chevalier » [4]. Il a institué l'obéissance passive, qui fait le soldat semblable au Masque de Fer, lui fait porter la croix du martyr et la couronne d'épines [5]. Le mal est à son comble quand le soldat doit se faire bourreau, exécuter contre sa conscience un ordre odieux [6].

L'armée reste au XIXe siècle ce que la monarchie l'a faite, avec cette aggravation que, depuis la chute de l'Empire, vouée à l'inaction et à l'ennui, elle n'a plus foi en elle-même : « Nous sentîmes alors de quel poids est une armée à la Nation, et à quel point il est vrai que c'est un corps étranger et à demi mort, un bras paralysé, et qui ne travaille ni ne rapporte rien au cœur [7]. » Dans cette situation, elle n'est plus qu'un instru-

documentés de Christine Lefranc, *L'ombre d'une prison* (*Revue d'histoire littéraire de la France*, année 1963, pp. 197-207) et *La frégate, le malheur, la prison* (*Bulletin de l'Association des amis d'Alfred de Vigny*, n° 12, 1982-1983, pp. 18-46). Il serait surprenant que Vigny n'ait eu aucun écho de cette préhistoire presque immédiate de sa naissance.

1. Plan manuscrit dit de 1832, déjà cité, C[hapitre] 42.

2. *Servitude*, éd. Germain, liv. I, chap. XXXII, p. 18 ; même idée dans un fragment du « 27 avril 1856 » (*M. de Vigny...*, pp. 146-147). Par « la fin du règne de Louis XIV », Vigny entend (*Servitude..., ibid.*) le ministère de Louvois et ses réformes dans l'armée.

3. *Servitude...*, liv. I, chap. I, p. 6 ; condamnation des armées permanentes déjà dans le Plan de 1832, C[hapitres] 8, 11 et 12 ; aussi *Journal, Œ. C.,* Pl. II, « 7 août » [1834], p. 1006.

4. *Servitude...*, liv. II, chap. I, p. 63.

5. *Ibid.*, liv. I, chap. III, pp. 23, 24, 27.

6. Plan de 1832, C[hapitre] 17 ; et même problème encore en juillet [1860] dans le *Journal, Œ. C.,* Pl. II, p. 1358. Dans *Laurette et le cachet rouge,* l'ordre atroce émane du Directoire révolutionnaire, mais Vigny cite aussi bien, avec approbation, un exemple de refus d'obéissance lors de la Saint-Barthélemy (*Servitude...*, liv. II, chap. I, p. 64).

7. *Servitude...*, p. 242 (brouillon manuscrit). « Nous » désigne les jeunes officiers entrés dans l'armée sous la Restauration.

ment politique entre les mains du pouvoir, et n'a plus d'emploi que dans l'écrasement de l'émeute. Tel lui semblait être alors le sort de l'armée, employée, vaincue et humiliée dans un combat civil en Juillet, constamment utilisée, dans les années qui suivirent, à la répression sans gloire des mouvements populaires : « L'Armée moderne, sitôt qu'elle cesse d'être en guerre, devient une sorte de gendarmerie [...]. Que de fois, lorsqu'il m'a fallu prendre une part obscure, mais active, dans nos troubles civils, j'ai senti ma conscience s'indigner de cette condition inférieure et cruelle. Que de fois j'ai comparé cette existence à celle du Gladiateur [1]!» Quel que soit son amour de l'ordre, le gentilhomme-soldat répugne au rôle de gendarme : rôle subalterne, rôle impopulaire, rôle inhumain, rôle de dupe au service d'une société de parvenus. Dans des projets de romans, il oppose souvent l'abnégation d'un soldat à l'éclat d'une carrière civile frauduleuse : ainsi, à côté du « martyre d'un soldat », la vie d'un homme « qui a suivi une carrière politique d'avocat, toute magnifique et toute pleine *de trahisons et de récompenses* » [2].

Avenir de l'armée ?

Vigny, sur le sujet de l'armée, prétend parler d'expérience et décharge bien sa bile; mais ses conclusions sont des plus incertaines. Il semble souhaiter une libéralisation de l'institution militaire, la servitude du soldat ne lui paraissant plus en harmonie avec la liberté générale : « Nous admirons le libre arbitre et nous le tuons; l'absurde ne peut régner aussi longtemps. Il faudra bien que l'on en vienne à régler les circonstances où la délibération sera permise à l'homme armé, et jusqu'à quel rang sera laissée libre l'intelligence, et avec elle l'exercice

1. *Servitude...*, liv. I, chap. II, pp. 19-20.
2. *Journal*, Œ. C., Pl. II, p. 919 [1830]; et voir un fragment des *Mémoires*, pp. 336-337, intitulé « Les deux campagnes » et daté de janvier 1850, qui oppose les « campagnes » d'un soldat et celles de son cousin journaliste : « L'un mène une vie de souffrances et de sacrifices, l'autre de succès de vanité et d'orgies d'estaminet »; Baldensperger avait donné ce fragment, presque identique, dans son édition de *Servitude...*, p. 290, puis sous une forme plus brève, et sous l'année 1856, dans le *Journal*, p. 1327.

de la Conscience et de la Justice [1]. » Il s'agit bien ici de légaliser, jusqu'à un certain point, la discussion et éventuellement le rejet des ordres reçus. La question, après un siècle et demi, reste posée : l'histoire des dernières générations l'atteste, et nous montre les gouvernements les plus libéraux très réticents sur ce chapitre, et le sentiment public toujours rétif. D'ailleurs Vigny, après avoir suggéré une armée délibérante, ajoute aussitôt : « Je ne me dissimule point que c'est là une question d'une extrême difficulté, et qui touche à la base même de toute discipline [2]. » Cette restriction, et le fait qu'il écarte aussitôt de la discussion l'état de guerre, où pourtant risque de se poser, bien plus probablement que dans la paix, le problème des commandements inacceptables, affaiblissent beaucoup les suggestions réformatrices de Vigny.

Aussi cherche-t-il refuge dans une autre perspective, celle de la disparition future des armées. On pensait couramment, après la chute de Napoléon, que l'époque militaire de l'histoire humaine était en passe d'être révolue et qu'une ère pacifique allait lui succéder. Les économistes libéraux et les utopistes caressaient également cette idée. Vigny a-t-il pris cette idée chez les saint-simoniens ou dans l'air du temps? Elle est en tout cas chez lui le corollaire naturel d'un adieu personnel au passé. Si la noblesse a pu périr, pourquoi pas l'armée? « On ne peut trop hâter, écrit-il, l'époque où les Armées seront identifiées à la Nation, si elle doit acheminer au temps où les Armées et la guerre ne seront plus, et où le globe ne portera plus qu'une nation unanime enfin sur ses formes sociales; événement qui depuis longtemps devrait être accompli [3]. » Nous savons que Vigny avait de la guerre une horreur de principe, en tant qu'effusion du sang innocent; et cette horreur le dresse, une fois de plus, contre les doctrines maistriennes :

1. *Servitude...*, liv. II, chap. I, p. 64 : par « rang » il entend « grade » (de même, p. 67 : « à un grade déterminé ») ; il n'entend certainement pas faire descendre le libre arbitre jusqu'au simple soldat; de même, le droit de vote et l'éligibilité, seulement à « tel grade » (*Servitude..*, p. 238, dans un brouillon), pour les « officiers » (*Journal, Œ. C.,* Pl. II, p. 1017 [1834]). Sur l'horreur de Vigny pour l'obéissance passive et le « séidisme », voir *Servitude...*, pp. 147-148, 168-169, et la lettre à Louise Lachaud de 1847, *Corr.,* éd. Séché, t. I, p. 200.

2. *Servitude..*, p. 64.

3. *Ibid.,* liv. I, chap. I, pp. 6-7; aussi liv. III, chap. X, p. 213, et plus éloquemment dans un brouillon manuscrit : « Que les peuples cessent de se faire la guerre, et qu'ils vivent dans une fraternelle et pacifique intelligence », etc. (*Ibid.,* p. 237.)

« Il n'est point vrai que, même contre l'étranger, la guerre soit *divine*; il n'est point vrai que *la terre soit avide de sang*; la guerre est maudite de Dieu, et des hommes mêmes qui la font [1]. » Mais la paix universelle n'était pas objet de certitude en 1835 et Vigny lui-même n'était convaincu ni qu'elle adviendrait de sitôt ni qu'entre-temps une démocratisation de l'armée fût possible : « On a dit, écrit-il, que les armées mercenaires se changeraient en armées nationales, je pense au contraire que le soldat est la dernière transformation du guerrier, et que l'homme de guerre cessera d'exister, mais dans un avenir très lointain [2]. » Dans ces conditions, que faire ? Il écrit : « Tant qu'une armée existera, l'obéissance passive doit être honorée. Mais c'est une chose déplorable qu'une armée [3]. » Dans la pratique, il faudra nécessairement inverser l'ordre des deux pensées. On dira : déplorable, mais nécessaire. C'est ce que Vigny fait lui-même quand il écrit : « Il faut gémir de cette servitude, mais il est juste d'admirer ces esclaves [4]. »

Dans tout ce que nous venons de voir, Vigny tire la leçon de l'expérience militaire qui, au sortir de l'adolescence, avait occupé dix années de sa vie. Il dit lui-même, assez clairement, cette source personnelle de son livre, et laisse bien entendre en outre, par son désenchantement même, que la vie militaire ne l'intéresse, et ne l'a jamais intéressé, que parce qu'il espérait donner par elle un sens à l'existence. Il est clair qu'il n'y est pas parvenu. La condition militaire est, à ses yeux, avilie et l'espoir de la relever des plus problématiques. Son livre est ainsi, en 1838, un adieu rétrospectif à l'armée. Il est évident, pour quiconque le lit, que le Soldat n'est pas le personnage en qui Vigny a choisi de s'incarner pour figurer dignement devant lui-même et devant son siècle. Et pourtant, même après *Servitude,* il est resté obsédé par le problème de la condition militaire. Il a projeté, jusque dans les dernières années de sa vie, d'écrire d'autres romans du Soldat [5]. Il faut bien qu'il y

---

1. *Ibid.,* liv. II, chap. I, p. 67. Sur les mœurs militaires, « grossières », « barbares », « arriérées », voir *ibid.,* liv. I, chap. I, pp. 6, 27; sur la guerre, collection d'assassinats, *ibid.,* liv. II, chap. IX, pp. 209-210.

2. Plan de 1832, second C[hapitre] 13.

3. *Journal, Œ. C.,* Pl. II, p. 917 [1830], à propos d'un officier qui s'est fait tuer pour le roi en Juillet, quoiqu'il eût démissionné par hostilité aux ordonnances.

4. *Servitude...,* liv. I, chap. III, p. 23.

5. Les notes qu'il nous a laissées concernant ces projets sont, quant aux intrigues, sommaires et confuses, et n'apportent, quant aux idées, rien de nouveau ni de

ait dans ce type humain quelque chose qui vaille encore, même quand on ne souhaite plus s'identifier à lui. C'est avec raison qu'on a remarqué que le livre de Vigny, par-delà son sujet le plus apparent, évoque aussi bien une servitude et une grandeur humaines [1]. Il nous offre en effet, en même temps que le portrait d'un groupe social tenu pour condamné, une analyse de l'Honneur comme source plus que jamais vivante du Bien.

Honneur, religion, conscience.

L'honneur, comme tout principe de moralité, commande à l'individu des sacrifices qui peuvent être cruels, mais il les lui commande, de façon plus sensible qu'en toute autre morale, en tant que condition de l'estime de soi et des autres. Le mot « honneur », qui désigne à l'origine la manifestation visible de la révérence publique, signifie à partir de là l'intérieur respect de soi, la ferme détermination de ne pas s'avilir. Perdre l'honneur, c'est se voir déchu sur ces deux plans. L'honneur exalte donc l'obligation morale, mais il lui pose en même temps ses limites : car il inclut, par sa nature même, un conflit possible entre l'impératif extérieur et l'imprescriptible dignité du moi. Quand cette dignité est menacée, l'obéissance est amère; l'intéressé, apercevant la limite où le refus peut être licite, hésite à la franchir, garde un douloureux silence; il le rompt enfin si se soumettre et se taire devient impossible. Telle est la condition du Soldat. Mais c'est aussi celle de l'homme, quelque emploi qu'il fasse de sa vie. Car il y a partout, dans la condition humaine, obligation et sacrifice, et partout délibération possible sur la légitimité de ce qui est demandé [2]. Cette pensée a sans doute mûri chez Vigny en même temps que sa réflexion sur le Soldat. Elle aboutit, dans les pages les plus récentes de son

saillant : voir les *Mémoires*, pp. 321-354 (textes allant de 1850 à 1863, soit idées de romans, soit commentaires sur le thème « grandeur et servitude militaires »); aussi dans *M. de Vigny..*, pp. 146-147, « 27 avril 1856 » (idées de trois romans militaires); et *Journal, Œ. C.,* Pl. II, pp. 1326-1327 [1856].

1. Voir sur ce sujet Pierre-Georges Castex (*Vigny, l'homme et l'œuvre*, Paris, 1952, pp. 91-93).

2. Il en est de même de l'attitude à avoir devant le danger ou le sort contraire : l'honneur du soldat y est particulièrement intéressé, mais ce type d'épreuve peut concerner tout homme et toute condition. *Servitude* traite surtout du dévouement et de l'obéissance aux chefs.

livre, et notamment dans le chapitre de conclusion (livre III, chapitre x), à souligner le caractère de l'honneur en tant que réponse suffisante au problème moral, sans nécessité de référence à un principe surnaturel. L'honneur subsiste à point pour maintenir debout la moralité parmi les ruines de la foi : « La religion de l'honneur est à présent celle qui vit dans les cœurs et [...] l'armée en est le tabernacle » [1]; c'est la raison pour laquelle l'armée a de quoi intéresser encore l'humanité.

L'honneur, en tant que principe de morale, avait toujours eu maille à partir avec la religion; durant des siècles ils s'étaient opposés, l'honneur pouvant ignorer la charité, et la charité pouvant froisser l'« honneur du monde ». Ils ne s'en étaient pas moins accommodés l'un à l'autre dans la réalité de l'Europe féodale et chrétienne, sinon dans les écrits moraux des théologiens. En plus d'un endroit Vigny semble accepter cette accommodation traditionnelle, dans les termes où elle s'était toujours faite, par une conciliation hiérarchique où l'honneur est le second et l'auxiliaire de l'obéissance chrétienne aux commandements de Dieu : « Puisse, dans ses nouvelles phases, écrit-il, la plus pure des Religions ne pas tenter de nier ou d'étouffer ce sentiment de l'Honneur qui veille en nous comme une dernière lampe dans un temple dévasté! qu'elle se l'approprie plutôt, et qu'elle l'unisse à ses splendeurs en la posant, comme une lueur de plus, sur son autel, qu'elle veut rajeunir [2]. » Les allusions au temple dévasté, au rajeunissement souhaitable ne s'accordent guère, en ce temps-là, avec l'esprit de l'Église. Et quoi de moins chrétien que ces lignes, qui suivent presque aussitôt : « Gardons-nous de dire de ce dieu antique de l'Honneur que c'est un faux dieu, car la pierre de son autel est peut-être celle du Dieu inconnu. L'aimant magique de cette pierre

1. Plan de 1832, premier C[hapitre] 14, « ajouté ultérieurement », nous dit l'éditeur. La phrase relève en effet du dernier état de la pensée de Vigny dans *Servitude...*
2. *Servitude...,* liv. III, chap. x, p. 219; voir aussi une variante du manuscrit, reproduite p. 325, où l'honneur figure parmi les « croyances secondaires [...], que toutes les religions ont tolérées », et, dans un brouillon : « La Religion de l'honneur est une sorte de croyance secondaire » (p. 254). D'autres textes semblent vouloir identifier l'honneur aux enseignements du christianisme (*Journal, Œ. C.,* Pl. II, pp. 1302-1303, « 30 octobre » [1852]; p. 1305, « 18 février 1853 »); bien lus, ils tentent seulement d'inclure dans le concept d'honneur les vertus chrétiennes, humilité, charité (humaine), ce qui serait, pour l'honneur, un élargissement inusuel, sans signifier nulle adhésion à la théologie morale du christianisme.

attire et attache les cœurs d'acier, les cœurs des forts [1]. » Ailleurs apparaît, plus clairement encore, une doctrine de l'honneur comme substitut, et non simple auxiliaire, de la religion. Dans la France des rois, nous dit Vigny, « la Religion de l'honneur a souvent été assez puissante pour remplacer la foi chrétienne dans le cœur des hommes » [2]. Car « le sentiment de l'honneur est inné en l'homme et indépendant du culte et du dogme »; c'est bien pourquoi, aujourd'hui que les croyances meurent, « il n'y a plus de vivant en nous que la religion de l'honneur, je n'y peux que faire, je ne puis que voir ce qui est et l'attester, mais je le vois, je le dis, et je dis que cela est ainsi. L'honneur ne faiblit pas en France. Je l'y vois même grandir et s'étendre » [3]. « Parmi nous, aujourd'hui, les croyances sont faibles, mais l'homme est fort [4]. » Ainsi une morale des forts, qui ne commande ni d'aimer ni de craindre Dieu, remplace aujourd'hui la morale religieuse. « Dans le naufrage universel des croyances », il est vain d'espérer un renouveau de la foi; la religion n'est plus qu'un faux-semblant, artifice politique chez les chefs de partis qui utilisent le catholicisme comme drapeau, attitude esthétique chez les adeptes de l'art chrétien, décoration rhétorique chez les philosophes : la foi véritable est absente chez tous [5]. Heureusement ce qui peut la remplacer n'est pas moins efficace qu'elle, « car il y a des choses que ferait un prêtre et que jamais ne pourrait faire un galant homme » [6]. Et Vigny projette un « roman moderne » de l'homme d'honneur, moralement irréprochable quoique sans religion [7]. Mieux, l'honneur peut invoquer plus légitimement que la religion la fixité et l'universalité qu'elle s'attribue : « Toutes les religions

1. *Servitude...*, dernière page, quelques lignes avant la fin.

2. *Journal, Œ. C.,* Pl. II, p. 942, « février » [1832]; s'il est effectivement de cette date, ce fragment montre que Vigny a songé assez tôt à la « religion de l'honneur ».

3. « De la religion de l'honneur », brouillon manuscrit, « janvier 1834 » (*Servitude...*, p. 253); de même dans le *Journal, Œ. C.,* Pl. II, p. 1011 [1834] : « La religion de l'honneur a son dieu toujours présent dans notre cœur. »

4. Fragment manuscrit, reproduit par l'éditeur de *Servitude...*, p. 254.

5. *Servitude...*, liv. III, chap. x, pp. 214-215. On se souvient du poème des *Amants de Montmorency* (1830) sur le suicide récent de deux jeunes amants, et de son dernier vers : « Et Dieu? — Tel est le siècle, ils n'y pensèrent pas. »

6. *Journal, Œ. C.,* Pl. II, p. 1011 [1834].

7. *Ibid.*, même page, « Roman moderne — Un homme d'honneur »; autre exemple, p. 958 [1832], un roman montrant l'honneur vivace, même dans le péché.

ont eu des schismes et des hérésies. La Religion de l'Honneur
n'en peut avoir. Sa foi est la même partout [1]. »

Le problème d'une morale non dépendante de la religion
n'est pas né avec Vigny. Dans l'Europe moderne il obsédait
les esprits depuis deux bons siècles. À la recherche d'un principe
purement humain de moralité, on hésitait entre la coutume,
l'intérêt bien compris – solutions qui annulaient le problème
sans le résoudre –, la conscience enfin, par où on maintenait
généralement, hors des dogmes et du culte, comme Jean-
Jacques et même Voltaire, l'attache avec Dieu. L'honneur est
aussi, à sa façon, une conscience, une forme de conscience,
semblait-il, moins philosophique et moins pure, par l'importance qu'il donne à l'opinion des autres et à l'amour-propre
du sujet, voire au préjugé et à la gloriole. Mais enfin, quelle
vertu est si parfaite, qu'elle se passe de l'estime de soi et de
celle des autres? Vigny en tout cas semble ignorer ces objections,
si l'on en juge par la conviction avec laquelle il célèbre la
religion de l'honneur : « Ce n'est pas une foi neuve, un culte
de nouvelle invention, une pensée confuse; c'est un sentiment
né avec nous, indépendant des temps, des lieux et même des
religions, un sentiment fier, inflexible, un instinct d'une incomparable beauté [2]. » C'est peut-être qu'il lui prête, en élargissant
la tradition, une capacité morale illimitée, étant prêt à faire
entrer dans l'honneur des vertus qu'il n'embrasse pas d'ordinaire : la charité, comme on a vu, et l'humilité, implicitement
laïcisées, et surtout le devoir de solidarité et d'entraide humaine
souvent célébré dans son œuvre, et le culte des choses de
l'esprit. Muni de ce complément moderne, et dépouillé de
l'excessif sentiment de la différence des rangs qui l'accompagna
dans le passé, l'honneur risquerait d'apparaître comme un
double de la conscience; et dès lors, pourquoi lui conserver
son nom? Et si on le lui conserve, comment oublier ses faiblesses? Vigny sait bien ce qui en est. Le capitaine Renaud,
qui avait quitté l'armée au moment des ordonnances de Juillet,
reprend du service en prévision des troubles qu'elles vont
provoquer, pour ne pas sembler avoir esquivé le danger : « Je
n'ai pas voulu, dit-il, que l'apparence même fût contre moi [3]. »
L'honneur fait donc autant de cas du paraître que de l'être?

1. *Ibid.*, p. 1269 [1849].
2. *Servitude...*, p. 216.
3. *Ibid.*, liv. III, chap. II, p. 37.

L'apparence ne lui suffira-t-elle pas à l'occasion, le jugement favorable d'un certain monde étant son principal objet, en vertu d'une délicatesse où la morale n'a plus de part? C'est à l'époque même où il écrivait *Servitude* que Vigny fit représenter *Quitte pour la peur* [1], où un duc du temps de Louis XVI, mari adultère et sachant sa femme enceinte des œuvres d'un amant, vient passer une nuit en conversation avec elle pour rendre plausible aux yeux du monde la légitimité de l'enfant futur, et déclare se conformer en cela à la « loi de l'honneur », car « dans une société qui se corrompt et se dissout chaque jour comme la nôtre, tout ce qui reste encore de possible, c'est le respect des convenances » [2].

Vigny lui-même écrit, vers le même temps : « La foi est le respect de Dieu. L'honneur est le respect des hommes [3]. » Mais le respect des hommes n'est pas le respect humain, la simple lâcheté devant l'opinion. Ce qu'il a d'« humain » le rend plus puissant et plus actif que la conscience toute pure. Il s'appuie davantage sur des intuitions communes à tous, et soutenues du renfort de l'orgueil ou de la honte; il prête moins à la discussion et il commande mieux le sacrifice sous peine d'un discrédit plus redoutable que le remords. S'il a moralement le pas sur les lois, ce n'est pas en vertu d'une idée solitaire qui les condamne, mais au nom « des mœurs, des convenances qui sont la vie d'une société civilisée », et que les juges eux-mêmes se désespèrent d'avoir à contredire [4]. Et le fait qu'il soit plus social que la conscience ne l'empêche pas d'être aussi, en un sens, plus personnel, de vibrer davantage au niveau du moi humain, sans nécessiter une caution plus haute : « Tandis que toutes les vertus, remarque Vigny, semblent descendre du ciel et nous donner la main pour nous élever, celle-ci paraît venir de nous-mêmes et nous élever jusqu'au ciel [...] Ceci n'est point théorie, mais observation. L'homme, au nom d'Honneur, sent remuer quelque chose en lui qui est comme une part de lui-même, et cette secousse réveille toutes les forces de son orgueil et de son énergie primitive. Une fermeté invincible le soutient contre tous et contre lui-même à cette pensée de veiller sur ce tabernacle pur, qui est dans sa poitrine comme un second cœur

---

1. Le 30 mai 1833.
2. *Quitte pour la peur*, sc. xii (Œ. C., Pl. II, pp. 714 et 716).
3. *Journal*, Œ. C., Pl. II, p. 992 [1833] (fragment intitulé « Le Serment »).
4. *Ibid.*, p. 923, « 6 décembre » [1830].

où siégerait un dieu [1]. » Le sentiment de transcendance, impliqué dans toute expérience morale, ne manque pas dans l'honneur, mais ce qu'il contient d'obscurité ou de lumière reste, dans la description de Vigny, au niveau de l'homme : « De là lui viennent des consolations intérieures d'autant plus belles, qu'il en ignore la source et la raison véritables; de là aussi des révélations soudaines du Vrai, du Beau, du Juste : de là une lumière qui va devant lui [2]. » En somme, la racine trop humaine qui peut faire la faiblesse de l'honneur fait aussi sa valeur unique dans une époque sans croyances; et il y a en lui une source de force et de chaleur morale qu'on ne saurait trouver ailleurs : « L'honneur, dit-il, c'est la conscience, mais la conscience exaltée [3]. » Ce que la morale perdait du côté de la religion, elle le regagnait ainsi par la poésie. Il le dit en propres termes : « L'honneur, c'est la poésie du devoir [4]. » Le gentilhomme mué en poète et en moraliste s'est tout entier défini lui-même dans cette définition. Vigny le sentait quand il a écrit : « *Servitude.* – Ce livre sera la préface de toutes mes œuvres [5]. »

1. *Servitude...*, liv. III, chap. x, p. 217.
2. *Ibid.*, suite du même texte.
3. *Ibid.*, même page.
4. *Journal, Œ. C.*, Pl. II, p. 1021 [1835].
5. *Ibid.*, p. 1018 [1835].

IV

POÉSIE ET RELIGION

La morale des « cœurs forts » ne peut convenir qu'à un petit nombre; la foule ne saurait l'adopter. Que faut-il prévoir pour elle? Vigny, qui entend penser à la fois pour quelques-uns et pour tous, ne pouvait pas ne pas se poser cette question. C'est à quoi il en est venu dans une « Deuxième Consultation du Docteur Noir » à laquelle il a longuement médité et qu'il a laissée inachevée.

La Deuxième Consultation du Docteur Noir.

Vigny avait entrepris, dès 1832, de continuer *Stello* par d'autres « consultations » du Docteur. Il projeta jusqu'à trois de ces consultations nouvelles : celle qui devait être la deuxième est de beaucoup la plus importante, et par son sujet (c'est, en fin de compte, une réflexion sur l'attitude du penseur face à la religion), et parce que seule elle a été au moins partiellement écrite [1]. Vigny pensa d'abord y traiter le sujet du suicide : vieux

1. La troisième devait avoir pour sujet les hommes politiques : voir *Journal*, Œ. C., Pl. II, p. 981 [1833], p. 1013 [1834], p. 1196 [1843]; la quatrième, l'amour : *ibid.*, mêmes pages 981 et 1013. Mais le numérotage est parfois différent : ainsi dans le *Journal, ibid.*, pp. 1043-1044 [1836], est mentionnée une « 3ᵉ consultation » dont le sujet est « la femme trop libre »; p. 1072 [1837], la troisième également semble devoir contenir des réflexions misogyniques sur l'amour; p. 1071 [1837], la troisième encore, mais décrivant la lutte que le Poète livre à son idée. Ces renseignements sont maigres et confus. Rien d'explicite sur les hommes politiques, mais nous savons le mal qu'il en pensait; sur la femme et l'amour il était très ambivalent; le travail de création du Poète-penseur (le sacerdoce en gestation concrète) le préoccupait beaucoup. Mais sur ces sujets, aucune « consultation » en forme n'a reçu un commencement même d'existence.

thème de la morale antique, remis en honneur dans l'humanisme moderne, et auquel l'inquiétude romantique et l'actualité donnaient une couleur nouvelle. Le choix de ce sujet, au moment où il venait d'écrire l'histoire de Chatterton, est bien compréhensible. Ce choix, affirmé dans le *Journal* [1], ne fut pas maintenu longtemps : une demi-douzaine seulement de fragments, entre mars et octobre ou novembre 1832, évoquent le suicide en rapport avec la Deuxième Consultation [2]. Ni l'intrigue que Vigny pensait nouer autour de ce thème ni la façon dont il devait le lier à tel autre thème moins central n'apparaissent dans le *Journal,* que de façon lointaine et inconsistante [3]. Il est probable que Vigny lui-même n'en a jamais eu une idée précise. Mais à ces bribes de matériaux romanesques, se mêle, dans le même temps, une forte réflexion, en rapport évident avec le thème du suicide, sur la misère de la condition humaine et la façon sereine dont il convient d'y répondre [4].

La parabole de la prison.

Dans le plus explicite des fragments consacrés à ce sujet, et expressément rattachés à la Deuxième Consultation, Vigny

1. *Ibid.,* « 17 février [1832] », p. 940 : « La seconde Consultation du Docteur Noir sera sur la question du suicide » (premier fragment du *Journal* évoquant une Deuxième Consultation).
2. *Ibid.,* en mars-avril, pp. 945, 948, 951, 952, 953 ; en octobre p. 969 ; il y pense encore à la fin de cette année 1832, p. 974.
3. Le *Journal* indique assez tôt, *ibid.,* p. 943 [février?], que « la seconde Consultation se nommera *Abel* si elle ne s'appelle *Astrolabe* » ; il n'est dit nulle part pourquoi ces deux personnages sont appelés à figurer, apparemment comme protagonistes, dans la Consultation. Abel est un jeune byronien (*ibid.,* p. 945), peut-être suicidaire (mais p. 947, début 1833, le byronisme est critiqué sur un plan tout autre que celui du suicide). Astrolabe, mentionné en effet plusieurs fois comme titre de la Consultation dans des fragments du *Journal* qui la concernent, est le nom historique du fils d'Abélard et Héloïse, desquels Vigny (fragment cité, p. 943) semble tenté de peindre les amours. Nous ne savons, ni si Astrolabe et Abel devaient figurer ensemble dans la Consultation, quoique distants de sept siècles, ni comment les amours d'Héloïse et Abélard seraient entrés dans le sujet du suicide. Notons que la Deuxième Consultation est donnée (*ibid.,* p. 962, « 24 août » [1832]) comme devant être un « roman de passion » [?].
4. Le grand fragment du *Journal,* p. 945 [1832] montre clairement la liaison du thème du suicide avec celui du refus d'espérer, propre à *Stello* (Première Consultation), et celui de la vie humaine-prison, que nous allons voir apparaître.

écrit : « Dans cette prison nommée la vie, d'où nous partons les uns après les autres pour aller à la mort, il ne faut compter sur aucune promenade, ni aucune fleur. Dès lors, le moindre bouquet, la plus petite feuille réjouit la vue et le cœur, on en sait gré à la puissance qui a permis qu'elle se rencontrât sous vos pas. Il est vrai que vous ne savez pas pourquoi vous êtes prisonnier et de quoi puni; mais vous savez à n'en pas douter quelle sera votre peine : souffrance en prison, mort après. Ne pensez pas au juge, ni au procès que vous ignorerez toujours, mais seulement à remercier le geôlier inconnu qui vous permet souvent des joies dignes du ciel. Tel est l'aperçu de l'Ordonnance qui terminera la *Deuxième Consultation du Docteur Noir* [1]. » La légitimité du suicide est ici réfutée par une formule tout humaine de bonheur, héroïque et souriante à la fois, qui brave la plus rigoureuse misère. Les textes abondent dans le *Journal,* qui reproduisent, en 1832 et dans les années suivantes, les éléments de la même parabole : la vie-prison, l'appel successif des prisonniers destinés à la mort, l'ignorance où sont les condamnés des pièces du procès, l'existence dans ces ténèbres de précieuses joies quotidiennes. D'autres motifs complètent parfois ceux-là : ainsi les querelles entre les condamnés s'obstinant vainement à vouloir ériger en dogmes leurs conjectures sur leur faute, sur leur statut et, dans telle variante, sur leur destination même; enfin, l'évidente volonté du geôlier ou du juge de les laisser à cet égard dans une totale ignorance [2]. Ces fragments sont, par leur sobriété et leur force peu communes, parmi les pages les plus remarquables que Vigny ait écrites.

On peut y voir une inspiration pascalienne, avec la différence radicale qui sépare l'angoisse appelant la foi de l'angoisse assumée et maîtrisée par une pensée purement humaine [3]. Ainsi

---

1. *Ibid.,* p. 945 [1832].
2. Voir, pour ce thème de la vie-prison, *ibid.,* pp. 946 [1832], 967 [1832], 978 [1833] plus ou moins répété p. 1003 [1834] (fragments intitulés « Pour la 2ᵉ Consultation » ou « Pour Astrolabe »); plusieurs fragments développant l'image de la prison, sans mention de la Deuxième Consultation : p. 949 [1832], « Que Dieu est bon », etc., p. 993 [1833], « De la vie »; autres fragments du *Journal* donnant seulement la moralité (absence d'espoir et sagesse) : pp. 950 [1832], 955, « 4 mai » [1832], 964, 966-967. Voir aussi dans les *Mémoires,* p. 314, un fragment intitulé « Des certitudes », non daté, sur la vie-prison; Fr. GERMAIN (*L'Imagination d'Alfred de Vigny,* p. 534) a fait connaître une page inédite de Vigny, qu'il date de mai 1834-avril 1835, et qui donne le développement le plus complet du thème et de ses conséquences.
3. La parenté avec les *Pensées* de Pascal (nᵒˢ 200 et 201 de l'éd. Brunschvicg :

la Consultation sur le suicide ayant tourné en Consultation sur
« Misère et Bonheur » a fini par retrouver ce « Dieu et Nous »,
sujet permanent des méditations de Vigny. Les réflexions sur
l'honneur se déclaraient indépendantes de la religion ; celles sur
le bonheur nous expliquent pourquoi nous ne pouvons rapporter
nos pensées à Dieu : c'est qu'il nous laisse ignorer les siennes ;
en refusant de nous éclairer sur notre condition, il nous oblige
à la vivre selon nos propres moyens. Vigny ne nie pas expressément Dieu ; mais il peut s'aventurer dans des imaginations
métaphysiques qui diminuent le Créateur : l'idée, par exemple,
d'une création inachevée ou manquée [1]. Surtout, il éprouve que
Dieu refuse de communiquer avec nous et, sur cette évidence,
il cherche à définir une sagesse de l'homme sans Dieu. Cette
sagesse est, ou veut être, étrangement exempte de révolte ; elle
va même jusqu'à des actions de grâces qu'on a peine à ne pas
croire ironiques : « Que Dieu est bon ! quel geôlier adorable
qui sème tant de fleurs dans le préau de notre prison [2] ! » Sa
parabole n'en aboutit pas moins au refus de toute spéculation
sur la nature de la divinité et de ses relations avec nous, et à
une prédication de miséricorde et d'entraide strictement
humaines : « Il est incroyable que les prisonniers perdent leur
temps à se faire des reproches et à chercher le mot introuvable
de l'énigme. Ne pouvant se soustraire à la misère commune,
ils doivent avoir pitié les uns des autres et s'exhorter mutuel-
lement à rendre paisible, compatissant et plein d'amour leur
irréparable *désespoir* [3]. » Un autre thème pascalien est celui de

« Qu'on s'imagine un nombre d'hommes dans les chaînes », etc., et « Un homme
dans un cachot, ne sachant », etc.) semble indiscutable ; on pense aussi à la grande
pensée n° 194, *ibid.* : « Comme je ne sais d'où je viens, aussi je ne sais où je vais. »
    1. *Journal, Œ. C.,* Pl. II, pp. 963 [1832], 1018 [1834]. Dans le premier
fragment, Vigny rapporte l'idée à un article de Nodier dont il cite inexactement
le titre : l'article, paru en août 1832 dans la *Revue de Paris,* était intitulé *De la
palingénésie humaine et de la résurrection* ; l'idée que « la création n'est pas finie »
se trouve page 370 du tome V des *Œuvres* de Nodier, Paris, 1832, dans lequel
l'article est reproduit. Nodier songeait à une Création en progrès palingénésique ;
Vigny l'a bien entendu ainsi ; mais, reprenant l'idée à son compte dans le second
fragment en 1834, il lui donne une couleur pessimiste : « La Création est une
ébauche. Le tableau se perfectionnera-t-il ? Peut-être ? Qui sait ? Il n'est pas en
train pourtant » ; même pensée dans le *Journal,* p. 1025 [1835]. Vigny a repris
l'idée d'un « monde avorté » dans la strophe du Silence ajoutée à son poème du
Mont des Oliviers.
    2. *Journal, Œ. C.,* Pl. II, p. 949, « mars » [1832] ; voir aussi p. 967 [octobre
1832].
    3. Fragment reproduit par Fr. Germain, *op. cit.,* pp. 534-535. Par ce *désespoir,*

l'impossibilité du bonheur pour l'homme qui pense : « Si vous pensez – c'est le Docteur Noir qui est censé parler –, ne pensez pas que vous puissiez être heureux [1]. » Et le discrédit jeté par le christianisme sur la vie terrestre est interprété comme le « dernier cri du désespoir » [2]. Il est naturel que ce désespoir engendre la révolte aussi bien que la résignation : « La terre est révoltée des injustices de la création; elle dissimule par frayeur de l'éternité; mais elle s'indigne en secret contre le Dieu qui a créé le bien et le mal [3]. » Tout se passe comme si le « désespoir calme », possible devant l'infortune, ne l'était plus devant l'injustice [4]. Finalement tout cet ensemble de réflexions, résignées ou récriminantes, sur la condition de l'homme n'a donné lieu à aucune rédaction suivie. Elles ne nous sont parvenues que comme fragments du *Journal* des années 1830 à 1834, où s'ébauche la Deuxième Consultation. Elles s'exprimeront à nouveau, avec force, dans certains poèmes des *Destinées*.

Mais entre-temps, le projet d'une Deuxième Consultation avait pris, dans l'esprit de Vigny, une orientation différente. Ces pensées sur l'homme, qui contenaient implicitement une pensée sur Dieu, mettaient en question la religion; par la proclamation d'une morale des sages ou des forts, déjà annoncée dans *Servitude,* elles contestaient l'autorité des croyances reçues, et mettaient leur auteur en face du peuple chrétien. C'était reprendre, sous un autre angle, le problème du Poète-penseur et de l'action, que *Stello* avait posé seulement sur le plan politique. La Deuxième Consultation s'enchaînerait ainsi naturellement à la Première. Un fragment des *Mémoires* fait cette liaison : l'Ordonnance finale de *Stello* décourageait le poète; mais « trop de force et de vitalité juvénile le poussait encore

---

Vigny entend l'absence lucide d'espoir, « désespoir paisible, sans convulsions de colère et sans reproches au ciel », *Journal, Œ. C.,* Pl. II, p. 950; « désespoir miséricordieux et patient », « désespoir calme » (p. 955).

1. *Ibid.,* p. 1214 [1844]. Cf. Pascal : « [...] notre condition faible et mortelle, et si misérable, que rien ne peut nous consoler, lorsque nous y pensons de près » (*Pensées,* éd. citée, n° 139).

2. *Journal, Œ. C.,* Pl. II, p. 1003 [1834] sous le titre « Daphné »; pp. 1014-1015 [1834], référence au pessimisme de Pascal (fragment placé également sous le sigle de « Daphné »); et p. 1015 : « La religion du Christ est une religion de désespoir. »

3. *Ibid.,* p. 1001 [1834] : Ajax, Satan, Oreste, don Juan, révoltés sympathiques à l'humanité; cf. p. 1182 [1842], une justification de Caïn contre Dieu.

4. Pour d'autres figures de cette révolte, voir plus loin le commentaire du *Mont des Oliviers* et de la strophe du *Silence.*

vers les vains désirs de l'action publique et il rabattit ses regards des sommités sociales aux masses populaires » [1]. La réflexion politique, dans *Stello,* rencontrait déjà la foule [2], mais occasionnellement; la critique portait surtout sur les gouvernants et sur leur entourage. Dans le domaine de la religion, qui veut être et qui est, séculairement, la nourriture spirituelle de la masse des hommes, c'est bien pour la Foule que le poète aura à parler et à agir, s'il s'y décide. Tel est le problème qui, après quelques tâtonnements, est devenu le sujet de la Deuxième Consultation. Ce que le poète fera va dépendre évidemment de sa propre attitude en matière de religion. Sur ce sujet nous ne sommes pas assez renseignés par le dossier fragmentaire de ce qui devait être la Deuxième Consultation. C'est dans l'ensemble de l'œuvre de Vigny qu'il nous faut chercher notre information.

Vigny et la religion traditionnelle.

Rappelons tout d'abord que, pour Vigny, l'absence de communication de l'homme avec Dieu est l'évidence première; le surnaturel et l'irrationnel lui sont étrangers. Il raille, dans *Stello,* par la bouche de Gilbert délirant, la pensée de saint Augustin (qui est aussi celle de Pascal), d'une soumission de la raison dictée par la raison elle-même : « Si elle ne se soumet qu'à elle-même, dit Gilbert, elle ne se soumet donc pas et continue d'être reine [3]. » Vigny voit volontiers, dans tout le surnaturel du christianisme, une mythologie, un corps grossier de fables décorant l'idée pour la rendre « saisissable aux sens » [4]. Ce qui le choque dans ces fables, outre la doctrine qu'elles véhiculent, c'est qu'on oblige le fidèle à les croire littéralement vraies en tant que récits. En effet, il use volontiers lui-même, pour illustrer ses pensées, de personnages et de sujets empruntés au magasin fabuleux de la religion : ainsi *La Fille de Jephté,*

---

1. *Mémoires,* pp. 313-314 (non daté); ce fragment que Fr. Germain a reproduit en tête du texte de *Daphné,* pp. 275-276 de son édition, est intitulé : « Qu'est-ce que *Daphné?* » *Daphné,* qui est une partie de la Deuxième Consultation, comme on verra, a fini par désigner, dans les notes de Vigny, toute l'entreprise.
2. Au chapitre XXXVII de *Stello,* « De l'ostracisme perpétuel ».
3. *Stello,* chap. VIII, p. 22.
4. *Journal,* Œ. C., Pl. II, p. 1226, « Théologie » [1844].

Moïse, Éloa, La Colère de Samson, Le Mont des Oliviers; mais tandis que le récit biblique, évangélique, théologique se donne pour vrai et n'a de vertu qu'à ce prix aux yeux du croyant, il se dépouille dans la poésie de Vigny de cette prétention. Vigny n'emploie l'Histoire sainte et le surnaturel chrétien qu'en ignorant leur privilège de vérité. Il le fait sentir en remaniant cette matière, dont il fait, à proprement parler, une Mythologie [1], pour lui faire signifier des pensées étrangères à la foi chrétienne, et dépourvues de prétentions dogmatiques.

Le plus notable de ces remaniements porte sur le grand scénario de la Chute, de la Rédemption et du Jugement final. La religion romantique, s'attachant surtout au dernier acte de ce drame, en adopte les données principales : résurrection universelle, Jugement, fin du monde présent; mais elle y introduit de notables nouveautés : rachat de Satan et disparition du mal, absolution générale et fin de l'enfer, qui manifestent le désaveu humanitaire de l'éternité des peines. Vigny a été longtemps occupé d'un tel sujet de poème. Nous savons qu'il a écrit dans sa jeunesse de multiples ébauches d'un *Satan,* dont *Éloa,* seul élément publié de cet ensemble, est apparemment sortie [2]. *Éloa* est un ange féminin, et l'attribution de ce sexe au personnage rédempteur sera un des caractères de la théologie humanitaire. Cependant Éloa ne fait que projeter de ramener Satan à Dieu; elle n'y parvient pas, et se perd elle-même, séduite par le Malin. Mais derrière ce dénouement orthodoxe, ce qui nous reste des brouillons de *Satan* atteste chez Vigny l'intention de justifier jusqu'à un certain point ou de réhabiliter l'ange déchu; un « Satan racheté » apparaît en 1823 dans le *Journal* parmi des titres de « mystères » projetés. Éloa, non entièrement perdue, faut-il croire, aurait opéré ce rachat, si l'on en juge par des fragments en prose qui s'étendent jusque vers 1840 : « Chaque fois qu'il arrivait des damnés en enfer, Éloa pleurait. Un jour que ses larmes coulaient ainsi, l'ange maudit la regarde; il n'a

---

1. Voir *ibid.*, p. 1117, « Docteur Strauss » [1839], sur le christianisme comme mythe.

2. Le rejet des peines éternelles, qui est à l'origine du remaniement humanitaire du Jugement dernier, est un héritage du déisme philosophique des Lumières, largement recueilli au XIXᵉ siècle. Voir VIGNY, *ibid.,* p. 962, « 17 août [1832] »; p. 1038 [1836], sur les peines éternelles comme système pénal de vengeance; p. 1200 [1843]. Les ébauches relatives au poème que Vigny projetait sur Satan sont aujourd'hui rassemblées et commentées dans la nouvelle édition des *Œuvres complètes* de VIGNY à la Bibliothèque de la Pléiade, procurée par François Germain et André Jarry, Paris, Gallimard, 1986, t. I, pp. 235-257 (désormais : édition G.-J.).

plus de bonheur à faire le mal. Elle le voit, lui parle : il pleure.
Éloa sourit et élève son doigt vers le ciel, geste qu'on n'ose
jamais faire dans les enfers. – Qu'as-tu? dit Satan. Qu'arrive-
t-il? Tu souris! – Entends-tu? entends-tu le bruit des mondes
qui éclatent et tombent en poussière? Les temps sont finis. Tu
es sauvé. Elle le prend par la main, et les voûtes de l'enfer
s'ouvrent pour les laisser passer. » Ils arrivent donc au ciel :
« Dieu avait tout jugé du regard quand ils arrivèrent. Les anges
étaient assis. Une place était vacante parmi eux : c'était la
première. Une voix ineffable prononça ces mots : Tu as été
puni pendant le temps; tu as assez souffert puisque tu fus
l'ange du mal. Tu as aimé une fois : entre dans mon éternité.
Le mal n'existe plus. » Autre version du Rachat : « Éloa vient
au-dessus des prisons où sont les damnés et les considère,
emportée par Satan. Elle voit dans leurs crânes leurs pensées.
– Contraste de son angélique bonté qui *excuse* toujours le crime
après qu'il est raconté par *le remords*. À mesure qu'elle excuse
tous les crimes, le jour pénètre dans l'ombre. La lumière s'y
fait et la Grâce descend pour détruire les peines éternelles.
Satan s'efface et Lucifer, le plus beau des anges, s'assied aux
pieds de Dieu [1]. »

   Il ne faut naturellement pas confondre cette utilisation par

---

1. « Satan racheté », projet de titre dans *Journal*, *Œ. C.*, Pl. II, p. 875 [1823].
Première version du Rachat, dans *Œ. C.*, éd. B.-C., vol. *Poèmes*, p. 329; éd. G.-
J., t. I, p. 252, fragment D1 (date problématique, avant ou après 1823) : dans
cette version, ce sont les larmes de pitié d'Éloa à la vue des damnés qui
convertissent Satan au bien; il a donc aimé Éloa, et c'est pour avoir aimé que
Dieu le sauve, et l'humanité avec lui (version, relativement orthodoxe, du rachat
par l'amour). Deuxième version (*Journal*, *Œ. C.*, Pl. II, p. 1073, « Éloa-Prophétie »
[1837]; éd. G.-J., p. 254, fragment D6) : ici, c'est Éloa qui pénètre les pensées
des damnés, les disculpe et amène l'intervention de la Grâce et la rédemption
universelle (ce pouvoir d'absolution donné à l'ange féminin est d'institution
franchement nouvelle). Dans une autre version (*Journal*, *Œ. C.*, Pl. II, p. 1010
[1834]; éd. G.-J., fragment D5), c'est un regard de Dieu sur Éloa, et sa pitié
pour l'ange de la pitié, qui détruisent l'éternité des peines (version peu théologique,
mais évidemment d'une certaine beauté, quoique les bénéficiaires du pardon
n'aient, semble-t-il, aucune part à l'événement). Il y a d'autres versions encore :
celle que donne *Œ. C.*, Pl. II, pp. 1108-1109 [1838] (éd. G.-J., fragment D7)
fait tout résulter d'une intercession d'Éloa, mais elle bifurque sur les thèmes de
la Pensée-Enfer et du sacré-cœur de Jésus; celle qu'on lit dans les *Mémoires*,
p. 419 (= éd. G.-J., fragment D9), date incertaine, traite un tout autre sujet que
le rachat de Satan : dans cette longue esquisse de « poème dramatique », Éloa
qui semble, dans sa chute, ne pas être allée jusqu'à l'enfer, est devenue l'intermédiaire entre les âmes du purgatoire et Dieu, l'organisatrice de leur absolution,
et de leur accès au paradis.

la poésie romantique d'une imagerie d'origine religieuse, avec l'entreprise contemporaine du néo-catholicisme esthétique. Cette école, assez en vogue alors, prétendait, par une démarche toute contraire à celle de Vigny, rétablir par le sentiment du beau la foi dans les dogmes de l'Église, ranimer la croyance par la médiation de l'« art chrétien ». Vigny ne cesse de condamner cette attitude : « Quelques-uns se feignent chrétiens à présent et prêchent la religion comme philosophie poétique et comme poésie, mais comme foi ne la sentent pas et ne la pratiquent jamais »; même satire en vers :

> *Les tableaux des martyrs n'ont devant eux qu'un peintre*
> *Qui, debout, l'œil en flamme et la main sur le cœur,*
> *Adore saintement la forme et la couleur;*
> *Et l'Église sans foi, ce triste corps de pierre,*
> *Qui dans l'autre âge avait pour âme la prière,*
> *L'Église est bien heureuse encore qu'aujourd'hui*
> *Les lévites de l'art viennent prier pour lui* [1].

Il n'avait pas plus de sympathie pour la foi travestie en politique et la religion devenue parti : « MM. de Falloux et Montalembert se disent dans leurs écrits du *parti catholique*. En quoi ce parti diffère-t-il de ce que M. de Montlosier nomme en 1829 le *Parti-Prêtre*. Alors cependant il n'y eut pas assez d'excommunications contre Montlosier. Aujourd'hui cette ligue s'avoue *parti* et se nomme *catholique* [2]. » Son credo tient de plus en plus dans ce qu'il appelle un « scepticisme pieux », et qu'il croit propre au xixe siècle, proportionné à notre ignorance, et différent de la négation, mais irréductible tel qu'il est [3]. Voici

---

1. *Journal, Œ. C.,* Pl. II, p. 1001 [1834]; poème intitulé *L'Orgue* [1835], *Œ. C.,* Pl. I, p. 254; le fragment du *Journal, Œ. C.,* Pl. II, p. 1162, « 18 janvier » [1842], « Les deux courants », vise assurément les doctrines néocatholiques : « Deux courants emportent les lettres aujourd'hui. L'un vers les régions les plus basses du cynisme, l'autre vers *les plus folles hypocrisies du pédantisme catholique* » (souligné par moi).
2. *Œ. C.,* Pl. II, p. 1352 [1860]; mais bien avant il écrivait déjà : « Les Jésuites et les Montalembert (leurs séides) sont de ceux qui pourraient contribuer à rendre folle une nation » (*ibid.,* p. 1218 [1844]); et voir aussi les lettres remarquables à Quinet du 12 octobre 1843 et du 27 août 1844, l'approuvant chaleureusement dans sa campagne anti-ultramontaine (*Revue d'histoire littéraire de la France,* 1936, p. 99 et suiv.).
3. *Journal, Œ. C.,* Pl. II, p. 1332, « 14 août [1857] »; p. 1333, « 19 août » [1857]; p. 1372 « juin » [1862], « Lecture »; p. 1377, « 15 septembre » [1862] : « Celui qui *affirme* quoi que ce soit dans le merveilleux est fou ou fourbe »;

son dernier mot, on ne peut plus clair : « La race humaine se refroidit en ce qui touche le surnaturel. Elle a fini par comprendre que sa *Pensée* est la *créatrice* des mondes invisibles [1]. »

Reste, comme mérite appréciable de la religion, l'appui et le crédit qu'elle procure à la morale et le contrôle qu'elle exerce sur le secret même de la conscience, auquel la société ne peut atteindre. Si l'on veut « se placer au milieu de l'espèce humaine de la terre et considérer la croyance comme *point d'appui de la morale* [..], de ce point le Christianisme est le système dont la vérité est désirable par-dessus tous les autres » ; l'hommage est ambigu, car, en reconnaissant à la religion l'empire de la morale, on lui refuse celui de la vérité ; en effet, un autre point de vue est possible, « une perspective de la Création qui dépasse les petits intérêts de la fourmilière humaine », perspective moins utile à l'homme, « parce que *le bien et le mal* s'y perdent », mais assurément, plus vraie. La « philosophie théologique », en voulant fonder la morale, fait peu de cas de la vérité, « elle paraît au contraire la fuir avec soin » ; ce qu'elle construit peut être utile, « mais les fondements reposent sur un sable ou un limon si mobile, si plein de gouffres, de vides et de tourbillons, que la Raison ne peut s'y asseoir » [2]. Ainsi Vigny, à partir d'un hommage qu'il rend à la religion pour sauvegarder les valeurs humaines, aboutit à nier la consistance de ces valeurs mêmes : « Pour écrire des pensées sur un sujet quelconque, et dans quelque forme que ce soit, nous sommes forcés de commencer par nous mentir à nous-mêmes, en nous figurant que quelque chose existe et en créant un fantôme pour ensuite l'adorer ou le profaner. Ainsi nous sommes des don Quichottes perpétuels et moins excusables que le héros de Cervantès, car nous savons que nos géants sont des moulins et nous nous enivrons pour les voir géants [3]. » Où la morale trouvera-t-elle appui, si la vérité lui manque ? Assurément pas dans la beauté, car « ce que nous nommons *Beau* est une petite harmonie à peine

p. 1383 « 9 mars » [1863]; et voir, *ibid.*, pp. 1378-1380, dans ses entretiens avec le Père Gratry, le mordant de ses objections. Tous ces textes sont de ses dernières années, mais on se souvient qu'en 1830, il professait déjà le scepticisme et l'attribuait à Jésus (voir ci-dessus note 3, p. 122 et le texte).

1. *Ibid.*, p. 1361 [1861].
2. Sur tous ces points, voir *ibid.*, p. 1295 [1852] : la religion, code pénal pour les méfaits invisibles; aussi pp. 1232-1233, « 14 août [1857]», *in fine*. *Ibid.*, antinomie vérité-morale, p. 1198, « 20 juin » [1843]; même discussion, pp. 1205-1206. *Ibid.*, sur la théologie, p. 1374, « 3 août » [1862].
3. *Ibid.*, p. 1126 [1839].

saisissable entre l'*être individuel* et les masses d'objets et d'êtres animés qui l'entourent » [1]. Cette réflexion figure dans un fragment désigné, en dépit de sa date tardive, comme « bon à développer et à mettre dans la bouche du Docteur Noir; peut-être pour la Deuxième Consultation ». Et en effet ce type de lucidité négative correspond bien au personnage du Docteur, c'est-à-dire à une certaine démarche de Vigny lui-même. Il ne peut évidemment s'en tenir là. Ce nihilisme touchant l'homme ne pouvait être l'aboutissement de sa pensée, orientée dès son principe en sens opposé par le refus de ce qu'il appelait avec ses contemporains le « matérialisme » : il entendait par là une doctrine bornée à la nature brute et à l'unique dimension de la réalité. Il a formulé très tôt, en même temps que son droit à l'agnosticisme métaphysique, un autre aspect de sa vision des choses, complémentaire à ses yeux du premier : « Le jour où il n'y aura plus parmi les hommes ni enthousiasme, ni amour, ni adoration, ni dévouement, creusons la terre jusqu'en son centre, mettons-y cinq cents milliards de barils de poudre et qu'elle éclate en pièces comme une bombe au milieu du firmament. » Ou encore : « Si la morale n'était que ce qui assure la conservation de l'espèce par le meilleur état social possible, et son amélioration par le bien-être et le bonheur, ce serait peu de chose [2]. » Peu de chose au regard de quoi? De ce dont nous avons besoin comme êtres humains, et qui n'est pas de l'ordre des choses ni des intérêts, mais *vaut* davantage. En le méconnaissant, on annule un caractère distinctif de l'humanité. On conçoit que de telles pensées s'accordent mal avec le vide métaphysique : elles semblent appeler un Dieu, une religion pour garants; elles expliquent les pas que fait Vigny dans cette direction, qui n'est pas vraiment la sienne. Il hésite, il évoque le besoin universel de fables religieuses avec des alternatives de mépris et de gravité, comme « faiblesse d'esprit » et recours du peuple irréfléchi, ou comme tendance naturelle de l'âme [3]. Il parle, pensant sans doute à la foule, du « bonheur d'une foi fervente », de la « céleste illusion de la foi », des âmes que le christianisme a consolées de la vie et de la mort. Il est choqué de lire dans un discours de Cicéron, tenu devant des juges et en présence du peuple, que ce sont des fables puériles

1. *Ibid.*, p. 1360, « 18 février » [1861].
2. *Ibid.*, p. 919 [1830]; p. 1147, « 26 décembre » [1841].
3. *Ibid.*, p. 1046, « 15 juillet » [1836]; p. 1300, « juillet » [1852]; d'autre part, p. 991, « 21 juin » [1833]; p. 1068 [1837], « La Théologie », etc.

qui nous promettent que nous retrouverons dans les enfers les mânes de nos morts, des chimères « comme personne n'en doute »; et il se félicite que, par cette croyance ou cet espoir, nous valions mieux que les Romains [1]. Il va même plus loin; il lui est arrivé d'écrire : « Il est insensé de ramener les choses divines à notre balance »; il évoque « l'inscrutable sagesse de Dieu » [2]. Il est vrai qu'une telle humilité est exceptionnelle chez lui; il inclinerait davantage à croire l'homme « plus grand que la Divinité en ce sens qu'il peut sacrifier sa vie pour un principe tandis que la Divinité ne le peut pas » [3].

Comment conciliera-t-il son agnosticisme philosophique et l'« enthousiasme » supranaturel qu'il professe? C'est ainsi que se pose naturellement la question pour son lecteur. Mais on peut se demander, en fin de compte, pourquoi une conciliation entre ces deux termes est jugée si nécessaire, et si l'on ne peut, dès lors qu'on tient aussi fortement à l'un qu'à l'autre, postuler leur accord et les professer ensemble. Il n'est, à vrai dire, ni religion ni philosophie qui n'oblige ses adeptes à quelque double évidence de cette sorte [4]. Pour Vigny une haute « rêverie » solitaire fonde toute espèce de sublimité, y compris celle du bien, sans qu'un Dieu soit intéressé à cet intime enchaînement. Vigny veut « amener les hommes au bien pratique par la voie du Beau poétique » [5], et donne qualité au Poète pour enseigner l'humanité. Il n'entend pas par là que le Poète doive accréditer la morale par la séduction du style et des figures; il n'est pas question ici de rhétorique, mais d'un pouvoir propre du Beau comme source d'enthousiasme. Ainsi la Poésie, pure exaltation de l'esprit se faisant Parole, peut, pour les forts, tenir lieu de foi et attester une transcendance intérieure à l'homme même [6]. Il appelait curieusement « atticisme » cet « amour de toute beauté » où nul Dieu n'est impliqué, et qui engendre, dans la

1. *Ibid.*, pp. 1157-1158 [1841], « Le char de Brahma »; p. 1340 [1858], « Christianisme »; lettre à Auguste Barbier, du 23 mars 1853 (*Corr.*, éd. Séché, t. II, p. 111).

2. *Journal, Œ. C.*, Pl. II, pp. 1305-1306, « 27 février » [1853], « Des affaires humaines ».

3. *Ibid.*, p. 1206 [1843], « Un Dieu, poème ou drame ».

4. Ainsi celle qui pose à la fois une détermination universelle, divine ou naturelle, et la liberté de l'homme.

5. *Ibid.*, p. 1230 [1845], « Sur moi-même ».

6. On voit en quoi sa pensée diffère de celle des adeptes de l'Art chrétien, et pourquoi il a si peu de sympathie pour eux : ils demandent à des œuvres d'art un secours artificiel pour des croyances qui ne vivent plus.

conduite humaine, « les marques de grandeur, de dignité et d'honneur qui rendent la vie d'un homme digne de mémoire » [1].

Le Poète et la foule.

Nous entrevoyons qu'il va s'agir de faire coexister sans heurts, chez le poète et la foule, deux niveaux de pensée inégaux, mais qui ne peuvent rester sans communication l'un avec l'autre. Les Philosophes du siècle précédent distinguaient ce double étage. Vigny, en fils du siècle romantique, a moins de mépris qu'eux pour les fables religieuses, dès lors qu'on ne veut pas les lui imposer; il a pitié de ceux qu'elles consolent, par charité humaine et parce qu'il peut, à l'occasion, sentir comme eux. Et, d'autre part, l'idéal du penseur tel qu'il le conçoit est quelque chose de plus qu'une doctrine de raison; c'est un enthousiasme véritable. D'où, entre la façon de croire du penseur et celle du peuple, une continuité autant qu'un contraste : « Adorer les saints et les saintes, les anges et les chérubins, c'est s'acheminer autant qu'on a de force vers l'idéal de Socrate; l'un va jusqu'à un point, l'autre à un autre plus élevé, chacun conçoit ce qu'il peut et le mieux qu'il peut un idéal toujours vague [2]. » Ou bien : « Toute religion n'a jamais été crue qu'à moitié et a eu ses athées et ses sceptiques. Mais les sages ont gardé leurs doutes dans leur cœur et ont respecté la fable sociale reçue généralement et adoptée du plus grand nombre [3]. » On a parlé à ce propos d'« imposture », au sens où sont recommandées à la foule des croyances jugées sans fondement réel [4]. Mais le mot ne conviendrait pas même à Voltaire, encore moins au Rousseau de la *Profession de foi,* dont on ne peut dire qu'ils trompent le peuple quand ils ménagent ses croyances, et pas du tout à Vigny, qui cherche entre le peuple et lui-même un accord dans la différence. Le Docteur, fidèle à lui-même, conseille la distance; ayant désabusé Stello quant aux hommes poli-

1. *Ibid.,* p. 1277 [1851], « L'atticisme ».
2. *Ibid.,* p. 1226 [1844], « Théologie ». Il est significatif que cette phrase suive immédiatement celle où il appelle les symboles chrétiens un « corps grossier » enveloppant l'idée.
3. *Ibid.,* p. 1130 [1840], « La question religieuse ».
4. Voir Marc CITOLEUX, *Alfred de Vigny,* Paris, 1924, p. 185 et suiv.

tiques [1], il le met pareillement en garde contre les masses et lui dit cette fois encore : « Ô Stello, sachez jouir de votre pensée et l'aimer isolée, cachée, et indépendante de ce que le monde en pourra faire [2]. » C'est toujours le même conseil sévère d'éloignement, qui n'exclut pas une influence lointaine. Telle est l'orientation générale qui devait faire de la Deuxième Consultation une sœur de la Première.

Cependant cette nouvelle œuvre n'a jamais été achevée, ni son plan même prévu de façon claire ou définitive. L'histoire de ses divers plans et ébauches partielles n'est pas facile à faire, et n'a pas toujours de quoi intéresser. Il faut pourtant la tenter, au moins dans ce qu'elle a d'essentiel, au moyen des documents dont nous disposons [3]. La Consultation, conformément à son titre, devait avoir pour cadre un débat de Stello et du Docteur Noir, se terminant par une Ordonnance. Vigny pensait à un plan tripartite, analogue à celui qui lui avait réussi pour *Stello* : trois récits historiques, chacun centré cette fois sur un réformateur religieux ayant tenté d'agir sur la masse, devaient illustrer démonstrativement les conseils de prudence du Docteur. De ces trois histoires, la première devait être celle de l'empereur Julien, la deuxième celle de Melanchthon, la troisième celle de Jean-Jacques Rousseau. Mais Vigny, à ces trois histoires, en ajoute une quatrième, contemporaine, « qui enveloppera comme un cadre les trois premières »; elle racontera la destinée d'un certain Emmanuel ou Lamuel, dont le nom sera le titre de toute l'œuvre; « elle se passera sous les yeux de Stello et du Docteur Noir » : on croit comprendre que les débats de ces deux personnages encadreront à leur tour toute

1. Voir *Stello,* chap. XL, sections 1 et 2.
2. *Journal, Œ. C.,* Pl. II, p. 995, « 1ᵉʳ janvier » [1834] : « Pour Stello » (fragment où il est question de *Daphné*).
3. Ce sont : 1. Le *Journal,* fragments nombreux sur la Deuxième Consultation, ou sur *Daphné,* ou des sujets étroitement liés au projet, entre les années 1832 et 1845 incluses; quelques-uns encore entre 1851 et 1863. – 2. Un texte rédigé et continu, d'une centaine de pages, contenant l'histoire de l'empereur Julien, précédée et suivie d'épisodes modernes de la Deuxième Consultation, et qui n'a été publié qu'en 1913 par Fernand Gregh, sous le titre global de *Daphné,* et réédité sous ce titre dans le même volume que *Stello* par Baldensperger, chez Conard en 1925, et par Fr. Germain, dans la collection des Classiques Garnier en 1970 : c'est à cette dernière édition que je renvoie. – 3. Un dossier spécial « Daphné », où Vigny a rassemblé des fragments et des notes, publié en partie, par Gregh (textes datant principalement de 1837) dans son édition; des éléments de ce dossier ont été incorporés, apparemment en plus grand nombre, par Baldensperger dans le *Journal, Œ. C.,* Pl. II.

la structure précédente et en tireront l'ultime signification morale [1]. Cette fâcheuse complication n'est pas fortuite. Dans la Première Consultation, Stello et le Docteur représentaient seuls le présent par rapport à trois histoires anciennes : histoires de poètes d'autrefois racontées par un témoin oculaire pour l'édification d'un jeune poète et destinées à le mettre en garde contre le monde du pouvoir et la tentation politique. Stello, dans une telle composition, était une figure parfaite de Vigny : car Vigny était poète et tenté par la politique. Par contre, il n'était pas réformateur religieux, ni tenté de l'être vraiment mais seulement d'enseigner avec autorité l'Idéal et le Bien. Il a donc dû dédoubler le personnage moderne destiné à recevoir les leçons du Docteur : Lamuel, réformateur religieux (on croit qu'il s'agit dans son esprit, d'une image de Lamennais), et Stello, qui est Vigny. Ce Lamuel (ou quelque nom qu'il en vienne à porter dans la suite du projet), non seulement ne peut être Vigny, mais risque de lui être étranger sous beaucoup d'aspects. L'Ordonnance du Docteur Noir, dit Vigny dans un de ses plans [2], sera « sur le *Théosophe,* comme elle était sur le *Poète* dans *Stello* » [3]. Si le Théosophe est Lamuel, et si c'est à lui que s'adresse l'Ordonnance finale, quel sera le rôle de Stello-Vigny? Ou bien cette Ordonnance s'adressera-t-elle également à lui, en tant qu'auditeur susceptible d'en tirer lui aussi son profit en philosophant avec le Docteur? Ainsi conçue, l'œuvre s'embarrasse d'une figure dédoublée et d'une moralité à deux ententes.

Des trois récits situés dans le passé, un seul a été écrit, l'histoire de Julien ou *Daphné.* Nous n'avons qu'une ébauche

1. Le projet de ce plan tripartite peut se voir dans le *Journal, Œ. C.,* Pl. II, p. 1053, « janvier 1837 » : « Commencé à écrire *Lamuel. Vues générales sur la Deuxième Consultation* »; p. 1056, « 30 janvier » [1837] : « *Vue générale de composition* » (Lamuel blessé; c'est le Docteur Noir qui lui lit ou lui raconte les histoires de Julien, Mélanchthon, Rousseau : plan analogue à celui de *Stello,* mais dont Stello est absent!); p. 1075 [1837], idée d'un plan en pyramide, avec Daphné à la base, Lamuel au sommet [?]; voir aussi *M. De Vigny,* p. 152 : « Ordonnance » (laconique, évoquant avec faveur les trois réformateurs, et Emmanuel). – Le premier de tous ces plans est le plus détaillé; il ne coïncide pas en tout avec les autres; on le retrouve, presque identique, dans un autre fragment, p. 1081 [1837].

2. *Ibid.,* p. 1053, plan déjà cité; même texte, p. 1081.

3. À vrai dire, ce mot de « théosophe » est bien étrange ici; il ne peut s'appliquer, au sens grec (« connaisseur des choses divines ») ni au sens moderne (« occultiste », « illuministe »), à Mélanchthon ni à Rousseau. Mais Vigny entend, je crois, par théosophie un enseignement religieux non officiel et plus ou moins élevé par rapport à la tradition commune.

du cadre moderne de l'ensemble, dont Stello, le Docteur et Lamuel sont les trois personnages principaux : *Daphné,* dans le manuscrit, était précédée d'une vingtaine de pages qui mettaient en scène les deux premiers et une variante de Lamuel sous le nom de Trivulce ; elle était suivie d'un bref épilogue moderne, réunissant de nouveau Stello et le Docteur, intitulé « Fin de *Daphné* ». Ces pages, jointes à de multiples fragments du *Journal,* peuvent nous permettre, avant d'en venir à *Daphné,* quelques observations sur l'évolution du projet de Vigny. Rédigées à une date que nous ignorons, elles nous montrent le Docteur Noir et Stello contemplant un soir sous leur fenêtre le défilé d'une foule morne et insatisfaite, qui paraît au Docteur poser une « immense question ». Stello, mortifié et réconforté à la fois par leur précédente conversation sur le Poète, lui suggère de discuter ce soir cette nouvelle question. Le Docteur l'ayant mis en garde contre l'enthousiasme de la pitié : « Comment, s'écrie Stello, peut-on voir les frères et les sœurs enfants de Dieu errer ainsi dans l'ombre, incertains de tout, ignorants de tant de choses, étrangers à tant de divines pensées, noyés dans de grossières sensations, sevrés des adorations universelles qui devraient les unir en une bienheureuse famille, sans sentir un désir presque invincible de leur parler et de les enseigner ? » Voilà donc de nouveau, chez Stello, la tentation de communier et d'agir : la Deuxième Consultation part ainsi sur le même ton que la Première et avec une donnée semblable. « Pourquoi, demande encore Stello, ne pas laisser toute mon âme s'imprégner et se remplir de ce vaste amour de nos frères ? Pourquoi ne pas évoquer mes forces et ne pas me mettre à chercher avec eux ? »

Le sujet ainsi posé, l'action commence par l'arrivée d'une religieuse qui vient chercher le Docteur pour le mener auprès d'un de ses malades, abandonné des médecins du corps ; le Docteur, qui s'est voué, comme nous savons, à la cure des âmes, demande avec quelque ironie à Stello de lui prêter son aide : « Qui me dira jamais, proteste Stello [...], pourquoi le Poète et le Philosophe doivent être condamnés à tout penser et à ne rien faire [...] [1] ? » Et ils sortent, se mêlant à la foule. En arrivant près des quais, ils s'aperçoivent que cette foule est occupée à déchirer et à jeter des masses de livres dans la

---

1. C'est jusqu'ici le chap. I, « La Foule » ; les citations se trouvent pp. 277, 279, 280, 283 de *Daphné* (éd. Fr. Germain).

rivière [1]. S'étant attardés à ce sinistre tableau d'émeute, ils arrivent au quartier Latin [2] et sont conduits enfin par la religieuse jusqu'à la maison du malade. Avant d'arriver à sa chambre, le Docteur fait son portrait : c'est un étudiant en droit de vingt-deux ans, de famille riche, nommé Trivulce, passionné d'étude, sauvage et brusque, féru de théologie, et des « théogonies, cosmogonies et mythologies du monde, depuis le Brahmanisme, l'Hermétisme égyptien, le Bouddhisme, le Lamaïsme, jusqu'aux doctrines d'*attractions passionnelles* [3] et de Panthéisme », mais esprit sans ordre et désireux fou d'atteindre « un monde céleste qu'il a dans l'esprit » depuis qu'il a lu certain vieux manuscrit. Ce portrait, curieusement, ne décrit qu'un solitaire; il n'évoque aucune disposition de Trivulce à agir sur la foule. Nous n'aurons pas d'éclaircissement sur ce point, car la suite du texte ne nous conduit pas auprès du malade, mais seulement dans la pièce où les deux visiteurs sont introduits avant de le voir, et ne va pas plus loin. Cette chambre à peine meublée contient deux statues : une statue du Christ, délabrée et désolée, où Stello voit la figure de « l'homme de trente-trois ans sacrifié par la multitude des hommes pour avoir cru en elle, l'avoir aimée et lui avoir parlé de s'aimer; l'homme sauveur et médiateur des hommes » – et la statue d'un jeune empereur, d'une beauté païenne sévère, Julien bien sûr, debout et arrachant un javelot de sa poitrine, portant à la ceinture un rouleau de papyrus sur lequel on lit « Daphné », mot répété encore sur un fût de colonne dorique couché à ses pieds. La maladie de Trivulce est d'être obsédé de ce nom [4].

On suppose que le manuscrit qui a agi si fortement sur Trivulce est précisément celui de *Daphné,* et que le Docteur va le lui lire et le lui commenter pour le guérir de son

---

1. Chap. II, « Les livres ». Dans la journée du 15 février 1831, dont c'est ici le soir, la foule, qui avait saccagé la veille Saint-Germain-l'Auxerrois et le presbytère, pilla l'Archevêché et jeta à la Seine livres et objets.

2. Chap. III, « Le Pays latin ». Ce chapitre, le dernier rédigé, est consacré dans sa plus grande partie à l'évocation des amours d'Abélard et d'Héloïse, reste sans doute des premières ébauches de la Deuxième Consultation (voir plus haut).

3. Désignation ordinaire des doctrines de Fourier et de ses disciples.

4. Ce point est étrange. Le Docteur Noir, p. 300, entend par là que Trivulce est amoureux de la Daphné mythologique, amante d'Apollon, alors que ce nom, dans l'histoire de Julien, est celui d'une localité. Trivulce incarne-t-il dans la Daphné femme la religion des philosophes qui vécurent à Daphné? Ce qui concerne Trivulce occupe les pages 296 à 301, mais s'arrête court.

obsession [?]. Mais, dans le texte que nous avons, cette *Daphné,* histoire de Julien, commence sans transition ni préambule, comme une histoire à part, aussitôt après la description des statues, et se poursuit jusqu'à sa fin sans le moindre commentaire du Docteur ni de Stello. Tous deux ne reparaissent, aussi brusquement qu'ils ont disparu, qu'une fois le point final mis à *Daphné.* Ils ouvrent la fenêtre et voient la ruée immonde de la foule carnavalesque dans la rue [1]; le jour s'est levé, le cortège traditionnel du Bœuf gras paraît avec ses bouchers et ses masques; ils le suivent, passent devant une église dont les émeutiers abattent la croix, puis le long du fleuve où flottent encore des débris de livres, enfin devant l'archevêché dont on jette le toit par terre et les meubles par les fenêtres. Puis viennent deux épisodes significatifs. D'abord un groupe de saint-simoniens qui passe : « Vêtus singulièrement [...], jeunes et beaux [...], leur nom sur la poitrine; ils adoraient un homme appelé Saint-Simon et prêchaient une foi nouvelle, essayant de fonder une société nouvelle. La Foule leur jetait des pierres et riait. » Puis « un prêtre qui vint et les suivit en disant : Je vous servirai et je vous imiterai »; il prononce une imprécation dans le style des *Paroles d'un croyant*; il ajoute : « J'écrirai pour vous une Apocalypse saint-simonienne qui sera une œuvre de haine. » Mais on ne le prend pas non plus au sérieux : « La Foule l'écoutait et riait [2]. » Les deux hommes rentrent tristement chez Trivulce et y regardent le grand Christ d'ivoire, et la statue de Julien, qui a à ses pieds Luther, et plus bas Voltaire riant [3].

Les pages que nous venons de commenter ne répondent que de loin au projet que nous connaissons. Il n'y est plus question de trois histoires à raconter, mais de Julien seulement : c'est lui

1. Ce sont les pages 381-383 intitulées « Fin de *Daphné* ». En même temps que jour d'émeute, le 15 février 1831 était jour de carnaval.

2. Ce prêtre auteur d'Apocalypse et prêcheur de haine répond bien à la dernière idée que Vigny avait de Lamennais. Mais, en février 1831, Lamennais était prêtre catholique et pensait le rester; les saint-simoniens étaient effectivement en pleine activité à cette date, mais Lamennais ne marcha jamais à leur suite ni ne les servit; ses *Paroles d'un croyant* — l'« Apocalypse » qu'il annonce ici — semblèrent à certains une œuvre de haine, mais ne parurent qu'en 1834; d'ailleurs une prédication faisant appel à la haine n'aurait pas été du goût des saint-simoniens.

3. Les deux étapes, selon Vigny, de la ruine de la foi : protestantisme et philosophisme. Ils n'apparaissent qu'une fois avec Julien dans les notes de Vigny : voir *M. de Vigny,* p. 151, fragment non daté, qui évoque « trois conversations », et Luther, Voltaire, Julien, tous nostalgiques de poésie (à défaut de foi, je suppose).

seul qui est mentionné dans ce qui est dit de Trivulce ; il n'est plus parlé de Melanchthon ni de Rousseau. Nous avons l'histoire de Julien, mais non plus entrecoupée des réflexions de Stello et du Docteur, comme l'étaient les récits de *Stello* ; nous les voyons seulement agir et converser avant l'histoire, et reparaître brièvement après. En somme, nous nous trouvons en présence d'une Deuxième Consultation avortée et altérée : un seul récit historique au lieu de trois, la partie moderne embryonnaire, et le genre même de l'ouvrage, méconnaissable par rapport au modèle – débat encadrant le récit – qu'avait posé *Stello*. Quant à l'inspiration de ces pages, c'est bien celle que font supposer les fragments du *Journal* : elles nous montrent un Stello occupé d'un nouveau projet, et sollicitant du Docteur une nouvelle discussion, tel en somme qu'il était dans *Stello* ; si le Docteur ne se prononce guère ici, la narration le fait pour lui en apportant un démenti brutal à toute confiance placée dans la foule : car nous ne pouvons interpréter autrement le tableau qui nous est fait de son inculture, de sa violence, et de la dérision dont elle récompense ceux qui se soucient de ses destinées. Ces courtes pages, y compris l'évocation du Christ bafoué par la multitude, disent assez clairement le problème posé, et la réponse négative qu'il appelle.

Les fragments du *Journal* nous permettent peut-être d'éclairer le raccourci énigmatique des pages modernes du manuscrit de *Daphné*. Dans les premiers plans tripartites de la Deuxième Consultation, là où surgit précisément le personnage de Lamuel-Emmanuel, ce personnage est considéré avec une évidente sympathie. S'il a dû être inventé parce que Stello, qui est Vigny, ne pouvait tenir le rôle du Novateur religieux moderne, il est conçu comme son frère et son semblable, livré comme le Poète aux dangers et aux déboires de l'action : « Dans l'*Emmanuel*, écrit Vigny, je dis aux masses ce que j'ai dit dans *Stello* aux hommes du pouvoir : [...] Vous fermez votre cœur et votre porte à ceux qui veulent vous servir et vous épurer et vous élever. Vous les désespérez, par la lenteur avec laquelle vous acceptez les idées [...] Les plus sensibles en sont morts dans l'*action* » ; et encore : « Cet homme, le réformateur religieux dans un siècle froid, sera broyé entre l'*enclume* et le *marteau*, et de son sang sortira l'idée [1]. » L'indication reste celle, comme dans *Stello,* d'une épreuve ou d'un sacrifice fécond à long

---

1. *Journal, Œ. C.,* Pl. II, p. 1054, janvier 1837 : ma seconde citation, *ibid.,* p. 1053, se retrouve p. 1081 [octobre 1837?].

terme [1]. Cependant, tous ces textes ont une arrière-pensée de désastre; ce n'est pas seulement la lenteur de l'action qu'ils évoquent, mais le martyre assuré : « Lamuel, dit le Docteur, vous allez plus vite de deux siècles que les Peuples; ils ne peuvent vous suivre; – vous êtes leur martyr à cause de cela »; et, se tournant vers Stello : « Mais il ne vivra même pas après lui; il meurt ignoré et ne laisse ni les œuvres ni la mémoire de ses paroles et de ses actions [2]. » C'est, ne cesse de dire Vigny en tous ces passages, que la Foule d'aujourd'hui est froide et insensible. Mais si tout espoir de l'enthousiasmer est vain, ceux-là mêmes qui le tentent perdent leur auréole : ils ne sont pas seulement fous, leur agitation est peut-être nuisible, ou leurs mobiles douteux.

C'est ainsi qu'on voit se développer au cours de l'année 1837 du *Journal* une critique du réformateur religieux. Lamuel aurait mieux fait, est-il suggéré dès février, d'être purement poète ou philosophe, et n'a été poussé « dans le flot grossier » de l'action que parce qu'il n'était capable d'être tout à fait ni l'un ni l'autre [3]. La religieuse ignorante est plus vraiment religieuse que lui, qui écrit une artificielle Apocalypse : « les victimes de tout cela » sont les êtres simples de cœur que son exemple entraîne [4]. Est-il poussé par la passion de secourir et de guider l'humanité? « Ce n'est pas cela, dit le Docteur, il se trompe lui-même et sur lui-même » : en fait, il espère dominer par la théocratie [5]. En juillet, Vigny projette de montrer que les réformateurs enthousiastes « jettent les hommes dans des voies malheureuses » : ainsi « Julien, Melanchthon, Rousseau se repentent et souffrent en voyant ce qu'ils ont fait »; Lamuel renonce à toucher au christianisme et meurt de honte et d'effroi [6]. Le seul enthousiasme vrai aujourd'hui, face à la religion

---

1. Voir aussi *M. de Vigny*, p. 152, « Ordonnance », ou les trois réformateurs (Julien, Melanchthon, Rousseau) sont appelés des saints, puis : « Et vous, Emmanuel, jeune et bel ange de dix-neuf années, le ciel vous donnera les palmes divines »; cette invocation se retrouve dans le *Journal, Œ. C.,* Pl. II, p. 1055, « 21 janvier » [1837].
2. *Ibid.,* p. 1063, « 28 mai » [1837].
3. *Ibid.,* p. 1057, « 2 février » [1837].
4. *Ibid.,* p. 1058, « 7 février » [1837].
5. *Ibid.,* p. 1059, « 11 février » [1837].
6. *Ibid.,* p. 1068, « 6 juillet » [1837]. Et voir pp. 1070-1071, « août », une vue sévère sur les trois réformateurs et une oraison funèbre accusatrice de Lamuel mort et de ses semblables par le Docteur; aussi une « Histoire de Lamuel », p. 1077, « 6 octobre » [1837].

des ignorants, est, pour un homme de pensée, celui de la Poésie : « L'art est la religion, le spiritualisme moderne : tendance vers une autre foi. Stello le Poète a l'enthousiasme pur qui se connaît; la religieuse l'enthousiasme pur qui s'ignore, la foi simple, mais illettrée » [1]; entre les deux, il n'y a pas de place pour le réformateur. En somme, la « théosophie », sœur de la poésie au début du projet, est, en cours de route, supplantée par elle; elle se découvre mauvaise rivale, elle s'évanouit [2]. Autrement dit, la Deuxième Consultation s'efface devant sa devancière : elle enjoint au Poète de rester lui-même, comme seule avant-garde religieuse – à très longue distance – de la masse humaine [3].

L'histoire de Julien : Daphné.

Il faut en venir à l'histoire de Julien, qui est une œuvre achevée, et la commenter comme telle, non sans nous demander d'abord comment elle se situe dans le vaste ensemble de fragments que nous avons considérés jusqu'ici. Julien avait intéressé Vigny dès sa jeunesse. Il nous dit avoir brûlé une tragédie de *Julien l'Apostat*, qu'il avait écrite à l'âge de dix-huit ou vingt ans [4]. Julien apparaît dans le *Journal* en 1832, et presque aussitôt après, le projet d'une œuvre portant son

---

1. *Ibid.*, fragment déjà cité du 7 février, pp. 1058-1059.
2. Le Poète doit se guérir de « la Théosophie qui l'égare », *Journal, Œ. C.*, Pl. II, p. 1072 [1837].
3. Ce qu'on vient de lire suffit à suggérer que c'est une indécision de pensée qui a empêché Vigny de concevoir pleinement son Lamuel comme personnage de roman. La situation religieuse du peuple en France le préoccupait fort et, en s'identifiant vaguement aux novateurs possibles en ce domaine, il ne sympathisait aucunement avec ceux qu'il avait sous les yeux, à savoir Lamennais et les saint-simoniens, qui sont ceux à qui il se réfère. De là les multiples silhouettes et biographies différentes de son réformateur qui encombrent le *Journal*. Il attribue à Lamuel une demi-douzaine de fins différentes, et de nombreux avatars : nous connaissons Trivulce; en 1840, c'est un Français qui le remplace; en 1842, Christian, fils d'un banquier juif. Les affabulations et le caractère varient infiniment pour Lamuel comme pour ses successeurs, et le sujet de la Consultation s'y perd. Tôt déjà apparaissent un ouvrier, un bourgeois, un juif. Après 1845, Vigny semble oublier la Deuxième Consultation; il y revient vers 1850, avec des indications d'intrigue, de lieux et de personnages passablement extravagantes. On n'ajouterait rien à sa gloire en les détaillant.
4. *Ibid.*, p. 950 [1832?].

nom pour titre [1]. C'était le temps où Vigny songeait, pour sa Deuxième Consultation, à Astrolabe et au Suicide. Mais le *Julien l'Apostat* qu'il projetait alors n'avait rien à voir avec cette Consultation; c'était un drame, le « drame de Julien », pour lequel il craignit l'obstacle de l'opinion catholique ou de la censure [2]. Entre-temps, il méditait, toujours pour la Consultation, sur la Vie-prison, comme on l'a vu. Un moment vint où Julien, ne pouvant se hasarder sur la scène, envahit la Consultation et en expulsa les sujets envisagés avant lui [3]. Une *Daphné* surgit dans le *Journal*, conçue comme pendant à *Stello*, et où le Docteur Noir mettrait Stello en défiance contre la tentation d'agir auprès des masses [4]. Il y serait question de religion et de morale, sujets que Vigny en était venu à considérer comme les plus importants [5].

Consubstantiels à l'histoire de Julien, ces sujets sont entrés avec elle dans la Consultation pour en constituer désormais toute la trame. Vigny se mit, dès 1835, à appeler *Daphné* toute la Consultation, comme on le voit dans maints fragments de son *Journal* auxquels il inscrit ce titre, même quand ils concernent des parties modernes du projet. Mais il ne pensait pas encore à un plan tripartite [6] : un tel plan, avec l'addition de Rousseau et de Melanchthon n'apparaît dans ses notes qu'au début de 1837, inspiré sans doute par le désir de recommencer l'heureux agencement de *Stello* et de *Servitude*. On a vu comment la nécessité d'y ajouter un « théosophe » moderne embarrassa, et finalement rendit impossible l'exécution de ce plan. Vigny, voyant qu'il n'en venait pas à bout, se résolut à écrire ce à quoi il était depuis longtemps le mieux disposé et préparé, l'histoire de Julien, avec un cadre moderne des plus sobres, empreint du pessimisme et de la réserve auxquels ses réflexions

---

1. *Ibid.*, p. 948, « 30 mars », et p. 951 « 7 avril » [1832].

2. *Ibid.*, p. 980 [mars 1833].

3. Il y eut quelque flottement : voir *Journal, ibid.*, pp. 1014-1015 [octobre 1834], sous le sigle de *Daphné*, des réflexions qui accompagnent d'ordinaire le thème de la Vie-prison (signification désespérée de l'Évangile).

4. *Ibid.*, p. 995, « 1er janvier » [1834].

5. *Ibid.*, p. 998, « 18 mai » [1833] : que le sujet le plus intéressant est l'influence des religions sur la morale.

6. *Ibid.*, p. 1026 [1835] : « Daphné. – Deux lignes parallèles dans la composition : l'époque de Julien et la nôtre, entrelacées par une action double. » C'est bien la structure qu'il maintiendra dans le plan tripartite, mais il ne semble ici, en 1835, envisager encore d'autre histoire que celle de Julien.

avaient abouti [1]. Nous voudrions pouvoir dater exactement ces étapes finales, mais nous n'en avons pas le moyen. Il est probable que l'année 1837 fut décisive. L'histoire de Julien fut sans doute écrite à la fin de 1837 ou en 1838, peut-être plus tôt, ou plus tard [2]; les chapitres modernes qui encadrent cette histoire vinrent probablement ensuite, et il se proposait de les compléter [3]. Tout cela est problématique. Vigny nous dit en 1845 : « J'ai renoncé à achever la Deuxième Consultation »; ce qu'il en avait rédigé – notre *Daphné* – serait donc en tout cas antérieur à cette date [4]. Ce qui est sûr, c'est qu'il s'est refusé à toute publication, malgré les instances répétées de Buloz, directeur de la *Revue des deux mondes,* depuis avant 1845 jusqu'en 1850; il en donne pour raison le caractère « dangereux » de l'ouvrage [5]; peut-être aussi désespérait-il de pouvoir le terminer.

Daphné, trop ignorée du grand public, est peut-être ce que Vigny a écrit de plus beau. Le dernier combat de l'Antiquité païenne contre la religion du Christ y est figuré dans un faisceau d'événements et de pensées où brille d'une lumière unique la tradition de tout un genre. Les « Voyages » antiques éclos dans

1. On peut voir dans l'édition Gregh de *Daphné,* p. xli et p. 222, le texte d'un plan qui est exactement celui de notre manuscrit de *Daphné,* sauf un chapitre sur « Le propriétaire amoureux » (personnage parfois évoqué dans le *Journal*) que Vigny n'a pas écrit, et dont on se demande ce qu'il aurait fait entre Héloïse et Abélard et Trivulce.

2. Il est difficile d'être plus précis : les thèmes relatifs à Julien s'étalent dans le *Journal* depuis 1833 jusqu'aux années 1850!

3. Le personnage de Trivulce, qui y est essentiel, apparaît dans le *Journal* en 1837, selon la datation Baldensperger dans *Œ. C.,* Pl. II; mais chez Ratisbonne et Gregh, le fragment est daté de 1839; BONNEFOY, p. 284, opte pour cette date.

4. Voir le *Journal, Œ. C.,* Pl. II, p. 1232, « août » [1845] : Buloz vient de lui rendre visite et de lui demander la Deuxième Consultation pour la *Revue des deux mondes,* quoique au courant de sa décision négative antérieure; – lettre du 22 février 1849 de Vigny à Buloz (qui a renouvelé sa demande), dans M.-L. PAILLERON, *François Buloz et ses amis,* s.d. [1919], p. 57 : il a brûlé la Deuxième Consultation, bien qu'il ne renonce pas à l'achever [?!]; enfin lettre du 5 février 1850, du même au même, *ibid.,* pp. 60-61 : nouveau refus.

5. C'est le motif qu'il invoque dans les trois textes signalés par la note précédente, quoique, dans le premier, il dise aussi – autre raison – que l'ouvrage aurait pu être interprété comme favorable aux jésuites. Il est vrai que si le peu de catholicisme de Vigny pouvait choquer ou troubler les croyants, ses ménagements envers l'Église et la religion pouvaient aussi bien le faire passer pour un ami des jésuites aux yeux des libres penseurs alors en grand combat contre cet ordre. Et Vigny ne souhaitait ni l'un ni l'autre.

l'inspiration fantastico-érudite du xviiie siècle, *Les Martyrs* de Chateaubriand, l'*Orphée* de Ballanche viennent aboutir à cette œuvre surprenante, dont le ton — couleur et voix — repris des prédécesseurs et souverainement épuré, pénètre et enchante. Une pensée à la fois aiguë et indécise — tel est le paradoxe — y médite avec profondeur sur l'histoire et sur la religion. Le secret par lequel l'art romantique donne figure de poésie aux grands intérêts de l'humanité a produit ici son chef-d'œuvre [1].

Nous sommes au ive siècle, au temps où Julien, qui fut d'abord chrétien (l'Empire romain l'était depuis son oncle Constantin le Grand), s'étant détaché du christianisme et ayant accédé à l'Empire, essaya de rétablir comme religion officielle un paganisme renouvelé, mais mourut dans une bataille en Orient avant d'avoir pu mener à bien cette réforme. Son œuvre et la situation religieuse de ce temps-là sont l'objet des conversations qui ont lieu à Daphné, localité voisine d'Antioche [2], entre le philosophe Libanius, jadis le maître de Julien, et Basile et Jean, anciens condisciples de l'empereur, qui sont les futurs saint Basile et saint Jean Chrysostome. Ce groupe de penseurs païens est préoccupé du destin de Julien. Il les a quittés jadis, et un autre membre du groupe, Paul de Larisse, stoïcien, a vécu avec lui ces années d'absence : séjours à Nicomédie et Athènes, guerres dans l'Empire, élévation au pouvoir suprême, réforme religieuse. Quand *Daphné* commence, Julien et Paul sont encore absents. Les premières conversations auxquelles nous assistons [3] nous laissent entendre que Libanius n'approuve pas

---

1. La tradition des évocations antiques se retrouve chez Maurice DE GUÉRIN, dans *Le Centaure* et *La Bacchante,* mais la sensibilité historique (le souvenir médité d'une époque mémorable) s'en est évaporé : sensible différence.

2. Elle doit son nom au temple qui s'y trouve, dédié à cette Daphné qu'Apollon métamorphosa en laurier.

3. Il faut dire que tout le récit est fait sous forme de lettres, suivant une technique romanesque bien connue; elle est ici toute formelle : ce sont quatre lettres du juif Joseph Jechaïah à son coreligionnaire Benjamin Élul d'Alexandrie, qui n'a aucun rôle dans l'histoire. Vigny a certainement vu dans ce procédé le moyen de faire raconter toute l'histoire par un témoin oculaire (comme le Docteur Noir quand il raconte dans *Stello* l'histoire de chacun des trois poètes), ce qui permet plus de relief et des impressions plus vives dans la narration : les lettres de Joseph, supposé avoir ses entrées chez Libanius, qui le connaît et l'estime, sont d'un homme honnête et sensible; mais il y a, surtout à la fin, des traits conventionnellement attribués aux juifs, l'obsession prétendue du commerce et du gain, la conviction qu'Israël est destiné à dominer le monde par l'argent : imputations antisémitiques plus ou moins anciennes déjà au temps de Vigny, et destinées, comme on sait, à une longue carrière; cette fâcheuse postérité empêche

la réforme de Julien. Ses interlocuteurs en sont fortement surpris. Julien, qui revient inopinément à Daphné avec Paul, et qui s'attendait à des éloges pour son action, est affligé de la sombre réception et des critiques de son maître. Un débat dramatique entre les deux hommes dévoile les raisons pour lesquelles Libanius lui conseille de laisser plutôt le chemin libre au christianisme. Julien finit par se ranger tristement aux arguments de son maître, prononce une première fois le légendaire : « Tu l'emportes, Galiléen! » et part pour la guerre. Nous apprenons ensuite qu'il a répété cette formule avant de mourir sur le champ de bataille, et aussi que Paul de Larisse, du seuil du temple de Daphné, a défié un cortège chrétien dans l'intention de mourir, et qu'il a été massacré et le temple détruit.

Il convient, quand on veut démêler le sens de cette histoire, de procéder avec précaution, en se rendant bien compte que *Daphné* n'est pas susceptible d'une moralité actuelle aussi évidente que les récits de *Stello* et de *Servitude*. La raison en est d'abord, que le héros principal ne relève pas d'un type auquel Vigny pourrait s'identifier aussi intimement qu'à Stello, à Chatterton ou au capitaine Renaud. Malgré un moment initial d'élan vers la foule, Stello-Vigny est, peut-on dire, gagné d'avance aux objections que le Docteur Noir pourrait opposer au projet de Julien, et qu'en effet formule victorieusement Libanius : Julien fait fausse route en croyant pouvoir, par la vertu d'une réforme, réconcilier dans une même religion le poète et la foule. Julien réformateur n'est pas Vigny; le Julien auquel Vigny peut s'identifier, c'est le penseur et l'amant de l'idéal [1]. Chrétien dans son adolescence, il entre en extase dans la prière [2], et il n'en vient à renier le christianisme que parce que le triomphe de l'hérésie arienne dans l'Empire annule à ses yeux la divinité de Jésus-Christ et rationalise le dogme. Ayant entendu prêcher Aétius, évêque arien, il s'écrie : « Où est mon Dieu? Qu'avez-vous fait du Dieu [3]? » Ce n'est donc

---

de les trouver anodines. Elles sont beaucoup plus appuyées dans le texte séparé qui s'intitule « De plusieurs choses judicieuses que disait le Juif » (reproduit dans *Daphné*, éd. Fr. Germain, pp. 384-386); ce juif-ci ne semble pas être Joseph Jechaïah, mais quelque personnage des multiples plans et ébauches de la Deuxième Consultation; la date de ce texte n'est pas connue.

1. C'est en sens que Vigny peut écrire de Julien : « Si la métempsycose existe, j'ai été cet homme » (*Journal, Œ. C.,* Pl. II, p. 988 [1833]).

2. *Daphné*, pp. 326-328 (grand récit de Basile de Césarée).

3. *Ibid.,* pp. 332-333 (même récit). L'arianisme, qui nie l'identité d'essence

pas seulement le philosophe en lui qui échoue auprès des masses, c'est l'âme fervente, que son vol ordinaire emporte trop haut pour le commun de l'humanité. Libanius le juge bien ainsi : « Il est difficile de dire à quel point il lui est naturel de vivre dans les régions divines [...] Si jamais une pensée eut des ailes, c'est assurément la sienne [1]. » Il ressemble en cela au Chatterton de *Stello,* qui définit son âme un oiseau envolé qui ne s'abattra que pour mourir [2]. Ce sont là des figures de Vigny lui-même, pour qui il n'est de philosophie qu'intimement enthousiaste, et par là antipathique à la foule : « Les âmes capables d'adoration et d'extase ont été toujours disproportionnées, et mal comprises par les hommes [3]. » Tout le groupe de Daphné est composé d'« âmes choisies, en qui la Destinée a mis dès l'enfance le sentiment du Vrai, du Bon, du Beau et de toutes les perfections que notre intelligence s'épuise à nommer d'appellations célestes pour y faire monter le vulgaire »; ils sont les dépositaires de la « Raison venue du ciel », rayon du Verbe descendu parmi eux et qu'ils ont la mission de perpétuer [4], philosophes du divin, qui ne savent pas mettre en opposition le rationnel et le céleste. Celui qui dit ces choses est Libanius, ce double du Docteur Noir, qui comme lui s'en prend, on le voit, non à l'idéal, mais au projet de le faire partager à la foule. Julien et Paul se désabusent d'un tel projet, et sont grands parce qu'ils décident de mourir pour l'avoir reconnu impossible [5]. Tel est l'essentiel de l'histoire de *Daphné.*

Une fois la foule exclue du débat et si l'on considère Julien et Vigny dans leur foi intime, peut-on les dire frères? Julien fait figurer, dans la religion qu'il institue, entre Dieu et le monde, un divin Soleil-Roi, créateur d'anges solaires, dont il

du Père et du Fils, était en effet la doctrine officielle de l'Empire sous Constance (317-361), cousin de Julien et son prédécesseur à l'Empire; cette doctrine, en diminuant le Fils, pouvait sembler rationaliser et annuler religieusement le christianisme. – Cet épisode est annoncé dans le *Journal, Œ. C.,* Pl. II, p. 1059 « 11 février » [1837] : « Julien est fervent, mais quand il découvre l'Arianisme, il s'éloigne et revient au Platonisme. »

1. *Daphné,* pp. 340-341. Quinze ans après, Vigny voit toujours en Julien un mystique : voir *Journal, Œ. C.,* Pl. II, p. 1289, « février » [1852].
2. *Stello,* chap. xv, pp. 45-46, dans la lettre de Chatterton à Kitty Bell.
3. *Journal, Œ. C.,* Pl. II, p. 1068, « 6 juillet » [1837].
4. *Daphné,* pp. 361 et 365, exorde du grand discours final de Libanius.
5. C'est certainement le cas de Paul de Larisse, qui, ayant maudit la foule et l'espoir qu'il avait mis en elle, va provoquer les chrétiens à le tuer; pour Julien, on suppose qu'il a aussi cherché la mort au combat : voir *Journal, Œ. C.,* Pl. II, p. 1039 [1836].

donne les noms. Comment l'entend-il ? Vigny dans quelques lignes fugitives de son *Journal,* lui fait dire : « Ils ont pris au sérieux tout ce que je leur avais dit, et prenant le corps de mon idée, ils en ont perdu tout à fait l'essence [1]. » S'il en était ainsi, la religion de Julien serait une Idée symbolisée, ce qui est, pour Vigny, la définition même de la poésie, et spécialement de la sienne propre. Mais le même Vigny, par la bouche de Libanius, analyse tout autrement la théologie de Julien. Il est vrai que Julien est plus poète que croyant. « C'est vraiment par un sentiment purement poétique que tu t'es exalté, Julien [...] Tu n'as pas plus que nous, pour ces Symboles, cet amour sincère dont la voix est la prière. » Mais Julien s'est pris à son propre jeu : « Tu t'es pris les pieds dans le filet que tu avais tendu, tu t'es enivré du vin que tu leur avais préparé, tu l'as pris en goût [...]. » Il y a, en somme, deux sortes de symboles, ceux du poète, qui font vivre des enseignements sans prétendre représenter des êtres réels, et ceux des religions, qui montrent des dieux. Les contemporains de Julien ne croient plus aux dieux, ni ne croient possible qu'on y croie; Julien a voulu se convaincre qu'il y croyait : « Il se trouve ainsi que tu croyais agir sur la multitude des hommes, tu n'as agi que sur toi-même [2]. » Tel sera tout poète qui prétendra, en un siècle de froideur, prêcher une nouvelle religion : chimérique dans son entreprise, et menteur à sa propre pensée. Là est le péché de Julien, et ce qui, nous devons l'admettre, sépare Vigny de lui.

DAPHNÉ et la France moderne.

Le contenu de *Daphné* n'est pas épuisé par ces mises en garde négatives. Si le Poète-penseur ne doit pas entreprendre d'agir religieusement sur la foule, sera-t-il pour autant sans relation avec elle ? et où trouvera-t-elle ses guides ? *Daphné* ne laisse pas ces questions sans réponse; mais l'Ordonnance qu'elle contient implicitement est obscurcie par le fait que c'est un tableau historique en même temps qu'un récit à moralité. Vigny, méditant sur les relations du poète et de la foule, s'est trouvé entraîné dans un grand sujet d'histoire : celui de la

---

1. *Ibid.,* p. 1065 [1837] « Julien » (à propos d'un sacrifice d'éléphants à Neptune).
2. *Daphné,* pp. 358-359 (grand discours final de Libanius).

rencontre du monde païen avec le christianisme. Ce sujet tend naturellement, dans la littérature des nations chrétiennes, vers une apologie du christianisme comme nouvelle étape de l'humanité, supérieure à la précédente : il en est ainsi dans *Les Martyrs* de Chateaubriand, et dans maint ouvrage plus proche de nous. Il est clair que cette moralité est absente de *Daphné*. Auprès de l'incomparable groupe païen de Daphné, le christianisme ambiant, dans ce ive siècle, est décrit comme spirituellement misérable. La foi s'est déjà refroidie, les femmes d'Antioche et de Nicomédie mettent à profit la liberté chrétienne pour se livrer au luxe et à la débauche ; les chrétiens sont des courtisans efféminés ou des moines brutaux ; les diverses sectes de la religion du Christ s'exterminent les unes les autres ; les évêques d'Égypte adorent à la fois Jésus et Sérapis, les théologiens nient la divinité de Jésus : on ne peut imaginer de pire tableau de ces débuts de l'Église triomphante, objet habituel d'une légende toute contraire. Les seuls chrétiens convaincus sont les Barbares « stupides et féroces », sous les coups desquels va s'anéantir la civilisation antique. Julien mort, ce sont ces Barbares qui, les seuls du cortège chrétien apostrophé par Paul de Larisse, entendant dire qu'il blasphémait le Christ, osent aussitôt le lapider et incendier le temple de Daphné. Il faut lire les sarcasmes que Paul leur adressait pour provoquer leurs coups : « Vous êtes vainqueurs, comme votre Galiléen, parce qu'il s'était proportionné à vous et vous a dit des choses grossières comme vos regards, vos formes, vos actions, vos sentiments et vos idées [...]. Troupeau aveugle, fais périr tout ce qui avait embelli et parfumé la terre, fais périr l'idéale Beauté, l'idéale Vertu, l'idéal Amour [1]. »

Il est clair que Vigny prend à son compte les invectives du philosophe contre la foule chrétienne, non pour préférer une religion à l'autre et mettre le monde païen au-dessus du monde chrétien [2], mais parce qu'elles expriment l'éternelle opposition du Poète et de la Foule. Cependant cette moralité est incomplète si on n'y ajoute qu'une foi aveugle et impulsive est la seule forme de vie spirituelle que les masses puissent connaître. Cette idée est celle qui domine toute l'argumentation de Libanius contre la réforme de Julien : dans un monde refroidi et inca-

---

1. *Ibid.*, p. 378.
2. On ne voit nulle part une telle intention dans *Daphné* ; Vigny n'y fait pas le panégyrique du paganisme sur le mode parnassien. En fait le débat des deux religions, sujet apparent de son récit, n'est pas le sien.

pable d'aucune ferveur, la foi des Barbares est l'unique alternative à l'universelle décadence morale; face à une théologie sans foi et à l'invasion des intérêts matériels, elle représente le seul salut possible. Cette pensée, appliquée au ive siècle, relève de la philosophie de l'histoire : les Barbares ont vivifié et sauvé le christianisme. Mais que Vigny adhère ou non à cette vue historique souvent discutée, ce n'est pas vraiment elle qui l'intéresse, mais plutôt de savoir de quelle application elle est susceptible dans la France de son temps sur laquelle il médite. Or, il n'y a rien de comparable en France à la situation de *Daphné,* au heurt d'une religion ancienne avec une nouvelle; toutes les tentatives d'introduire de nouveaux cultes ou credo avortent sous Louis-Philippe; le public ne les prend pas au sérieux. Ce qu'on peut voir en France, c'est une vieille religion, affaiblie, un refroidissement des croyances et de l'énergie spirituelle, et un « matérialisme » général qui menace. À la question : « Comment ranimer la foi? » on ne saurait répondre : « Par des systèmes religieux nouveaux », mais plutôt : « En allant au peuple, en encourageant ce qui reste de foi simple et forte au fond de lui. » Vigny nous dit qu'il a cru un moment Lamennais capable de tenter cette entreprise : « Je voyais Lamennais comme un prêtre, qui, sentant que le Pape et les Rois laissent tomber la croix, a eu l'idée de la porter dans le camp des Barbares et de l'y planter, comme firent les Chrétiens du temps du Bas-Empire [1]. » Il écrit cela en un temps où Lamennais ne lui inspirait plus aucune sympathie, en se reportant à l'époque où il l'avait considéré apparemment avec faveur [2]. Retenons qu'il ne voyait d'avenir pour la foi en France que dans le peuple. Mais la foi du peuple ne va pas sans images

1. *Journal, Œ. C.,* Pl. II, p. 1033, « 7 novembre 1835 ». C'était un lieu commun à cette époque de comparer aux invasions barbares du haut Moyen Âge l'irruption moderne du peuple sur la scène de l'histoire. On trouve cette pensée chez Mme de Staël, Ballanche, Quinet, et bien ailleurs, avec des intentions diverses, favorables ou hostiles à la poussée moderne des masses.

2. Aussitôt après les lignes citées ci-dessus, il enchaîne sur son peu d'estime actuel (en 1835, après les *Paroles d'un croyant*) pour Lamennais : « Les Barbares sont les gens de la plus basse populace qu'il veut révolter ou aider à se révolter pour fonder sa Théocratie, façonnée en inquisition dans Joseph de Maistre. » Ces réflexions sur Lamennais apparaissent dans le *Journal* à l'occasion d'une conversation avec Sainte-Beuve, dont il semble donner un peu plus loin l'opinion sur Lamennais : « un colérique et haineux prêtre, remarqué par les Saint-Simoniens, et ne sachant où il va ». Sur l'amalgame Lamennais-saint-simoniens, voir plus haut, n. 2, p. 203; il est douteux que Sainte-Beuve en soit l'auteur; il était trop bien informé pour cela.

ni superstitions : « Par quel oracle, par quel messager, dit Libanius, le ciel nous avait-il promis qu'un jour tous les hommes arriveraient à marcher seuls et sans être soutenus par des poupées divines [1] ? » Ces « poupées », le peuple les trouve en France dans la religion des aïeux : « Le Christianisme est un fruit à la portée de la faiblesse. La faiblesse est éternelle, et il sera éternellement bon à l'éducation toujours nécessaire des masses faibles et des Barbares toujours renaissants [2]. » On voit moyennant quel changement de point de vue et quels correctifs, ici comme dans le cas du personnage de Julien, l'enseignement de *Daphné* peut être appliqué à la France moderne. Il faut ajouter que l'énergie populaire au temps de Vigny ne s'employait guère en France au service de la foi, mais plutôt, comme il apparaît dans la partie moderne de *Daphné* même, à la fête ou à l'émeute. Vigny n'attend certainement pas du peuple français le genre d'intervention que Libanius prête aux Barbares. Il croit seulement sage de ne pas interdire à ce qui reste de foi dans ce peuple d'exercer encore sur lui, en l'absence d'autre recours, une action moralisatrice.

La condition des masses fait obligation au sage de ne pas leur prêcher sa propre religion. Non seulement il ne serait pas entendu d'elles, mais il les troublerait dans leur foi. Commentant la mort de Julien, qu'il croit volontaire, Libanius dit : « Il s'est retranché lui-même, comme on détruit une digue, dont l'usage est reconnu pernicieux après une épreuve [3]. » On a vu que, selon Vigny, tous les réformateurs religieux de la Deuxième Consultation devaient être frappés de remords de ce qu'ils avaient fait, et comment, pour éviter sans doute le même remords, il renonça lui-même à publier *Daphné*. Les sages, ou les forts, comme dit Vigny, se tiendront-ils donc, en matière religieuse, absolument séparés de la foule? Il faut bien pourtant que cette foi, qu'il convient si impérieusement de maintenir vivante, soit, en quelque chose, au moins, semblable chez le poète et dans le peuple. Il arrive que Vigny la définisse « la Foi en un monde surnaturel et mystique, sans laquelle il n'y a pas de religion et la terre retombe dans le matérialisme » [4].

1. *Daphné*, p. 365.
2. *Journal*, Œ. C., Pl. II, p. 1072 [1837].
3. *Daphné*, p. 374. Il compare Julien à une digue, dans le projet qu'il a eu de contenir l'invasion de la nouvelle foi chrétienne, populaire et barbare.
4. *Journal*, Œ. C., Pl. II, p. 1289, « février » [1852] : Vigny fait ici honneur à Julien d'avoir voulu défendre cette foi. Mais voir G. BONNEFOY, *op. cit.*, pp. 369-

Le poète rejette les « poupées » des religions, et aussi, à ce qu'il semble, le Dieu qu'elles adorent; et cependant il appelle « divin » ce qu'il cherche et honore, et réprouve ceux qui délaissent cette quête et ce culte. Ainsi le poète et la foule, qui ne peuvent s'entendre, tendent au fond vers la même chose. Il ne peut donc s'agir pour le poète de se détourner des hommes : « Si tout le monde fait ainsi, dit Libanius, notre trésor va périr, Julien, et tu sais ce que c'est que le Trésor de Daphné : c'est l'axe du monde, c'est la sève de la terre, mon ami, c'est l'élixir de vie des hommes, distillé lentement par tous les peuples passés pour tous les peuples à venir : c'est la morale [1]. »

C'est donc la morale qui est le bien commun et le lien d'entente le plus certain du penseur et de la foule. On l'entendait déjà ainsi au siècle des Lumières, quand les Philosophes admettaient pour le service de la morale la religion du peuple, qu'ils pensaient eux-mêmes avoir dépassée. Sur ce point Vigny, comme beaucoup de ses contemporains, semble l'héritier du siècle précédent. La différence est le rôle nouveau que le romantisme, en reprenant ce dispositif de pensée, y fait jouer à la poésie. Les Philosophes donnaient déjà à la vertu une auréole de sentiment par laquelle la morale cessait d'être la partie prosaïque de la religion pour devenir charme et religion elle-même. Mieux, le mot d'« enthousiasme » confond déjà, chez Mme de Staël, la terre et le ciel. L'intervention du Poète romantique achève de transfigurer le paysage. Chez Vigny, la Poésie, « enthousiasme cristallisé » [2] en inoubliable parole, fait plus qu'exalter le bien; elle « divinise la conscience » [3]. Renversant la hiérarchie traditionnelle, elle gouverne les besoins spirituels les plus hauts, les rêves de l'homme, ses émotions et ses vertus; elle laisse à la religion les prestiges problématiques et la décoration matérielle. Ce à quoi Vigny se réfère quand il parle de morale, ce n'est pas seulement à la pratique du bien et du mal, mais au désir qui nous porte au-dessus de l'existence brute, plus haut que nous-mêmes, et qui, dans la pensée poétique, se manifeste plus dépouillé et plus pur que dans les

---

372, des fragments inédits du *Journal* datant de 1853, où la défaite de Julien est expliquée, très chrétiennement, par le martyre des saints et la vertu de leur sang versé : façon de penser exceptionnelle chez Vigny.

1. *Daphné*, p. 362.
2. *Journal*, Œ. C., Pl. II, p. 1078 [1837].
3. *Ibid.*, p. 1074 [1837] : « *Daphné*. – Diviniser la conscience. »

religions [1]. Ce n'est donc pas par rhétorique que la morale est chez lui l'objet de métaphores prestigieuses. On l'a vu dans le langage qu'il prête à Libanius, davantage encore dans le symbole qu'il lui fait développer : la morale est comme la momie embaumée qui conserve dans sa poitrine un rouleau de papyrus où sont écrites « quelques brèves maximes qui peuvent exprimer tout ce qu'ont imaginé les hommes jusqu'à ce jour pour tâcher de se rendre meilleurs »; momie et papyrus sont inaltérables, grâce à un cristal protecteur aux multiples reflets sur lequel sont gravés et peints des caractères sacrés : les dogmes religieux sont ce cristal, la momie et son papyrus sont la tradition morale de l'humanité. « Quand le cristal se brise ou s'altère, le trésor public est en danger, et il faut qu'un autre cristal, porteur de nouvelles lueurs et de signes nouveaux vienne le remplacer [2]. » Un autre symbole est celui de la poudre de diamant : « Les religions sont des œuvres de poésie. Elles élèvent des temples à une idée pour la faire voir de loin, et la conserver dans le trésor de la morale. Le temple vieillit, s'écroule et laisse voir l'idée dans ses ruines, pareille à une poudre de diamant [3]. »

La Première Consultation, en mettant le poète en garde contre la politique active, ne déniait pas à ses pensées et à ses rêves une action, au moins future, sur la société. Une telle action était même tenue pour hautement souhaitable, si l'on en juge par la défaveur absolue qui semble frapper, dans cette œuvre, les pouvoirs politiques officiels. Traitant, non plus de politique, mais de religion, la Deuxième Consultation semble singulièrement plus réservée quant à la mission humaine du poète. L'Ordonnance du Docteur Noir devait y être assurément

1. *Ibid.*, p. 1077, « 13 octobre » [1837] : « Le monde se refroidit. Le feu sacré de tous les enthousiasmes s'est réfugié dans les Poètes. »

2. *Daphné*, p. 363.

3. Je cite d'après un fragment du *Journal* (Œ. C., Pl. II, p. 1140, « 4 juin ») qui est classé sous l'année 1840, mais dont une première version, très analogue, figure en deux fragments séparés, *ibid.*, p. 1014 (début) et 1013 (fin) sous l'année [1834]; on en trouve encore une version plus détaillée, datée du « 4 juin 1848 », et présentée comme un plan de poème, dans les *Mémoires*, p. 435. Dans ce symbole, la distinction est moins nette entre poésie et religion; Vigny semble les assimiler l'une à l'autre en écrivant : « Les religions sont des œuvres de poésie »; mais la religion prétend être plus qu'une poésie : une vérité; et c'est ce privilège qu'il dénie à ses dogmes et histoires (ses temples) en ne voulant considérer en elle que le trésor de la morale. Dans le symbole de la momie, sa pensée est plus affinée et plus complète.

plus négative, et l'action du poète jugée d'autant plus inopportune qu'un rôle positif était reconnu, en ce domaine, à l'Église de la foule : au niveau médiocre en effet, qui est celui des masses, elle est acceptée comme la seule gardienne possible du feu sacré de l'Esprit. Le Poète, détenteur des vraies valeurs, et cultivant loin de la foule l'idéal le plus pur et l'approximation la plus haute de la vérité, risque, dans ces conditions, de prendre figure d'exilé ou de Narcisse. Or Vigny, qui semble parfois assumer une telle situation, y répugne en réalité profondément. Il y serait contraint si le trésor de la morale était immuable, et la foule non moins immuablement incapable d'en éprouver la sainteté sans l'entremise des imaginations religieuses. Mais en réalité, le trésor que la religion protège est un trésor changeant. L'éternelle morale est une morale en progrès : d'une religion à l'autre, le patrimoine de préceptes fondamentaux tend à se modifier et à s'épurer. Dans l'esprit de Vigny, ce progrès est dû aux efforts des penseurs, représentants de l'Esprit pur. C'est sa lenteur, et le fait qu'on ne peut sans danger vouloir en accélérer la marche, qui créent l'impression de l'immobilité [1]. Mais Vigny ne croit pas plus qu'aucun de ses contemporains à cette immobilité. En ce sens la Première Consultation et la Deuxième relèvent de la même philosophie.

---

1. Les textes qui développent le symbole de la poudre de diamant sont significatifs à cet égard; dans toutes les versions est énumérée une succession historique des religions : de telles énumérations, à cette époque, procèdent d'ordinaire d'une vue progressive. D'autre part, ce symbole se continue chaque fois par un autre, tout différent, mais qui figure indiscutablement le progrès : « Les religions sont les verres de la pendule. La pendule est la morale » (*Œ. C.*, Pl. II, p. 1013); « Les religions sont les verrous *(sic)* qui recouvrent l'horloge. L'aiguille est lente » (*ibid.*, p. 1140; même texte dans *Mémoires*, p. 436, mais variante correcte : « les religions sont les verres », etc.).

V

LE RECUEIL DES *DESTINÉES*

Vigny s'était fait connaître dès 1822 par un recueil de *Poèmes* qui, augmenté et réédité plusieurs fois jusqu'en 1859, ne contient rien qui soit postérieur à 1831 [1]. Le genre de poésie, les formes de composition et les pensées propres à Vigny se laissent déjà clairement apercevoir dans ces *Poèmes antiques et modernes,* titre adopté finalement par leur auteur [2]. Il ne revint à la poésie qu'en 1838, après la lassitude que commençait à lui causer l'enfantement laborieux et hésitant de sa Deuxième Consultation. Entre 1838 et 1863, année de sa mort, il élabora un nouveau recueil, intitulé d'abord *Poèmes philosophiques* : ce sont onze pièces, rassemblées en 1864 dans le recueil posthume qu'il avait fini par intituler *Les Destinées.* Par ces poèmes s'accomplissait, mieux que par aucune autre de ses œuvres, la mission qu'il croyait être la sienne. Car la poésie était pour lui la forme durable et mémorable de la pensée, le diamant qui, au long des siècles, abrite et exalte l'idée : « Oui, la poésie est une volupté, mais si c'est une volupté couvrant la pensée et la rendant lumineuse par l'éclat de son cristal conservateur, qui l'empêchera de vivre et d'éclairer sans fin ? » Vigny projeta à un certain moment de conclure le recueil par un « hymne à la poésie » [3].

Ce recueil de « poèmes philosophiques », divers par le ton et les sujets, Vigny aurait voulu en faire la somme organisée de sa prédication poético-philosophique; le lecteur devait y

1. Le recueil était déjà à peu près complet dans les deux éditions de 1829.
2. Voir *Le Sacre de l'écrivain,* pp. 353 et suiv., 369 et suiv.
3. *Mémoires,* pp. 430-431. Cet hymne a finalement pris place dans la deuxième partie de *La Maison du berger.*

trouver ce Livre des Temps modernes que chaque poète romantique a rêvé de laisser au siècle. À cet effet, Vigny projeta d'abord d'intercaler ses poèmes, au nombre de cinq à l'origine [1], dans une suite de « Lettres à Eva », dont il n'existe que des fragments; ces lettres, fournissant une ouverture au recueil et une transition d'un poème à l'autre, devaient faire apparaître l'ensemble du recueil comme une méditation suivie. Ce projet de lettres s'est mêlé, dans des conditions chronologiques et logiques difficiles à préciser, avec celui d'un poème lyrique auquel il destina le titre de *La Maison du berger*; l'ensemble aboutit au poème que nous avons sous ce titre, et qui a la forme d'un discours lyrique en trois parties; ces parties étaient d'abord désignées dans le manuscrit comme trois Lettres, avant que le poème entier ne fût sous-titré « Lettre à Eva », comme il l'est aujourd'hui : Vigny avait donc renoncé à la disposition alternée lettres-poèmes; *La Maison du berger* ne devait plus être que le Prologue de ses cinq poèmes [2]. Il projeta longtemps de conclure le recueil par une « Réponse d'Eva », qui en ferait ressortir l'unité en rattachant cette fois le sujet de chaque poème à l'idée première de l'indifférence divine, thème de l'un d'eux, *Le Mont des Oliviers*; mais il ne réalisa jamais ce projet [3]. Les plans du recueil que Vigny traça beaucoup plus tard, en 1856 et 1862, n'apportent aucune innovation; il ajoutait seulement ou intercalait deux poèmes composés plus récemment [4].

La disposition restait donc essentiellement la même. Elle avait failli être bouleversée par l'irruption d'un nouveau thème vers 1847 : celui du couple de concepts Fatalité-Grâce, absent des poèmes précédents. Sur ce thème Vigny composa entre 1847 et 1849 le poème des *Destinées*; mais ce poème étant resté le seul de cette famille, la nature et l'ordonnance du

---

1. C'étaient *La Mort du loup, La Colère de Samson, Le Mont des Oliviers, La Flûte* et *La Sauvage*; ces poèmes furent publiés en 1843 et 1844 dans la *Revue des deux mondes*, sauf *La Colère de Samson* qui devait rester inédit jusqu'au recueil posthume.

2. Il parut après les autres, le 15 juillet 1844, dans la *Revue des deux mondes* également.

3. Nous n'avons de la « Réponse d'Eva » que deux esquisses : on peut voir l'une dans la *Revue d'histoire littéraire de la France*, t. 38 (1931), p. 74 et suiv., l'autre dans les *Mémoires*, p. 430. Il existe un autre texte qui résume et enchaîne de la même façon la matière des poèmes (voir *M. de Vigny*, p. 84).

4. *La Bouteille à la mer* et *Wanda*; les deux poèmes ont été achevés vers la fin de 1847.

recueil ne put en souffrir gravement [1], sauf que Vigny, sensible
à la majesté théologico-métaphysique de ce poème, le jugea
digne d'ouvrir le recueil et de lui donner son titre. *La Maison
du berger* était ainsi éclipsée dans son rôle de prologue. Le fait
est que Vigny, en fin de compte, renonça, semble-t-il, à toute
idée d'« enchaînement » dans la structure de son volume, si
l'on en juge par la table des matières autographe, datée du
27 mai 1863, selon laquelle Ratisbonne édita *Les Destinées*
telles que nous les lisons [2]. Les cinq poèmes les plus anciens y
font bloc après les deux poèmes-prologues, mais *Le Mont des
Oliviers,* si souvent donné comme la racine philosophique des
quatre autres, y est cette fois placé le dernier des cinq. Les
deux poèmes déjà rajoutés à ce groupe viennent à sa suite;
deux autres, tous récents, de 1862 et 1863, prennent place,
pour de bonnes raisons, l'un avant les sept poèmes, l'autre
après eux, fermant le recueil [3]. Il semble qu'une considération
métrique ait influencé cette classification finale [4] : sur les onze
poèmes, les trois du début sont en strophes (*terza rima* ou
septains), les cinq suivants en alexandrins à rimes plates, les
trois derniers de nouveau en septains [5].

Remarquons pourtant qu'un élément essentiel de la composition du recueil a persisté à travers les changements : le motif
de la maison roulante où le poète invite Eva à le rejoindre
dans une campagne retirée, et les voyages imaginaires qu'il lui

1. Dans un plan de 1847, le recueil devait s'organiser en deux parties : Fatalité
et Grâce, ce qui aurait exigé des poèmes nouveaux et l'abandon du projet en
cours d'accomplissement jusque-là; ce plan n'a pas été suivi d'effet.

2. On peut lire cette table dans la nouvelle édition des *Œuvres complètes* de
Vigny, publiée dans la Bibliothèque de la Pléiade par Fr. Germain et A. Jarry,
t. I, p. 284.

3. *Les Oracles,* poème écrit probablement dans les premiers mois de 1862, est
une sorte de suite, adressée à Eva, de *La Maison du berger,* et trouve naturellement
sa place aussitôt après ce poème; *L'Esprit pur,* en 1863, est un testament de
poète, une pièce finale par nature.

4. Je ne fais que reprendre ici la remarque très judicieuse de Jean-Pierre Picot
dans son article sur *Nature et Société dans* Les Destinées *d'Alfred de Vigny,
Romantisme,* n° 33, 1981, p. 20.

5. Pour plus de détails et de références sur cette question de la genèse et de
l'organisation du recueil des *Destinées,* je me permets de renvoyer le lecteur à
mon article de la *Revue d'histoire littéraire de la France* de janvier 1980, pp. 41-
64. Voir aussi sur ce sujet l'édition G.-J. des *Œ. C.,* t. I, p. 1030 et suiv., et
aussi *ibid.,* pp. 272-287, la somme des fragments et plans intéressant le sujet
précis de la genèse des *Destinées* (cette édition vient de paraître au moment où
j'écris; je maintiens, dans la fin de ce chapitre, mes références à l'ancienne, sauf
indication expresse).

promet, les « tableaux » d'époques et de lieux lointains qu'il
déroulera devant elle, et qui sont les poèmes du recueil :

> *Viens, du paisible seuil de la maison roulante,*
> *Voir ceux qui sont passés et ceux qui passeront.*
> *Tous les tableaux humains qu'un Esprit pur m'apporte*
> *S'animeront pour toi quand, devant notre porte,*
> *Les grands pays muets longuement s'étendront* [1].

Cet agencement de l'ouvrage, si explicite dans les « Lettres à
Eva », ne persiste plus ici que de façon fugitive, dans quelques
vers; mais ce qu'indiquent ces vers importe plus que toute
autre perspective de composition des *Destinées* : les poèmes
valent par l'amour qui est supposé les avoir fait naître et par
l'enseignement qu'une femme aimée peut y trouver.

Considérés quant au genre poétique dont elles relèvent, les
pièces qui composent *Les Destinées* apparaissent dans leur majorité comme des « poèmes » proprement dits, au sens que l'on
donnait alors à ce mot, c'est-à-dire comme des histoires en
vers; et ces histoires, dans la manière habituelle de Vigny,
comportent une moralité philosophique. Dans ce sens on peut
dire que les poèmes de Vigny sont symboliques, non qu'ils
évoquent des analogies ou correspondances de l'univers, mais
en ce qu'ils présentent des fictions portant enseignement. Certains d'entre eux racontent, en leur donnant un sens tout
moderne, des fables sacrées, tels *La Colère de Samson, Le Mont
des Oliviers,* ou en inventent comme le poème des *Destinées*;
d'autres évoquent des épisodes de la vie actuelle vécus ou
imaginés, fables morales au sens le plus commun, modèles de
cette poésie grave de l'actuel et du quotidien, qui fut la grande
création du xixe siècle : ainsi *La Sauvage, La Mort du loup, La
Flûte, La Bouteille à la mer, Wanda.* Quelques-uns seulement,
étrangers au genre narratif, relèvent plutôt de l'« élévation »,
comme Vigny la concevait avant 1830 [2], genre peu différent,
quand Vigny ne l'incline pas vers le récit, de l'ordinaire « méditation » ou « contemplation » romantique : ainsi surtout *La
Maison du berger;* ainsi *L'Esprit pur,* effusion et profession de

---

1. *La Maison du berger,* avant-dernière strophe.
2. Il y songeait encore en 1835 : voir sa lettre à Sainte-Beuve du 15 octobre
1835, *Corr.,* éd. B.-C., p. 404.

foi terminale [1]. Aucun de ces trois types de poésie, récits légendaires, épisodes actuels, élévations lyriques, n'était nouveau dans l'œuvre de Vigny : tous trois se partageaient déjà les *Poèmes antiques et modernes*; ils se retrouvent dans *Les Destinées* [2].

L'homme et Dieu.

Commençons par les poèmes les plus anciens, et d'abord celui dont les autres, selon Vigny, dérivaient logiquement. L'absence divine étant pour Vigny l'évidence première de la condition humaine, c'est de là que doit partir la ligne de conduite qu'il nous trace.

LE MONT DES OLIVIERS [3]

Figurer cette condition de l'humanité dans la personne de Jésus, et l'homme privé de Dieu dans le Christ au Mont des Oliviers, telle est l'idée génératrice du poème. Vigny, fidèle au procédé qu'il avait employé longtemps auparavant dans *La Fille de Jephté* et dans *Moïse,* conservait l'affabulation d'un épisode du texte sacré en lui donnant un sens tout différent : l'Écriture romantique, en répétant l'Écriture sainte, dit autre chose, et les précautions dictées par le respect ou les convenances n'atténuent pas la liberté prise. Vigny essaie sans doute de garder les dehors du dogme :

1. Je ne mentionne pas dans cette revue *Les Oracles,* qui relèvent du genre de la haute satire, dont on voit déjà quelque chose dans *La Maison du berger,* et auquel Vigny consacra plusieurs projets de poèmes à partir de 1847 et dans les années 1850.
2. Depuis l'édition Ratisbonne, plusieurs éditions notables des *Destinées* ont paru : celles de Baldensperger sous le titre de « Poèmes philosophiques » en 1914 (vol. *Poèmes* de l'édition Conard des *Œuvres*) et 1948 (Bibliothèque de la Pléiade, vol. I), les éditions critiques d'Edmond Estève, Paris, 1914 – de V.-L. Saulnier, Paris, 1947 – de Paul Viallaneix, Paris, 1983 – celle enfin, qui vient de paraître, de Germain et Jarry (*Œ. C.,* t. I, 1986, pp. 113-168).
3. Ce poème parut dans la *Revue des deux mondes* du 1ᵉʳ juin 1844. On en connaît aujourd'hui un premier manuscrit daté du « 12 novembre 1839 » (voir A. Jarry, dans *Europe,* mai 1978, p. 150, et dans *Œ. C.,* éd. G.-J., t. I, p. 1103) : cette date place *Le Mont des Oliviers* très près du début de la composition des « Poèmes philosophiques ».

Jésus, se rappelant ce qu'il avait souffert
Depuis trente-trois ans, devint homme, et la crainte
Serra son cœur mortel d'une invincible étreinte [1].

« Devint homme » semble signaler un être divin; de même
quand il est dit que Jésus, dans son angoisse,

Eut sur le monde et l'homme une pensée humaine [2]

ou quand il déclare avoir caché « le Dieu sous la face du
sage » [3]. Cependant tout le poème est fait d'une plainte qui
semble purement humaine. Bien sûr, Jésus, homme en même
temps que Dieu selon la foi chrétienne, était capable de souffrance et de supplication; mais un au moins des Évangiles,
celui de saint Jean, s'est abstenu de montrer le Dieu-homme
souffrant et suppliant au moment d'un sacrifice décrété par une
volonté indistincte de la sienne. Vigny, à l'opposé, prolonge
angoisse et prière en quelque chose d'inconcevable si Jésus est
Dieu : en un réquisitoire contre la divinité. S'il dit enfin :
« [...] que votre volonté — Soit faite et non la mienne » [4], c'est
après avoir accusé. Dieu s'accusant, ce serait passer les bornes
du mystère, qui requiert lui-même un minimum de plausibilité.
En fait, le Jésus de Vigny est tout au plus un émissaire humain
de la divinité, qui se plaint de trouver ses lumières et ses
pouvoirs insuffisants. Bien plutôt, c'est, sous l'apparat de la
situation évangélique, un homme, porteur des insatisfactions
humaines, et obligé de faire comparaître Dieu au tribunal de
l'homme. Nous avons des variantes manuscrites des récriminations prêtées à Jésus par Vigny, qui, sur le point de sa
divinité, sont plus franchement négatives que le texte imprimé :

Je ne suis pas le fils de Dieu. Trois fois maudit
Qui le dit à présent, et l'a jadis prédit!
[...] Qui suis-je? Un faible enfant conçu dans le mystère
D'un songe, et mis au jour dans un fruit adultère [5].

---

1. *Le Mont des Oliviers*, v. 26-28.
2. *Ibid.*, v. 32.
3. *Ibid.*, v. 48.
4. *Ibid.*, v. 133-134.
5. *Œ. C.*, Pl. I, p. 253.

Vigny n'a finalement pas adopté ce ton; mais on peut voir avec quelle liberté il entendait traiter la matière évangélique.

La mission de Jésus, selon le poème, se résume toute en un enseignement de fraternité, de religion humanisée et de liberté [1]. Mais il prévoit que ces « paroles neuves » n'auront pas suffi pour empêcher l'institution d'un christianisme inhumain, qui prêchera, en invoquant pour modèle le sacrifice du Golgotha, la vertu expiatoire du sang innocent : on saisit l'allusion aux doctrines de la contre-révolution catholique et de Joseph de Maistre en particulier. Vigny reprend ici contre lui les virulentes attaques de *Stello,* sous la forme terrible d'un anathème mis dans la bouche du Christ lui-même :

> *Nous savons qu'il naîtra, dans le lointain des âges,*
> *Des dominateurs durs escortés de faux sages*
> *Qui troubleront l'esprit de toute Nation*
> *En donnant un faux sens à ma rédemption.*
> *– Hélas! je parle encor que déjà ma parole*
> *Est tournée en poison dans chaque parabole;*
> *Éloigne ce calice impur* [...] [2].

Ainsi le calice d'amertume dont Jésus se plaint dans l'Écriture consisterait dans la future falsification maistrienne de son message; interprétation que rien, certes, ne suggère dans le texte évangélique, mais qui éclaire singulièrement le sens du poème : c'est un Jésus humanitaire qui parle.

Sans transition, mais par une liaison d'idées significative, Jésus se plaint de n'avoir pas reçu de Dieu des clartés suffisantes : c'est sous-entendre que les fausses doctrines dont il vient de parler procèdent de l'obscurité divine. Il souhaitait apporter à la race humaine la Certitude et l'Espoir; il lui a laissé le Doute et le Mal, faute d'avoir pu disculper un Dieu muet. Il est remarquable que dans tout le poème l'humanité – car c'est évidemment elle qui parle par la bouche de Jésus – réclame non pas tant la fin de ses souffrances qu'une lumière de vérité sur sa condition. La récrimination contre un Dieu muet et inerte, implicite dans la parabole de la Vie-prison en 1832, éclate dans *Le Mont des Oliviers,* dont elle est le thème essentiel; quand Vigny veut résumer son poème, il écrit : « Le

1. *Le Mont des Oliviers,* v. 40-46, 49-54, 55-56.
2. *Ibid.,* v. 63 et suiv.

fils de l'homme a pleuré en vain et demandé en vain la certitude pour nous à Dieu. Dieu s'est tu [1]. » Les deux fléaux dont Jésus déplore de n'avoir pu connaître le remède sont, dit-il, le Doute et le Mal ; mais, en fait, c'est le doute qui, dans son discours, apparaît comme le principe de toute misère. Dans la longue suite des « pourquoi » sans réponse que Jésus élève vers Dieu, la souffrance et l'injustice ont sûrement leur part : pourquoi nul milieu entre l'ennui du calme et la rage des passions ;

> *Et pourquoi pend la Mort comme une sombre épée*
> *Attristant la Nature à tout moment frappée ;*
> *[...] Et pourquoi les Esprits du mal sont triomphants*
> *Des maux immérités, de la mort des enfants ;*

mais bien plus nombreuses sont les questions qui concernent le statut métaphysique de l'humanité : il demande si la Terre est le seul astre qui connaisse le péché et le salut ; si la vérité se situe ou non au-delà de la raison ; pourquoi l'âme est liée au corps ; si le Bien et le Mal sont des accidents indifférents ou s'ils sont les deux pôles de l'univers ; si l'histoire des nations est gouvernée par les idées ou par le hasard ; et si, à la fin des temps, il sera mis un terme aux peines éternelles ; enfin

> *Tout sera révélé dès que l'homme saura*
> *De quels lieux il arrive et dans quels il ira* [2].

Ce sont là tous les problèmes que le romantisme a coutume de poser en marge des dogmes traditionnels, de renouveler par le doute et l'inquiétude, et de résoudre selon les consolations du spiritualisme humanitaire. Vigny est différent, en ce qu'il ne compte pas sur un appui divin. À l'appel : « Mon Père ! », Dieu ne répond pas ; aux interrogations pressantes de Jésus, seuls l'arrestation et le supplice font suite.

Le silence de Dieu au mont des Oliviers n'est évidemment souligné dans aucun des Évangiles, un accord surnaturel devant se sous-entendre entre Dieu et celui qui l'implore. Au contraire

---

1. « Réponse d'Eva », dans *Mémoires*, p. 430 ; formules analogues dans *Journal*, *Œ. C.*, Pl. II, « août » [1843], pp. 1202 et 1203, et dans *M. de Vigny*, p. 84 ; aussi *Œ. C.*, Pl. II, p. 1204, [1843] au début du fragment intitulé « La herse ».
2. Toutes ces interrogations, dans le discours final de Jésus, v. 94-130. Vigny interprète et développe selon sa pensée propre la tristesse et la prière que les Évangiles synoptiques attribuent à Jésus au jardin des Oliviers.

l'absence de réponse ne sous-entend rien pour Vigny; elle est ce qu'elle est, et notre conduite doit se définir à partir de là. Il est assez remarquable que *Le Mont des Oliviers*, tel que Vigny le publia en 1844, s'arrête sur l'agonie de Jésus, et que l'auteur ne tire de son récit aucune conclusion à l'usage de l'humanité. Il n'avait pourtant pas attendu pour concevoir une réponse humaine à l'abandon de Dieu. En 1832 et dans les années suivantes, la parabole de la Vie-prison, dans ses diverses versions, aboutit déjà au conseil d'oublier le geôlier et ses intentions, de ménager humainement les joies chétives de ce monde et de s'entraider pour adoucir le sort commun. Dans cette conclusion, la révolte se masque de sérénité; elle se masque d'un semblant de révérence dans quelques vers du *Mont des Oliviers,* quand Jésus laisse entendre que les clartés qu'il demande sont nécessaires pour disculper Dieu :

> *Mal et Doute! En un mot je puis les mettre en poudre.*
> *Vous les aviez prévus, laissez-moi vous absoudre*
> *De les avoir permis. — C'est l'accusation*
> *Qui pèse de partout sur la création* [1] *!*

Si Vigny n'en a pas dit davantage dans *Le Mont des Oliviers,* c'est parce que le ton du poème l'excluait. Mais l'idée d'un Dieu mis en accusation dans ses œuvres et sa conduite habitait sa pensée. Cette idée prospérera plus tard dans la saisissante invention d'un Jugement dernier retourné : « Dieu, dit le Saint, viendra se justifier ce jour-là, et nous expliquer pourquoi il a créé le mal et le péché. » « En ce moment, ce sera le genre humain ressuscité qui sera le juge, et l'Éternel, le Créateur, sera jugé par les générations rendues à la vie. Il viendra se justifier à Josaphat. Sera-t-il temps, après vingt mille ans peut-être de maux dans la vie et après la vie [2] ? »

---

1. V. 87-90.

2. J'emprunte ces citations au *Journal, Œ. C.,* Pl. II, p. 1277 [1850] et p. 1377 [1862], fragments intitulés tous deux « Jugement dernier »; on aura remarqué que le sens de « se justifier » peut être ambigu : Dieu *tentera-t-il* de se justifier, ou se justifiera-t-il *réellement* en nous découvrant les raisons de tout? De toute façon, il sera bien temps! dit Vigny. Et la seule imagination d'une justification de Dieu devant les créatures reste lourde de sens. Dans un fragment analogue (« Un suicide », p. 1310, « 11 juin » [1835]), c'est Dieu qui annonce la procédure, et il dit : « Je parlerai et je *serai justifié* »; il a donc le moyen de l'être?

LA STROPHE DU *SILENCE*

Quant à la réponse de l'homme au silence divin, à ce projet d'éthique terrestre dont Vigny diversifie les formules en accompagnement à ses fables, c'est à la veille de sa mort qu'il en a trouvé la variante la plus mémorable, et qu'il l'a jugée digne de clore *Le Mont des Oliviers.* Rappelons la strophe fameuse :

> *S'il est vrai qu'au jardin sacré des Écritures,*
> *Le fils de l'Homme ait dit ce qu'on voit rapporté,*
> *Muet, aveugle et sourd au cri des Créatures,*
> *Si le Ciel nous laissa comme un monde avorté,*
> *Le Juste opposera le dédain à l'absence*
> *Et ne répondra plus que par un froid Silence*
> *Au Silence éternel de la Divinité.*

Nous avons de cette strophe deux textes manuscrits, datés l'un du 2 avril 1862, l'autre d'avril 1863; ils sont identiques, à une variante près au premier vers. Retenons que la strophe, quelle que soit sa date exacte, est de l'extrême fin de la vie de Vigny [1]. Les vers 1 et 2 se réclament un peu abusivement de l'Écriture, où « ce qu'on voit rapporté » diffère sensiblement des propos que le poète prête à Jésus : l'Écriture – exactement les trois premiers Évangiles – évoquent l'angoisse, la supplication, puis la résignation à la volonté de Dieu, motifs que Vigny a glosés avec une extrême liberté; mais ce qui est l'essentiel pour lui est bien dans les Évangiles : Jésus a prié et il ne lui a pas été répondu, ce qui, pense-t-il, est le sort de toute l'humanité; et il y médite à sa guise. Ce qui distingue cette strophe et la rend inoubliable parmi tant de professions de foi analogues qu'on peut trouver chez Vigny, c'est la tranchante formule à laquelle elle aboutit : silence contre silence. Il y a dans le *Journal* au moins trois fragments où elle s'annonce. Le plus ancien part de l'exemple de Bouddha : « *Le silence de Dieu.* – Faites comme Bouddha, silence sur celui qui ne parle pas [2]! » Le second prescrit : « Ne parle jamais et n'écris jamais

---

1. Sur cette question de date, voir A. JARRY, *Revue d'histoire littéraire de la France,* juillet-août 1980, pp. 587-589.
2. Il semble que ce fragment ait été publié d'abord par DORISON (qui eut en main les carnets originaux du *Journal* et en fit une copie) dans son livre, *Alfred de Vigny, poète philosophe,* Paris, 1892, p. 154; il lui attribuait la date de 1862; le fragment figure dans le *Journal, Œ. C.,* Pl. II, p. 1344 sous l'année 1859 (époque des lectures bouddhiques de Vigny).

sur Dieu », puis, après un long réquisitoire contre la perfidie
de la Divinité, créatrice des pièges du mal, conclut : « Elle n'a
jamais parlé pour t'avertir. Des hommes seulement ont pris la
parole. Rendez-lui silence pour silence. N'est-ce pas là ce que
veut la justice [1] ? » Enfin un troisième fragment, apparemment
destiné à fournir une suite au *Mont des Oliviers,* commence par
cet alexandrin :

Ainsi ce fut en vain que Dieu cria vers Dieu,

évoque l'absence de réponse, essaie un autre alexandrin :

Ainsi le ciel muet n'a rien voulu nous dire,

puis, après quelques associations d'idées et digressions, conclut
en ces termes : « Le Ciel est sourd, le Ciel est muet. Pontifes
prenez garde, ou le silence répondra seul au silence de la
Divinité [2]. » La strophe est ici tout près de naître, après une
maturation assez longue, conforme aux habitudes de Vigny [3].

Les poèmes du réconfort.

Les autres poèmes des années 1838-1842 que Vigny, comme
on a vu, rattachait à l'idée mère du *Mont des Oliviers* sont en
effet des réponses, humainement réconfortantes, à l'abandon
divin, sujet de ce poème.

LA MORT DU LOUP, LA SAUVAGE, LA FLÛTE

Il s'agit d'un réconfort parfois sévère, quand il doit armer
l'homme contre l'irrémédiable, contre la douleur et la mort.

1. *Ibid.,* p. 1383, « 4 mars » [1863].
2. Ce fragment est incomplet *ibid.,* p. 1389, « juin » [1863]; on pouvait le
lire entier dans G. BONNEFOY, *op. cit.,* p. 420; l'éd. G.-J. des *Œ. C.,* t. I, le
donne, pp. 297-298.
3. Avant de quitter *Le Mont des Oliviers,* je veux dire quelques mots de
Wanda, que je n'aurai pas l'occasion de commenter davantage, et qui est un des
plus beaux poèmes qui aient été écrits dans la génération romantique française
sur la tyrannie et son châtiment. Je veux seulement signaler que, dans ce poème
qui occupa Vigny dès 1845, qu'il acheva en 1847 et compléta en 1855, reparaît
la parenté qui s'était toujours établie dans son esprit entre le silence de Dieu et
celui des despotes terrestres : ni lui ni eux ne répondent (strophe 24 : « Le Czar
[...] toujours se taira »; premier billet de Wanda : « Le Czar s'est tu »).

C'est ce qu'enseigne *La Mort du loup,* le plus ancien des poèmes de ce groupe, puisqu'il fut écrit en 1838 [1]. Le stoïque animal, se sachant perdu, saisit un des chiens à la gorge et le fait mourir tandis que les couteaux des chasseurs le transpercent lui-même,

> *Et, sans daigner savoir comment il a péri,*
> *Refermant ses grands yeux,* meurt sans jeter un cri.

À cet hémistiche répond, par une exaltation du silence, la moralité du poème :

> *À voir ce que l'on fut sur terre et ce qu'on laisse,*
> Seul le silence est grand, *tout le reste est faiblesse.*

La moralité que le poète prête ensuite au Loup, écho de celle-là, revient sur le motif du silence :

> *Gémir, pleurer, prier est également lâche.*
> *Fais énergiquement ta longue et lourde tâche,*
> *Dans la voie où le sort a voulu t'appeler,*
> *Puis, après, comme moi, souffre et* meurs sans parler.

Ce silence devant la mort, obligation d'honneur – c'est certainement ainsi que Vigny l'entend –, est une réponse au destin mais c'est aussi une réponse à Dieu, puisqu'il implique expressément le refus de *prier*. Il n'est question ici de Dieu qu'à travers ce seul mot, d'autant plus significatif qu'il ne convient au Loup que comme figure de l'Homme. Vigny mettait dans ce rejet de la prière une affirmation de force : « Considérez la France actuelle, écrivait-il à une amie à l'occasion de son poème, et dites si j'ai eu tort de lui présenter un cordial et de lui dire : *Surge* [2]. » Un cordial; un moyen d'exorciser l'angoisse, dit-il ailleurs : « Tant de choses m'oppressent que je ne dis jamais! C'est une saignée pour moi que d'écrire quelque chose comme *La Mort du loup* [3]. »

---

1. Achevé le 31 octobre 1838; la date de 1843, que donne le recueil posthume des *Destinées,* est fictive.
2. Lettre du 31 janvier 1843, à Camille Maunoir (*Corr.,* éd. Séché, t. I, p. 150).
3. Lettre au marquis de La Grange, du 24 novembre 1843, éd. Luppé, p. 124.

Ce compte majeur réglé, restent à enseigner les tâches et les vertus de l'humanité en vie. Les perspectives qui semblaient s'ouvrir au nouveau siècle, sous le signe commun du Progrès, s'appelaient Civilisation, Solidarité, Science : les poèmes du réconfort vont aborder ces thèmes.

Civilisation se confondait dans les esprits avec Colonisation, et l'Amérique était le grand exemple; les Lumières et l'Industrie devaient gagner toute la planète : telle était la tâche du xixe siècle. L'économisme libéral, l'humanitarisme, le socialisme naissant étaient d'accord sur ce point [1]. Les saint-simoniens croyaient pouvoir remplacer la vieille religion par une foi dans l'Industrie conquérant le monde. Le poème de *La Sauvage,* apologie de la colonisation anglo-saxonne en Amérique du Nord, a été écrit sous l'influence de ces idées, que Vigny partageait largement, comme l'attestent de nombreux textes, antérieurs et postérieurs à *La Sauvage,* où il oppose la civilisation à la barbarie. C'est ainsi qu'il écrit : « Si l'on préfère la vie à la mort, on doit préférer la civilisation à la barbarie. Nulle peuplade dorénavant n'aura le droit de rester barbare à côté des nations civilisées [2]. » Il déclare avoir voulu prouver dans *La Sauvage* « que la *civilisation* pouvait être chantée ainsi que la *raison* et que les races sauvages étaient coupables envers la famille humaine de n'avoir pas su vénérer la femme, la culture, l'hérédité, former une société durable, et qu'il était juste que l'Europe les forçât d'en recevoir une » [3]. Les résumés rétrospectifs qu'il fait de *La Sauvage* rendent le même son : « Que le travail joyeux nous passionne et nous emporte. Le monde est encore à conquérir sur la Barbarie [4]. » « Il faut que l'homme poursuive la barbarie sur tous les points du globe et lui dise : Civilise-toi ou meurs comme l'Américain. Ainsi fait la France à Alger [5]. »

1. Seuls les fouriéristes emploient le mot de *civilisation* dans un sens péjoratif, tout en promettant un développement inouï de consommation et de luxe. Vigny, en fait de socialistes, connut surtout des saint-simoniens. On critiquait les violences de la colonisation, non le principe.

2. *Journal, Œ. C.,* Pl. II, p. 939 [1831]; mais le même texte, moins complet, est donné aussi p. 1141 [1840]!

3. Lettre du 31 janvier 1843, à Camille Maunoir, déjà citée : « Culture », c'est évidemment « agriculture ». Voir aussi une lettre du 30 juin 1847, à V. de Laprade, très caractéristique (*Corr.,* éd. Séché, t. I, p. 196).

4. « Réponse d'Eva » dans *Journal, Œ. C.,* Pl. II, p. 1202 [1843]; suit un éloge des colonisateurs anglais, russes, français, et un chant de victoire sur le Croissant.

5. « Réponse d'Eva », dans *Mémoires,* p. 430; voir aussi *M. de Vigny,* p. 84. Ce que Vigny savait des cruautés de la colonisation anglo-américaine (voir

Il s'agit évidemment, dans tous ces textes, d'une expansion armée de la civilisation européenne. Vigny pense sur ce point ce qu'à peu près tout le monde pensait alors. Dans un premier fragment en prose, daté de « décembre 1839 », et intitulé « Le sein de la mère », nous avons seulement, sous le symbole de l'allaitement, une apologie de l'héritage : le Sein de la mère parle, et fait dériver cette institution du lien charnel de la mère à son fils. L'Indienne n'apparaît que par le nouveau titre, ajouté le 15 novembre 1840, « L'Onéida » [1], et par l'addition d'un paragraphe : « Ah! sauvage, tu péris dans les bois parce que tu as dédaigné la propriété et son héritage, parce que tu as méprisé le travail et que tu l'as imposé à la femme faible que tu devais adorer » [2]. Ainsi une défense poétique de l'héritage est utilisée, d'une année à l'autre, pour l'histoire d'une Indienne qu'il faut convertir à cet usage méconnu d'elle : dans le poème, la prosopopée du sein passera, curieusement, dans la bouche du colon puritain. Ce point de départ oriente tout le poème dans un sens conservateur. La civilisation qui va accueillir la Sauvage, restée seule avec ses deux enfants après le massacre des siens dans une guerre de tribus, est la civilisation de la Nouvelle-Angleterre à ses débuts : puritaine, défricheuse, propriétaire et légale, portant, avec des mœurs sévères, l'auréole de la liberté civique : plus patriarcale en fait que républicaine, comme cela ressort bien du texte.

D'ailleurs ce monde de colons républicains a beau prêcher la Loi et la Raison, son caractère colonial transparaît dans le ton protecteur de celui qu'on appelle le Maître et qui, en accueillant l'Indienne, médit des Indiens,

---

dans le *Journal, Œ. C.,* Pl. II, p. 1029 [1835], ses notes sur le livre de Gustave de Beaumont) ne balance pas son adhésion décidée à la conviction commune.

1. Les Onéidas étaient une tribu indienne.

2. Voir sur ce manuscrit *M. de Vigny,* pp. 68-69; reproduction plus exacte dans *Œ. C.,* éd. G.-J., t. I, pp. 291-292. Les deux auteurs donnent ensuite le texte d'une ébauche en prose, déjà détaillée, de la première partie du poème, qui ne peut être antérieure à juin 1841. On a deux manuscrits du poème, tous deux datés « du 27 au 28 mars 1842 » (éd. G.-J., p. 1071). L'héritage représenté par l'allaitement surprend, moins par la figure inattendue que par le choix d'une hérédité en ligne maternelle, qui ne se présente pas habituellement à l'imagination en matière de biens, dans notre civilisation *patri*moniale. « Le Sein de la mère » est dédié significativement « À un saint-simonien » : on sait que les adeptes de cette secte avaient ému l'opinion en proposant la suppression de l'héritage.

Sauvages animaux sans but, sans loi, sans âme,
Pour avoir dédaigné le Travail et la Femme.

Ce caractère n'apparaît pas moins dans le contraste de sa maison et de la misérable condition indienne. Aujourd'hui, le tableau édifiant d'une Indienne victime de ses frères de race, se réfugiant au foyer du vertueux colon anglais et aussitôt convaincue par son discours, nous paraît bien conventionnel. Nous savons que, dans les cohabitations inégales entre les peuples, ni la générosité des vainqueurs, ni l'adhésion volontaire des vaincus ne sont si communes. *La Sauvage* est une belle gravure édifiante, et, dans le genre, une sorte de chef-d'œuvre. On peut ne pas aimer ce vers dépouillé et moral qui parfois survole à peine la prose; mais c'est celui que Vigny a préféré pour ses paraboles de sujet moderne, et il ne s'est pas privé d'y mettre malgré tout sa marque. Ce qu'on lui reproche dans un poème comme celui-là est justement ce qu'il a voulu faire : un « tableau » et une moralité, au moindre niveau d'apprêt littéraire possible, touchant la mission civilisatrice de l'Europe. Il estimait cette mission si essentielle que, dans les plans de son futur recueil, *La Sauvage* vient la première après *Le Mont des Oliviers,* comme signalant, aussitôt après avoir montré l'état d'abandon de l'humanité, la tâche réparatrice la plus importante, selon lui, qui fût offerte à son siècle [1].

Le poème de *La Flûte* [2] se rattache à un autre thème réparateur, familier à Vigny comme à tout l'humanitarisme, celui de la solidarité entre les humains, victimes de la même condition. En fait, action civilisatrice et entraide humaine sont les deux grandes valeurs de la morale purement laïque qui se constituait alors. La prescription de l'entraide servait déjà de

1. On s'étonne parfois que Vigny ait fait dans *La Sauvage* l'apologie de la vie civilisée, alors qu'il exprime ailleurs, dans *La Mort du loup,* dans *La Maison du berger,* son horreur de l'esclavage social et de la corruption des villes. Mais nulle pensée n'est tout d'une pièce, surtout chez les écrivains et les poètes. Il faut se souvenir de Rousseau, ancêtre en matière d'apologie de la vie naturelle, et qui n'en a pas moins écrit *Le Contrat social.* On peut avoir la nostalgie de la vie indépendante et naturelle, et concevoir les bienfaits de la société et de la loi. Le loup, qui a horreur de la domestication – état différent de la société – n'a d'autre choix possible que sa vie sauvage. L'Indienne, représentée comme crucifiée dans la vie sauvage, peut avoir ses raisons de se résigner à entrer en société : Vigny médite et imagine diversement.

2. Il date à peu près du même temps que *La Sauvage* (un manuscrit de 1840, un autre de 1842).

conclusion pratique, comme on a pu voir, à la parabole de la Vie-prison. Il faut cependant remarquer que Vigny n'a pas figuré ici cet impératif général comme il se pose à l'égard du Pauvre ou du Disgracié. Il s'agit dans *La Flûte* d'un cas très particulier qui tient fort au cœur de l'auteur de *Chatterton* : celui du demi-intellectuel déchu, non seulement misérable matériellement, mais délaissé et humilié. C'est à son égard que la bienfaisance doit être surtout réconfort. Le vieil artiste que Vigny rencontre, mangeant son pain noir et jouant d'une flûte incertaine sur un banc, appartient à ce type : type obsédant, comme on sait, à l'époque romantique, et dont la carrière baroque prête à l'humour autant qu'au pathétique. Celui-ci, d'abord capitaine et poète en imagination, avec Bonaparte et Byron pour modèles, législateur, chef de religion, féru de métempsycose et de bouddhisme, puis revenu de ces chimères, dramaturge et journaliste naufragé, joueur de flûte enfin dans les jardins publics, a connu, avant l'infortune définitive, toutes les tribulations de l'intellectualité médiocre en quête d'un rôle dans la société nouvelle. Ce malheureux connaît la faiblesse de son génie ; il s'avoue impuissant à formuler l'idée et à joindre l'idéal :

> *Pourquoi, me dit la voix qu'il faut aimer et craindre,*
> *Pourquoi me poursuis-tu, toi qui ne peux m'étreindre ?*
> *Et le rayon me trouble ; et la voix m'étourdit,*
> *Et je demeure aveugle, et je me sens maudit.*

Vigny lui répond par de bonnes paroles, cordiales à coup sûr :

> *J'aime, autant que le fort, le faible courageux*
> *Qui lance un bras débile en des flots orageux* [...]
> *Ce Sisyphe éternel est beau, seul, tout meurtri* [...]

Mais on peut se demander si de telles paroles ont vraiment l'efficacité consolatrice que la fin du poème leur prête, en nous montrant attendri et réconforté celui à qui elles ont été adressées. Le consolateur va plus loin ; il prétend effacer la différence de condition entre le poète illustre et le pauvre flûtiste :

> *On n'est jamais en haut. Les forts, devant leurs pas,*
> *Trouvent un nouveau mont inaperçu d'en bas* [...]
> *— Tout homme a vu le mur qui borne son esprit* [1].

1. Les vers cités sont les vers 77-80, 91-92, 95, 103-104, 108.

Cependant Vigny, auteur de tant d'ébauches incomplètes et de projets irréalisés, pense certainement à lui-même, et ne ment pas; et le thème de l'esprit impuissant à atteindre l'idéal est une des obsessions de la seconde génération romantique, que Vigny devance [1]. Dans ce genre de consolations, entre personnages si inégaux, l'accent de la vérité est tout. Supposons que Vigny a su le faire entendre.

Vigny se proposait de ranimer les esprits abattus, de faire renaître dans le faible l'estime de soi, le sentiment d'être l'égal d'autrui [2]. Il est remarquable qu'il rencontre, dans cette entreprise, la pensée, consolatrice par excellence, de l'âme immortelle dégagée des inégalités du corps et rendue à elle-même; idée essentielle du poème et source du symbole de la Flûte, qui lui donne son titre. Comme la flûte imparfaite trahit le souffle et fausse le son, le corps déjoue l'élan de l'âme; mais après la mort, quand l'union s'achève,

> *L'âme retrouve alors la vue et la clarté* [...]
> *Et, calme, elle reprend, dans l'idéal bonheur*
> *La sainte égalité des esprits du Seigneur* [3].

La religion de l'Esprit pur propre à Vigny nous est connue, mais il ne professe pas d'ordinaire ce spiritualisme théocentrique, qui semble relever, dans *La Flûte,* moins de sa croyance véritable que de la logique de la consolation.

LA BOUTEILLE À LA MER

Le symbole de la Bouteille à la mer [4] retentit plus haut, sur la strophe de sept vers des grands poèmes, à la fois fable

1. Voir, pour une interprétation de *La Flûte* dans cette perspective, l'article de Jacques THOMAS, *Thème et symbolisme de* La Flûte *de Vigny,* in *Les Lettres romanes,* 1974, pp. 225-243.

2. « J'aime à rendre la vie aux esprits abattus » : cet alexandrin figure, à propos de *La Flûte,* dans un fragment : voir *M. de Vigny,* pp. 81-82; même formule dans la *Réponse d'Eva* (voir *Mémoires,* p. 430).

3. V. 123, 132-133. « L'Égalité des âmes » était le second titre projeté pour le poème dans un plan de Vigny (voir *M. de Vigny,* p. 84), et ailleurs pour une « rêverie » qui devait suivre le poème (*ibid.,* p. 86, et P. FLOTTES, *La Pensée...,* p. 78).

4. On a du poème un plan en prose du 21 novembre 1846, et un texte en vers achevé le 27 septembre 1847, relu le 7 février 1848; *La Bouteille à la mer* parut dans la *Revue des deux mondes* du 1er février 1854, avec la date d'« octobre 1853 », qui est sans doute celle d'une ultime relecture.

moderne et récit épique, mais de cette épopée des temps nouveaux qui ne veut connaître d'autre guerre que celle de l'homme et de la nature, et d'autre victoire que l'enseignement transmis à l'avenir. Cet enseignement est tout pratique dans la fable entendue littéralement. Le marin en perdition enferme dans une bouteille et jette à la mer

> *La carte de l'écueil qui va briser sa tête* [1],

mais la fable signifie, plus largement, la souveraineté de l'Esprit et des lumières qu'il répand

> *Dans le Juste et le Bien, source à peine entr'ouverte,*
> *Dans l'Art inépuisable, abîme de splendeur* [2] *!*

Nous sommes avertis dès la première strophe de cette signification spirituelle du poème. Vigny s'adresse à un jeune poète qui vient de lui adresser des vers « plaintifs » et qu'il exhorte à oublier les poètes martyrs :

> *Oubliez Chatterton, Gilbert et Malfilâtre* [3].

L'intention de *La Bouteille à la mer* est celle d'un *Stello* tonifiant : le monde où le penseur triomphera est celui qui n'existera qu'après lui, mais cet avenir doit être pour lui une raison d'espérer et d'agir en dépit des épreuves :

> *Qu'importe oubli, morsure, Injustice insensée,*
> *Glaces et tourbillons de notre traversée ?*
> *Sur la pierre des morts croît l'arbre de Grandeur.*

> *Cet arbre est le plus beau de la terre promise,*
> *C'est votre phare à tous, Penseurs laborieux !*
> *Voguez sans jamais craindre ou les flots ou la brise*
> *Pour tout trésor scellé du cachet précieux* [4].

1. V. 34.
2. V. 164-165.
3. V. 5. Le poème a pour sous-titre « Conseils à un jeune homme inconnu ». Gilbert et Chatterton sont deux des héros de *Stello*; Malfilâtre passe, sur la foi d'un vers de Gilbert, pour un poète mort de faim.
4. V. 166-172. Ce « trésor » est le même que celui de Daphné; au vers 150, il est nommé « élixir », autre image de prédilection pour Vigny.

Ainsi, derrière cette aventure de la mer que le poète raconte, aventure de l'équipage, revécue dans les évocations dernières du Capitaine, et de la bouteille roulant du pôle à l'équateur avant d'aborder aux côtes de France, c'est une aventure de l'esprit qui se dessine : celle du penseur dont l'héritage finira par aborder aux générations futures. L'autre côté du martyre poétique est l'avènement de l'Esprit :

> *Le vrai Dieu, le Dieu fort est le Dieu des idées* [1],

non celui des armées.
Jusqu'à la veille de mourir, Vigny pensa clore son recueil par ce poème [2]. Il contenait une ouverture d'horizon plus hardie dans une strophe que Vigny a supprimée à l'impression et qui, après la troisième strophe qui évoque la « forte foi » du penseur, définissait ainsi cette foi :

> *Sa foi superbe et grave est l'humaine science*
> *Semant et récoltant les fruits de la raison.*
> *– L'Honneur Roi de sa vie et de sa conscience,*
> *Le Droit dans la Cité, le Droit dans la Maison;*
> *Le Progrès en tous lieux, partout la découverte;*
> *La plaine de la mer et de la terre ouverte*
> *Au laboureur du globe errant dans sa prison* [3].

LA MAISON DU BERGER.

La Bouteille à la mer nous a obligés, par la nature de son sujet, à une brève excursion hors de l'ordre chronologique. Revenons aux années 1838-1844 et au poème de *La Maison du berger* qui, conçu au moins dès 1840 selon le *Journal,* devait finalement servir de Prologue aux « Poèmes philosophiques », et fut publié comme tel dans la *Revue des deux mondes* du

---

1. V. 176.
2. Voir les plans de 1856 et 1862 publiés par H. GUILLEMIN, *M. de Vigny,* pp. 86-87, et dans Œ. *C.,* éd. G.-J., t. I, pp. 281-282.
3. Strophe publiée dans *M. de Vigny,* p. 77; texte rectifié par A. JARRY (*Romantisme,* n° 25-26, 1979, p. 230, n. 63), et dans Œ. *C.,* éd. G.-J., t. I, p. 1114. Noter la réapparition du thème de la Vie-prison au dernier vers.

15 juillet 1844. Il a une place à part des autres poèmes, puisqu'il est censé, dans son avant-dernière strophe, les annoncer et, en quelque sorte les inclure tous [1]. La genèse de ce grand poème composite, tel au moins qu'il se présente à nous, a été singulièrement éclairée par l'examen des manuscrits [2]. Il développe, dans ses trois parties, des thèmes divers, dont l'enchaînement et l'unité ne sont pas immédiatement évidents. Comment s'est opérée la confluence vers le poème des éléments qui le composent? Pour nous en tenir ici à l'essentiel, disons qu'un poème primitif de dix-neuf strophes (appel à une femme non nommée, et invitation au refuge rustique dans la maison roulante d'où elle contemplera les « tableaux » créés par le poète) a été coupé en deux par intercalation successive de plusieurs autres ensembles. Des trois parties actuelles du poème, la première est constituée des premières strophes du *Départ* (c'était le titre du poème primitif), auxquelles s'est ajoutée, par association et contraste avec la maison du berger, une méditation sur les chemins de fer. La deuxième partie (exaltation de la Poésie) s'est introduite à la suite de cette première extension du texte. La troisième partie commence par six strophes à la gloire de la Femme dans sa fonction idéale et humaine : en même temps qu'une telle figure, apparaissait ici pour la première fois dans l'histoire du poème le nom d'Eva, qui désigne moins une femme ou une amante réelle qu'un type ou un mythe du Féminin [3]. Après ces six strophes, viennent enfin les dernières strophes du *Départ* (opposition Nature-Femme, et reprise de l'invitation avec annonce des « tableaux ») [4].

1. Voir plus haut, p. 220 et suiv.
2. Manuscrit Barthou, aujourd'hui Sickles, dont rendit compte Edm. Estève dans son édition des *Destinées* (1924); ce manuscrit contient vingt-huit strophes du poème; plus récemment, un manuscrit Graux-Bodmer, aujourd'hui en Suisse à la Bibliotheca Bodmeriana (Cologny), où figurent la totalité des quarante-huit strophes du poème, a été étudié par André JARRY : voir son analyse approfondie des deux manuscrits dans *Europe*, mai 1978, pp. 120-159 *(Les manuscrits de* La Maison du berger : *les étapes du poème)*. Pierre-Georges CASTEX a publié une substantielle étude de la genèse du poème, sous le titre *Le mythe d'Eva dans* Les Destinées (voir *L'Information littéraire*, n⁰ˢ de janvier-février et mars-avril 1980, pp. 12 et suiv., 58 et suiv.).
3. Eva est appelée ailleurs par Vigny « Femme qui n'es pas née et ne mourras jamais » (ms. dit « Enchaînement et suite », voir *M. de Vigny,* p. 84).
4. Si l'on peut avoir une idée assez claire de la composition et des matériaux du poème, on est beaucoup moins renseigné sur la chronologie de cette genèse. L'achèvement dernier du poème se situe à la fin de 1843 et au début de 1844.

Voilà donc un poème dont, à première vue, les développements se succèdent sans grande suite ni unité logique, et nous ne pouvons nous en étonner, sachant que ces développements sont d'origine diverse. *La Maison du berger* peut passer pour un bel exemple de rêverie multiple. Mais, en fait, Vigny y poursuit, dans la variation des sujets, un chant unique. L'affinité sous-jacente des thèmes, la succession harmonique des mouvements, l'intuitive délicatesse des transitions font que, le poème étant ce qu'il est, on ne pourrait rien en soustraire sans l'endommager. Profondément, tout s'y tient. Tout le premier ensemble (strophes 1 à 9) exprime un amour passionné, qui doit trouver sa vraie patrie dans la nature solitaire. La donnée est fortement personnelle et intime [1]. On ne peut cependant négliger les harmoniques de pensée dont le thème s'accompagne : refus de la corruption et du mensonge des villes, dénonciation de la chaîne et de la flétrissure sociales, idéal de liberté et de pureté réalisé dans un amour authentique − toutes choses qui confèrent à l'appel du poète et à l'image de la femme aimée un caractère de valeur et d'exemple. Sentiment de la nature et amour se doublent donc déjà, dans ce préambule, de pensées, que le poème développera. La façon dont la Nature est peinte, sous le voile de métaphores spiritualisantes, en fait le temple d'un idéal. Ces strophes aboutissent à l'évocation de la maison du berger, refuge d'amour (seuil parfumé, alcôve large et profonde), mais aussi maison roulante des voyages. Nous irons, dit le poète, aux régions où le soleil dévore et resplendit comme aux régions polaires. Quelle vraisemblance, avec un tel moyen de locomotion? Dans les « Lettres à Eva », ces offres démesurées s'entendent au figuré : « allons vers l'Orient » signifie par exemple « écoute maintenant l'histoire de Samson et Dalila ». Sans doute avons-nous ici un reste, transformé en suggestion hyperbolique, du langage des « Lettres ». Il nous rappelle que les amants du *Départ* ne se consacreront pas uniquement à l'amour, mais voyageront ensemble en esprit dans les créations du poète. L'évocation de

---

1. Le caractère passionné de ce début, surtout de la strophe 3, a été sensiblement atténué dans la version définitive; on peut lire les deux versions précédentes dans les éditions critiques (notamment éd. Saulnier, Paris, 1947, p. 55) : allusion agressive au mari, évocation des étreintes des amants. Il est resté quelque chose de ce ton aux strophes 7 (« ta divine faute ») et 8 (dernier vers : « Pour nos cheveux unis un lit silencieux »).

ces parcours imaginaires se résout par un retour à l'Aimée, de qui émane, en fin de compte, tout charme de lieu ou de pays :

> *Nous suivrons au hasard la course vagabonde*
> *Que m'importe le jour? Que m'importe le monde?*
> *Je dirai qu'ils sont beaux quand tes yeux l'auront dit* [1].

Ce début de *La Maison du berger*, si amoureux qu'il soit, est pourtant assez teinté d'idéologie pour qu'une discussion sur les chemins de fer puisse surgir aussitôt après, dans cette même première partie du poème (strophes 10-19) [2]. Les chemins de fer évoquent la civilisation, l'industrie, le progrès positif et matériel ; ils annoncent un monde aux antipodes du type de retraite qui vient d'être célébré. Il n'en est que plus remarquable qu'ils ne soient pas l'objet d'un anathème radical. Quatre strophes dépeignent la « vapeur foudroyante » et le « taureau de fer » comme une création monstrueuse de la cupidité des marchands ; mais deux strophes viennent ensuite, qui en acceptent dans certains cas les bienfaits :

> *Eh bien! que tout circule et que les grandes causes*
> *Sur les ailes de feu jettent les actions,*
> *Pourvu qu'ouverts toujours aux généreuses choses,*
> *Les chemins du vendeur servent les passions.*
> *Béni soit le commerce au hardi caducée,*
> *Si l'amour que tourmente une sombre pensée*
> *Peut franchir en un jour deux grandes nations.*

Autres cas qui réhabilitent le chemin de fer : l'appel d'un ami désespéré, celui par lequel la France nous convierait

> *Aux fêtes du combat, aux luttes du savoir,*

ou celui d'une mère mourante qui veut poser une dernière fois sur ses enfants

---

1. C'est ici que le texte du *Départ* est interrompu dans *La Maison du berger* ; nous en retrouverons la suite à la fin du poème.

2. Ces strophes sur les chemins de fer, sujet actuel alors, ont été écrites, si l'on en croit le *Journal* de l'année 1842, le « 11 juin » de cette année (*Œ. C.*, Pl. II, p. 1180), et destinées expressément à *La Maison du berger*.

Ces yeux tristes et doux qu'on ne doit plus revoir.

Le Gentilhomme, surtout le Gentilhomme auteur, n'entend pas passer pour un homme du vieux temps, alors qu'il a charge de l'humanité; il sait même chanter comme un libéral la louange du commerce. Ayant ainsi marqué la limite de son attachement aux choses passées, il s'abandonne un instant encore à la nostalgie des anciens voyages :

Adieu, voyages lents, bruits lointains qu'on écoute [...]

Mais est-ce le présent ou le passé qui importent ici? Non, car les voyages de jadis ne valaient pas en eux-mêmes, mais parce qu'ils favorisaient la rêverie. Et cette Rêverie, allégorie féminine, surgit dans la strophe 19 comme un double de l'Invitée à qui il disait tout à l'heure :

Marche à travers les champs une fleur à la main.

Elle marche du même pas qu'elle,

Car il faut que ses yeux sur chaque objet visible
Versent un long regard, comme un fleuve épanché;
Qu'elle interroge tout avec inquiétude
Et, des secrets divins se faisant une étude,
Marche, s'arrête et marche avec le col penché.

Ainsi le Féminin, si honoré déjà au début de l'invitation, finit par incarner la valeur suprême, Rêverie étant, comme on sait, volontiers synonyme de Poésie pour Vigny. Il s'agit, comme on vient de voir, d'une Rêverie qui interroge les objets de l'univers et étudie les secrets divins, c'est-à-dire d'une Poésie pensante. De sorte que le mouvement qui vient ensuite et peut sembler si soudain :

Poésie! ô trésor! perle de la pensée!

est en réalité lié de façon très intime au mouvement précédent.
Ce vers ouvre la deuxième partie du poème, qui est un

« hymne à la poésie » (strophes 20-32) [1]. La séquence Femme-
Retraite-Maison du berger-Rêverie-Poésie définit plutôt jusqu'ici une volonté de se séparer des hommes qu'un désir d'agir
sur eux. Mais cette volonté de séparation s'affirme selon des
valeurs qui n'ont de sens que comme idéal humain, ce que la
suite du poème va amplement mettre en lumière. La Poésie
est définie comme « pur enthousiasme », expression qui désigne,
dans le langage de Vigny, l'expérience spirituelle la plus haute :
une « lueur mystérieuse et pâle » brille au front des poètes, qui
fait blasphémer le vulgaire et effraie les âmes faibles. Mais
cette dignification métaphysique de la poésie, proclamée dès le
temps de *La Muse française,* suppose dans le poète une véritable
sainteté, que la nouvelle école vient de revendiquer pour lui.
Aussi exalter la poésie, est-ce toujours dénoncer ses formes
impures ou dégradées : Vigny, ayant porté aux nues le « pur
enthousiasme », évoque la déchéance de la Muse :

> *Ah! fille sans pudeur! Fille du saint Orphée,*
> *Que n'as-tu conservé ta belle gravité!*
> *Tu n'irais pas ainsi, d'une voix étouffée,*
> *Chanter aux carrefours impurs de la cité.*

Le poète ne dit que vaguement quelle poésie et quels poètes
il a en vue : la satire libre ou la poésie érotique des Anciens,
le madrigal français sont l'objet d'allusions réprobatrices, et
plus précisément Horace et Voltaire; nous sommes surtout en
présence d'une rhétorique d'élévation et de chasteté, destinée
à situer la vraie poésie sur son piédestal [2].
   Nous ne pouvons pas trop nous étonner qu'ayant stigmatisé
la poésie déchue, Vigny enchaîne sur une satire des hommes

1. Nous savons que Vigny a eu un moment l'intention de donner comme
conclusion à son recueil de « Poèmes philosophiques » un Hymne à la poésie
commençant par ce vers (voir *Mémoires,* p. 431, fragment non daté), avant de
l'introduire dans *La Maison du berger.*
2. Le couple de concepts Poésie sainte-Poésie déchue est un lieu commun du
romantisme christianisant des années 1820. Il a sa source, dès les siècles précédents,
dans les dissertations chrétiennes sur la poésie sacrée, de laquelle sont supposées
issues toutes les autres formes de poésie, par voie de profanation et de décadence.
Chez Vigny le thème se trouve évoqué dans un fragment du *Journal, Œ. C.,*
Pl. II, p. 1150 [1841], comme devant faire l'objet d'un « Poème », mais sans
qu'il soit fait mention de *La Maison du berger,* où pourtant il a été introduit,
dans les strophes 22-24 commentées ci-dessus. Il est à noter que Vigny dépouille
le thème de toute couleur proprement religieuse.

politiques (strophes 25-28); ce n'est qu'en apparence tout autre chose. En effet, parmi les valeurs laïques qui prétendaient désormais concurrencer ou supplanter celles de la religion, politique et législation tenaient le premier rang, distançant de fort loin la poésie aux yeux du grand public. Ainsi un député pouvait considérer de haut un poète; et cette hiérarchie illégitime établie dans l'opinion est pour Vigny un autre signe de dégradation qu'il faut dénoncer :

> *Cependant le dédain de la chose immortelle*
> *Tient jusqu'au fond du cœur quelque avocat d'un jour.*
> *Lui qui doute de l'âme, il croit à ses paroles.*
> *Poésie, il se rit de tes graves symboles,*
> *Ô toi des vrais penseurs impérissable amour!*

Il est significatif que Vigny ait choisi pour le déprécier, parmi toutes les variétés possibles d'hommes politiques, le type du parlementaire. On peut l'expliquer par le fait que ce type nouveau dominait pour la première fois la vie publique française à son époque; aussi par la vieille antipathie, reste de son royalisme, qu'il nourrissait à l'égard des assemblées politiques et de leurs débats [1]. Pour lui le Poète-penseur devait être au-dessus de tout autre type et la Poésie au-dessus de toute autre valeur dans le service de l'humanité :

> *Comment se garderaient les profondes pensées*
> *Sans rassembler leurs feux dans son diamant pur*
> *Qui conserve si bien leurs splendeurs condensées?*
> *Ce fin miroir solide, étincelant et dur,*
> *Reste des nations mortes, durable pierre*
> *Qu'on trouve sous ses pieds lorsque dans la poussière*
> *On cherche les cités sans en voir un seul mur* [2].

1. On a noté qu'il appelle le député un *avocat*, selon un usage fréquent dans la contre-révolution, et d'intention évidemment péjorative.

2. Nous connaissons déjà le Diamant comme figure, chez Vigny, du patrimoine moral que se transmettent les générations (voir ci-dessus n. 3, p. 217 et texte); il figure ici tout aussi bien – l'équivalence est significative – la Poésie. Quant à la séquence thématique : Vanité de la politique parlementaire – Éternité du diamant poétique, on la retrouve dans le poème des *Oracles*, que nous ne pouvons commenter ici en détail. C'est une sorte de complément de *La Maison du berger*, sur le même mètre et adressé à la même Eva. Ce poème, qui fait retour en 1862 sur Louis-Philippe et sur sa chute, et aussi sur la catastrophe de la bourgeoisie doctrinaire en 1848 et ses velléités de revanche, se double d'un « Post-scriptum »

Ce qui suit montre clairement qu'il ne s'agit pas d'enfermer cette Poésie suréminente dans une tour d'ivoire; c'est au contraire, sous son signe, un tableau de développement humanitaire qui nous est tracé :

> *Diamant sans rival, que tes feux illuminent*
> *Les pas lents et tardifs de l'humaine raison!*
> *Il faut, pour voir de loin les Peuples qui cheminent,*
> *Que le Berger t'enchâsse au toit de sa maison* [1].
> *— Le jour n'est pas levé. — Nous en sommes encore*
> *Au premier rayon blanc qui précède l'aurore*
> *Et dessine la terre au bord de l'horizon.*
>
> *Les Peuples tout enfants à peine se découvrent*
> *Par-dessus les buissons nés pendant leur sommeil,*
> *Et leur main, à travers les ronces qu'ils entrouvrent*
> *Met aux coups mutuels le premier appareil* [2]
> *— La Barbarie encor tient nos pieds dans sa gaine.*
> *Le marbre des vieux temps, jusqu'aux pieds, nous enchaîne,*
> *Et tout homme énergique au dieu Terme est pareil.*

Si la marche du progrès est lente, et la distance longue à parcourir, l'esprit humain y pourvoira; un mouvement optimiste clôt cette seconde partie du poème :

> *Mais notre Esprit rapide en mouvements abonde;*
> *Ouvrons tout l'arsenal de ses puissants ressorts.*
> *L'Invisible est réel. Les âmes ont leur monde*
> *Où sont accumulés d'impalpables trésors.*
> *Le Seigneur contient tout dans ses deux bras immenses,*
> *Son Verbe est le séjour de notre intelligence*
> *Comme ici-bas l'Espace est celui de nos corps.*

où la faune louis-philippiste s'agite dans sa vase et mord en vain le cristal ou le diamant :

> *Le Cristal, c'est la Vue et la Clarté du JUSTE* [...]
> *Le DIAMANT? C'est l'art des choses idéales* [...]

1. Le Berger est ici le Poète qui enchâsse la lumière de la Poésie au toit de sa symbolique demeure pour apercevoir la marche de l'humanité.

2. « Appareil », pansement appliqué à une blessure, ici aux blessures que l'humanité, dans sa première époque où nous sommes encore, s'est faites par la guerre.

Ce final malebranchien a été souvent commenté. Mais l'intention de Vigny pourrait être de « diviniser » en quelque sorte l'esprit de l'homme, plutôt que de faire dépendre ses facultés d'une source surnaturelle [1].

Nous venons de voir l'esprit de poésie intéressé au développement de l'humanité. Vigny, dans le mouvement suivant, va de même y intéresser la femme. La destinataire du poème, à laquelle il revient à présent, n'est plus seulement la compagne précieuse du poète; elle est la Femme, dont il s'agit de définir la fonction dans l'ordre humain :

> *Eva, qui donc es-tu ? Sais-tu bien ta nature ?*
> *Sais-tu quel est ici ton but et ton devoir ?*

Les six premières strophes de cette troisième partie (strophes 33-38 du poème), nouvelle intercalation au poème primitif, sont un éloge de la Femme fortement marqué de féminisme romantique [2]. Avant de développer cet éloge, Vigny a besoin, comme tant d'autres, de refaire la Genèse : Dieu a condamné l'homme, en punition de son péché, à un torturant amour de soi, et c'est pour tempérer ce châtiment qu'il a créé la femme (strophe 34) :

> *C'est pour qu'il se regarde au miroir d'une autre âme,*
> *Qu'il entende ce chant qui ne vient que de toi :*
> *— L'Enthousiasme pur dans une voix suave.*

La femme est donc pour l'homme, dès sa création même, une voie de salut [3]. Elle a pour l'attribut l'« enthousiasme pur » :

1. Malebranche lui-même, en représentant Dieu comme le lieu de notre propre raison, a pu favoriser des interprétations purement humanistes de sa doctrine de la divinité, et inspirer, au XVIIIe siècle, des approbations fort éloignées de ses propres vues. Voir Ferdinand ALQUIÉ, *Le Cartésianisme de Malebranche*, Paris, 1974, p. 159 : « Bien qu'affirmant que nous voyons en Dieu [...] les idées mathématiques et les valeurs morales, Malebranche sera conduit à présenter sa doctrine sous une forme telle que l'homme y apparaîtra de plus en plus comme l'auteur de la science et le sujet de la moralité »; et *ibid.*, p. 199 : « Nous accordant de contempler directement les idées dans le Verbe, la théorie de la vision en Dieu [...] installe directement notre raison dans la terre de la Vérité. »
2. Aucun Éloge de la Femme n'est mentionné en projet dans le *Journal,* mais nous savons que Vigny consacrait à ce sujet une des « Lettres à Eva » (indication de P. FLOTTES, *La Pensée...*, pp. 220-221; reproduite dans *Œ. C.*, éd. G.-J., t. I, p. 291).
3. La Genèse, bien sûr, ne dit rien de tel; Dieu justifie seulement la création

ce sont les mots mêmes par lesquels Vigny désigne la Poésie;
la femme incarne donc l'idéal, et à ce titre règne légitimement
sur l'homme. Les deux derniers vers rétablissent cependant la
balance entre les sexes :

> *C'est afin que tu sois son juge et son esclave*
> *Et règnes sur sa vie en vivant sous sa loi.*

Dans ce féminisme compensé, l'homme conserve donc le
commandement. Car la femme n'est conçue qu'avec un caractère
de mobilité, de fragilité inquiète, de trouble. Le Féminin
romantique doit son charme à cet alliage d'ascendant et de
faiblesse; plus encore celui de Vigny [1]. L'héroïne de *La Maison
du berger* est peut-être le chef-d'œuvre du type. Il faut qu'elle
ait été vivement évoquée sous cet aspect (strophes 35-36) pour
que puissent être célébrés sa vocation au dévouement et son
courage :

> *Mais aussi tu n'as rien de nos lâches prudences,*
> *Ton cœur vibre et résonne au cri de l'opprimé,*
> *Comme dans une église aux austères silences*
> *L'orgue entend un soupir et soupire alarmé.*
> *Tes paroles de feu meuvent les multitudes,*
> *Tes pleurs lavent l'injure et les ingratitudes,*
> *Tu pousses par le bras l'homme... il se lève armé.*

Il s'agit bien d'une mission rédemptrice auprès de l'humanité,
qui va s'affirmer davantage encore dans les vers suivants, mais
dont elle entendra mieux de loin l'appel et le sens :

de la femme par ces mots (Genèse, II, 18) : « Il n'est pas bon que l'homme soit
seul, je lui ferai une aide qui lui convienne »; et c'est dans ce dessein qu'il finit
par créer (*ibid.*, II, 22-23) une femme de la chair même d'Adam. D'ailleurs la
femme est créée avant la faute, dont elle est, comme chacun sait, l'instigatrice et
non le remède.

1. Vigny se plaît à dire la femme faible, et il l'aime telle. Dans trois quatrains
intitulés *Pâleur*, datés de 1848 et adressés à Delphine Gay (Mme de Girardin),
il lui dit qu'elle n'a jamais été aussi belle dans sa fleur de jeunesse et de santé,
« Que depuis ton air triste et depuis ta pâleur » (*Œ. C.*, Pl. I, p. 158). Sous
l'année 1860, on lit encore dans le *Journal* (*Œ. C.*, Pl. II, p. 1353) : « Il y a telle
femme que j'ai bien aimée, à qui je ne trouvais qu'une imperfection, c'était de
ne jamais être malade. La souffrance dans les femmes est pour moi une grâce et
un charme de plus. »

C'est à toi qu'il convient d'ouïr les grandes plaintes
Que l'humanité triste exhale sourdement.
Quand le cœur est gonflé d'indignations saintes,
L'air des cités l'étouffe à chaque battement.
Mais de loin les soupirs des tourmentes civiles,
S'unissant au-dessus du charbon noir des villes,
Ne forment qu'un grand mot qu'on entend clairement.

Il n'est pas d'œuvre ou de doctrine, en ce demi-siècle romantique, qui n'ait inclus, sous quelque forme, cette promotion
humanitaire de la femme. Vigny n'entendait pas y manquer;
vingt ans plus tôt, son personnage d'Éloa l'atteste déjà. Et dans
un septain non publié de son vivant [1], reliquat très évident de
La Maison du berger, il compare précisément son Invitée à
l'ange féminin qui, dans son poème d'autrefois, avait voulu
racheter Satan :

Ah! tu n'as pas besoin de voler sur la terre,
Comme font du Seigneur les divins messagers;
Ta bonté comme un ange au fond du sanctuaire
Illumine et bénit la maison des bergers.
Les ailes d'Éloa que la pitié fit battre,
Toute femme les a quand nous devons combattre
Ou contre le malheur ou contre les dangers.

Après l'Éloge de la Femme, Vigny (strophes 39-48) reprend
où il l'avait laissé le texte de son poème du *Départ*; il noue
à l'éloge qu'il vient de faire de la mission d'Eva la pensée où
il en était resté; il disait :

Que m'importe le jour? Que m'importe le monde?
Je dirai qu'ils sont beaux quand tes yeux l'auront dit.

Il dit maintenant :

Viens donc, le ciel pour moi n'est plus qu'une auréole
Qui t'entoure d'azur, t'éclaire et te défend;
La montagne est ton temple et le bois sa coupole [...]
La Terre est le tapis de tes beaux pieds d'enfant.

---

1. Il faut avouer que cette strophe supprimée n'était pas trop bien venue; le
dernier vers surtout, parlant d'ailes, rampe plutôt.

Mais ce retour à la pure adoration amoureuse tourne vite en profession de foi sur la condition humaine (les deux inspirations s'appellent l'une l'autre tout au long du poème); ce qui donne au couple tout son prix, c'est l'état d'abandon et de fragilité de l'homme seul au sein de la nature :

> *Ne me laisse jamais seul avec la Nature;*
> *Car je la connais trop pour n'en pas avoir peur* [1].

Il ne faudrait pas voir de contradiction entre les strophes qui d'abord peignaient la nature comme asile et recours, et la fameuse prosopopée qui va maintenant la faire parler comme une déesse indifférente et meurtrière [2]. Il s'agit pour Vigny de deux expériences distinctes : la nature qu'il célèbre est la nature humanisée, féminisée, subjectivisée; elle n'est pas considérée en soi, elle est le théâtre et l'aliment de la rêverie, la rêverie elle-même; celle qu'il maudit est la nature dans son être propre, c'est cet univers sans Providence, figure du Dieu absent [3] qui nous ignore et nous écrase. Vigny lui tient en effet le même langage qu'à Dieu; il veut que nous l'ignorions pour réserver notre amour aux êtres éphémères.

> *Aimez ce que jamais on ne verra deux fois,*

que nous opposions à sa froide majesté celle de nos souffrances :

> *Plus que tout votre règne et que ses splendeurs vaines,*
> *J'aime la majesté des souffrances humaines,*
> *Vous ne recevrez pas un mot d'amour de moi.*

1. Le thème de la Nature hostile était prévu comme devant figurer dans *La Maison du berger* dès 1840 (*Journal*, Œ. C., Pl. II, p. 1145).
2. Le journal et la correspondance reviennent souvent sur l'idée d'une Nature ennemie; voir : lettre au marquis de La Grange, septembre 1832, *Corr.*, éd. B.-C., pp. 324-325; *Journal*, Œ. C., Pl. II, p. 1028 [1835]; lettres du 3 octobre 1840 et du 24 novembre 1843 à la marquise de La Grange, éd. Luppé, pp. 57-58, 126-127; lettres à Mme d'Agoult des 14 et 30 juillet 1844, et du 9 juin 1846 (éd. Daniel Ollivier, in *Revue des deux mondes*, 1er novembre 1934, pp. 123 et 130); *Journal*, Œ. C., Pl. II, p. 1304, « 18 février » [1853].
3. La Nature vue sous cet angle est une nouvelle figure féminine, notons-le, dans ce poème du Féminin. Ce Féminin négatif et néfaste ne manque pas dans l'œuvre et les pensées de Vigny, mais on l'y trouve surtout sous le type de l'Amante. Il paraît ici sous celui de la Mère ou de la Déesse. Sur l'ambivalence de Vigny à l'égard de la femme, voir la section suivante.

Le couple, par cette digression, s'est fait de nouveau symbole d'humanité souffrante et héroïque. Mais le poème ne pouvait finir sur cette note d'invective. Dans les trois dernières strophes, Vigny renouvelle l'invitation à Eva, sur le mode personnel et poétique du début; il reprend et varie l'inoubliable portrait féminin, en l'entremêlant d'un appel à une sympathie plus large, par l'annonce des « tableaux humains » du recueil. Telle est, je crois, la parfaite cohérence, en profondeur, que Vigny a donnée à ce poème composite. Un premier mouvement, de retrait loin du monde vers l'essentiel, Amour et Rêverie, se développe ensuite doublement vers l'Humanité, la Poésie se faisant garante de permanence et d'avenir, et l'Amour d'un couple se prolongeant, par l'intercession de la Femme, en fraternité humaine. La Maison roulante, à la fois absence au monde et présence aux enseignements de la Poésie, figure bien cette conjonction de la solitude et du ministère spirituel, qui est au centre de la pensée de Vigny. Eva, qu'on ne voit qu'à travers le discours du poète, sans qu'il la fasse jamais parler, empreint pourtant tout le poème d'une participation féminine, sensible aux endroits même où il n'est pas question d'elle. Nous la devinons, elle aussi, fervente et réservée.

LA COLÈRE DE SAMSON.

On ne peut quitter *La Maison du berger* sans souligner que le Féminin a chez Vigny un revers : la « grande figure de pitié » se double d'une figure haineuse et perverse. On connaît le poème de *La Colère de Samson,* qui figure dans *Les Destinées;* Vigny n'avait jamais publié de son vivant ce poème d'une misogynie virulente; c'est le seul des « Poèmes philosophiques », écrits tous dans les mêmes années, qu'il n'ait cru publiable que posthume [1], sans doute à cause des confidences transparentes qu'il contenait sur ses griefs contre Marie Dorval; peut-être aussi craignait-il que sa misogynie ne lui fît pas honneur : des récriminations âcres contre la Femme prêtaient à rire dans l'ancienne France polie, où l'on était encore au temps de Vigny et dans son entourage. Nous connaissons ce chapitre général

---

1. Le poème, projeté dès la fin de 1838, fut achevé en avril 1839; il ne parut que dans le recueil des *Destinées,* en 1864.

des rancunes et des fureurs rentrées de Vigny, et nous savons
qu'il se gardait de les laisser voir au public. Il tenait pourtant
à cette partie de lui-même, et il ne la désavouait pas intérieurement. *La Colère de Samson* a sa place dans presque tous les
plans de son recueil de poèmes, au long de vingt années; il
figure dans celui qu'il remit avant de mourir à son exécuteur
testamentaire.

Le poème, qui s'est longtemps intitulé *Dalila,* du nom de
celle qui en est véritablement le sujet, raconte l'épisode final
de l'histoire de Samson et Dalila telle qu'on la lit dans la
Bible, au livre des Juges (xvi, 4-30). Les chefs philistins
chargent Dalila de découvrir où réside le secret de la force
surhumaine de Samson; il lui en donne à deux reprises une
explication fausse, avec le moyen supposé de venir à bout de
lui [1], de sorte que les Philistins échouent par deux fois dans
cette entreprise. La troisième fois il lui révèle la vérité : sa force
réside dans sa chevelure; elle l'endort, lui rase la tête, et les
Philistins le maîtrisent, lui crèvent les yeux et l'enchaînent.
Mais quelque temps après, ses cheveux ayant repoussé, tandis
qu'on l'exhibe au peuple philistin un jour de grande fête, il
écarte à force de bras les colonnes du temple, qui s'effondre
sur la foule et sur lui-même. Ce vieux récit biblique a toute
l'allure d'un conte folklorique, par la tentative variée trois fois
pour n'aboutir qu'à la troisième (procédé constant de narration
populaire) et par l'accent mis sur le merveilleux du récit aux
dépens de la vraisemblance psychologique [2]. Vigny, qui ne tient
pas à prendre sur lui ces anomalies, a supposé l'histoire connue;
il commence son récit au moment où, ayant livré son secret,
Samson se sait perdu. S'il ne tente rien pour se sauver comme
il le pourrait certainement et s'il épargne celle qui l'a trahi,
c'est parce qu'il est désespéré de cette trahison et n'aspire qu'à
mourir. Ce complément psychologique ajouté à la source biblique
occupe plus de la moitié du poème.

    1. En le ligotant, dit-il la première fois, avec sept cordes d'arc neuves; puis,
en entre-tissant ses cheveux avec la chaîne d'une toile : naturellement, aucun de
ces deux procédés ne réussit.
    2. On peut difficilement trouver vraisemblable que Samson, ayant deviné,
déjoué et rendu patente la trahison de sa maîtresse, se prête à d'autres tentatives;
encore moins que Dalila, démasquée deux fois, revienne encore à la charge, en
reprochant à Samson de lui avoir menti et en l'accusant de ne pas l'aimer (!);
et que dire des Philistins qui n'ont pas l'air de savoir que les cheveux repoussent?
Cela dit, répétons que les lois de l'affabulation et de la crédibilité sont tout autres
en folklore légendaire, qu'en narration lettrée.

En développant l'état d'âme de Samson, Vigny développe la moralité qu'il entend donner à l'histoire, et dont il n'y a pas non plus trace dans le livre des Juges. Il fait de Dalila une incarnation de l'universelle perfidie féminine. C'est par là que commence et que se poursuit la plainte de Samson :

> *Une lutte éternelle en tout temps, en tout lieu,*
> *Se livre sur la terre, en présence de Dieu,*
> *Entre la bonté d'Homme et la ruse de Femme,*
> *Car la Femme est un être impur de corps et d'âme.*

> *[...] Celle à qui va l'amour et de qui vient la vie,*
> *Celle-là, par orgueil, se fait notre ennemie.*

> *[...] Toujours voir serpenter la vipère dorée*
> *Qui se traîne en sa fange et s'y croit ignorée;*
> *Toujours ce compagnon dont le cœur n'est pas sûr,*
> *La Femme, enfant malade et douze fois impur* [1] *!*

Le seul moment où vibrait d'émotion le récit hébraïque était celui de la prière finale et de la vengeance de Samson (versets 28-30) [2]. Vigny a repris ce mouvement en prenant lui-même la parole pour acclamer le châtiment du mal :

> *Terre et Ciel ! punissez par de telles justices*
> *La trahison ourdie en des amours factices*
> *Et la délation du secret de nos cœurs*
> *Arraché dans nos bras par des baisers menteurs* [3] *!*

Les textes misogyniques sont nombreux dans les écrits intimes de Vigny, soit annonçant notre poème ou s'y rapportant [4], soit

1. V. 35-38, 73-74, 97-100.
2. C'est qu'ici le texte biblique ne relève plus d'une tradition folklorique et de ses procédés ; il évoque les luttes des Hébreux contre leurs ennemis pour la possession de la Terre sainte ; les Philistins punis passionnent bien plus le rédacteur que Dalila.
3. V. 133-136. On voit percer ici l'intérêt personnel de Vigny pour cette antique histoire ; on soupçonne qu'il a son expérience à lui de la délation ou de l'indiscrétion féminine.
4. Mention de Dalila dans le *Journal* en 1832, selon V. Saulnier, éd. des *Destinées*, p. 59, note 1; *Journal, Œ. C.*, Pl. II, p. 1034, « 27 novembre » [1834] (« Dalila... Ô symbole redoutable de la femme », etc.); *ibid.*, pp. 1144-1145 [1840] (lutte sans fin entre deux amants); même thème de guerre mortelle entre amants dans la « IVᵉ Lettre à Eva », *Mémoires*, p. 429 (« récitatif » devant servir de prélude au poème de Dalila).

formulant des remarques générales sur la femme, sa tyrannie,
sa malfaisance, son irrémédiable dépendance [1], et beaucoup
d'entre eux semblant évoquer ses relations avec Marie Dorval [2].
Mais on trouve aussi des remarques humblement pénitentes à
l'égard de la femme, victime de l'homme; ainsi : « Après avoir
bien réfléchi sur la destinée des femmes dans tous les temps
et chez toutes les nations, j'ai fini par penser que tout homme
devrait dire à chaque femme, au lieu de Bonjour : – Pardon!
car les plus forts ont fait la loi [3]. » Un fragment, classé dans
le *Journal* en 1856, propose un nouveau remaniement de la
Genèse à l'avantage de la femme : « Le péché originel d'Adam.
– Ce fut sa lâcheté lorsqu'il accusa sa femme et la dénonça
comme l'ayant séduit et lui ayant conseillé de manger le fruit
défendu. Ce péché pèse sur tous les mâles depuis et c'est pour
le punir que la femme les trompe d'âge en âge. Ce péché, dit
Lucifer, ne sera racheté que quand une femme rencontrera un
amant qui l'aime plus que lui-même et que sa vie, son Dieu
et son *salut* [4]. »

La misogynie de Vigny, dans ces conditions, est un sujet
difficile. La peur d'être mal aimé, le ressentiment, un parti pris

1. Dès 1833, on trouve dans le *Journal* des fragments qui évoquent l'abaissement d'un homme lié par son amour à une femme indigne de lui : voir *Œ. C.*,
Pl. II, p. 979, aussi p. 985 (conseil de réfléchir avant de s'engager); pp. 992-993
(Raphaël épuisant son génie dans les bras de la Fornarina). Mais Vigny reconnaît
ailleurs que l'amant peut trouver du bonheur dans ce sacrifice : *ibid.*, p. 1072
[1837]. Autre thème : la femme reçoit tout de l'homme, y compris la pensée :
ibid., p. 1043 [1836] (répété p. 1226, *in fine* [1844] et dans les *Mémoires*, p. 364,
s.d.). Le Docteur Noir opine que tout le malheur des femmes vient de leur trop
de liberté : *ibid.*, pp. 1042-1043 [1836]. Voir aussi *ibid.*, p. 1390 « 6 juillet »
[1863] (portrait de l'homme sacrifié).

2. On ne sait pas toujours bien dans quelle mesure. Voir sur ce sujet, et
principalement sur les nombreux fragments de 1838, l'étude de P.-G. CASTEX,
L'Eva du Journal, dans le *Bulletin de l'Association des amis d'Alfred de Vigny*,
nº 10, 1980-1981, pp. 6-15. Il est remarquable que ces morceaux concernant
une Amante-Ennemie portent « Eva » pour titre : l'usage successif de ce nom pour
désigner ce type de femme, puis la figure idéale de *La Maison du berger*, est un
signe visible de l'ambivalence de Vigny.

3. *Journal, Œ. C.*, Pl. II, p. 1226 [1844].

4. *Ibid.*, p. 1327 [1856]. Ce Lucifer féministe pour d'honnêtes raisons, et
dressant le Féminin contre Jéhova et son salut, mériterait de figurer en bonne
place dans une somme de théologie romantique. D'un autre biais, il faut
reconnaître qu'Adam ne s'était pas conduit en gentilhomme : on ne dénonce pas
sa compagne, coupable ou non, à l'autorité. Une interprétation forcée du récit
biblique de la Chute avait déjà été faite par l'abbé CONSTANT, dans *La Mère de
Dieu*, Paris, 1844, p. 10, et sans doute par d'autres.

de conflit le poussent contre l'autre sexe; son besoin d'amour et sa philosophie poétique lui font porter la femme aux nues. Peu d'hommes échappent sans doute à ce partage entre la vieille défiance masculine et la tentation chevaleresque; et les deux Ève de signe contraire, la traîtresse et l'auxiliatrice, hantent conjointement l'imagination romantique. La discussion n'a ici d'intérêt que parce qu'elle aide à définir chez Vigny l'ambiguïté, présente en tous domaines, d'une nature à la fois fermée et ouverte. Il est clair en tout cas qu'il ne maudit la femme que parce qu'il a trop besoin d'elle. Samson même le dit au plus fort de ses plaintes :

> *Éternel! Dieu des forts! vous savez que mon âme*
> *N'avait pour aliment que l'amour d'une femme,*
> *Puisant dans l'amour seul plus de sainte vigueur*
> *Que mes cheveux divins n'en donnaient à mon cœur* [1].

Aussi ne songe-t-il qu'à mourir.

LES DESTINÉES, poème.

D'autres pensées occupaient depuis longtemps Vigny. Dieu, muet et indifférent, est en outre réputé tout-puissant, maître de notre sort, et ce qui est pis, de notre volonté. La doctrine des « Poèmes philosophiques », qui conseille à l'homme de se détourner de Dieu pour ne se fier qu'à lui-même, a-t-elle un sens si nos choix mêmes ne dépendent de nous qu'en apparence, si le Tout-Puissant est le véritable auteur de nos actes? En réalité, le schéma de pensée dont Vigny a voulu faire la charpente intime de son livre, à savoir : Dieu nous ignore, cherchons notre salut sans lui, – ce schéma était depuis long-temps doublé dans son esprit, et risquait d'être annulé, par une mise en question de notre liberté. C'est le problème qu'il a posé dans son poème des *Destinées,* achevé en 1849 et qui ne parut qu'après sa mort. Vigny avait voulu qu'il parût en tête de son recueil et lui donnât son titre [2].

---

1. V. 81-84.
2. Nous en avons deux manuscrits, qui portent tous deux la date du 27 août 1849 (voir *Œ. C.,* éd. G.-J., t. I, pp. 1034-1035). Il y a aussi des esquisses en prose, antérieures de deux ans, dont nous reparlerons.

Quoique le problème de la liberté ne soit expressément posé nulle part dans les plans de son futur recueil ni dans les commentaires dont il les accompagne jusqu'en 1847, ce problème hante implicitement son pessimisme; ce que montrent déjà ses premiers poèmes, c'est une Fatalité en action contre l'homme : ainsi *La Fille de Jephté, Le Malheur, La Prison, Le Déluge,* qui précèdent de plus de vingt ans les « Poèmes philosophiques » des années 1840; et parmi ceux-ci, le Dieu muet du *Mont des Oliviers* est bien aussi la figure d'une Fatalité contraire. La prédication volontariste de Vigny va pourtant en sens opposé; et elle date, elle aussi, de ses premiers écrits. Ignorer ce côté de sa pensée, ce serait déclarer vains ses conseils et sa mission. « Dieu, écrit-il en 1824, [...] a jeté l'homme au milieu de la destinée. La destinée l'emporte et l'enveloppe vers le but toujours voilé. Le vulgaire est entraîné, les grands caractères sont ceux qui luttent [1]. » Ou encore : « La faiblesse produit tout mal, la force tout bien. Les crimes viennent de la faiblesse. Les vertus de la force [2]. » Il croyait donc à un partage entre les deux puissances opposées du destin et de la volonté; il y a cru sans doute toute sa vie; l'année même des *Destinées,* nous dit-on, il écrivait : « Je pense que la Destinée dirige une moitié de la vie de chaque homme et son caractère l'autre moitié [3]. » Il incline fort, si pessimiste qu'il soit, à exalter la volonté humaine, lui qui peut même écrire : « La fatalité est une folie inventée par l'esprit de paresse qui domine toujours les hommes » et se propose d'écrire un poème pour « chanter la force morale » [4].

Le problème se complique quand il y introduit Dieu et le christianisme, ce qu'il fait très tôt : « D'où vient que malgré le christianisme l'idée de la fatalité ne s'est pas perdue [5] ? »

---

1. *Journal, Œ. C.,* Pl. II, p. 880 [1824]; voir aussi *ibid.,* p. 890 [1829], dans le fragment intitulé « Tragédie », sa définition du théâtre tragique comme lutte entre « la *destinée* et l'*homme* »; également l'Avant-propos de *La Maréchale d'Ancre, Œ. C.,* Pl. II, p. 379 : « La Destinée, contre laquelle nous luttons toujours, mais qui l'emporte sur nous dès que le Caractère s'affaiblit ou s'altère. »

2. *Journal, Œ. C.,* Pl. II, p. 990 [1833].

3. *Ibid.,* p. 1270 [1849].

4. *Ibid.,* p. 990 [1833]; *ibid.,* même page, il fait dire au Docteur Noir : « Le *vouloir* est toute la vie. Si vous *vouliez* être heureux, vous le seriez. C'est la volonté qui transporte les montagnes »; voir aussi *ibid.,* p. 1159 [1841].

5. *Ibid.,* p. 885 [1826]; selon Baldensperger, éd. B.-C. du *Journal,* cette phrase est écrite sur un feuillet du manuscrit de *Cinq-Mars* (voir G. BONNEFOY, *op. cit.,* p. 348, et V.-L. SAULNIER, éd. des *Destinées,* p. 4, n. 2).

C'était une idée répandue de son temps, que le christianisme avait détruit la Fatalité pour lui substituer, dans le gouvernement du monde et des hommes, la Providence : une puissance aveugle avait cédé la place à une volonté infiniment intelligente et bonne. Mais Vigny s'est demandé très tôt quel bénéfice la liberté humaine pouvait avoir tiré d'une telle révolution. Ce Dieu qui sait tout, peut tout et ne nous dit rien nous laisse-t-il autre chose que l'illusion d'être libres? Sa Providence, en quoi diffère-t-elle pour nous d'une Fatalité? « Fatalité et Providence, même chose », écrit-il; la seule différence est que la Fatalité est brutale, et la Providence sournoise; car en feignant de laisser l'homme se conduire à son gré entre ses griffes, « elle lui tend un piège éternel » [1]. « La Prescience de Dieu, n'est-ce pas le Destin? [...] Peu m'importe de savoir si je suis libre ou non, puisque ma liberté est aussi aveugle et aussi bornée que l'antique esclavage [...] Fatalité, Providence, livre du Destin ou livre de Dieu, je suis votre esclave [...] Vous êtes une seule puissance qui faites de moi ce qui vous plaît, que je ne dois ni bénir, ni maudire, mais ignorer jusqu'à la mort [2]. »

Que peut signifier, au regard de l'omnipotence de Dieu, le libre arbitre dont il est censé avoir gratifié l'homme? Et, d'ailleurs, comment concilier cette prétendue liberté avec la dépendance où nous sommes de sa grâce? Discutant de la liberté humaine en terrain chrétien, on ne peut éviter ce problème. Vigny y a pensé, et a pris quelques informations sur le débat de la grâce et du libre arbitre dans la théologie catholique. Naturellement la doctrine stricte de la Grâce, faveur absolument gratuite accordée par Dieu sans que la volonté de l'homme y soit pour rien, lui est fortement antipathique : cette grâce est précisément pour lui la variante chrétienne de la fatalité. Il s'amuse des efforts par lesquels la théologie voudrait la réconcilier avec la liberté de l'homme; mais son ironie tend à l'opposé de celle de Pascal dans les *Provinciales* : c'est la stricte logique chrétienne qui n'est pas soutenable [3]. Il constate

1. *Journal, Œ. C.,* Pl. II, p. 1005, « 5 mai [1834] ».
2. *Ibid.,* pp. 1007-1008 [1834]; on voit combien ce motif de la Providence-Fatalité est parent de ceux du Dieu muet ou du Dieu geôlier; il suscite la même réponse de l'homme : refus d'attention, dédain. Voir aussi *ibid.,* p. 1014, « 17 octobre » [1834].
3. *Ibid.,* p. 1107 [1838]. Le texte du fragment est ici altéré et difficilement intelligible; il faut le lire dans la version plus complète et plus correcte qui se trouve page 1376, classé sous l'année 1862.

avec satisfaction que, si saint Augustin défendait la Grâce contre Pélage, « il avoua qu'il sentait en lui un libre arbitre » [1], et il n'hésite pas à écrire que « Port-Royal, les jansénistes, et Pascal par eux, étaient coupables envers l'humanité, car ils arrêtaient le progrès en soutenant la cause de la *grâce* contre la *liberté* » [2]. Il approuve la position modérée adoptée dans ce débat par l'Église officielle : « L'Église, écrit-il, a pris le parti de tenir compte de ces deux faits de la liberté humaine et de l'intervention divine, et nie que Dieu fasse tout dans l'homme et que l'homme puisse tout sans le secours de Dieu. C'est donc un *compromis* qui est l'état actuel.» Mais ce compromis entre grâce et liberté est en réalité à ses yeux, comme la suite du fragment le dit expressément, un compromis entre religion et philosophie [3]. Ainsi il tient pour allant de soi que le parti de la religion est celui de la grâce : comprenons qu'en dénonçant la grâce, c'est la religion qu'il dénonce, et qu'en récriminant contre Dieu comme tyran des volontés, c'est son existence qu'il incrimine. Comment croire en un Dieu qu'on rendrait, en niant la liberté humaine, responsable d'Œdipe et d'Oreste [4]? Hors la liberté, Vigny n'imagine qu'un univers aveugle et inhumain, cet univers sans Dieu qui hante la religion romantique, et qu'elle a pour vocation de déclarer impossible sans pouvoir en effacer l'image. Il existe, écrit Vigny, une « force plus puissante que celle des hommes, c'est *l'enchaînement des choses de la vie* [...] la *fermentation naturelle* des faits et des actes », qui « empêche les assemblées et les hommes de faire ce qu'ils veulent : un germe tombe comme au hasard, grandit et étouffe les plantations factices des mains savantes et laborieuses. C'est là ce que le monde antique appelait Fatalité, Destin, Sort. C'est

---

1. *Ibid.*, p. 1107 [1838], « De saint Augustin ».
2. *Ibid.*, p. 1172 [1842]. Il va même jusqu'à ajouter, tout en désapprouvant les persécutions de Louis XIV contre Port-Royal, que « le principe des jésuites était meilleur que celui des Jansénistes ». Il ne sympathisait pourtant pas en général avec les jésuites; voir ci-dessus notre note 2, p. 194. Rappelons que Michelet, dont on a voulu voir en lui l'influence en matière de liberté, jugeait tout autrement que lui la théologie des jésuites (voir *Le Temps des prophètes*, pp. 532-533).
3. *Journal*, Œ. C., Pl. II, p. 1210, « 30 novembre » [1843] : « Cet état actuel est pareil à une chaîne dont la philosophie tient un bout et la religion l'autre. »
4. *Ibid.*, pp. 1315-1316, « avril » [1854]. Voir aussi, *ibid.*, p. 1294 [1852], le fragment intitulé « De Milton ».

ce que le christianisme appelle Livre de Dieu, Providence, Grâce Divine, Prescience de l'être incréé » [1].

Soulignons, dans cette méditation de Vigny, les deux positions essentielles : d'une part, l'identité établie entre la Fatalité antique, la Providence ou la Grâce chrétienne, et la nécessité naturelle des modernes; d'autre part, le refus d'attribuer un empire absolu à cette puissance inhumaine, de quelque nom qu'on l'appelle, et l'affirmation d'une volonté ou liberté propre à l'homme et capable de lui tenir tête. Ces pensées s'organisèrent sans doute assez tôt dans l'esprit de Vigny [2]. Mais cette organisation conceptuelle se changea un jour, par la vertu de l'allégorie, en vision symbolique. Vigny imagina les Destinées sous forme de déesses, et en vit de deux sortes, les Destinées de la Fatalité et celles de la Grâce; c'est là apparemment le premier germe du futur poème : une ébauche de mythologie, mais statique, sans action ni récit : « Les Destinées envoyées par la *fatalité* [...] inscrites au livre du Sort [...] Les Destinées envoyées par la *grâce* [...] inscrites sur le livre de Dieu. » Une note, dans le même fragment, rappelle la parenté des deux groupes de déesses : « L'idée de l'inflexibilité du Destin est ineffaçable parmi les hommes, puisque le Christianisme n'a pas pu la détruire [3]. » Un autre fragment donne des attributs symboliques visibles aux déesses : « Les Destinées de la *Fatalité* pèsent comme des statues de plomb sur le front des hommes. Leurs pieds d'airain sont posés sur les têtes humaines. Les Destinées de la Grâce ont des ailes. L'Esprit-Saint les fait descendre des pieds du Christ. Elles se posent près du cœur de l'homme. – Puis le souffle de la Liberté soulève leurs ailes. » La mission de ces Destinées chrétiennes est également développée, et dans un sens assez optimiste; il y en a, semble-t-il, une pour chaque homme, dont elle est en quelque sorte l'ange gardien ou la volonté libre (les deux notions se mêlent) [4]. Elles conservent toutefois leur nom redoutable de Destinées.

1. *Ibid.*, pp. 1353 [1860], 1354, « 11 mars » [1860].
2. En effet, un fragment, classé dans le *Journal* en 1832 (*Œ. C.*, Pl. II, p. 965) assimile déjà la *Destinée fatale* des Anciens et de l'Orient, le *livre de Dieu* de l'Occident, et les *nécessités* de Herder, et déplore de ne voir « nulle part une place assez grande donnée à la volonté de l'homme ».
3. « *Les Destinées*, poèmes philosophiques », manuscrit daté du 1er avril 1847 (reproduit dans *M. de Vigny,* p. 85, et dans *Œ. C.,* éd. G.-J., t. I, pp. 280-281).
4. Ce texte est précédé des indications suivantes : « Poèmes philosophiques.

Si, dans ces deux textes, l'allégorie s'en tient à des généralités, c'est parce qu'ils n'étaient écrits l'un et l'autre que comme plans d'un livre, et pas encore d'un poème. Vigny repensait en 1847 le plan de son futur recueil, le distribuant en deux parties, consacrées, la première aux Destinées de la Fatalité, la seconde à celles de la Grâce : c'est ce que dit expressément le premier texte, auquel le second donne une forme plus sensible. Vigny dut renoncer à ce nouveau plan, où ne pouvaient entrer les poèmes déjà écrits. La matière de ce plan devint alors celle d'un poème. Cette nouveauté paraît dans une ébauche en prose où figurent toujours les Destinées déesses, mais comme personnages d'une action. Vigny s'est avisé que l'antithèse sur laquelle il médite, étant celle de deux époques, de l'humanité, pouvait faire l'objet d'une *histoire,* d'une allégorie dramatique en même temps que théologique : les personnages seront les Destinées, Dieu qui les gouverne et l'Humanité qui les subit ; l'action, le passage de l'ordre antique à l'ordre chrétien. Il ne s'agira plus de deux sortes de déesses de genre différent, mais des mêmes Destinées, dont l'avènement du christianisme change le statut. L'intérêt du drame est donné par les variations pathétiques de la condition humaine : oppression antique, soulagement et délivrance quand les Destinées remontent au ciel, se croyant à jamais chassées de la Terre par le christianisme, jugement souverain de Dieu qui réduit la portée du changement. Tel est le scénario que dessine l'ébauche datée du 19 avril 1847 [1], première organisation du poème qui sera achevé deux ans plus tard.

Les Destinées (ceci est la meilleure forme de l'Idée de la Fatalité et de la grâce) » ; il est reproduit dans *M. de Vigny,* p. 78, et dans *Œ. C.,* éd. G.-J., t. I, p. 285 ; il porte la date du « 12 juillet », à laquelle Vigny a ajouté plus tard au crayon « 1847 ». Germain-Jarry supposent une erreur de Vigny et proposent (p. 1244) de lire 1846, pour sauvegarder l'antériorité de ce texte par rapport à l'ébauche, beaucoup plus développée et avancée, du 19 avril 1847, dont nous allons parler. Mais alors notre texte serait antérieur de près de neuf mois au plan du 1ᵉʳ avril 1847, que nous avons évoqué plus haut, et qu'il semble gloser. Quelque solution qu'on adopte, l'ordre chronologique des ébauches paraîtra contredire l'ordre logiquement plausible de leur succession. Acceptons que la logique d'une genèse, qui est ce qui nous intéresse surtout, n'agisse pas nécessairement dans l'ordre du calendrier. Autre chose : il y a dans le *Journal, Œ. C.,* Pl. II, p. 1299, classé en 1852, c'est-à-dire trois ans après l'achèvement du poème des *Destinées,* un fragment daté lui aussi « 12 juillet », qui n'est qu'une version plus courte du texte qui fait l'objet de la présente note.

1. Cette ébauche, dont le manuscrit s'est trouvé partagé entre deux fonds différents, peut se lire en entier dans *Œ. C.,* éd. G.-J., t. I, pp. 285-286 ; daté

Il commence par un motif métaphorique fidèlement repris des esquisses en prose :

> *Depuis le premier jour de la création,*
> *Les pieds lourds et puissants de chaque Destinée*
> *Pesaient sur chaque tête et sur toute action* [1].

Mais le tableau de la Fatalité antique est ici longuement développé avec une grande abondance d'images, et surtout un enrichissement de l'évocation allégorique :

> *Tristes Divinités du monde Oriental,*
> *Femmes au voile blanc, immuables statues,*
> *Elles nous écrasaient de leur poids colossal.*

L'avènement du christianisme introduit l'élément historique d'où va sortir la narration, c'est-à-dire le « poème ». L'humanité salue l'événement d'un grand cri :

> « *Le Sauveur est venu, voici le jeune athlète,*
>
> *Il a le front sanglant et le côté meurtri,*
> *Mais la Fatalité meurt au pied du Prophète,*
> *La Croix monte et s'étend sur nous comme un abri !* »

La question qui préoccupe Vigny, c'est, nous le savons, de savoir si le christianisme justifiera vraiment cette espérance. Tandis que les « filles du Destin » lâchent leur proie et remontent

du « 19 avril 1847 », il porte pour titre « Dessin des Poèmes philosophiques. *Les Destinées* » ; ce n'est plus en fait que le « dessin » d'un poème.

1. Le poème, dans ses deux manuscrits, est daté du 27 août 1849. Il est écrit en *terza rima,* structure métrique en tercets, qui est celle de *La Divine Comédie,* et que d'autres poètes romantiques, Gautier notamment, ont utilisée avant Vigny. Il avait d'abord pensé écrire ce poème dans son septain habituel : une strophe initiale dans ce rythme est parvenue jusqu'à nous (on peut la lire dans *Œ. C.,* Pl. I, éd. Baldensperger, p. 286). Vigny a préféré la *terza rima,* qui, triplant la rime et la faisant continûment chevaucher d'un tercet sur l'autre, peut donner à la narration l'enchaînement et la solennité d'une écriture sacrée. À la fin de sa dernière ébauche Vigny notait en effet : « À écrire en tercets. Dans quelque rythme qui se rapproche du vers hébreu de l'Ancien Testament. » Les irrégularités que Vigny s'est permises dans l'ordre des rimes par rapport à la stricte formule rythmique de la *terza rima,* et sur la nature et le détail desquelles nous ne pouvons nous étendre ici, créent une anomalie rythmique qui, voulue ou non, ne dépare pas cet étrange poème.

vers le Seigneur, la Terre délivrée et tout l'univers sont dans l'attente du « suprême décret ». Les Destinées, rangées autour de Jéhovah, chantent un « hymne de douleur » :

> *Nous venons demander la Loi de l'avenir,*
> *Nous sommes, ô Seigneur, les froides Destinées*
> *Dont l'antique pouvoir ne devait point faillir.*
>
> *[...] Devons-nous vivre encore ou devons-nous finir ?*
>
> *Sur les tables d'airain où notre loi se grave,*
> *Vous effacez le nom de la FATALITÉ,*
> *Vous déliez les pieds de l'homme notre esclave. –*
>
> *Qui va porter le poids dont s'est épouvanté*
> *Tout ce qui fut créé ? Ce poids sur la pensée,*
> *Dont le nom est en bas : RESPONSABILITÉ* [1] *?*

Dès qu'elles se sont tues, la voix d'en haut répond :

> *Retournez en mon nom, Reines, je suis la Grâce.*
> *L'Homme sera toujours un nageur incertain*
> *Dans les ondes du temps qui se mesure et passe.*
>
> *[...] Il sera plus heureux se croyant maître et libre*
> *Et luttant contre vous dans un combat mauvais*
> *Dont moi seule d'en haut je tiendrai l'équilibre.*
>
> *De moi naîtra son souffle et sa force à jamais.*
> *Son mérite est le mien ; sa loi perpétuelle :*
> *Faire ce que je veux pour venir où JE SAIS.*

Le chœur des Destinées redescend donc vers sa proie et s'en ressaisit :

---

1. Vigny allie ici Fatalité et Responsabilité comme deux concepts parents, contrairement à l'usage habituel ; c'est qu'il entend, apparemment, par responsabilité le fardeau imposé à une victime désignée (voir de même *Journal, Œ. C.,* Pl. II, p. 1315, « avril » [1854] : « La Responsabilité, la Fatalité, la Grâce et la Prédestination rendent la divinité responsable des actes de l'homme » ; naturellement l'adjectif doit s'entendre, à l'opposé du substantif, au sens de « moralement responsable ».

Chacune prit chaque homme en ses mains invisibles.

Cette splendide affabulation mythologique ne semble pas signifier autre chose que l'équation Fatalité-Grâce si souvent établie par Vigny, la Grâce ne produisant qu'un faux-semblant de liberté. C'est la fin du poème qui va évoquer le rôle de la volonté humaine.

Il est de fait que, dans tout ce qui tient au mythe des Destinées, dans les esquisses en prose comme dans le poème, la liberté n'est évoquée que comme correctif à une toute-puissance pesant sur l'homme. Ceci est conforme à la pensée habituelle de Vigny, qui fait résider le sublime de la volonté non dans l'étendue de ses conquêtes, mais dans l'héroïsme de son effort. Ce qui surprend davantage, surtout dans l'ébauche datée du « 12 juillet », c'est qu'il semble y reconnaître une forte opposition entre Grâce et Fatalité, qu'il essaie par là une sorte d'insertion dans le christianisme de la liberté humaine. Il suppose en effet dans ce texte que la « Destinée de la Grâce » qui accompagne chaque homme, figurant, comme on a vu, sa volonté libre, « porte aux pieds de Dieu la palme de sa Vertu et laisse tomber en passant sur la terre la couronne de sa gloire humaine »; il y a donc une liberté de l'homme dont les fruits mûrissent sur la terre et sont offerts à Dieu. Mais si ces fruits sont mauvais, alors « la Destinée envoyée par l'Esprit-Saint [...] humiliée de n'avoir que du mal à rapporter en haut, accompagne le mortel jusqu'au seuil de la mort [...], elle gémit, elle pleure et meurt en même temps que lui ». On conviendra que cette théologie quasi orthodoxe du bien et du mal est assez éloignée des habitudes de pensée de Vigny. L'ébauche la plus semblable au poème, celle du 19 avril 1847, va moins loin dans cette direction, car elle ne connaît plus qu'une sorte de Destinées, auxquelles la Grâce garantit que l'Église nouvelle ne pourra s'opposer à elles qu'à demi, « à cause de moi », dit-elle; elles continueront donc à régner; « mais, ajoute la Grâce, vous ne serez plus immobiles et vous détruirez le mal et ferez arriver le bien » : il y a donc dans la Grâce autre chose qu'une pure fatalité, quoiqu'on ne voie pas bien quoi ni comment. Vigny, on l'a vu, a parlé ailleurs d'un compromis de l'Église en ce domaine. Projetant une grande narration sacrée, on comprend qu'il ait voulu bannir toute ironie de l'idée d'un compromis chrétien de la grâce et de la liberté, qui est effectivement la doctrine de l'Église; d'ailleurs, dans les œuvres qu'il destine au public, il n'entend jamais heurter de front la religion [1]. Il a maintenu un ton grave dans le poème, où pourtant il se reprend davantage encore : ici la Grâce ne dit rien qui humanise son empire; c'est le poète qui prend. la parole après elle, pour reconnaître au christianisme quelque vertu libératrice, et, sans être sûr d'être approuvé, pour affirmer le droit d'une liberté entière, conformément à sa vocation et à sa mission. Cette précision a son importance, car on doit entendre que ce que le poète demande à Dieu, il l'affirme pour son compte et comme étant le statut réclamé par l'humanité. Les Destinées viennent de regagner la Terre :

Chacune prit chaque Homme en ses mains invisibles.
– Mais plus forte à présent, dans ce sombre duel,
Notre âme en deuil combat ces Esprits impassibles.

Nous soulevons parfois leur doigt faux et cruel.
La Volonté transporte à des hauteurs sublimes
Notre front éclairé par des lueurs du ciel.

Cependant sur nos caps, sur nos rocs, sur nos cimes,
Leur doigt rude et fatal se pose devant nous
Et, d'un coup, nous renverse au fond des noirs abîmes.

Oh! dans quel désespoir nous sommes encor tous!
Vous avez élargi le COLLIER qui nous lie,
Mais qui donc tient la chaîne? – Ah! Dieu Juste!
                                    [est-ce vous?
Arbitre libre et fier des actes de la vie,
Si notre cœur s'entrouvre au parfum des vertus,
S'il s'embrase à l'amour, s'il s'élève au génie,

Que l'ombre des Destins, Seigneur, n'oppose plus
À nos belles ardeurs une immuable entrave,
À nos efforts sans fin des coups inattendus!

Ô sujet d'épouvante à troubler le plus brave!
Question sans réponse où vos saints se sont tus!
Ô Mystère! ô tourment de l'âme forte et grave!

---

1. On se rappelle qu'il n'a pas voulu publier *Daphné*. Le poème des *Destinées* était achevé en 1849, et il a vécu quatorze ans après l'avoir écrit, sans le publier jamais de son vivant.

Notre mot éternel est-il : C'ÉTAIT ÉCRIT ?
SUR LE LIVRE DE DIEU, dit l'Orient esclave ;
Et l'Occident répond : SUR LE LIVRE DU CHRIST.

Cette invocation du Poète rappelle un peu, par le ton, celle de
Jésus dans *Le Mont des Oliviers.*

L'ESPRIT PUR.

Nous arrivons au dernier poème écrit par Vigny, à cet *Esprit
pur* auquel on s'accorde à trouver le ton et la valeur d'un
testament. Il a paru pour la première fois dans le recueil des
Destinées en janvier 1864, un peu plus de trois mois après sa
mort. On pense qu'il y a songé longtemps avant de l'écrire,
mais que la rédaction, la première strophe mise à part, n'en
est pas antérieure à 1862-1863 [1]. *L'Esprit pur* est dédié à Eva,
l'idéale figure féminine de *La Maison du berger,* et écrit dans
la strophe de sept vers de ce poème. Il en continue l'esprit,
étant comme lui une méditation lyrique sur des thèmes essentiels ; et sa première strophe figure déjà au dos d'un feuillet
manuscrit de cette *Maison du berger* antérieure à lui de vingt
ans [2]. Cette première strophe dit à Eva :

Si l'Orgueil prend ton cœur quand le peuple me nomme,
Que de mes livres seuls te vienne ta fierté.
J'ai mis sur le cimier doré du Gentilhomme
Une plume de fer qui n'est pas sans beauté.
J'ai fait illustre un nom qu'on m'a transmis sans gloire
Qu'il soit ancien, qu'importe ? — Il n'aura de mémoire
Que du jour seulement où mon front l'a porté.

Cette façon de voir et de formuler sa propre destinée est, nous
le savons, fondamentale chez Vigny. Il est gentilhomme et il

1. On ne connaît que depuis 1969 un manuscrit complet de *L'Esprit pur* :
André JARRY a étudié ce manuscrit (*Le manuscrit définitif de* L'Esprit pur, *Revue
d'histoire littéraire de la France,* juillet-août 1980, pp. 574-586) ; il établit de
façon convaincante l'histoire du poème dans ses accroissements successifs, sans
qu'il soit possible de dater avec précision chacune de ces étapes : voir aussi Œ. C.,
éd. G.-J., t. I, pp. 1128-1129.
2. On le date de 1842-1843 ; la strophe y figure, dans ses cinq premiers vers
seulement, dont deux mutilés (voir Œ. C., éd. G.-J., t. I, p. 279), et l'ensemble
peu différent du texte définitif.

ressent profondément cette qualité; mais il est au-dessus des
malheurs et de la décadence de cette classe parce qu'il est entré,
comme poète et penseur, dans une aristocratie nouvelle qui est
en possession de l'avenir. Cette vision de lui-même, vainqueur
du temps qui a vaincu sa race, l'a conforté toute sa vie; il est
naturel que son testament spirituel commence par elle. Il l'a
développée ici en une spectaculaire visite nocturne de l'héritier
au caveau de ses ancêtres, où il découvre ce qui le met au-
dessus d'eux :

> *Dans le caveau des miens plongeant mes pas nocturnes,*
> *J'ai compté mes aïeux suivant leur vieille loi.*
> *J'ouvris leurs parchemins, je fouillai dans leurs urnes*
> *Empreintes, sur le flanc, des sceaux de chaque Roi.*
> *– À peine une étincelle a relui dans leur cendre.*
> *C'est en vain que d'eux tous le ciel m'a fait descendre;*
> *Si j'écris leur histoire, ils descendront de moi* [1].

Ici commence un retour sur la vie de ses ancêtres, sur leur
excellence en tant que seigneurs de vastes terres, chasseurs,
guerriers, gens d'honneur, courtisans, auteurs d'une innom-
brable progéniture mâle, sur leurs croix de Saint-Louis et leurs
portraits. Cependant, aussi prestigieux qu'ils aient été, aucun
n'a su rien écrire sur son temps ni sur sa vie :

> *Tous sont morts en laissant leur nom sans auréole;*
> *Mais sur le disque d'or voilà qu'il est écrit,*
> *Disant : « Ici passaient deux races de la Gaule*
> *Dont le dernier vivant monte au Temple et s'inscrit,*
> *Non sur l'obscur amas des vieux noms inutiles,*
> *Des Orgueilleux méchants et des Riches futiles,*
> *Mais sur le pur tableau des livres de l'ESPRIT* [2]. »

1. Ce thème de la relation aux ancêtres est fréquent dans l'œuvre, sous forme
plus révérente : écrire l'histoire de ses aïeux est, pour l'écrivain, leur rendre
hommage, s'acquitter d'un devoir envers eux (ainsi *Journal, Œ. C.,* Pl. II, p. 1108,
projet de roman historique sur Le Maine-Giraud); aussi *Mémoires,* p. 37 : « Il
me semble que ce ne sera qu'après avoir parlé d'eux et leur avoir parlé qu'il me
sera permis de les rejoindre et que je serai digne de mourir »; et il évoque aussitôt
une croyance des anciens peuples du Nord, selon laquelle tout homme trouve
après sa mort ses ancêtres réunis en conseil pour le juger : reproduit dans *Journal,
Œ. C.,* Pl. II, p. 1391 (sans doute d'après l'édition Flottes du *Journal,* 1949,
p. 141) sous l'année 1863 [?]; pour la source de ce texte, voir *Journal, Œ. C.,*
Pl. II, pp. 1288-1289 [1851.]
    2. Ce motif du lignage qui meurt et s'illustre en lui se retrouve ailleurs :

Vigny déclare ici ce qu'il n'avait fait que suggérer en disant « Si *j'écris* leur histoire » : il s'agit de ses titres d'écrivain. Mais la destinée personnelle de Vigny figure une mutation sociale : l'aristocratie de l'esprit supplante celle de la naissance [1]; l'horizon s'élargit, et le ton du poète change à l'égard du vieux monde, ici traité sans ménagement [2]. Le « prédicateur laïque », comme Vigny se nomme lui-même [3], parle avec sévérité, car il se sent, face à toute réalité temporelle, l'interprète d'une réalité sacrée dont il annonce le règne :

> *Ton règne est arrivé, PUR ESPRIT, Roi du Monde!*
> *Quand ton aile d'Azur dans la nuit nous surprit,*
> *Déesse de nos mœurs, la Guerre vagabonde*
> *Régnait sur nos aïeux. – Aujourd'hui, c'est l'ÉCRIT,*
> *L'ÉCRIT UNIVERSEL, parfois impérissable,*
> *Que tu graves au marbre ou traînes sur le sable,*
> *Colombe au bec d'airain! VISIBLE SAINT-ESPRIT!*

Cette huitième strophe, introduite la dernière dans le poème, lui donne son plein sens. Elle a semblé parfois étrange, quoique l'expression « Pur Esprit » ou « Esprit pur » n'y paraisse pas pour la première fois chez Vigny; on la trouve déjà à la fin de *La Maison du berger* :

> *Tous les tableaux humains qu'un Esprit pur m'apporte,*

pour désigner la source d'inspiration du poète. Comme il y a ailleurs, dans le même poème, ainsi qu'on a pu voir, quelques vers inspirés de Malebranche, et que Malebranche, dans une autre page, déclare appeler l'esprit « esprit pur » quand il reçoit les idées toutes pures de la vérité, « non pas par l'union qu'il a avec le corps, mais par celle qu'il a avec le Verbe, ou la sagesse de Dieu » [4], on a supposé que Vigny était ici aussi

---

Mémoires, p. 36 (1852); *Journal, Œ. C.,* Pl. II, p. 1319, « 8 mars » [1856]. Ces strophes 3 à 7, intercalées après coup dans le poème, sont en somme une sorte de développement plus détaillé des deux premières.

1. Nous connaissons cette vue de Vigny. À la dernière page de son *Journal,* on lit, *Œ. C.,* Pl. II, p. 1392, « 27 août » [1863] : « L'aristocratie de l'*Intelligence* : qu'elle est et doit être la *seule toute-puissante.* »

2. Le vers 5 de la strophe désigne certainement la noblesse, et elle seule; le vers suivant peut viser toute classe dominante, origines mêlées.

3. *Journal, Œ. C.,* Pl. II, p. 1354, « 29 février » [1860].

4. Cité par Estève, dans son édition des *Destinées,* p. 35, n. 3.

tributaire de Malebranche. Il ne l'est pas en tout cas pour l'idée, car ce qu'il appelle aussi l'« Enthousiasme pur », et l'espèce d'extase ou de rêverie qu'il décrit si souvent comme l'excellence suprême de l'esprit, et où il voit la source de toute valeur, appartient à son expérience propre [1].

Le vrai point est plutôt de savoir si le règne de l'Esprit suppose ou non pour Vigny une transcendance. La question a été rarement envisagée de façon claire, et elle est difficile. Il faut sans doute y répondre positivement, mais sans l'entendre de façon trop abrupte [2]. Toute souveraineté de l'Esprit, s'affirmant au-dessus de la nature brute, pose une transcendance, mais laquelle? Celle de l'esprit humain et des valeurs qu'il conçoit, ou celle d'une personne infiniment surhumaine, dont tout esprit dépend? La distance entre les deux réponses est grande. Malebranche, on vient de le voir, appelait « esprit pur » celui de l'homme quand Dieu l'inspire directement; Vigny pensait plutôt à l'esprit humain virtuellement ou hyperboliquement divinisé lui-même dans sa transcendance, selon l'intuition ordinaire du romantisme, qui place en cette région la source de l'art et de la poésie. En tout cas, si Vigny situe son Esprit pur dans un certain ciel, il n'en fait pas moins l'auteur des destinées et du progrès humain, puisque son avènement doit mettre fin à la guerre. Et la réconciliation universelle par la vertu de l'écrit, article fondamental de tout humanitarisme, apparaît, dans le poème de Vigny, comme l'œuvre majeure de l'Esprit pur. Qu'il suffise de rappeler que la transcendance, sous quelque forme et à quelque niveau qu'on la conçoive, dans le catholicisme ou la foi humanitaire, n'exclut nullement l'action terrestre de l'Esprit. C'est aussi le cas, tout simplement, de l'intelligence humaine, qui plane et agit à la fois. L'Esprit pur de Vigny semble parfois se confondre avec elle : ainsi quand il se propose d'écrire un Poème épique en l'honneur de l'« Intelligence », aussitôt après avoir prêché l'exclusion du surnaturel [3].

On peut se demander ce que signifie, dans le dernier vers

---

1. Et dès sa jeunesse, quand il écrivait *Éloa*; on lit encore dans le *Journal*, Œ. C., Pl. II, p. 1337 [1858] : « La pensée seule, la Pensée pure, l'exercice intérieur des idées et leur jeu entre elles, est pour moi un véritable bonheur. »

2. Comme l'écrit P.-G. CASTEX dans son *Vigny*, p. 152 : « La religion de l'Esprit ne saurait se concevoir sans *une certaine* transcendance » (c'est moi qui souligne).

3. *Journal*, Œ. C., Pl. II, p. 1377, « 12 septembre » [1862].

de la strophe, l'allusion évidente au Saint-Esprit de la théologie chrétienne. On a fait grand usage de cette troisième personne de la Trinité dans les théologies hétérodoxes, depuis le Moyen Âge et jusqu'à nos jours [1]. Le christianisme plus ou moins dissident, en quête d'horizons futurs, imaginait après le règne du Père proclamé par l'Ancien Testament, et celui du Fils par le Nouveau, un règne à venir du Saint-Esprit [2]. Naturellement, le caractère de spiritualité moins précisément personnelle de cette troisième souveraineté céleste avait de quoi séduire la religion romantique : elle y trouvait l'appui ou le complément mystico-philosophique de ses prophéties terrestres. Un penchant irrésistible pousse la foi humanitaire vers des formes imitées de la théologie chrétienne [3]. Vigny en est un bon exemple, dès *Éloa* et le projet de *Satan racheté* de sa jeunesse [4]. La variante accompagne bien sûr l'emprunt : comme Satan est *racheté,* le pur Esprit est un Saint-Esprit *visible,* une colombe selon le symbole chrétien, mais armée d'un *bec d'airain* pour le combat terrestre. De même, dans un fragment du *Journal* qui nous est donné pour contemporain de la composition du poème, les vertus actives de l'humanité en progrès paraissent sous la figure ternaire des vertus théologales, mais leur nouvelle nature est précisée : « Je vous donne pour *vertus* l'Espérance qui vous pousse à l'action, la Foi qui divinise même votre espérance, la Charité qui vous unit entre frères [5]. »

Après cette strophe, le poète revient à lui-même, pour formuler son vœu testamentaire :

1. Voir Henri DE LUBAC, S.J., *La Postérité spirituelle de Joachim de Flore,* Paris, 1979-1981, 2 vol.

2. On le supposait annoncé par Jésus quand il promet aux disciples la venue prochaine d'un Paraclet ou Esprit de vérité (Évangile selon saint Jean, XIV, 15; XV, 26; XVI, 7-13).

3. Voir *Le Temps des prophètes, passim,* et plus particulièrement au chapitre intitulé « L'Hérésie romantique ».

4. *Journal, Œ. C.,* Pl. II, p. 875 [1823].

5. *Ibid.,* p. 1376, « 27 août » [1862] : c'est le Christianisme lui-même qui est censé, dans ce fragment, plaider pour sa morale, en réponse au reproche qui lui est fait de n'agir que par menace de l'enfer et promesse du paradis; mais alors c'est au sens de Vigny qu'il défend ses trois Vertus. Les catholiques appellent parodies ces refontes laïcisées de thèmes chrétiens (voir l'éd. Saulnier des *Destinées,* p. 225), qui ne plaisent pas davantage aux incrédules; mais, si oubliées qu'elles soient, elles ont mis sur l'âge romantique une marque qu'on ne peut oublier sans altérer sa vérité.

> *Seul et dernier anneau de deux chaînes brisées,*
> *Je reste. Et je soutiens encor dans les hauteurs,*
> *Parmi les Maîtres purs de nos savants Musées,*
> *L'IDÉAL du Poète et des graves Penseurs.*
> *J'éprouve sa durée en vingt ans de silence,*
> *Et toujours, d'âge en âge, encor je vois la France*
> *Contempler mes tableaux et leur jeter des fleurs.*

L'Idéal est l'appellation du divin dans le langage romantique;
son culte implique Poésie et Pensée, Vigny y insiste; Art aussi :
l'évocation des musées et des maîtres qui les ont peuplés de
leurs œuvres le signifie [1]. L'appel à la postérité va se faire plus
fervent dans la dernière strophe :

> *Jeune Postérité d'un vivant qui vous aime!*
> *Mes traits dans vos regards ne sont point effacés;*
> *Je peux, en ce miroir, me connaître moi-même;*
> *Juges toujours nouveaux de mes travaux passés!*
> *Flots d'amis renaissants! – Puissent mes Destinées*
> *Vous amener à moi, de dix en dix années,*
> *Attentifs à mon œuvre, et pour moi c'est assez!*

C'est un échange réciproque et perpétuel que le poète imagine
entre lui et ses lecteurs. Soulignons seulement que cet appel,
dans son contexte, n'est pas seulement le souhait de pérennité
poétique, qu'ont formulé tant d'auteurs anciens et modernes;
c'est un vœu de communion avec l'humanité future : s'il se
réalise, le poète aura accompli avec succès sa mission; ses
« tableaux » et la leçon qu'ils renferment vivront dans l'avenir
humain.

*

Des circonstances de naissance et de tempérament ont fait
de Vigny, au sein du romantisme poétique, un cas particulier.
À la fois plus conservateur et plus émancipé que d'autres, plus
renfermé et plus audacieux, il a été le seul, en somme, à vouloir
frayer la voie humaine hors du recours à Dieu, ou à l'optimisme
spiritualiste de sa génération. On a voulu, à partir de là, le
faire frère spirituel d'Auguste Comte, qui, avec plus de décision

---

1. Il aimait, on l'a vu, à appeler « tableaux » ses poèmes.

et moins de réminiscences traditionnelles, s'est orienté dans le même sens [1]. Mais les différences qui les séparent sont de nature à faire oublier cette ressemblance. L'allure doctrinale, le ton péremptoire et clérical du bâtisseur de système ont peu de chose à voir avec la quête inquiète et la foi retenue du poète. Surtout, entre l'un et l'autre se serait élevé, s'ils étaient entrés en contact, un insurmontable débat de prérogative. Le Poète n'eût pas consenti à céder le pas au Philosophe. Vigny reste le frère, avant tout, de Lamartine, de Hugo, par la profession de poésie et la source sensible des pensées, quoiqu'il diffère d'eux pas un degré d'humanisme plus prononcé, sa foi, s'il en a une, portant sur des valeurs dont l'homme seul est le support [2]. Il l'a dit bien explicitement dans deux strophes d'une *Réponse d'Eva,* demeurée à l'état de projet, qui devait clore son recueil; Eva, éclairée par ses poèmes, en résumait ainsi le sens :

> *Le rideau s'est levé devant mes yeux débiles,*
> *La lumière s'est faite, et j'ai vu ses splendeurs;*
> *J'ai compris nos destins par ces ombres mobiles*
> *Qui se peignaient en noir sur de vives couleurs* [3].
> *Ces feux, de ta pensée étaient les lueurs pures,*
> *Ces ombres, du passé les magiques figures,*
> *J'ai tressailli de joie en voyant nos grandeurs.*

> *Il est donc vrai que l'Homme est monté par lui-même*
> *Jusqu'aux sommets glacés de sa vaste raison,*
> *Qu'il y peut vivre en paix sans plainte et sans blasphème,*
> *Et mesurer le monde et sonder l'horizon.*
> *Il sait que l'Univers l'écrase et le dévore;*

1. Voir surtout, pour ce rapprochement, Dorison, *Un symbole social : Alfred de Vigny et la poésie politique,* Paris, 1894, pp. VI-VII et *passim;* aussi P. Flottes, *La Pensée...,* p. 240-242. Vigny ne semble connaître Comte que de fort loin, quand dans un fragment du *Journal, Œ. C.,* Pl. II, p. 1280 [1851], concernant les « insensés positivistes », il leur reproche, sur la foi de leur nom, d'ignorer l'idéal, l'illusion (de s'en tenir en somme au *positif* de la vie). Il semble mieux informé dans les *Réflexions sur le positivisme, ibid.,* p. 1388, « 27 avril » [1863], où il commente avec ironie le culte de la déesse Humanité : il est clair qu'il se tient, quant à lui, dans ce domaine, en deçà de l'adoration.

2. Voir sur ce sujet l'article de François Germain, *Vigny ou la croyance difficile,* dans *Les Amis d'Alfred de Vigny,* bulletin n° 2, mars 1969, pp. 4-15.

3. Les poèmes des *Destinées* sont comparés ici à un spectacle d'ombres mobiles sur fond de lumière colorée : les ombres sont les personnages; la lumière, l'inspiration de Vigny.

> *Plus grand que l'univers qu'il juge et qui l'ignore,*
> *Le Berger a lui-même éclairé sa maison* [1].

La position de Vigny, relativement pessimiste, lui a fait éviter ce qu'il peut y avoir de fadeur ou d'enflure dans l'optimisme humanitaire, sans qu'il ait dû pour cela répudier fondamentalement cet optimisme. On dit souvent que sa glorification de la solitude, sa retenue dans l'espérance font de lui l'annonciateur de la génération littéraire qui est venue ensuite, et qui s'est voulue bannie de l'Idéal et séparée des hommes. Il est vrai que certaines des formules de Vigny pourraient le faire apparaître sous ce jour : « L'homme est entre le ciel et les flots de la foule comme un roc frappé d'en haut et d'en bas [2]. » Mais il s'agit pour lui de tenir bon dans cette position : « Qui soutiendra ce Roc contre les coups qui assiègent son pied et son front? Sa force même, son poids, son immobilité [3]. » Cette force de résistance fait son calme et son intime sagesse, mais aussi son aptitude à sauvegarder, pour des temps meilleurs, par ses pensées, une communication possible de l'Idéal et de la Foule. Nous savons que les valeurs qu'il conçoit ne sont jamais pour lui l'objet d'une contemplation impuissante, ni purement solitaire par destination. C'est en quoi il reste dans l'orbite du romantisme français, et du demi-siècle au sein duquel il a vécu. S'il est précurseur, ce n'est pas tant de ce qui est apparu aussitôt après lui, c'est de quelque chose qui fructifierait plus tard, quand la foi dans l'homme essaierait de se bâtir sur l'homme seul.

---

1. *Œ. C.*, éd. G.-J., Pl. I, p. 278, aux notes sur *La Maison du berger*. On a noté la réminiscence pascalienne, mais combien distante dans l'intention sinon dans la lettre.

2. *Journal*, *Œ. C.*, Pl. II, p. 1203 [1843]. Ce fragment a été excellemment commenté par J.-P. RICHARD, « Vertical et horizontal dans l'œuvre de Vigny », *Critique*, n° 273, février 1970, pp. 99-114, notamment p. 106 et suiv.

3. *Journal*, *Œ. C.*, Pl. II, p. 1204.

Hugo

Hugo avait beaucoup cheminé dans les années qui précédèrent 1830. Il était passé du légitimisme au libéralisme, ce qui était de son temps une ample trajectoire, et non seulement politique, dans son cas, mais impliquant une mutation générale de sa personne et de sa littérature. Le poète missionnaire qu'il portait en lui, voyant changer le sens de sa mission, dut en renouveler les moyens. De jeune chantre sacré de la Restauration devenu penseur libéral et poète du présent et de l'avenir, il leva le drapeau d'une révolution des formes littéraires, qui devait aller de pair avec un élargissement du public et un empire accru des écrivains sur la société. À la notion du droit divin de la poésie, déjà mise en crédit dans les années du romantisme royaliste et chrétien, s'ajoutèrent la revendication de la liberté et de la souveraineté de l'Art, la refonte générale des genres poétiques, le rejet des bienséances classiques en matière de style et de goût, l'exaltation du fantastique et de la couleur, l'inclusion de la laideur et du grotesque parmi les ingrédients possibles du beau littéraire, l'institution d'un drame moderne libéré des conventions tragiques. Au terme de ce travail de recréation accompli en quelques années, dont il fut pour ses contemporains l'initiateur et le plus puissant ouvrier, Hugo se sentait en état d'enseigner son siècle en communion avec lui. C'est à cette mission qu'il se consacra, d'abord entre 1830 et 1848 et un peu au-delà, avec la plupart des grands poètes et écrivains de sa génération. Après juin et le coup d'État, face au désenchantement général, il maintint seul pendant plus d'un quart de siècle ce romantisme conquérant qui survivait en lui; il développa jusqu'au bout comme un défi une version superbe et démesurée de cette mission du Poète à laquelle on n'osait plus croire.

I

AUTOUR DE 1830

Hugo, dans les quelques mois qui précédèrent Juillet, avait atteint une sorte de sommet, d'où il pouvait considérer l'avenir. Il gravissait cette pente depuis 1827, méditant sur l'état du monde, et prévoyant de grandes choses. À en juger par un *Fragment* de cette année 1827, il était encore influencé par l'apocalyptisme contre-révolutionnaire du Lamennais de cette époque. Il faisait l'oraison funèbre de la civilisation européenne, dont la Révolution avait brisé l'unité politique et religieuse. Il prévoyait cependant un renouveau de la civilisation en Amérique, « terre neuve et vierge » [1].

Providence, Fatalité, Liberté.

Quel renouveau? Hugo, en 1827, n'était sans doute pas en état de répondre à cette question. Mais il est peu probable qu'il ait cru vraiment frappée d'anathème l'Europe où lui et ses amis venaient de paraître, porteurs de poésie et de promesses. Quand, en 1829, il publia ce *Fragment,* il y inséra un passage où il justifiait la promotion de l'Amérique par un principe sur lequel on pouvait aussi bien fonder l'espoir d'une régénération

1. Victor HUGO, *Fragment,* pages publiées pour la première fois dans la *Revue de Paris* de juin 1829, pp. 201-208; reproduites en 1834 dans *Littérature et philosophie mêlées,* sous le titre *Fragment d'histoire.* Je cite d'après l'édition critique de ce recueil établie par Anthony R.W. James, Paris, 1976, 2 vol., t. II, pp. 115-117. L'appartenance première de ces pages au manuscrit de la Préface de *Cromwell* est bien établie : voir l'éd. James, t. II, p. 372 et suiv.

de l'Europe elle-même : « principe nouveau, écrit-il, quoiqu'il jaillisse, aussi, lui, de cet évangile qui a deux mille ans, si toutefois l'évangile a un âge. Nous voulons parler ici du principe d'émancipation, de progrès et de liberté, qui semble devoir être désormais la loi de l'humanité. » C'est donc comme terre de liberté que l'Amérique est destinée à hériter des vieilles civilisations déclinantes. « De ce foyer s'épandra sur le monde une lumière nouvelle, qui, loin de dessécher les anciens continents, leur donnera peut-être chaleur, vie et jeunesse. » Aux théocraties d'Asie, d'Afrique et d'Europe « succédera la famille universelle; le principe d'autorité fera place au principe de liberté, qui, pour être plus humain, n'en est pas moins divin » [1]. Émancipation, progrès, liberté, famille universelle des Nations, ce sont, en 1829, les articles d'un credo que Hugo n'abandonnera plus. En 1829 et 1830, l'intime liaison entre l'émancipation de la société et celle de l'art, déjà indiquée en 1826-1828 dans les Préfaces des *Odes et ballades,* devient un des articles de foi les plus fermes de Hugo. Deux révolutions sœurs se sont ainsi succédé, qui n'en font qu'une [2].

Cette double révolution, l'une parachevant l'autre, que rien ne peut arrêter, il la voit, selon la conviction commune des poètes et prophètes contemporains, comme l'œuvre d'une puissance supérieure à l'homme, que, comme beaucoup d'autres, il nomme indifféremment fatalité ou providence. Le *Fragment* évoqué plus haut concluait l'histoire des civilisations par les deux mots *Aliquis providet,* « Quelqu'un pourvoit », qui désignent apparemment une providence personnelle. Mais Hugo, en août 1830, écrit de façon plus ambiguë : « La fatalité, que les anciens disaient aveugle, voit clair et raisonne [...]; et la raison humaine brise sa courte mesure devant ces grands syllogismes du destin [3]. » Plus nettement : « L'homme est libre, quoique tout soit fatal, du choix de la route infernale et de la voie céleste, mais qui peut voir le point où se croisent vos

1. *Ibid.,* pp. 117-119. Pour la datation en 1829 de cette addition au manuscrit, voir *ibid.,* p. 378.

2. Voir la « Lettre aux éditeurs », en tête de *Le Sylphe, poésies de feu Charles Dovalle,* Paris, 1830 (cette lettre fut écrite en janvier 1830; elle est reproduite dans *Littérature et philosophie mêlées* sous le titre *Sur M. Dovalle* : t. I, p. 122 et suiv. de l'éd. James). Voir aussi la Préface d'*Hernani,* postérieure de quelques semaines (datée du 9 mars) à celle sur Dovalle, et la lettre à Lamartine du 7 septembre 1830 (t. I, p. 269, de l'éd. James de *Littérature et philosophie mêlées*).

3. *Journal des idées et des opinions d'un révolutionnaire de 1830,* in *Littérature et philosophie mêlées* (éd. James, t. I, p. 267).

deux voies? Providence fatalité [1]. » Nous avons constaté la
même étrange équation chez Lamartine et chez Vigny, qui eux
aussi formulent de la sorte leur perplexité devant cette antinomie. Nous retrouverons le problème chez le Hugo de la
maturité.

Humanitarisme précoce.

Le libéralisme [2] de Hugo a eu très tôt une couleur humanitaire. Retraçant sous la IIe République les étapes de son
évolution politique, il déclare avoir été socialiste dès 1828 [3].
Comment entend-il ce mot? 1828 est l'année où il écrivit *Le
Dernier Jour d'un condamné* [4], dont le héros, le condamné lui-
même, présente parfois, étrangement semblables, certains traits
de la biographie et de la personne de Hugo; il semble être
alors Hugo lui-même en tant que Hugo aurait pu tuer et être
condamné à mort. Cette identification semble attester une
composante affective profonde dans l'intérêt que Hugo porte
à la question pénitentiaire. La grande préface qu'il écrivit en
mars 1832 pour une réédition de l'ouvrage le présente comme
un plaidoyer contre la peine de mort, « plaidoirie générale et
permanente pour tous les accusés présents et à venir »; et il
précise qu'il s'agit bien dans son esprit des criminels de droit
commun, « du premier voleur de grand chemin venu [...], d'un
de ces misérables [...], pauvres diables [...], enfants déshérités

1. *Feuilles paginées,* groupe de notes manuscrites, éditées par Guy Rosa dans
l'édition chronologique des œuvres de Hugo dirigée par Jean Massin (Paris,
1967-1970, 18 vol.,), t. III, p. 1204; le feuillet date du début de 1830 selon
l'éditeur, qui renvoie en note à l'évocation, dans *But de cette publication* (Introduction de Hugo à *Littérature et philosophie mêlées* [mars 1834]), de « ces grandes
lignes, providentielles et fatales, entre lesquelles se meut la liberté humaine » (éd.
James, t. I, p. 55).
2. J'emploie toujours ce mot – il est temps de le préciser pour l'avertissement
du lecteur actuel – au sens à la fois politique et largement humain où on
l'entendait alors. L'application purement économique qu'on en fait souvent dans
les polémiques d'aujourd'hui fausse gravement les perspectives et la portée de la
pensée libérale. Cette application est pratiquement absente de l'œuvre de Hugo,
quoiqu'elle doive y être plus ou moins sous-entendue.
3. Voir le texte complet de cette note, sur laquelle nous aurons à revenir, et
la référence au manuscrit, dans Guy ROBERT, *Chaos vaincu,* Paris, 1976, t. I,
p. 15; l'auteur date ce texte des environs de 1849-1850.
4. Écrit à la fin de 1828, l'ouvrage parut en librairie en février 1829.

d'une société marâtre ». À l'argumentation de Hugo, telle qu'elle se développe ensuite, il n'a rien été ajouté depuis : la société « doit corriger pour améliorer »; « on traitera par la charité ce mal qu'on traitait par la colère » [1]. L'ensemble, récit et préface, montre déjà parfaitement constitué dans tous ses éléments, chez le Hugo de cette époque, un thème humanitaire fondamental. Il implique, avec une sorte de pitié fraternelle pour le criminel, une habituelle référence au christianisme : « La douce loi pénétrera enfin le code [...] La croix substituée au gibet » [2] (on oublie ou on récuse implicitement la théologie de l'enfer). Le refus de la peine de mort suppose, en dernière analyse, un acte d'accusation contre la société, dont la responsabilité est censée atténuer ou annuler celle du criminel. C'est en cela que Hugo, tout modéré qu'il est alors politiquement, prend position, dès 1830, hors du conformisme social : il révèle et prescrit d'en haut à la société une loi qui la devance et qui doit l'amender. L'inculpation de la société à raison des crimes de ses membres n'est pas seulement formulée de façon expresse dans la préface du *Dernier Jour*; elle ressort des deux figures de criminels plus brutalement conformes à la vérité que son irréel Condamné : le Friauche et Claude Gueux [3], que Hugo a tracées à la même époque.

L'apport particulier de Hugo au complexe de motifs qui, dans l'humanitarisme, concerne le criminel et son rachat, consiste peut-être en ce qu'il marque ces figures d'un caractère de force physique et morale, de sensibilité puissante en même temps que de violence; il imagine le criminel vulnérable dans sa

---

1. *Œuvres* de HUGO, éd. de l'Imprimerie nationale, *Le Dernier Jour d'un condamné*, pp. 593-594, 600, 608. Dans mes références aux œuvres de Hugo, je désignerai cette édition, qui n'a pas de tomaison continue, par les lettres I.N. et je renverrai à la page du volume où figure l'œuvre citée. Quant à l'édition chronologique Massin, citée plus haut, je m'y référerai par la lettre M., suivie de l'indication du tome et de la page.

2. *Œ., I.N., Le Dernier Jour...,* p. 608. L'insistance de Hugo sur la nécessité de s'intéresser aux condamnés de droit commun met en question comme insuffisantes les campagnes contre la peine de mort qui, à la fin de 1830, avaient eu pour principal objet de sauver la tête des ex-ministres de Charles X.

3. Le Friauche est, dans *Le Dernier Jour d'un condamné* (Œ., I.N., p. 665 et suiv.), un personnage épisodique, lui aussi condamné à mort, qui raconte sa vie. *Claude Gueux* est un récit écrit par Hugo en 1832-1834, qui part d'un fait divers réel; c'est l'histoire d'un condamné pour vol, qui tue dans sa prison le directeur des ateliers (voir l'éd. critique de *Claude Gueux* procurée par P. Savey-Casard, Paris, 1956); la conclusion du récit reprend les thèses du *Dernier Jour d'un condamné* et la mise en accusation de la société.

brutalité, et, à sa façon, juste. En un mot, il en fait une sorte de type du Peuple tout entier, lui aussi forçat colossal et douloureux, lui aussi animé d'une vie forte et endurante où se mêlent l'instinct de justice et les impulsions destructrices. Le thème ainsi entendu cesse de concerner uniquement le système pénal; il embrasse la société entière. Philosophant sur le cas de Claude Gueux, Hugo s'écrie, convaincu de ne pas changer de sujet : « Le peuple a faim, le peuple a froid. La misère le pousse au crime ou au vice, selon le sexe [1]. » Ce qui fera le fond des *Misérables,* à la fois roman du criminel racheté et de la révolution à venir, se trouve déjà, plus qu'en puissance, dans le Hugo de 1830.

Hugo avait donc bien été « socialiste » autour de 1830. Ce socialisme, qu'à cette date on ne nommait pas encore ainsi, se manifeste aussi dans ces années chez Hugo poète. *Les Chants du crépuscule* contiennent des poèmes, composés entre 1830 et 1835, où s'exerce avec véhémence un véritable ministère social et moral. Le Riche y est la cible du mépris et des invectives du poète; la Prostituée, l'objet d'une pitié et d'une sympathie réparatrices. Dans un poème *Sur le bal de l'Hôtel de Ville,* Hugo sermonne les dames « chastes et saintes » qui vont à cette fête, heureuses de n'avoir jamais été obligées de se vendre, comme ces « autres femmes » belles et parées elles aussi, qui sont venues les voir au passage,

> *Voilant leur deuil affreux d'un sourire moqueur,*
> *Les fleurs au front, la boue aux pieds, la haine au cœur [2].*

Si prostituées et « femmes tombées » sont victimes de la faim,

> *La faute en est à nous. À toi, riche! à ton or!*
> *Cette fange d'ailleurs contient l'eau pure encor.*
> *Pour que la goutte d'eau sorte de la poussière,*
> *Il suffit, c'est ainsi que tout remonte au jour,*
> *D'un rayon de soleil ou d'un rayon d'amour [3]!*

En face de ces êtres privés de secours, le Riche égoïste, ne vivant que pour l'or et la domination, fermé à toute beauté et

1. *Claude Gueux, Œ.,* I.N., p. 764.
2. *Sur le bal de l'Hôtel de Ville,* dans *Les Chants du crépuscule,* VI [date probable, 1834].
3. *Oh! n'insultez jamais une femme qui tombe!, ibid.,* XIV (1835).

à tout art [1], même si aucun méfait ni oppression ne lui est
positivement reproché, est peint comme odieux, monstrueusement corrompu, vide affectivement et moralement, étranger
à l'humanité. Le suicide même d'un jeune homme, s'il est
riche et blasé, ne lui vaut dans les vers de Hugo que le
sarcasme :

> *Pour toi, triste orgueilleux, riche au cœur infertile,*
> *Qui vivais impuissant et qui meurs inutile,*
> *Toi qui tranchas tes jours pour faire un peu de bruit,*
> *Sans même être aperçu, retourne dans la nuit* [2].

L'invective hugolienne contre le Riche est souvent d'inspiration
prophético-évangélique; et un au moins des poèmes atteste
cette source : c'est celui qui représente les grands et les heureux
du monde livrés à toutes les joies et démesures de la vie dans
un grand Banquet allégorique, quand soudain surgit un spectre
qui vient emporter l'un d'eux [3]. À cette version moderne et
humanitaire du festin de Balthazar (Daniel, V), le Hugo de
l'exil en fera succéder maintes autres.

Hugo ne se savait certes pas « socialiste » en 1830, mais il
avait conscience d'aspirer à quelque chose qui allât au-delà des
conquêtes politiques de Juillet. En 1834, il compte que la
Providence ne refusera pas à la France « le grand homme social,
et non plus seulement politique, dont l'avenir a besoin » [4]; il
déclare souhaiter avant tout « la substitution des questions
sociales aux questions politiques » [5]. Cette dernière formule lui
est si chère qu'il la répète jusqu'en 1848 [6].

---

1. Voir *À un riche*, dans *Les Voix intérieures*, XIX (1837).
2. *Il n'avait pas vingt ans. Il avait abusé, ibid.*, XIII (1831). On voit que ce
jeune riche ne bénéficie pas de la sympathie dont jouissaient, dans ces années, les
jeunes suicidés, surtout poètes. En septembre 1835, après *Chatterton*, Hugo ajouta
une seconde partie à ce poème, non pour revenir sur sa sévérité, mais pour
opposer à l'insignifiant suicide du riche celui des grands hommes, des artistes et
des jeunes idéalistes qui « sont tombés le front sur la société ».
3. *Noces et festins*, dans *Les Chants du crépuscule*, IV (1832).
4. *Sur Mirabeau*, brochure du début de 1834, recueillie dans *Littérature et
philosophie mêlées* (éd. James, t. II, p. 327).
5. *But de cette publication*, p. 19.
6. Voir : lettre du 1ᵉʳ juin 1834 à Jules Lechevalier : « Concourons donc
ensemble tous [...] à la grande substitution des questions sociales aux questions
politiques » (Œ., M., t. V, p. 1046); lettre du 27 février 1839 à M. Etcheverry
(*ibid.*, p. 1140) : « J'appelle à grands cris le jour où l'on substituera les questions

Bourgeoisie, grands hommes, peuple.

Le type du Bourgeois ne coïncide pas, à beaucoup près, dans l'esprit de Hugo, avec celui du Riche. Le Riche est une catégorie traditionnelle de la prédication chrétienne, qui embrasse aussi bien l'Aristocrate. Le bourgeois, type social différent, est aussi un type moral particulier, un caractère. Quand Hugo parle de bourgeoisie, il ne songe pas, comme on fait aujourd'hui, à une classe socialement dominante et privilégiée. L'idée de la bourgeoisie comme féodalité d'argent, ayant succédé à la vieille féodalité terrienne et militaire, n'a vraiment pris corps en France qu'un peu plus tard, principalement dans le mouvement fouriériste. Le type est alors celui du « grand bourgeois », selon notre langage, vaste entrepreneur d'industrie, financier. Hugo ne s'intéresse guère à ce type; on ne le voit ni évoqué ni vilipendé dans son œuvre. Son bourgeois est le bourgeois banal de la tradition, médiocre essentiellement, impropre en tout domaine à l'héroïsme, à l'aventure, à la passion. Ce bourgeois-là ne saurait être au niveau du pouvoir. Le pouvoir, dans l'ancienne monarchie, avait le prestige des siècles, de l'épée, de la foi; dans l'Empire de Napoléon-le-Grand, celui de la gloire militaire; dans la République il pouvait avoir celui du nouveau Droit humain et du Peuple émancipé. Hugo a chanté toutes ces grandeurs, « mais, a-t-on fait remarquer, à la différence de la légitimité, de Napoléon et de la République, la Monarchie de Juillet n'a jamais inspiré le poète » [1]. Né bourgeois, Hugo a pu écrire : « L'art, comme la noblesse, se hérisse devant *le bourgeois* [2]. » Il croit, par contre, que « les masses ont l'instinct de l'idéal », et il souligne que « le bourgeois n'est pas le populaire »; parlant de théâtre, il fustige « la prosaïque tragédie de boutique et de salon », contribution bourgeoise à la scène moderne [3]. Mais tout se tient pour Hugo, et surtout

sociales aux questions politiques »; Œ., I.N., *Actes et paroles I,* p. 110, Intervention à la séance des cinq associations d'art et d'industrie, 29 mai 1848 : il rappelle et maintient sa formule.

1. V. Hugo, *Œuvres poétiques,* éd. Pierre Albouy, Paris, Gallimard, Bibliothèque de la Pléiade, 1964-1974, 3 vol., t. I, p. 1443.

2. Œ., M., t. V, p. 1001, dans *Feuilles paginées* (1834-1837).

3. *But de cette publication,* pp. 55-56.

théâtre et gouvernement, qui ne sauraient être prosaïques, c'est-à-dire mesquins, ni l'un ni l'autre. Aussi a-t-il souhaité toute sa vie un type de légitimité capable, dans la société bourgeoise elle-même, de transcender « le bourgeois ».

Ce n'est pas là seulement un trait d'humeur, l'obstination dans une attitude de jeunesse. C'est une disposition profonde, et qui met Hugo en discordance avec le libéralisme parlementaire ordinaire, comme le montre un long fragment que l'on date de 1848. Dans cette page Hugo, ayant répudié monarchie absolue et démocratie pure en faveur de « la forme constitutionnelle et représentative », « gouvernement des moyennes », dont il reconnaît les avantages, ajoute : « Qui dit gouvernement des moyennes dit gouvernement des médiocrités. L'accident d'un gouvernant homme de génie est à la rigueur possible, mais très rare et très entravé dans les pays constitutionnels. Les grands hommes ont besoin de rêverie, d'audace, de prestige, de silence autour d'eux, de liberté dans tous les sens. La forme constitutionnelle, c'est précisément la suppression de cette liberté des gouvernants au profit des gouvernés [...] Tout ce qui est limite au despotisme est en même temps barrière au génie. Le génie lui-même est un despotisme. » Richelieu, Louis XIV, Napoléon, Henri IV étant impossibles avec la presse et la tribune libres, Hugo demande : « Qu'est-ce que cette lumière qui fait évanouir les colosses ? » Le gouvernement constitutionnel est sans doute un « procédé ingénieux » pour la satisfaction du grand nombre. « Mais il en résulte une certaine petitesse bourgeoise [...] Ceci est un inconvénient sérieux [...] On peut renoncer aux grands risques, mais il ne faut pas renoncer aux grands hommes [...] Sans doute il y a d'autres grands hommes possibles que les grands hommes d'État, mais tout cela se tient [1]. » Ces réflexions de Hugo éclairent peut-être, d'une certaine manière, son évolution politique : son idéal humanitaire et progressiste était, sous Louis-Philippe, la couronne de grandeur dont il espérait voir se parer et se légitimer la monarchie bourgeoise, que par ailleurs il croyait opportune. Plus tard, la IIe République et le coup d'État le convainquirent qu'il avait eu tort d'espérer qu'un gouvernement de nature modérée et conservatrice pour-

---

1. *Œ.*, I.N., au vol. *Océan. Tas de pierres*, pp. 119-121 ; texte daté par l'éditeur de 1848. Aurait-il été écrit au moment où Hugo, en 1848, favorisait la candidature de Louis Bonaparte à la présidence et nourrissait de vastes projets de rayonnement culturel français, pour parler notre langage d'aujourd'hui ? Inutile d'ajouter que sa bonne foi progressiste, en tout cela, était entière.

rait porter cette couronne. C'est alors qu'il la transféra, avec
une foi renouvelée, sur le chef auguste et collectif du Peuple,
siège unique désormais de toute légitimité.

Catholique libéral?

Hugo, on le sait, n'a jamais été, même au temps des *Odes,*
qu'approximativement catholique. Mais on peut dire aussi que
Dieu, le Christ et la religion demeurent présents dans son
œuvre, même après sa conversion aux idées nouvelles. « Dieu
et la liberté », c'était en 1830 la devise de *L'Avenir* et du
catholicisme libéral. Nous savons que, vers ses vingt ans, il
avait admiré et fréquenté Lamennais, et qu'il est resté par la
suite en relation avec lui. Quand parut *L'Avenir,* ils se sont
de nouveau rapprochés. Mais on conclurait trop vite de là que
Hugo ait été en 1830 un catholique libéral à la façon des
disciples de l'abbé et sous son influence. Hugo applaudit bien
à l'idée d'un catholicisme plus ouvert au présent, mais en quels
termes et dans quel esprit? Dans les semaines où se préparait
L'Avenir, il « bat des mains » à l'entreprise de Lamennais, mais
ajoute : « Cette révolution de juillet, c'est la victoire du pouvoir
spirituel sur le pouvoir temporel. Or, ce pouvoir spirituel dont
la direction appartient à l'Église, elle l'avait follement lâché
pour prendre du pouvoir temporel; de là ses fautes, de là sa
chute. Vous, mon ami, vous êtes resté grand, vous êtes resté
prêtre [...] Aujourd'hui vous allez user, comme prêtre, de cette
belle part de pouvoir, de pouvoir spirituel, que vous avez
conquise comme écrivain. Vous pouvez tout. Au temps où
nous vivons, le génie est une papauté [1]. » Ces lignes, qui
reproduisent les critiques mennaisiennes touchant la politique
officielle de l'Église, allaient, en fait, sensiblement plus loin
que Lamennais n'allait en 1830 : il n'aurait admis, ni qu'un
pouvoir spirituel nouveau était issu des barricades de Juillet,
ni davantage que le génie pût se mesurer à la papauté [2]. Au
début de 1830, Hugo avait écrit dans ses notes : « Jésus-Christ,

---

1. Lettre du 7 septembre 1830 à Lamennais, dans *Le Portefeuille de Lamennais,*
éd. G. Goyau, Paris, 1930, p. 95 (reproduite dans Œ., M., t. IV, pp. 1003-
1004).

2. Quand Lamennais aura rejoint Hugo sur ce plan, il le dépassera vite. En
1848, Hugo, encore modéré, lui reprochait d'être trop révolutionnaire.

en donnant à la terre la liberté, l'Évangile, a fait faire à l'humanité le premier pas, Luther, en brisant l'unité religieuse, le second, Mirabeau, en écrasant l'unité politique, le troisième [1]. » Lamennais, ni en 1830, ni je pense en aucun temps, n'aurait salué comme un progrès la Réforme et la rupture de l'unité religieuse. En 1832, Hugo écrit à Montalembert, alors à Rome avec Lamennais dans l'attente de la décision papale : « C'est un grand spectacle, même pour nous autres quasi païens, que votre pèlerinage à Rome, l'abbé de La Mennais devant Grégoire XVI, les deux papes en présence, le pape des cardinaux et le pape élu de Dieu, qui a sur le front la tiare éblouissante du génie, le pape temporel et le pape spirituel. Ce que je vous dis là est sans doute peu romain, mais c'est, je vous le jure, fort catholique [2]. » On voit le cas qu'il faisait de l'Église constituée. Lamennais, à cette date, ne pensait pas autrement touchant la défaillance de la papauté romaine, mais avec un désespoir dont Hugo semble exempt [3].

Parmi les écrits de Hugo susceptibles de nous renseigner sans équivoque sur sa position, au cours des mêmes années, face au mouvement néo-catholique, il faut placer le chapitre de *Notre-Dame de Paris* intitulé « Ceci tuera cela » [4]. L'ensemble du roman n'a, certes, rien de positivement édifiant du point de vue chrétien, quoiqu'il flatte le goût néo-catholique pour l'art médiéval. Mais le chapitre en question proclame expressément la déchéance moderne des dogmes; son titre reprend le mot prononcé au chapitre précédent par Claude Frollo, montrant d'une main un livre et de l'autre la cathédrale : « Ceci tuera cela »; son texte en donne un commentaire, justement

1. *Feuilles paginées*, dans Œ., M., t. III, p. 1203 (daté par l'éditeur du début de 1830).

2. Lettre du 3 mars 1832 à Montalembert, dans *Le Portefeuille de Lamennais*, déjà cité, p. 134 (reproduite dans Œ., M., t. IV, pp. 1062-1063).

3. On a mesuré très diversement l'influence de Lamennais sur Hugo. En fait, le vœu d'un christianisme libéralisé ou modernisé se trouve un peu partout, avant que Lamennais n'ait songé à entrer, de biais d'abord et prudemment, dans cette voie. Quand il y entra, beaucoup l'approuvèrent, qui venaient d'autres horizons et devaient suivre une autre voie que la sienne. C'est ainsi que Hugo sembla un temps lui emboîter le pas. Voir sur ce sujet, opinant diversement, Christian MARÉCHAL, *Lamennais et Victor Hugo*, Paris, 1906; abbé Pierre DUBOIS, *Victor Hugo, ses idées religieuses de 1802 à 1825*, Paris, 1913; Géraud VENZAC, *Les Origines religieuses de Victor Hugo*, Paris, 1955, p. 624 et suiv.

4. *Notre-Dame de Paris*, liv. V, chap. II. Ce chapitre ne figurait pas dans l'édition originale de 1831; il parut pour la première fois dans la « 8ᵉ édition » de 1832; mais, selon une note de Hugo, il avait été écrit avec le reste de l'œuvre.

fameux. Hugo y retrace une mutation majeure de la civilisation humaine; remontant aux débuts de l'architecture, il écrit : « Depuis l'origine des choses jusqu'au quinzième siècle de l'ère chrétienne inclusivement, l'architecture est le grand livre de l'humanité [...] Durant les six mille premières années du monde, depuis la pagode la plus immémoriale de l'Hindoustan jusqu'à la cathédrale de Cologne, l'architecture a été la grande écriture du genre humain. Et cela est tellement vrai que non seulement tout symbole religieux, mais encore toute pensée humaine a sa page dans ce livre immense, et son monument [1]. » L'architecture universelle raconte donc l'histoire de l'esprit humain; quelle histoire? « Toute civilisation commence par la théocratie et finit par la démocratie. » Le peuple supplante le sacerdoce, et l'esprit de création libre succède à la fixité des dogmes. Selon Hugo, dans l'histoire de la cathédrale chrétienne, l'art roman et l'art gothique représentent ces deux étapes, qu'il croit retrouver en toute civilisation [2]. Mais cette loi de succession répétée de deux styles architecturaux n'ébranle pas le règne de l'architecture elle-même. Voici maintenant que tout change, et que l'architecture se voit condamnée par une révolution de l'esprit humain : « Dès le seizième siècle, la maladie de l'architecture est visible »; elle transplante dans l'Europe moderne les formes étrangères de l'Antiquité classique; « c'est cette décadence qu'on appelle renaissance ». En revanche, la décadence de l'architecture émancipe les autres arts, sculpture, peinture, musique : « De là, Raphaël, Michel-Ange, Jean Goujon, Palestrina, ces splendeurs de l'éblouissant seizième siècle [3]. » Parallèlement, « à mesure que l'architecture baisse, l'imprimerie s'enfle et grossit [...] Et désormais, si l'architecture se relève accidentellement, elle ne sera plus maîtresse. Elle subira la loi de la littérature qui la recevait d'elle autrefois » [4]. L'édifice nouveau, celui du livre, est colossal : « C'est la fourmilière des intelligences [...] Là chaque œuvre individuelle, si capricieuse et si isolée qu'elle semble, a sa place et sa saillie. L'harmonie résulte du tout [...] Le genre humain tout entier est sur l'échafaudage. Chaque esprit est maçon [5]. » Toute cette fin du chapitre est un hymne aux créations individuelles libres et à leur fécondité collective.

1. *Œ.*, M., t. IV, pp. 136-137.
2. *Ibid.*, pp. 138-139.
3. *Ibid.*, pp. 141-142.
4. *Ibid.*, p. 143.
5. *Ibid.*, p. 144.

La philosophie de l'histoire qui ressort de ces pages est aussi peu catholique que possible. C'est sans doute la raison pour laquelle Hugo n'a pas osé les faire figurer dans la première édition de *Notre-Dame de Paris* au début de 1831, ou n'a pas osé les écrire avant 1832, date de la réédition dans laquelle elles figurent. En gros, elles répondent à un modèle historique fréquent au temps de Hugo parmi les auteurs de « synthèses » dogmatiques. Les saint-simoniens ont multiplié, de 1828 à 1832, les fresques de ce type, notamment en opposant au Moyen Âge théocratique et « organique » les trois siècles « critiques » qui lui ont succédé. L'un d'eux, par exemple, voit l'architecture, privée de symboles sacrés, dépérir dans cette dernière époque [1]. Et les esthéticiens néo-catholiques, dans un concert unanime, définissent la Renaissance comme une décadence [2]. Hugo répète ce motif; mais, amoureux comme il l'est du gothique, il ne veut pas qu'il ait exprimé une pensée purement théocratique et conservatrice; en tant que forme d'art sympathique à son propre génie, il veut y voir, au contraire, une première forme d'émancipation et de modernité; il ne laisse à la théocratie que l'art roman. Et il n'admet l'idée d'un XVIᵉ siècle décadent qu'en architecture : il exalte hautement ses peintres, ses sculpteurs, ses musiciens. On voit à ces divergences combien il était loin des doctrinaires de l'« art chrétien », généralement disciples de Lamennais. En fait, Hugo ne considérait nullement avec défaveur le passage historique du dogme à la critique, alors que saint-simoniens et catholiques y voyaient le mal essentiel. Pour les premiers, l'époque de pensée critique qui avait succédé au Moyen Âge n'était que l'étape transitoire entre l'ébranlement du dogmatisme catholique et l'établissement du leur; pour les catholiques, elle était déchéance pure, remédiable seulement par une reviviscence moderne de l'ancienne foi. Hugo, adoptant un schéma historique formellement analogue, en glorifie au contraire le terme le plus moderne, et l'incarne dans le Livre auquel il promet le présent et l'avenir. La liberté de penser et de créer inaugure à ses yeux un nouveau destin, infiniment fécond, de la communauté humaine. « Ceci tuera cela » est un exemple frappant de la façon dont un poète, en contact avec les constructions dogmatiques de son temps,

---

1. Émile BARRAULT, *Aux artistes. Du passé et de l'avenir des beaux-arts (doctrine de Saint-Simon)*, Paris, 1830, pp. 16-18, 67.
2. Voir *Le Temps des prophètes*, p. 193; p. 194 et n. 74; p. 196 et n. 85.

et conduit à épouser quelque chose de leur langage, a su trouver, face à elles, les formules de la pensée et de la création libres [1].

Art pour l'Art ? Art social ?

Voici un dilemme qui a occupé jusqu'à l'obsession, au XIXᵉ siècle et aussi au nôtre, créateurs, critiques et philosophes. Hugo, en particulier, a vu dresser devant lui cette alternative que sa vision spontanée des choses ne comportait pas. Peut-être convient-il, pour éclairer ce débat, d'en retracer un peu l'histoire. On sait que la formule de « l'art pour l'art » apparaît chez Victor Cousin dès 1818 : elle proclame l'indépendance de l'art, mais en élevant en même temps le Beau, qui en est la fin, à une dignité métaphysique sœur de celle du Vrai et du Bien. Dans le spiritualisme de Cousin et de Jouffroy, l'Art, représentation de l'infini dans les objets finis, se trouve pourvu d'une valeur que la philosophie de l'Europe classique ne lui avait guère attribuée. Par là, tout en émancipant l'art, on le faisait se transcender lui-même vers quelque chose de supérieur, l'Infini, Dieu, l'Humanité et ses destinées. L'erreur ordinaire de la critique a consisté à tenir pour contradictoire ce double mouvement, à ne pas voir que l'indépendance proclamée impliquait une haute mission de pensée. Cette conception de l'Art fut celle de tout le siècle; elle rejoint, pratiquement sinon dans la rigueur des considérants philosophiques, l'esthétique de Kant et de Schiller son disciple [2]. Elle a régné, en fait, sur la littérature

1. Il n'y a pas grand-chose à dire des relations de Hugo avec le saint-simonisme, dont il n'est guère question dans son œuvre. Dès 1830 en tout cas, au moment de la première vogue de cette école, il a commenté avec ironie la prétention des saint-simoniens de fonder une religion et une Église, et d'en être les prêtres; ses remarques valent, implicitement, pour toute prétention analogue en milieu moderne : « Avec beaucoup d'idées, beaucoup de vues, beaucoup de probité, les saint-simoniens se trompent. On ne fonde pas une religion avec la seule morale. Il faut le dogme, il faut le culte. Pour asseoir le culte et le dogme, il faut des mystères. Pour faire croire aux mystères, il faut les miracles. – Faites donc des miracles. Soyez prophètes, soyez dieux d'abord si vous pouvez, et puis après prêtres, si vous voulez » (*Journal des idées et des opinions d'un révolutionnaire de 1830*, dans *Littérature et philosophie mêlées*, éd. James, t. II, p. 287 [texte d'octobre 1830]).
2. Voir Edmond Eggli, *Schiller et le romantisme français*, Paris, 1927, 2 vol., notamment t. II, IVᵉ partie, i.

et la poésie romantiques, dont elle doublait le déisme latent; elle n'a fait que prospérer davantage quand, plus tard, l'agnosticisme des écrivains et des artistes eut substitué à Dieu un « Idéal » impersonnel.

En même temps qu'elle visait plus haut, la poésie éprouva le besoin de changer de formes. Hugo, pour avoir senti cette nécessité mieux qu'aucun autre, prit la tête du mouvement. La poésie devait répudier l'étiquette, les bienséances, l'esprit qu'elle tenait de l'ancienne société, l'imitation des modèles latins et grecs et l'empreinte des mœurs et des goûts courtisans. La nouvelle poétique se tourna nécessairement vers l'audace des formes, des couleurs et du langage. On cite toujours, comme manifeste de l'art sensoriel et irresponsable, la Préface des *Orientales* [1]. Cette préface a souvent été mal entendue. Elle commence par dire seulement qu'il ne doit pas y avoir de sujets interdits : « Tout est sujet; tout relève de l'art, tout a droit de cité en poésie [...] L'art n'a que faire des lisières, des menottes, des bâillons [...] L'espace et le temps sont au poète. Que le poète aille donc où il veut, en faisant ce qui lui plaît; c'est la loi. » Et voici le défi, qui a prêté à confusion : « Si donc quelqu'un lui demande à quoi bon ces *Orientales?* [...] que signifie ce livre inutile de pure poésie au milieu des préoccupations graves du public [...]? Il répondra qu'il n'en sait rien, que c'est une idée qui lui a pris, et qui lui a pris d'une façon assez ridicule, l'an passé, en allant voir coucher le soleil. » Faut-il croire que Hugo estime ses poèmes dénués d'intentions et de pensées, et qu'il se fasse gloire de leur futilité? Il affecte de ne pas argumenter; il jette sa liberté à la face de ses critiques, comme si le caprice sans loi des poètes valait en soi plus que toute gravité. Il le pense pourtant si peu qu'aussitôt après cette espèce de provocation il argumente bel et bien en faveur de son livre en invoquant le mouvement d'idées qui tourne l'Europe de son temps vers l'Orient.

Ce qui est vrai, c'est qu'autour de Hugo, dans les milieux néo-catholiques, dans l'utopie dogmatique et la démocratie avancée, on entendait autrement la nouvelle dignité de la littérature et des arts. Leur promotion devait en faire les organes, auprès du public, du Dogme ou de la Doctrine établis en dehors d'eux : fonction officielle et prestigieuse, pensait-on; subalterne et indigne, pensaient les intéressés, imbus de leur

---

1. Préface de l'édition originale (datée de janvier 1829).

légitimité propre dans l'ordre de la pensée. C'est alors qu'un vaste concert de réprobation s'éleva contre eux ; on dénonça de tous côtés leur esprit d'indépendance comme dilettantisme, aristocratisme, insignifiance, stérile idolâtrie de la forme vide de sens. « L'art pour l'art », ainsi dénoncé, ne répond à aucune réalité ; c'est un postulat polémique, la rengaine monotone et creuse du journalisme militant entre 1830 et 1850. Si le romantisme a proclamé la royauté de l'Art, ce n'est certes pas pour le réduire à un pur jeu de formes ; c'est au contraire pour en faire le lieu d'une haute contemplation de la condition et des événements humains, toujours génératrice de communion, d'enseignements et de prophétie. La critique des générations qui nous ont précédés n'a pas toujours ignoré cette vérité, au sein d'une discussion longtemps confuse [1].

Hugo et L'Europe littéraire *(1833).*

Hugo eut, dès les premiers temps de la monarchie de Juillet, l'occasion de préciser un aspect de sa pensée que ses préfaces n'avaient traité que de biais. Cette occasion lui fut offerte par *L'Europe littéraire,* revue fondée au début de 1833 avec de grands moyens et une large publicité parmi les gens de lettres [2]. Le « Prospectus-spécimen » de la revue contient, parmi d'autres adhésions, une lettre de Hugo, fortement approbatrice, où il se déclare prêt à collaborer à l'œuvre des éditeurs, « heureux, dit-il, si je suis compris un jour, fût-ce au dernier rang, parmi les ouvriers qui ont élevé le grand édifice social et littéraire du dix-neuvième siècle » [3]. « Social et littéraire » : le langage de Hugo est on ne peut plus clair. Il sympathisait avec l'orientation des fondateurs de la revue, qui, dans son premier numéro,

1. Ainsi Charles Renouvier en 1893 (*Victor Hugo, le poète,* Paris, 1893, p. 139 et suiv.) ; G. Michaut en 1907, dans son compte rendu de la thèse d'Albert Cassagne (*La Théorie de l'Art pour l'Art en France chez les derniers romantiques et les premiers réalistes,* Paris, 1906), recueilli dans G. Michaut, *Pages de critique et d'histoire littéraire,* Paris, 1910, notamment p. 140 et suiv.

2. *L'Europe littéraire* dura du 1er mars 1833 au 6 février 1834, et parut trois, puis deux, puis une fois par semaine, sous des formats décroissants. Voir sur cette publication l'ouvrage de Thomas R. Palfrey, L'Europe littéraire *(1833-1834),* Paris, 1927 (index des articles et des collaborateurs).

3. *L'Europe littéraire,* « Prospectus-spécimen » (janvier 1833) ; réédition augmentée dans le numéro du 1er mars qui inaugurait la publication.

prêchait, sur une base européenne, la « mission sociale du talent et des lettres » [1], et quelques jours après préconisait « la constitution de la vie littéraire comme élément de prédilection dans le mouvement social » [2]. *L'Europe littéraire* eut parmi ses collaborateurs Jules Lechevalier, transfuge du saint-simonisme en 1831, écrivain fouriériste en 1832, toujours grand remueur d'idées en 1833, quoique louis-philippiste en fait, comme Victor Hugo lui-même. Il devait fonder l'année suivante la *Revue du progrès social,* pour laquelle il rechercha, comme avaient fait les directeurs de *L'Europe littéraire,* et obtint l'adhésion de plusieurs grands écrivains, celle de Hugo notamment [3]. Cette région de pensée, à laquelle Hugo adhérait de si bon cœur, était aux antipodes de ce qu'on imagine sous l'étiquette de « l'art pour l'art ».

On attribue d'ordinaire à Lechevalier un article intitulé significativement *De l'art comme élément de la vie sociale,* qui parut le 22 mars 1833 dans *L'Europe littéraire* [4]. L'auteur y professait que « l'art est quelque chose de complet en soi, tout à fait indépendant et original, mais qui se lie à tout et embrasse toutes les forces de la vie sociale ». C'était affirmer, très raisonnablement, et en corrigeant fortement le dogmatisme des doctrines « sociales » contemporaines, l'autonomie de l'art en même temps que ses liaisons avec la société. Tout l'article est balancé de la sorte, et présente les relations de l'art avec les autres aspects de l'activité humaine comme spontanément nouées et non sujettes à réglementation. Telle était, en fait, la position même de Hugo, et celle du romantisme en général, qui exclut la notion d'un art enfermé dans l'art, et celle d'un art ou d'une poésie subordonnés à l'action sociale, comme étant deux hérésies complémentaires. Hugo publia à son tour dans la même revue, au mois de mai suivant, un article où il abordait le même

1. *Ibid.,* 1er mars 1833, article de tête, anonyme.
2. *Ibid.,* 11 mars 1833, « Impulsion unitaire du journal » (anonyme).
3. La *Revue du progrès social* dura de janvier à décembre 1834 (3 vol., mensuelle). La lettre de Hugo à Lechevalier peut se lire dans le numéro de juin au tome I de la revue, et dans *Œ., M.,* t. V, p. 1046. Lechevalier projetait, comme on l'a déjà vu, de fonder un « parti social » : voir ci-dessus la note 4, p. 48.
4. L'article est attribué à Lechevalier par Marguerite THIBERT (*Le Rôle social de l'art d'après les saint-simoniens,* Paris, 1925, p. 73) et par H. J. HUNT, *Le Socialisme et le romantisme en France,* Oxford, 1935, p. 111 ; R. PALFREY, *op. cit.,* p. 42, l'attribue, très peu vraisemblablement, à Balzac ; la paternité de l'article reste incertaine.

sujet [1]. Il ne semble pas que cet article, comme on a pu le
croire, soit une réponse à celui que nous venons de commenter,
vu qu'il opine dans un sens très voisin; il semble encore moins
qu'on puisse y voir un plaidoyer en faveur de « l'art pour
l'art ». Hugo, en 1834, a reproduit cet article tout entier, sans
changement appréciable, dans l'introduction qu'il a mise à
Littérature et philosophie mêlées [2]. La phrase qui y précède la
reproduction de ce texte est déjà des plus explicites : « Quand
on creuse l'art, au premier coup de pioche on entame les
questions littéraires, au second, les questions sociales [3]. » Dans
l'article lui-même, qui nous occupe ici, Hugo traite surtout
des deux questions qui le passionnaient en ces années, celle de
la révolution romantique du style et celle du drame; mais dans
ce qu'il dit sur ces deux sujets, transparaît ce qu'il tenait pour
évident touchant les relations de l'art avec la société. Le prétendu « art pour l'art » étant ordinairement réprouvé comme
un culte stérile de la forme, Hugo refuse de séparer la forme
du sens : « Chez les grands poètes, rien de plus inséparable,
rien de plus adhérent, rien de plus consubstantiel que l'idée
et l'expression de l'idée. Tuez la forme, presque toujours vous
tuez l'idée [4]. » Voir dans ces mots une pure glorification de la
forme, c'est oublier de quoi Hugo lui fait gloire : de ce que
l'idée ne va pas sans elle. Et elle ne va pas sans l'idée : autre
évidence au moins aussi forte aux yeux de Hugo, avocat dans
toute son œuvre des deux aspects complémentaires de cette
cause [5]. S'il avait entendu défendre « l'art pour l'art », comment
écrirait-il, plus loin, que le poète doit prendre conscience de
sa responsabilité envers ses contemporains, vu « la perturbation
fatale qu'un pouvoir spirituel mal dirigé pourrait causer au
milieu de cet ensemble de forces qui élaborent en commun
[...] notre civilisation future » [6]? Il n'en rejette pas moins,

1. *L'Europe littéraire,* 25 mai 1833, article sans titre, pp. 157-159.
2. Cette introduction s'intitule *But de cette publication* (voir ci-dessus, n. 1,
p. 277) ; elle se compose de quelques pages destinées à présenter le recueil, suivies
de l'article de *L'Europe littéraire* qui nous intéresse. Je cite cet article d'après
l'édition James de *Littérature et philosophie mêlées.*
3. *Ibid.,* éd. James, pp. 17-19.
4. *Ibid.,* p. 23.
5. On lit dans un poème de 1840 *Au statuaire David* : « La forme, ô grand
sculpteur, c'est tout et ce n'est rien. – Ce n'est rien sans l'esprit, c'est tout avec
l'idée! » (*Les Rayons et les ombres,* XX, section 1) : parlant à un sculpteur, il lui
prêche ce qu'un sculpteur, plus facilement qu'un poète, risque d'oublier.
6. *Littérature et philosophie mêlées,* éd. James, p. 47. Cf. la Préface du *Rhin,*

aussitôt après, l'idée d'une « utilité directe » de l'art, selon lui
« théorie puérile émise ces derniers temps par des sectes qui
n'avaient pas étudié le fond de la question » [1] : allusion transparente aux sectes utopiques contemporaines, et au saint-simonisme en particulier. Tout l'art pour l'art de Hugo consiste à
rejeter ce type d'emprise dogmatico-utilitaire. Autrement, tout
son article de *L'Europe littéraire* plaide pour la mission sociale
du poète et de l'artiste [2].

Continuation du débat au temps de l'exil.

Hugo n'a jamais changé de sentiment sur la mission de l'art.
Le débat s'est ranimé au temps de l'exil, quand Hugo, ayant
adopté une attitude militante, eut à expliquer qu'il n'était pas
en cela infidèle à lui-même. Il n'eut pas de peine à le faire :
comme il avait toujours affirmé le principe d'une fonction
active de l'art dans la société humaine, la gravité exceptionnelle
du péril couru par la République, puis son effondrement,
pouvaient bien justifier une intervention pressante de l'artiste
ou du poète normalement plus éloignés de l'action immédiate,
sans qu'ils eussent à rien renier d'eux-mêmes. Divers propos
sur ce sujet, tenus au début de l'exil, nous ont été conservés :
« Ceux qui ont dit que je faisais de l'art pour l'art ont dit une
chose inepte; personne plus que moi n'a fait de l'art pour la
société et pour l'humanité [3]. » Hugo, cédant à l'usage général,
prend « l'art pour l'art » au sens où ses adversaires l'entendent
et rejette la formule comme n'ayant jamais été sienne. Auguste
Vacquerie, lui faisant écho en 1855, le disculpe de même de
cette hérésie : « Récompense honnête à qui trouvera dans Victor
Hugo ce mot fameux : l'art pour l'art »; le plaidoyer est
furibond contre le « chœur des critiques » obstiné « à cette

---

datée de janvier 1842 : « Gouverner les Nations, c'est assumer une responsabilité;
parler aux esprits, c'est en assumer une autre » (*Œ., I.N., En voyage I*, p. 2).

1. *Littérature et philosophie mêlées,* éd. James, p. 47.
2. *L'Europe littéraire* publia de nouveau le 12 juin 1833, pp. 181-182, un
article (anonyme) consacré à Hugo, qui, malgré certaines critiques sur des points
particuliers, approuve le double aspect de la pensée de Hugo sur l'art.
3. Cité par Octave UZANNE, *Les Propos de table du poète en exil,* Paris, 1892,
p. 17 (daté conjecturalement de « quelque temps après 1852 ») = *Le Journal
d'Adèle Hugo,* éd. Frances Vernor Guille, Paris, 3 vol., t. III, 1984, p. 411,
6 octobre 1854.

immensité du crétinisme et à cette perfection de la stupidité » [1].
Vers 1863, Hugo lui-même répète, à l'intention de ceux qui,
très généralement, le croient père de la formule de « l'art pour
l'art » : « On peut lire, de la première à la dernière ligne, tout
ce que nous avons publié, on n'y trouvera point ce mot. C'est
le contraire de ce mot qui est inscrit dans toute notre œuvre,
et, insistons-y, dans notre vie entière [2]. » Ces phrases se trouvent
dans *William Shakespeare*, IIe partie, livre VI, au chapitre « Le
Beau serviteur du Vrai », chapitre consacré à la mission et aux
responsabilités que Hugo, en 1863 comme en 1833, attache
à la condition du poète. Exilé et ennemi de l'Empire, il avait
à cœur de justifier sa position passée devant l'opinion démocratique, parfois prévenue contre lui. On rappelait ses opinions
esthétiques du temps du cénacle, ses prétendues professions de
foi de jadis en faveur de « l'art pour l'art »; il ne se lassait pas
de rétablir ce qui avait été sa pensée de toujours. Il dut être
spécialement agacé, à cette époque, par les attaques de Pierre
Leroux, qui séjourna en même temps que lui à Jersey, et qui,
dans *La Grève de Samarez,* le maltraite fort, tient pour futile
sa religion de l'art, l'appelle « Narcisse », et renouvelle contre
sa poésie, lui jadis plus ouvert, l'argumentation utopico-huma-
nitaire la plus étroite [3].
Hugo avait affaire d'autre part, vers 1860, à la postérité
pessimiste et artiste du romantisme, aux poètes qui pouvaient
l'accuser de trahir, pour un art militant, la cause commune de
l'« art romantique ». C'est pour ceux-là qu'il répète, non seulement qu'il a toujours cru à l'art agissant, mais qu'il faut plus
que jamais y croire : « Ah! esprits! soyez utiles! servez à quelque
chose. Ne faites pas les dégoûtés [...] Il y a eu, ces dernières
années, un instant où l'impassibilité était recommandée aux
poètes comme condition de divinité. Être indifférent, cela s'ap-

---

1. Auguste VACQUERIE, « L'art pour l'art », daté *in fine* « septembre 1855 »,
dans *Profils et grimaces,* Paris, 1856, p. 224 et suiv.
2. HUGO, *William Shakespeare* (1864; rédigé principalement en 1863), dans
Œ., I.N., *Philosophie II,* p. 178. Cet ouvrage figure au t. XII, p. 157 et suiv.,
des *Œ.,* M.; il a été réédité à part par Bernard Leulliot, Paris, 1973. Ces éditions,
outre le texte publié en 1864, publient un groupe de textes, dits Reliquat, ou
Annexes, ou Marges, attenant à *William Shakespeare,* situés ou groupés de façon
diverse selon l'édition.
3. Pierre LEROUX, *La Grève de Samarez.* Paris, 1863, 2 vol., voir t. II, liv. III,
« Narcisse »; sur la forte antipathie de Hugo pour Leroux, voir sa lettre du
27 avril 1865 à Vacquerie (*Œ.,* M., t. XII, p. 1293).

pelait être olympien [1]. » Mais où a-t-on vu que les Dieux de
l'Olympe fussent inactifs, eux qui combattent sans cesse? C'est,
évidemment, à la génération de Baudelaire et de Leconte de
Lisle que Hugo s'adresse ici, lui prêchant « l'art pour le
progrès » [2].

Hugo, mettant le Beau au service du Vrai − c'est-à-dire,
humainement, du Bien −, ne renie rien et ne se convertit à
rien; il dit ce qu'il a toujours dit; et il a toujours dit aussi, et
redit encore − ce sont pour lui les deux faces d'une même
idée −, que le Beau, inspirateur du Bien, a son excellence, et
sa vertu propre. Ce point-là se trouve largement développé
dans les pages intitulées *Utilité du Beau,* qui sont de la même
époque [3]. Dans le temps où il proclamait avec tant de conviction
« le Beau serviteur du Vrai », il pouvait sacrer le Beau « vrai
de droit », évoquer « la quantité de perfection qui est dans le
Beau », décrire en ces termes celui qui le contemple : « Il ferme
les yeux pour mieux voir, il médite ce qu'il a contemplé, il
s'absorbe dans l'intuition, et tout à coup, net, clair, incontestable, triomphant, sans trouble, sans brume, sans nuage, au
fond de son cerveau, chambre noire, l'éblouissant spectre solaire
de l'idéal apparaît; et voilà cet homme qui a un autre cœur [4]. »
Il pouvait réaffirmer l'identité romantique de la forme et du
fond : « La forme, c'est le fond. Confondre forme avec surface
est absurde. La forme est essentielle et absolue; elle vient des
entrailles mêmes de l'idée [5]. » Ou encore : « Il y a entre ce que
vous nommez forme et ce que vous nommez fond identité
absolue, l'un étant l'extérieur de l'autre, la forme étant le fond
rendu visible [6]. » Il pouvait enfin répéter son idée de toujours,
selon laquelle le perfectionnement général que l'art favorise ne

1. *William Shakespeare,* IIe partie, liv. VI, section 1, début (Œ., I.N.,
Philosophie II, p. 173); *ibid.,* section 5 (p. 183).
2. Voir déjà cette expression dans la lettre à Baudelaire du 6 octobre 1859
(Œ., I.N., t. X, p. 1327); elle reparaît en 1864 dans la page déjà citée, Œ., I.N.,
Philosophie II, p. 173; et p. 174 dans l'expression « *l'art pour le progrès,* le Beau
utile ».
3. Ces pages contemporaines et annexes de *William Shakespeare* figurent dans
Œ., I.N., au volume *Philosophie II* dans l'ensemble intitulé *Post-scriptum de ma
vie,* p. 478 et suiv.; les éditions Œ., M., et Leulliot les donnent comme complément de *William Shakespeare.*
4. Œ., I.N., *Philosophie II,* pp. 478 et 479. Aussi, p. 480; « L'art, à la seule
condition d'être fidèle à sa loi, le Beau, civilise les hommes par sa puissance
propre, même sans intention, même contre son intention. »
5. *Ibid.,* p. 481.
6. Pages intitulées *Le Goût* (Reliquat de *William Shakespeare*), *ibid.,* p. 292.

saurait avoir lieu dans l'art lui-même : « Le progrès, but sans cesse déplacé, étape toujours renouvelée, a des changements d'horizon. L'idéal point. Or [...] l'idéal est le générateur de l'art. C'est ce qui explique pourquoi le perfectionnement [...] n'est point propre à l'art [...] Les chefs-d'œuvre ont un niveau, le même pour tous, l'absolu [1]. » C'est à la lumière de cette dernière idée qu'il faut entendre la mission humaine de l'art selon Hugo : l'art, serviteur et agent de l'idéal selon ses moyens propres et exclusifs, ne saurait être serviteur du bien que par ce biais, mais il ne peut non plus s'empêcher ni se dispenser de l'être.

En somme, le fait que Hugo ait pu sembler défendre, tantôt le privilège d'indépendance absolue de l'art, et tantôt son irrécusable mission sociale, tient pour beaucoup au type d'interlocuteur qu'il a en vue et aux circonstances de la discussion ; il est ainsi conduit à montrer de préférence l'un des deux aspects d'une pensée qui n'est double qu'en apparence. C'est le caractère fortement indivisible de cette pensée touchant la nature de l'art qui a trop souvent donné lieu au malentendu [2].

1. *William Shakespeare*, Iʳᵉ partie, liv. II, *ibid.*, pp. 56 et 57.
2. Comme témoignage de la constance des vues de Hugo entre les années 1830 et 1860, on pourra se reporter à sa Réponse au discours de réception de Saint-Marc Girardin à l'Académie française le 16 janvier 1845 (Œ., I.N., *Actes et paroles I*, p. 63). Il faut lire, sur cette question de V. Hugo et de « l'art pour l'art », les études de Jacques SEEBACHER, « Esthétique et politique chez Victor Hugo : L'utilité du Beau », dans les *Cahiers de l'Association internationale des études françaises*, n° 19 (mars 1967), p. 233 et suiv., et de Pierre Albouy, Présentation de *William Shakespeare* dans Œ., M., t. XII, p. 127 et suiv.

II

L'APOSTOLAT PAR LE DRAME

Revenons à 1833. Ce que Hugo écrivait alors sur l'art se rapportait en fait au théâtre, forme particulière sous laquelle, dans ces années, il envisageait surtout sa mission. En ce sens, son article de *L'Europe littéraire* complétait la Préface de *Cromwell* où, quelques années auparavant, Hugo avait voulu établir la primauté moderne du drame, recréé selon ses vues. Cet article transportait dans le domaine du théâtre le problème général de la mission de l'art : « Car d'ici à peu d'années, écrit Hugo, l'art, sans renoncer à toutes ses autres formes, se résumera plus spécialement sous la forme essentielle et culminante du drame [1]. » Les longues considérations de Hugo sur l'histoire de la langue, qui occupent la première partie de cet article, sont faites pour aboutir à cette phrase : « Telle est [...] la langue que l'art du dix-neuvième siècle s'est faite, et avec laquelle en particulier il va parler aux masses du haut de la scène [2]. » Il cite longuement la récente préface de sa *Lucrèce Borgia*, qui évoquait cette mission du drame, puis il ajoute : « Le théâtre, nous le répétons, est une chose qui enseigne et qui civilise. Dans nos temps de doute et de curiosité, le théâtre est devenu, pour les multitudes, ce qu'était l'église au moyen-âge, le lieu attrayant et central. Tant que ceci durera, la fonction du poète dramatique sera plus qu'une magistrature et presque un sacerdoce. » Cette promotion auguste du théâtre, dont les saint-simoniens avaient eu, semble-t-il, la première pensée [3], impor-

---

1. *Littérature et philosophie mêlées,* éd. James, pp. 22-23.
2. *Ibid.,* p. 37.
3. Ainsi É. BARRAULT, *op. cit.,* pp. 51-52, et dans ses articles de février 1832

tait si fort à Hugo, qu'il y voyait l'essentiel de son article, puisque, le signalant à un ami, il écrivait : « Le théâtre est une sorte d'église, l'humanité une sorte de religion. Méditez ceci, Pavie. C'est beaucoup d'impiété ou beaucoup de piété, je crois accomplir une mission [1]. »

Les préfaces des drames de Hugo attestent la force de conviction avec laquelle il envisageait cette mission dramaturgique. Il a cru, d'*Hernani* jusqu'aux *Burgraves,* à l'avènement d'un vaste public capable de recevoir, à travers les fictions d'un théâtre moderne, l'éducation spirituelle que l'Église n'était plus en état de lui donner. Il a espéré entrer en communion par ses drames avec ce public; de préface en préface, il dit cet espoir, il le croit exaucé; dès celle d'*Hernani,* en 1830, il écrit : « Le principe de la liberté littéraire, déjà compris par le monde qui lit et qui médite, n'a pas été moins complètement adopté par cette immense foule, avide des pures émotions de l'art, qui inonde chaque soir les théâtres de Paris [2]. » L'année suivante, dans la Préface de *Marion de Lorme :* « Pour l'artiste qui étudie le public, et il faut l'étudier sans cesse, c'est un grand encouragement de sentir se développer chaque jour au fond des masses une intelligence de plus en plus sérieuse de ce qui convient à ce siècle, en littérature non moins qu'en politique. C'est un beau spectacle de voir ce public [...] On le sent attentif, sympathique, plein de bon vouloir [...] Le théâtre maintenant peut ébranler les multitudes et les remuer dans leurs dernières profondeurs [3]. »

À cette disposition présumée du public répond l'apostolat du poète dramatique. Hugo croit avoir le moyen de parler à la foule mieux que par le poème et le livre. Il jette un grand

---

dans *Le Globe* saint-simonien, reproduits dans le *Recueil de prédications (religion de Saint-Simon),* Paris, 1832, 2 vol., t. II, pp. 398-399 (à côté du temple, le théâtre surgit, « *Église* nouvelle »); voir aussi Hippolyte AUGER, *Du monopole et de la concurrence des théâtres,* Paris, octobre 1832, p. 6 : « En France [...] le théâtre succède au temple comme fonction sociale. » Je ne saurais dire si Hugo s'est inspiré à ces sources; c'est fort possible.

1. Lettre à Victor Pavie, du 25 juillet 1833, Œ., M., t. IV, pp. 1105-1106.
2. Préface d'*Hernani* datée du « 9 mars 1830 ».
3. Préface de *Marion de Lorme,* datée « août 1831 ». Et voir, concernant le public des théâtres, des pensées et expressions analogues dans les Préfaces de *Lucrèce Borgia* (« 11 février 1833 »), d'*Angelo* (« 7 mai 1835 »), des *Burgraves* (« 25 mars 1843 »). On peut rapprocher de ces textes une strophe du poème *À Eugène, vicomte H.,* daté du « 6 mars 1837 » (*Les Voix intérieures,* XXIX, strophe 21 : « Quand le peuple au théâtre écoute ma pensée », etc.).

démenti prophétique à ceux qui disent la poésie morte : le théâtre va les confondre; il annonce l'avènement d'un grand dramaturge moderne : « Pourquoi maintenant ne viendrait-il pas un poète qui serait à Shakespeare ce que Napoléon est à Charlemagne [1] ? » Ce poète serait bien autre chose qu'un auteur de théâtre au sens ordinaire, car désormais : « Le théâtre est une tribune. Le théâtre est une chaire [...] Le poète aussi a charge d'âmes [2]. » Ou encore : « On ne saurait trop le redire, pour quiconque a médité sur les besoins de la société, auxquels doivent toujours correspondre les tentatives de l'art, aujourd'hui plus que jamais le théâtre est un lieu d'enseignement. Le drame [...] doit donner à la foule une philosophie, aux idées une formule, à la poésie des muscles, du sang et de la vie, à ceux qui pensent une explication désintéressée, aux âmes altérées un breuvage, aux plaies secrètes un baume, à chacun un conseil, à tous une loi [3]. » En un mot et surtout : « Le théâtre doit faire de la pensée le pain de la foule [4]. »

Types, moralités, symboles.

Toutes ces formules sont claires dans leur intention; elles sont fortes; mais les questions subsistent, qu'on peut poser à Hugo : quelle sorte de choses enseignerez-vous? et comment vos enseignements prendront-ils figure sur la scène? Il a répondu plus ou moins explicitement dans ses préfaces qu'il enseignait des expériences humaines, incarnées dans des types. En soi la réponse définit le théâtre même, et, dans un langage différent, Corneille ou Racine auraient pu la faire. À *quelles* expériences et à *quels* types songeait Hugo? La première idée qui vient est que son théâtre a pour matière l'histoire : le rideau, se levant sur n'importe lequel de ses drames, découvre aussitôt le décor et les personnages typiques d'une époque passée. Mais la représentation du passé *comme tel* n'est qu'apparemment leur objet. Les « scènes historiques », multipliant les figurants autour d'un personnage ou d'un événement mémorable de l'histoire, et développant un dialogue à intention « d'époque » étaient fort

1. Préface de *Marion de Lorme.*
2. Préface de *Lucrèce Borgia.*
3. Préface d'*Angelo.*
4. Préface des *Burgraves.*

en vogue alors; royalistes et libéraux aimaient à figurer l'histoire de France selon leurs vues respectives. Les libéraux surtout, Stendhal compris, aimaient et préconisaient ce genre. Les scènes de cette sorte abondent dans *Cromwell,* et disparaissent à peu près complètement après *Le Roi s'amuse.* Naturellement, cette forme de théâtre pouvait intéresser surtout quand elle représentait l'histoire nationale; et il faut remarquer que, sur les sept drames de Hugo, deux seulement – *Marion de Lorme* et *Le Roi s'amuse* – intéressent la France, et qu'ils font peu de place aux leçons de son histoire. Ceux qui concernent l'Espagne, l'Angleterre, l'Italie ou l'Allemagne n'ont guère de signification politique pour des Français, et ne sont « historiques » qu'au sens où la curiosité peut l'être. Il est vrai que Hugo a quelquefois prétendu que son but avait été de résumer dans son drame une époque ou une figure du passé; c'est ce qu'il dit de son *Cromwell* dans sa Préface à ce drame; et aussi dans celles d'*Hernani* et de *Ruy Blas,* qui figurent respectivement, selon lui, l'apogée et le déclin de l'Espagne, et dans celle des *Burgraves,* où il dit avoir peint la progressive décadence du monde féodal. En fait, on n'a guère l'impression qu'il ait donné à l'histoire, dans son drame, un rôle foncièrement différent de celui qu'elle avait eu dans la tragédie classique. Il a répudié les sujets antiques pour des sujets empruntés exclusivement au Moyen Âge et aux Temps modernes, ce qui est sans doute, sur le plan littéraire, un changement d'une grande conséquence; mais comme Corneille ou Racine, il a demandé en somme à l'histoire de saisir l'imagination par la majesté des événements et le prestige des figures : introduisant partout dans ses drames des êtres du commun – autre innovation importante –, il s'est gardé d'en exclure les rois ou les personnages souverains. Cependant, qui dit histoire dit politique; et, à cet égard, son drame est plutôt en deçà de la tragédie classique : aucun de ses drames n'est aussi constitutivement politique que *Cinna* ou *Britannicus.* En fin de compte son œuvre, quoi qu'il ait pu dire, a consisté, au théâtre, à donner à la majesté historique de la tragédie un visage (et un langage) modernes, en se gardant bien de l'altérer ou de la diminuer.

La vraie nouveauté, celle qui fait profondément révolution, est autre. Les forces et les faiblesses de la nature humaine étant l'ultime matière de tout théâtre, le drame prétend les représenter sur un mode plus ambitieux – plus philosophique et symbolique que la simple tragédie. Il n'oublie jamais son rôle d'édification et la dimension humanitaire qui l'égale à l'ancien théâtre sacré. Il met en jeu le bien, le mal, la volonté, la destinée à travers des types auxquels il attribue une place dans un système de valeurs. C'est dans cette perspective qu'il faut juger Hugo, et considérer ce qu'il a pu faire.

Le plus marquant de ces types est un Héros, plus ou moins paria, affecté d'un signe sympathique malgré son caractère souvent âpre ou sauvage; il peut être reconnu fils de roi comme Hernani, auquel cas il reproduit, sous une couleur moderne, le vieux modèle du vassal héroïque en rupture de ban, avec ses résonances épiques et son point d'honneur; il est plus souvent franchement plébéien, comme le Didier de *Marion,* ou mieux encore comme Ruy Blas, qui constitue, avec l'épisode de son élévation éphémère, la version dramatique complète du type, en tant que symbole du heurt des hautes classes et du peuple. Comme types féminins, d'abord la Femme idéale des romans, sous les versions de la Doña Sol d'*Hernani,* de la Catarina d'*Angelo,* de la Reine d'Espagne de *Ruy Blas,* de la Régina des *Burgraves*; puis un personnage de Courtisane (ou femme en marge de la règle), capable de sublimité, qui apparaît d'emblée dans sa plénitude avec Marion de Lorme, et reparaît dans *Angelo* avec La Tisbé; à côté de la courtisane, la Fille séduite, Blanche du *Roi s'amuse,* Jane de *Marie Tudor,* créatures déchues malgré elles et sans avilissement du cœur : ces types féminins sont l'éventail des représentations romantiques de la femme, grande occasion en ce temps-là de pensées nouvelles. À côté de ces figures fondamentales, le type du Vieillard, dans un arc-en-ciel de variantes, qui va du Père noble, le Saint-Vallier du *Roi s'amuse,* au féroce et bassement vindicatif Don Salluste de *Ruy Blas,* en passant par le Ruy Gomez d'*Hernani,* mélange de loyauté et de funèbre vengeance : cette gamme de valeurs, comme celle qui affecte dans *Les Burgraves* les trois échelons de vieillesse d'une lignée féodale, semble attester l'hésitation de la sympathie hugolienne face au type paternel. Enfin le type du Roi, ou plus généralement du Souverain : si Charles Quint dans *Hernani,* après son élévation à l'Empire, et le légendaire Barberousse des *Burgraves* sont les figures idéales de la royauté, en revanche Don Carlos, avant d'être empereur, est un roi frivole et corrupteur de femmes, comme le François Ier du *Roi s'amuse*; Louis XIII est un roi faible dans *Marion de Lorme*; et, dans les drames qui portent leur nom, Marie Tudor une reine capricieuse et violente, et Angelo un tyran effroyable;

une cour, par définition intrigante et corrompue, entoure les souverains : autre arc-en-ciel de pensées en un temps où la monarchie demeure l'objet de grands débats.

L'univers humain, ainsi composé pour l'émotion et le contraste, est fortement tendancieux. Avec le Paria sublime et la Courtisane au grand cœur; avec la Jeune Fille martyre et la Femme céleste; avec la double figure, haute ou basse, du Vieillard et du Roi; avec les grands seigneurs méchants ou nuls et les humbles, jouets des grands; avec les innocents et les traîtres, cet univers est jumeau de celui du mélodrame, dont il partage l'inspiration, humanitaire avant la lettre. Il est à remarquer que la loi du drame, telle que Hugo l'avait formulée dans la préface de *Cromwell,* à savoir l'antithèse du sublime et du grotesque, n'y trouve qu'une application limitée, le grotesque ayant, en fait, peu de place dans cet univers. Le vrai contraste est ailleurs; il oppose plutôt la sublimité et l'infamie, dont les démêlés sont la source principale de l'émotion dans un tel théâtre. Le conflit réside parfois dans le même personnage, et Hugo aime à le souligner : Triboulet, haineux et corrupteur en tant qu'il est lui-même humilié, est sublime en tant que père; Lucrèce Borgia, pervertie comme femme, est, comme mère, éperdue d'amour et de dévouement; le vieux Job des *Burgraves,* jadis fratricide, est aujourd'hui père crucifié. Ce genre de contraste, dans sa naïveté, n'est pas dépourvu de sens au regard d'une morale qui repose en effet sur l'idée de notre double nature, basse et idéale : opposition à laquelle on ne peut dénier, outre sa vérité, une grande fécondité dans l'ordre littéraire en général, et romantique en particulier. Le drame de Hugo, par-delà le mélange des tons et des milieux qui est son aspect le plus voyant, est en somme une mise en œuvre romantico-humanitaire du spiritualisme moral, avec un caractère particulier d'hostilité aux conventions sociales : discordance acceptée, voire postulée, du rang et de la qualité d'âme; rêve des amours socialement dépareillées; rejet des bienséances communes, émotion de l'idéal toujours conçue dans le défi aux valeurs ou aux conduites consacrées. On s'est demandé comment le mélodrame humanitaire, doté de nouvelles couleurs féodales et royales par la palette romantique, a pu prospérer au moment où le terre à terre et le juste-milieu triomphaient dans la société. Il faudrait poser la question, non seulement pour le drame, mais pour tout le romantisme. Il faut croire que la littérature n'exprime pas la société au sens étroit où on le croit d'ordinaire;

elle accueille et élabore aussi − surtout, peut-être − les imaginations idéales auxquelles la société, étant ce qu'elle est, a
besoin de s'adonner, et jusqu'à un certain point de se conformer,
pour s'estimer, c'est-à-dire pour vivre [1].

Selon Hugo, la pensée et l'enseignement du drame devaient
embrasser jusqu'aux questions philosophiques, dominées alors
dans son esprit, ainsi qu'on a pu voir, par les notions de
Fatalité, de Providence et de Liberté. Plusieurs des symboles
qu'il invoque dans ses préfaces répondent à cette prétention.
En Triboulet, père d'une fille séduite par le roi et meurtrier
involontaire de cette fille chérie, c'est l'action de la providence
qui est représentée, exauçant la malédiction d'un autre père,
dont le bouffon avait aidé à séduire la fille. La providence
s'incarne aussi en Barberousse dans *Les Burgraves,* la fatalité
dans Guanhumara, et l'expiation dans Job. On ne peut pas
dire que ces éclaircissements postiches ajoutent grand-chose au
drame [2]. Dans la Préface d'*Angelo,* Hugo a annoncé à son
lecteur une explication totale de la philosophie de ses drames;
il ne l'a jamais donnée, quoiqu'il ait répété plus longuement
cette promesse dans la Préface des *Burgraves.* Il est plus insistant, mais non plus convaincant, quand il définit l'envergure
de son théâtre. Le drame, selon lui, doit tout embrasser :
vastitude toujours fâcheuse pour une définition. Cette formule
de capacité universelle, variante emphatique du principe de
liberté, est proclamée dans mainte préface. Dans celle de *Marie
Tudor,* Hugo imagine un drame qui soit à la fois cœur, tête,
passion, volonté, passé et présent, « le bien, le mal, la fatalité,
la providence, le génie, le hasard, la société, le monde, la
nature, la vie; et au-dessus de tout cela on sentirait planer
quelque chose de grand! » [3]. Ces professions de foi diffuses et

---

1. Voir sur ce sujet D.-O. EVANS, *Le Drame moderne à l'époque romantique,*
Paris, 1923, pp. 39-40, et ses références à SAINT-MARC GIRARDIN, *Cours de
littérature dramatique,* Paris, Charpentier, 1855, p. 376 et suiv.

2. Hugo avait de même, dans l'Avant-propos de *Notre-Dame de Paris,* lié à
l'idée de son roman le mot ἀνάγκη qu'il disait avoir vu entaillé en majuscules
sur le mur dans un recoin de la cathédrale. Mais les récits romanesques qui
pourraient avoir le mot Fatalité pour devise, aussi bien que *Notre-Dame de Paris,*
sont en nombre infini. À côté des symboles majeurs, Hugo ne rejette pas les
moindres : ainsi la lignée des Burgraves n'incarne pas seulement l'expiation, mais
aussi l'« échelle de la dégradation des races ». N'oublions pas qu'il écrivait les
préfaces après les pièces.

3. Préface de *Marie Tudor,* datée du 17 novembre 1833. Voir aussi la Préface
de *Marion de Lorme,* et déjà celle de *Cromwell;* aussi l'article de 1833 dans

magnifiques font un peu l'effet d'habiller le vide. Et tant d'ambition jure avec l'incroyable naïveté de l'agencement dramatique, fidèle aux procédés du mélodrame : poisons et contrepoisons, échafauds, chambres et passages dérobés, fausses identités et reconnaissances, échéances fatidiques, anneaux et crucifix révélateurs, intrigues labyrinthiques dénouées à toute extrémité. Le drame romantique selon Hugo, malgré ses hautes et partielles beautés, n'a pas réussi à être. Il faut admirer ceux qui croient savoir que l'échec du romantisme en ce domaine était nécessaire. Qui dira si un génie doué pour cette tâche particulière n'aurait pu faire mieux ? *Chatterton,* œuvre d'un poète sobre et de peu de verve, et *Lorenzaccio,* né d'une âme fragile, sont d'un meilleur théâtre, et plus sérieux pour tout dire, que *Ruy Blas* même. Ils laissent entrevoir ce qui pouvait être. Si Hugo était mort à quarante ou cinquante ans, avant *La Légende des siècles,* on dirait aujourd'hui que l'épopée a continué à végéter en France sous le romantisme comme aux siècles précédents. Le hasard étend partout son empire, en littérature autant et plus qu'ailleurs.

Hugo sentit l'échec. On lit dans *Victor Hugo raconté par un témoin de sa vie,* que sa femme rédigea, comme on sait, sous son inspiration : « M. Hugo, après *Les Burgraves,* s'éloigna du théâtre [...] : il ne lui convint plus de livrer sa pensée à ces insultes faciles et à ces sifflets anonymes que quinze ans n'avaient pas désarmés. Il avait, d'ailleurs, moins besoin du théâtre. Il allait avoir la tribune [1]. »

L'Europe littéraire, déjà commenté (in *Littérature et philosophie mêlées,* éd. James, t. I, p. 57).

1. Paris, 1863, t. II, p. 478.

III

LE POÈTE ET SON UNIVERS

La tribune, soit. *Les Burgraves* sont de 1843, et il devait
être nommé à la Chambre des Pairs en 1845. Mais ni le drame
ni la tribune ne pouvaient tarir en Hugo le verbe lyrique, son
privilège majeur depuis l'adolescence : verbe nu, adressé à une
foule imaginaire, toujours supposée à l'écoute. Là était à coup
sûr, quoi qu'il pût projeter, son intime et primordiale vocation.
Dans le temps de son entreprise dramaturgique, il ne l'avait
jamais oublié; il écrivait : « La poésie est de toutes les choses
humaines la plus voisine des choses divines », et : « En fait de
révolutions sociales, les partis ne sont que des préparateurs; au
moment marqué, le poète survient et conclut [1]. » Il y a donc,
attaché au poète, un double attribut d'inspiration et d'action.
On ne s'étonnera pas que Hugo, à cette époque où il exaltait
la figure de l'Empereur, ait souhaité le doubler comme créateur
lui aussi, sur un autre plan, d'une France nouvelle : « La
physionomie de cette époque ne sera fixée, écrit-il, que lorsque
la révolution française, qui s'est faite homme dans la société
sous la forme de Bonaparte, se sera faite homme dans l'art. Et
cela sera [2]. »

« Dans l'art. » Il ne s'agit pas d'art pur. Voici le poète,
prédicateur à la face des rois, en possession de les éclairer sur
des vérités qu'il voit mieux qu'eux, et de leur montrer leur
route :

1. *Tas de pierres*, dans Œ., M., t. IV, pp. 942 et 944; on date ces fragments
d'un peu après 1830.
2. *Ymbert Galloix*, dans *L'Europe littéraire* du 1er décembre 1833, article
reproduit dans *Littérature et philosophie mêlées*, éd. James, t. II, p. 235.

La cour est en gala ! pendant qu'au-dessous d'elle,
Comme sous le vaisseau l'océan qui chancelle,
Sans cesse remué, gronde un peuple profond
Dont nul regard de roi ne peut sonder le fond.
[...] Ô rois, veillez, veillez ! tâchez d'avoir régné.
Ne nous reprenez pas ce qu'on avait gagné [1].

Ces vers, qui précèdent de peu Juillet, sont de saison. Le ton
s'élève après la révolution. Hugo maudit les rois d'Europe :

Je sens que le poète est leur juge ! Je sens
Que la muse indignée, avec ses poings puissants,
Peut, comme au pilori, les lier sur leur trône [2].

Avertissements et semonces prophétiques reparaissent de loin
en loin entre 1830 et 1843, et nous aident à comprendre le
jaillissement futur des *Châtiments* [3]. En 1847 la parole ven-
geresse du poète est en gestation :

Il faut que le poète, épris d'ombre et d'azur,
Esprit doux et splendide, au rayonnement mûr,
[...] Devienne formidable à de certains moments.
[...] Il faut que, par instants, on frissonne, et qu'on voie
Tout à coup, sombre, grave et terrible au passant,
Un vers fauve sortir de l'ombre en rugissant [4].

Un écrivain doit être singulièrement imbu de son autorité pour
pouvoir, en 1833, s'imaginer parlant comme fait Hugo aux
« hommes du pouvoir » : « Vous n'avez pas remarqué une chose,
c'est que dans les époques comme celle-ci, le sceptre change
de forme comme tout le reste. Il y a trente ans, le sceptre,
c'était une épée. Aujourd'hui le sceptre, c'est une plume. Tout
homme qui avec le bec d'une plume peut soutirer de son

1. *Rêverie d'un passant à propos d'un roi*, dans *Les Feuilles d'automne*, III, daté
« 18 mai 1830 ».
2. Même recueil, XL, poème sans titre, daté « novembre 1831 ».
3. Ainsi les poèmes intitulés *Conseil*, daté « 28 décembre 1834 » (*Les Chants
du crépuscule*, XV : grande admonestation aux rois sur l'irrésistible puissance des
peuples); *Le 7 août 1829*, daté « 10-13 juin 1839 » (*Les Rayons et les ombres*, II :
le poète sermonnant le roi); *Au statuaire David*, daté « avril 1840 » (même
recueil, XX, section 4 ; le statuaire, juge des grands).
4. Poème sans titre (*Les Contemplations*, I, 28), daté du « 19 mai 1847 » dans
le manuscrit.

cerveau une pensée étincelante et électrique est redoutable dans ces temps d'orage. Traitez avec respect cette sorte d'hommes-là, car ils sont vos maîtres [1]. » Dans le même temps, il prend à partie publiquement et rudement un ministre en exercice. Thiers, ministre du Commerce, ayant retiré une commande de statues à des sculpteurs, Hugo, se posant en défenseur des artistes, lui conseille de réparer le tort qu'il leur a fait : « Nous espérons [...] qu'il tiendra compte de l'avertissement que nous croyons de bon goût de lui donner ici dans les termes les plus mesurés. Il s'agit pour M. Thiers de son propre avenir. Deux ou trois *scènes* comme celles qu'on l'accuse d'avoir faites à MM. Pradier et David, et il serait impossible qu'il restât ministre. Qu'il pèse ceci [2]. » Hugo en voulait alors au gouvernement à cause de l'interdiction du *Roi s'amuse*; il ressentait la censure comme un outrage à sa mission. Il était, à cette époque, politiquement modéré, mais très chatouilleux quant aux prérogatives de l'écrivain et de l'artiste. Ses relations avec le pouvoir s'améliorèrent bientôt, mais il ne retrancha rien de l'idée qu'il avait du sacerdoce de la littérature et de l'art. Naturellement, son orientation ultérieure vers la gauche étendit et fortifia encore ses conceptions dans ce domaine.

Poète civilisateur, poète saint.

La lyre du poète, selon la tradition même du romantisme royaliste, a le don et le devoir d'apaiser les tourmentes civiles. Hugo pense toujours qu'il en est ainsi [3]. Le mot qui sans cesse revient alors sous sa plume est le grand mot du siècle, civilisation. Le poète d'aujourd'hui, comme ceux des origines, Orphée, Amphion, est un « civilisateur ». Au-dessus et à distance des partis, il est pourtant en intime communication avec son siècle. Il est le seul à savoir dire ce qui s'y fait de vraiment important

1. Reliquat de *Littérature et philosophie mêlées,* dans Œ., M., t. IV, pp. 921-922. Il est juste de dire que Hugo n'a pas publié ces lignes, dont le ton pouvait paraître excessif; elles n'en expriment pas moins sa pensée.
2. Article paru dans *L'Europe littéraire* du 17 juillet 1833, mais sans signature; on peut le lire dans Œ., M., t. IV, pp. 510-511; l'attribution à Hugo est établie par une lettre de lui à David d'Angers du 3 août 1833 (voir Œ., I.N., *Correspondance,* t. I, p. 530); l'anonymat, de précaution et de décence, n'a pas dû être bien strictement gardé.
3. Voir son poème, cité plus haut, *Au statuaire David,* section 3 (1840).

dans le sens du progrès humain : « C'est à lui qu'il appartient d'élever, lorsqu'ils le méritent, les événements politiques à la dignité d'événements historiques [1]. » Dans l'œuvre civilisatrice la littérature moderne doit prendre le relais du christianisme : « Vous êtes, dit-il à ses confrères, un des principaux centres de ce pouvoir spirituel qui s'est déplacé depuis Luther et qui, depuis plus de trois siècles, a cessé d'appartenir exclusivement à l'Église [2]. » De même : « Lettrés! [...] vous êtes les instruments vivants, les chefs visibles d'un pouvoir spirituel redoutable et libre [3]. »

Cependant, une si considérable promotion de la corporation lettrée ne vise pas, dans l'esprit de Hugo, à bouleverser la société. Le vaste progressisme qu'elle implique doit entrer prudemment dans les faits, et l'œuvre de civilisation exclut la hâte autant que la fixité. Elle suppose un peuple instruit, intelligent, fortement moralisé, et cette condition est loin d'être résolue. La classe ouvrière « a de grandes destinées, mais il faut qu'elle laisse mûrir le fruit, il faut qu'elle soit patiente et résignée, car la Providence ne donne pas tout à tous, et la Providence sait ce qu'elle fait »; ce n'est pas le peuple qui est souverain, c'est la civilisation dans sa marche : « En attendant que la démocratie soit légitime, la monarchie l'est [4]. » Dans les années 1830, le poète civilisateur s'en prend, autant qu'aux mauvais riches, aux hommes immoraux, agitateurs des partis, propagandistes d'irréligion [5]. Le ministère du poète est, tout à l'opposé, d'éducation et de foi :

> *Les fureurs des tribuns et leur songe abhorré*
> *N'entrent pas dans le cœur du poète sacré.*
> *[...] Leur mission est basse et la sienne est auguste* [6].

---

1. Préface des *Voix intérieures* (1837).
2. Discours de réception de Hugo à l'Académie française, dans Œ., I.N., *Actes et paroles I*, p. 54, 3 juin 1841.
3. Réponse au discours de réception de Saint-Marc Girardin, *ibid.*, p. 61.
4. Lettre à un ouvrier poète, 3 octobre 1837, Œ., M., t. V, p. 1126. Et voir, dans un ton analogue, la lettre au cordonnier poète Savinien Lapointe, mars 1841, *ibid.*, t. VI, p. 1205.
5. Ainsi *Les Voix intérieures*, XXXII, « Ô muse, contiens-toi », etc. (daté « septembre 1836 »); *Les Rayons et les ombres*, IV, *Regard jeté sur une mansarde*, 24-29 juin [1839], où le XVIIIe siècle et Voltaire sont fort maltraités (sections 6 à 8 du poème); un voltairien l'est de même dans *Le Rhin*, lettre XXII (1840).
6. *Au statuaire David*, poème cité, section 7.

De tout cet ensemble se forme chez Hugo, à cette époque, l'image du « poète saint », porteur de la parole d'en haut. La poésie, selon Hugo, est religion parce qu'elle est une autre forme de la prière : « Il ne faut pas plus s'étonner de rencontrer souvent dans mes vers les mots *rêve, rêverie, nature,* qu'on ne s'étonne de rencontrer à chaque page et presque à chaque ligne dans sainte Thérèse et dans A Kempis les mots *prière, extase, Dieu.* Pour le poète spiritualiste [...] il y a une sorte de synonymie profonde, ou du moins un lien intime et mystérieux entre ces mots dont les uns contiennent les autres. Le mot *Dieu* est au fond du mot *nature*; le mot *prière* est au fond du mot *rêve.* La prière rêve, la rêverie prie [1]. » Cette équivalence entre une certaine expérience poétique et la religion est ce qui fonde en doctrine le sacerdoce romantique du Poète : « Quand la foi manque aux peuples, il leur faut l'art. À défaut de prophète, le poète [2]. »

Mission et solitude.

Le poème qui ouvre *Les Rayons et les ombres,* sous le titre *Fonction du Poète,* est celui qu'on cite le plus souvent comme attestant, dès cette époque – le poème est de 1839 – un certain esprit militant chez Hugo. Dans ce poème, où Hugo réfute expressément la tentation de la solitude poétique, la sainteté puisée à une source divine s'élance en effet de toute sa force vers le salut social. Chose curieuse, *Fonction du Poète* utilise le traditionnel dizain d'octosyllabes [3], dont Hugo avait usé à toutes fins dans ses *Odes* chrétiennes et monarchiques, et en particulier dans un poème, frère aîné de presque vingt ans de celui qui nous intéresse ici, et qui portait pour titre *Le Poète dans les révolutions*; Hugo y agitait déjà, contradictoirement, le débat de la poésie distante ou solidaire des luttes du temps; plaidant, à cette date de 1821, pour l'action, il s'écriait :

1. *Œ., M.,* t. IV, p. 941, dans *Tas de pierres* (groupe de fragments datés 1831-1833 par l'éditeur).
2. « Notes explicatives des *Voix intérieures* », dans *Œ.,* I.N., *Poésie,* vol. II, p. 484 (1836).
3. Rimé *ABABCCDCCE;* très pratiqué en particulier par les lyriques du XVIIIe siècle et par Lamartine; Hugo l'utilisera encore dans *Les Mages.*

Quoi ! mes chants sont-ils téméraires ?
Faut-il donc, en ces jours d'effroi,
Rester sourd aux cris de ses frères !
Ne jamais souffrir que pour soi [1] *!*

C'est en 1839 le même débat, la cause que le poète veut servir ayant seulement changé d'une date à l'autre. Mais, d'une certaine façon, la cause servie importe moins que le type de vocation auquel obéit le poète. Fonction, devoir, impossibilité de se dérober, ce fut et ce sera toujours une des faces de la pensée de Hugo touchant la poésie :

Dieu le veut, dans les temps contraires,
Chacun travaille et chacun sert.
Malheur à qui dit à ses frères :
Je retourne dans le désert !
Malheur à qui prend ses sandales
Quand les haines et les scandales
Tourmentent le peuple agité !
Honte au penseur qui se mutile,
Et s'en va, chanteur inutile,
Par la porte de la cité !

Ce devoir n'est pas modeste ; il a l'éclat conjugué du sacerdoce et de la poésie :

Peuples ! écoutez le poète !
Écoutez le rêveur sacré !
Dans votre nuit, sans lui complète,
Lui seul a le front éclairé ! [...]

Il rayonne ! il jette sa flamme
Sur l'éternelle vérité !
Il la fait resplendir pour l'âme
D'une merveilleuse clarté !
Il inonde de sa lumière
Ville et désert, Louvre et chaumière
Et les plaines et les hauteurs ;
À tous d'en haut il la dévoile ;

1. *Odes et ballades*, I, daté « mars 1821 ».

> *Car la poésie est l'étoile*
> *Qui mène à Dieu rois et pasteurs* [1].

C'est là un aspect de la méditation de Hugo en ces années : celui du plus ardent « engagement »; car il écrivait, un mois après :

> *Ami, cache ta vie et répands ton esprit*
> *[...] Sois petit comme source et sois grand comme fleuve* [2].

Et aussi : « Des choses immortelles ont été faites de nos jours par de grands et nobles poètes directement et personnellement mêlés aux agitations quotidiennes de la vie politique. Mais, à notre sens, un poète complet, que le hasard ou sa volonté aurait mis à l'écart, du moins pour le temps qui lui serait nécessaire, de tout contact immédiat avec les gouvernements et les partis, pourrait faire lui aussi une grande œuvre [3]. » Après février 1848 il écrit encore :

> *Ton rôle est d'avertir et de rester pensif* [4].

C'est que le Poète a également droit à la parole proche ou lointaine :

> *Grave, triste et rempli de l'avenir lointain,*
> *Tu caches ou tu dis les choses du destin,*
> *Car le ciel rayonnant te fit naître, ô poète,*
> *De l'Apollon chanteur et de l'Isis muette* [5].

La distance, jamais le divorce : c'est à quoi l'oblige sa doctrine de l'art elle-même; si la poésie est à la fois idéale et responsable, il faut bien que le poète aussi tienne de l'un et de l'autre; il n'est pas vraiment en présence d'une alternative à résoudre. À la jonction de deux mondes, il n'en peut renier aucun. Le cas

---

1. *Fonction du poète*, dans *Les Rayons et les ombres*, I, « 25 mars-1er avril 1839 »; les deux derniers vers transposent évidemment l'épisode évangélique des rois mages, en le combinant à celui des bergers de la nativité.

2. *À un poète*, dans *Les Rayons et les ombres*, XXI, « 26 avril 1839 ».

3. *Les Rayons et les ombres*, Préface, « 4 mai 1840 ». Au début de ce passage, allusion évidente à Lamartine.

4. *Ce que le poète disait en 1848*, dans *Les Châtiments*, IV, 2, « 27 novembre 1848 ».

5. À Ol[ympio], dans *Toute la lyre*, V, 8 « 27 novembre [1849-1850] ».

de Hugo, à cet égard, est commun. Lamartine et Vigny sont dans la même position, avec des différences de dosage entre distance et action qui tiennent aux dispositions particulières de chacun. Plus généralement, tout pouvoir spirituel s'affirmant comme tel subit la même loi double d'éloignement et de présence.

Poète martyr.

On a plaint l'infortune des gens de lettres et des poètes avant d'avoir célébré leur sainteté. Il y a, dès la Renaissance, de curieuses compilations sur la misère matérielle et les disgrâces de toute sorte, maladies, abandons et persécutions, dont souffrirent en tout temps ceux que nous appelons les intellectuels [1]. Dans le cours du XVIIIᵉ siècle, on fit de leurs tribulations la suite et l'accompagnement de leur haut ministère : une liste d'augustes victimes s'institua, commençant à Homère et aboutissant à Malfilâtre et à Gilbert. Dans le romantisme de toute inspiration, le malheur des poètes, comme fait constitutif de leur état, est un article de foi indiscuté. On s'en tint quelque temps aux méfaits intrinsèques de la sensibilité – « fatal présent du ciel » selon Rousseau ; la phtisie put s'y joindre à l'aurore du siècle suivant, ou quelque langueur innommée chez le « Poète mourant », héros de plus d'un poème. La conscience de plus en plus solidaire des écrivains, quelle que fût leur gloire ou leur obscurité, leur fit demander ensuite des comptes de leurs souffrances à la société, d'autant plus légitimement, sembla-t-il, qu'on vit plus de jeunes littérateurs voués à la misère. On les joignit, dans le plaidoyer humanitaire, à d'autres victimes sociales : le prolétaire, la femme, le délinquant. Mais c'est surtout le sentiment de leur dignité particulière, et de l'indispensable rôle des écrivains et poètes dans la marche de l'humanité et dans la préparation de l'avenir, qui leur permit d'accuser, dans leur cas, une société ingrate envers ses bienfaiteurs. Il arrive que, dans une telle perspective, les misères les plus traditionnelles des poètes, celles, par exemple, que leur causent la classique persécution des envieux ou le douloureux enfantement des œuvres se revêtent d'une couleur implicite

---

1. Voir, pour quelques références, *Le Sacre de l'écrivain*, p. 331.

d'apostolat et de martyre. Parler des infortunes du Poète, c'est dès lors évoquer son sacre.

Hugo, dans ces années, revient sans cesse sur ses luttes, sur l'acharnement des méchants contre lui, sur la nécessité d'un épuisant courage. Quel fut réellement ce calvaire? Il avait, il est vrai, à gagner sa vie, ce qui en ce temps-là situait un homme plus défavorablement qu'aujourd'hui; et il a eu, comme chacun, sa part de difficultés, de déboires et de détracteurs, plus qu'un autre peut-être en raison de son expansive et infériorisante personnalité; mais aussi, plus qu'aucun autre, son lot de gloire et de succès. Le thème des douleurs du Poète saint tient donc chez lui, en grande partie au moins, à une interprétation *a priori* de la mission du Poète comme une épreuve, au sens que la théologie romantique donnait à ce mot. Face à lui, une foule d'esprits médiocrement ouverts, prompte aux tentations perverses et au reniement; derrière lui, une conspiration d'ennemis attachés à sa perte : ce sont là les personnages obligés d'une Passion, que Hugo décrit volontiers dans le style de l'Écriture, tour à tour psaumes et évangile :

> *Les méchants, accourus pour déchirer ta vie*
> *L'ont prise entre leurs dents* [...]
> *Avec des cris de joie ils ont compté tes plaies*
> *Et compté tes douleurs,*
> *Comme sur une pierre on compte des monnaies*
> *Dans l'antre des voleurs* [...]
> *Tes ennemis ont pris ta belle destinée*
> *Et l'ont brisée en fleur.*
> *Ils ont fait de ta gloire aux carrefours traînée*
> *Ta plus grande douleur!* [...]
> *Hélas! pour te haïr tous les cœurs se rencontrent*
> *Tous t'ont abandonné*
> *Et tes amis pensifs sont comme ceux qui montrent*
> *Un palais ruiné* [1].

Et quelques années après :

> *Combien de calomnie et combien de bassesse!*
> *Combien de pamphlets vils qui flagellent sans cesse*
> *Quiconque vient du ciel,*
> *Et qui font, la blessant de leur lance payée,*

---

1. *À Olympio,* dans *Les Voix intérieures,* XXX, section 1, « 15 octobre 1835 »; c'est un ami qui est censé lui parler.

Boire à la vérité, pâle et crucifiée,
Leur éponge de fiel [1] *!*

Et voici, plus dépouillé – quoique non complètement – de figuration mythique, le corps vivant de la plainte :

J'ai fait ce que j'ai pu, j'ai servi, j'ai vieilli
Et j'ai vu bien souvent qu'on riait de ma peine.
Je me suis étonné d'être un objet de haine,
Ayant beaucoup souffert et beaucoup travaillé !

Dans ce bagne terrestre où ne s'ouvre aucune aile,
Sans me plaindre, saignant et tombant sur les mains,
Morne, épuisé, raillé par les forçats humains,
J'ai porté mon chaînon de la chaîne éternelle [2] *!*

L'expérience profonde de Hugo touchant sa mission, auguste ou cruelle, nous la devinons ancrée en lui, comme élément fondamental de son être moral. Elle fait de lui autre chose, en un certain sens, que l'individu Hugo : elle l'oblige à vivre dans et par la foule à qui il parle. C'est la condition sans doute de tout artiste : peintre ou poète, musicien, acteur, tous Narcisses par excellence, et en même temps les plus expansifs des hommes, vivant hors d'eux-mêmes par le besoin de susciter l'approbation qui leur donne la vie. Le cri fameux de Hugo dans la préface des *Contemplations,* « Ah ! insensé, qui crois que je ne suis pas toi ! » est un appel éperdu à cette communion. Hugo avait dit dans le projet d'une autre préface : « Il vient une certaine heure dans la vie où, l'horizon s'agrandissant sans cesse, un homme se sent trop petit pour continuer de parler en son nom. Il crée alors, poète, philosophe ou penseur, une figure dans laquelle

1. À *Eugène, vicomte Hugo,* même recueil, XXIX, « 6 juin 1837 » ; autre évocation de multitude furieuse traquant un homme de pensée dans *Les Rayons et les ombres,* XXXII, « 27 avril 1839 » ; aussi *Dernière Gerbe,* XC, dans Œ., I.N., p. 410 [1836-1840?] et *Mélancholia,* dans *Les Contemplations,* III, 2, v. 61 et suiv. (1846 selon René JOURNET et Guy ROBERT, *Le Manuscrit des Contemplations,* Besançon-Paris, 1956, p. 54). Quelquefois le modèle n'est pas le psalmiste ni Jésus, mais quelque colosse douloureux, peut-être plus proche de la ressemblance de Hugo, Hercule ou Atlas, et le ton est alors méprisant à l'égard des persécuteurs : ainsi *Dédain* dans *Les Feuilles d'automne,* XI, « 26 avril 1830 » ; *ibid.,* X, « 24 avril 1830 ».
2. *Veni, vidi, vixi,* dans *Les Contemplations,* IV, 13, « 11 avril 1848 ».

il se personnifie et s'incarne. C'est encore l'homme, mais ce n'est plus le moi [1]. » C'est affirmer l'existence, dans le poète, d'un être de communication qui double son être intime et privé, d'un personnage en somme, toujours *moi* quoi qu'il en dise, mais *moi* second, transcendant le premier et en qui réside son ministère. Le poète agit, il enseigne le public par la vertu de cette figure idéale attachée à lui, substitut laïque de la divinité inspiratrice qui, dans l'écrivain sacré, le prophète ou Jésus, est censée doubler la personne terrestre [2].

La Mère Nature.

La poésie de Hugo célèbre souvent une plénitude, assez naïve même, de communion avec la nature. L'inquiétude qu'un univers, reconnu sans signification et sans langage, a inspirée aux Temps modernes est chose connue. Cet « univers muet », comme dit Pascal, a été vite revivifié et réhumanisé par l'optimisme de l'Homme sensible. Mais l'angoisse a survécu, latente, et la richesse du romantisme tient pour beaucoup à son constant partage, face à l'univers naturel, entre la communion heureuse et l'anxiété. Tous les poètes du temps en sont de bons témoins, et Hugo, plus qu'aucun autre, à la fois par sa particulière capacité d'euphorie et de participation vitale à l'univers naturel, comme à la famille et à l'amour, et par l'intensité aiguë, funèbre parfois, de son anxiété face à la nuit, à l'immensité, à la tombe.

Quiconque a lu Hugo connaît cette veine de sa poésie où l'univers, le poète et Dieu forment comme un ensemble dans lequel tout s'harmonise et se répond. Cet accord se montre sous des lumières diverses; celle, parfois, de la nostalgie, selon

1. Fragment relié dans les manuscrits Hugo de la Bibliothèque nationale avec celui des *Voix intérieures* (Œ., I.N., p. 495); R. JOURNET et G. ROBERT, *Autour des Contemplations*, Besançon-Paris, 1955, p. 25, proposent pour ce fragment la date de 1840-1845, et le rapprochent d'un vers : « Chacun trouve son moi dans le moi d'un poète » qui figure sur un manuscrit daté au crayon de 1832, mais qu'ils proposent de dater plutôt de 1840 environ).

2. Il est superflu de souligner la différence qui sépare cette conception d'un moi suréminent, édictant une parole valable pour tous, de l'idée classique de l'identité universelle de la nature humaine, telle que l'affirmait déjà Montaigne dans une page fameuse. Il ne s'agit pas chez Hugo de *nature* humaine, mais d'enseignement et de salut.

la tradition, encore forte vers 1830, des poètes de *La Muse française* :

> *Oh! sur des ailes dans les nues,*
> *Laissez-moi fuir! laissez-moi fuir!*
> *Loin des régions inconnues,*
> *C'est assez rêver et languir!*
> *[...] Cette voix que d'en bas j'écoute,*
> *Peut-être on l'entend mieux là-haut* [1].

Cette variante s'alliait souvent, depuis les *Méditations* de Lamartine, à l'amour de la femme [2]. En général, le chant spiritualiste, chez Hugo, embrasse glorieusement la nature; il est « l'hosanna de toute créature », « l'harmonie immense qui dit tout », « l'hymne de la nature et de l'humanité », le « psaume immense et sans fin » [3]. Cet accord universel est parfois sans ombre; huit strophes, toutes riantes, concluent ainsi :

> *La plaine brille, heureuse et pure;*
> *Le bois jase; l'herbe fleurit... —*
> *Homme! ne crains rien! La nature*
> *Sait le grand secret et sourit* [4].

Ou encore :

> *Un esprit bienveillant, intelligent, profond,*
> *Circule dans les champs, dans l'air, dans l'eau sonore;*
> *Et la création sait ce que l'homme ignore* [5] *!*

1. *Soleils couchants,* dans *Les Feuilles d'automne,* XXXV, section 4 (« août 1828 » dans l'édition).
2. *Ainsi,* dans *Les Chants du crépuscule,* certains des premiers poèmes à Juliette Drouet (XXIX, XXXIII).
3. *À Louis B...,* dans *Les Chants du crépuscule,* XXXII, sections 3 et 5, « août 1834 », selon l'édition : ce chant, dans le poème, est en fait celui des cloches, mais Hugo en interprète évidemment le sens selon l'idée qu'il a de son propre lyrisme. Voir aussi le « mot » universel dont il est question dans *Mille chemins, un seul but,* dans *Les Rayons et les ombres,* XXVI (« 16 mai 1837 », date du manuscrit : voir R. JOURNET et G. ROBERT, *Des* Feuilles d'automne *aux* Rayons et les ombres, Besançon-Paris, 1957, p. 240).
4. *Spectacle rassurant,* dans *Les Rayons et les ombres,* XVII, « 1ᵉʳ juin 1839 »; et aussi, bien sûr, *Ce qui se passait aux Feuillantines vers 1813, ibid.,* XIX, « 31 mai 1839 ».
5. *Toute la lyre,* II, 12 [1838-1840?]; voir aussi *La Vie aux champs,* dans *Les Contemplations,* I, 6, « 2 août 1846 » selon le manuscrit.

Autre symbole de sécurité heureuse dans l'univers, la Vache
allaitant un beau groupe d'enfants, dans un poème célèbre :

> *Ainsi, Nature ! abri de toute créature*
> *Ô mère universelle ! indulgente Nature !*
> *Ainsi, tous à la fois, mystiques et charnels,*
> *Cherchant l'ombre et le lait sous tes flancs éternels,*
> *Nous sommes là, savants, poètes, pêle-mêle,*
> *Pendus de toutes parts à ta forte mamelle !*
> *Et tandis qu'affamés, avec des cris vainqueurs,*
> *À tes sources sans fin désaltérant nos cœurs,*
> *Pour en faire plus tard notre sang et notre âme,*
> *Nous aspirons à flots ta lumière et ta flamme,*
> *Les feuillages, les monts, les prés verts, le ciel bleu,*
> *Toi, sans te déranger, tu rêves à ton Dieu* [1] *!*

L'originalité, pour ainsi dire païenne, de ces vers, est que
l'animal y soit porteur du divin ; l'humanité y est figurée par
une enfance, comme s'allaitant sans penser. D'ordinaire, quand
il s'agit de l'univers et de Dieu, le poète est en tiers, ès qualités ;
il est l'âme du trio, « mis au centre de tout comme un écho
sonore », selon un vers célèbre [2] ; et pas seulement écho, mais
bien davantage : contemplant le ciel étoilé, j'ai souvent cru,
nous dit-il,

> « *que ces soleils de flamme*
> *Dans ce monde endormi n'échauffaient que mon âme ;*
> *Qu'à les comprendre seul j'étais prédestiné ;*
> *Que j'étais moi, vaine ombre obscure et taciturne,*
> *Le roi mystérieux de la pompe nocturne ;*
> *Que le ciel pour moi seul s'était illuminé* [3] *!* »

Le court poème est précédé d'une citation panthéistique d'Épictète, qui contraste absolument avec lui. Quoi de plus contraire
à la communion avec l'universelle nature que la prétention de
s'en croire le roi unique ? La première surprise passée, on pense
saisir là un des secrets du romantisme, qui songe moins à
diviniser l'univers qu'à substituer, à mi-chemin entre métaphore

---

1. *La Vache,* dans *Les Voix intérieures,* XV, « 15 mai 1837 ».
2. *Les Feuilles d'automne,* I, « 23 juin 1830 » (incipit fameux : « Ce siècle avait
deux ans »).
3. *Ibid.,* XXI, « novembre 1829 » (le manuscrit portait d'abord « 1828 »).

et croyance, le Poète à Dieu. Naturellement le Poète sait qu'il n'est pas vraiment Dieu, et n'entend pas délirer ; aussi sa démarche est-elle multiple : ombre vaine, écho sonore, roi mystérieux du ciel, il hésite à se définir, mais il faut bien mesurer l'envergure, illimitée, qu'il donne à son hésitation.

Hugo et le symbole.

C'est un vieil axiome de théologie et de science médiévale, que la nature est le livre de Dieu, et qu'il a mis dans les secrets du monde naturel des symboles destinés à l'enseignement des hommes. Cette conception, revivifiée sous des influences et dans des formes diverses, pendant et après la Renaissance, et qui connut au XVIIIᵉ siècle une résurgence nouvelle avec l'illuminisme, a fini par devenir une des obsessions de la poétique romantique. On la trouve plutôt, à vrai dire, dans la doctrine des poètes que dans leur pratique, où la « signifiance » spirituelle d'un objet de la terre est, en fait, assez rare en comparaison des multiples autres espèces du genre similitude qui ne mettent en jeu que le poète et son univers, et dont ils ont prodigieusement développé l'usage : Hugo est, à cet égard, au premier rang. Ces analogies, quand à l'occasion elles mettent en relation la terre et le ciel, ne dépendent d'aucun dictionnaire préétabli de significations, ni théologiques ni mystiques. Chaque poète les invente à son gré sur le fond vague d'une dualité de l'esprit et des sens, du fini et de l'infini, et décide tout seul que « son œuvre est bon » : il se voit le créateur d'un monde de correspondances, qui portera son nom. La doctrine qui place la source de ces correspondances dans l'être semble être surtout, pour le poète, le moyen de s'attribuer une fonction de connaissance, capable de concurrencer et d'éclipser celle du savant positif ; la poésie moderne se prétend par là l'héritière d'un privilège immémorial de la religion : l'intelligence d'une vérité profonde des choses, inaccessible aux moyens bornés de la science. Mais cette prétention ne lui convient qu'à moitié, faute d'une vocation ontologique claire ; la sienne est bien plutôt subjective et idéaliste : ses symboles supposent l'être du poète, et beaucoup moins une réalité spirituelle ayant valeur d'Être hors de lui, et pouvant fonder une métaphysique objective des similitudes. Le symbolisme romantique ne saurait être cette métaphysique, étant bien plutôt, comme on a pu le dire « la foi à la vérité de l'imagination » [1], si tant est que le poète ait vraiment foi à une vérité de cet ordre, et conscience, dans ses créations, d'une révélation proprement dite, ce dont on peut douter.

L'idée revient constamment chez Hugo de la Nature comme Livre métaphorique, et des leçons de ce livre. Il insiste d'ordinaire plus sur la valeur de ces leçons qu'il ne nous éclaire sur leur contenu. Il blâme sévèrement ceux qui ferment leur oreille à ces enseignements, et qui ne voient pas

> *Que Dieu met comme en nous son souffle dans l'argile*
> *Et que l'arbre et la fleur commentent l'Évangile* [2].

Mais comment le commentent-ils? C'est sans doute le privilège du poète d'entendre ce commentaire, de voir dans sa rêverie, nous dit-il,

> *Se transformer mon âme en un monde magique,*
> *Miroir mystérieux du visible univers* [3].

On voit bien qu'il s'agit surtout de son âme, comme puissance magique. D'autres affirmations rendent le même son :

> *Tous les objets créés, feu qui luit, mer qui tremble,*
> *Ne savent qu'à-demi le grand nom du Très-Haut,*
> *Ils jettent vaguement des noms que seul j'assemble;*
> *Chacun dit sa syllabe et moi je dis le mot* [4].

Plus tard, il attribuera aux Mages-poètes un pouvoir analogue à l'égard des choses :

> *Ils entendent ce que murmure*
> *La voile, la gerbe, l'armure,*

1. Pierre ALBOUY, *La Création mythologique chez Victor Hugo*, Paris, 1963, p. 43.
2. *Le Monde et le siècle*, dans *Les Rayons et les ombres*, VII, « 17 juin 1839 ».
3. *Dans le cimetière de...*, *ibid.*, XIV, « 13 mars 1840 ».
4. *Promenades dans les rochers*, dans *Les Quatre Vents de l'esprit*, liv. III, 48, 4ᵉ promenade, « 7 août 1843 ». Voir aussi dans R. JOURNET et G. ROBERT, *Autour des* Contemplations, p. 55, quelques vers que les éditeurs datent d'environ 1840, et qui disent la même chose.

> *Ce que dit, dans le mois joyeux*
> *Des longs jours et des fleurs écloses,*
> *La petite bouche des roses*
> *À l'oreille immense des cieux* [1].

De pareils textes n'explicitent nulle doctrine du symbole-connaissance ou de l'analogie objective. L'univers parle, il faut l'entendre, dit Hugo : a-t-il dans l'esprit autre chose que le *Coeli enarrant gloriam dei* de l'Écriture? L'armée des cieux, la voûte céleste illuminée annoncent la gloire de Dieu : toute la création, dans ses parties les plus humbles, peut rendre le même témoignage à son créateur et animateur, sans que, dans cet hymne de la terre au ciel, se manifeste entre l'un et l'autre une « correspondance » quelconque. Le fait que Hugo nomme quelquefois pensée cette glorification supposée du créateur par la création n'y change rien; c'est ainsi qu'il reproche à l'athée de méconnaître la pensée de l'univers :

> *Chute immense! il ignore et nie, ô Providence!*
> *Tandis qu'autour de lui la Création pense* [2] *!*

Langage ou pensée des choses, peu importe : l'intuition de ce hosanna confus relève d'une exaltation hyperbolique plutôt que du savoir. Le poète lui-même en doute-t-il?

Dans les enseignements que la nature est censée lui donner, il mentionne parfois des leçons de sagesse. Comment l'entend-il? Pour les amants de la nature, dit-il,

> *De partout sort un flot de sagesse abondante* [...]
> *Tout objet dont le bois se compose répond*
> *À quelque objet pareil dans la forêt de l'âme*
> *Un feu de pâtre éteint parle à l'amour en flamme.*
> *Tout donne des conseils au penseur jeune ou vieux.*
> *On se pique aux chardons ainsi qu'aux envieux;*
> *La feuille invite à croître; et l'onde, en coulant vite,*
> *Avertit qu'on se hâte et que l'heure nous quitte,*
> *Pour eux, rien n'est muet, rien n'est froid, rien n'est mort.*
> *Un peu de plume en sang leur éveille un remords;*

---

1. *Les Mages,* dans *Les Contemplations,* VI, 23, section II, strophe 5 (1855).
2. *Sagesse,* dans *Les Rayons et les ombres,* XLIV, « 15 avril 1840 ».

> *Les sources sont des pleurs; la fleur qui boit aux fleuves*
> *Leur dit : Souvenez-vous, ô pauvres âmes neuves* [1] *!*

C'est ici, sur un mode profond et fugitif, qui atteste surtout le pouvoir créateur du poète, le vieux « symbolisme » des fables morales, celui de La Fontaine dans *Le Chêne et le Roseau*. Les choses et les bêtes n'y parlent, bien sûr, qu'autant que le poète les fait parler. Hugo peut bien, d'un vers, faire remonter expressément à Dieu cette sagesse tirée du spectacle du monde, dont les livres sapientiaux de l'Écriture sont pleins. Un poème où il écrit, traçant une moralité tout humaine :

> *L'eau, les prés sont autant de phrases où le sage*
> *Voit serpenter des sens qu'il saisit au passage.*
> *[...] Bien lire l'univers, c'est bien lire la vie,*

aboutit à cette conclusion :

> *Tout cet ensemble obscur, végétation sainte,*
> *Compose en se croisant ce mot énorme : DIEU* [2].

Hugo a bien connu cependant la symbolique médiévale dans un de ses héritages les plus vivaces, celui qui a trait au message inclus dans chaque espèce animale. L'illuminisme et l'utopie analogiste, chez Fourier et Toussenel son disciple, avaient fait grand usage de ces significations des bêtes. Hugo en reprend l'idée dans son poème de *La Chouette* : la nature, dit-il,

> *Toujours en dialogue avec l'esprit de l'homme,*
> *Lui donne à déchiffrer les animaux, qui sont*
> *Ses signes, alphabet formidable et profond* [3].

Ce prélude introduit, à propos de la chouette clouée sur la porte qui est le sujet du poème, un étrange symbole : le lugubre

1. *À un riche* (poème déjà cité : *Les Voix intérieures*, XIX, « 22 mai 1837 »). La suite du poème reprend le thème de l'oiseau et de l'étoile glorifiant Dieu.
2. *Les Contemplations*, III, 8. Par redoublement du naturisme, ce discours, un des plus magnifiques de Hugo sur le Livre de la Nature, est prêté à un oiseau. Le poème, daté de 1843 dans l'édition, porte dans le manuscrit la date de 1855.
3. *La Chouette*, même recueil, III, 13, daté seulement « mai » dans le manuscrit, 1843 dans l'édition, 1855 selon R. JOURNET et G. ROBERT (*Le Manuscrit des Contemplations*, p. 65).

oiseau chante le supplice du Christ semblable au sien. Cette assimilation est supposée faite par la chouette en toute humilité; c'est bien une « signifiance », mais dépourvue de toute bienséance théologique, et moins édifiante que provocante. Le poème est, croit-on, de 1855, et les couleurs sombres de l'imagination théologique de Hugo dans cette nouvelle période de sa vie y apparaissent. On peut faire la même remarque à propos d'un passage des *Misérables* où nous lisons : « Les animaux ne sont autre chose que les figures de nos vertus et de nos vices errantes devant nos yeux, les fantômes visibles de nos âmes. Dieu nous les montre pour nous faire réfléchir. » Mais Hugo ajoute : « Ceci soit dit, bien entendu [...], sans préjuger la question profonde de la personnalité antérieure et ultérieure des êtres qui ne sont pas l'homme. » Il faut entendre que le symbolisme animal est lié, plus profondément, à un système de métempsycose selon lequel l'âme entachée d'un vice se transporte après la mort dans l'animal qui figure ce vice [1]. Un fragment de quatre vers, dans le dossier de *Dieu,* appelle une réflexion semblable :

> *Toute création est du secret d'en haut*
> *Une explication flamboyante et superbe.*
> *Les mondes sont chacun une strophe du verbe*
> *Et sont autant de cris de Dieu dans l'infini* [2].

Ces vers font manifestement allusion à la conception hugolienne selon laquelle les corps astraux subissent eux aussi la loi divine de l'expiation, et en sont affectés dans leur aspect. Animaux et astres attestent donc un acte de justice divine, effectif et non figuré. Le livre de la nature est celui des jugements du Seigneur; il est écrit sans métaphore. Hugo dans sa philosophie du temps de l'exil, ne cherche pas dans l'univers un réseau d'analogies; il construit l'échelle universelle des récompenses et des peines, du progrès et du salut telle qu'il la devine dans la création.

Hugo n'a écrit qu'une fois, que je sache, la formule de l'universelle analogie, selon laquelle le monde naturel est une figure du monde spirituel; on lit dans les pages dites *Préface philosophique* l'affirmation suivante : « Le monde visible est la manifestation symbolique du monde immatériel. Il nous éclaire

---

1. *Les Misérables,* Iʳᵉ partie, livre V, chap. v (passage ajouté en 1860-1861). Cette doctrine était celle de Hugo à cette époque; nous y reviendrons.
2. *Dieu, fragments,* éd. par R. JOURNET et G. ROBERT, Paris, 1969, 3 vol., 1ʳᵉ section, fragment 640 (1866).

par analogie [1]. » Nous venons de voir que Hugo ne pratique cette doctrine que de très loin, comme tous les romantiques, qui seraient, autrement, théologiens ou doctrinaires mystiques et non poètes de leur temps.

Unité et antithèse.

Nous lisons dans un poème de 1839 :

> La musique est dans tout. Un hymne sort du monde.
> Rumeur de la galère aux flancs lavés par l'onde,
> Bruit des villes, pitié de la sœur pour la sœur,
> Passion des amants, jeunes et beaux, douceur
> Des vieux époux usés ensemble par la vie,
> Fanfare de la plaine émaillée et ravie,
> Mots échangés le soir sur les seuils fraternels,
> Sombre tressaillement des chênes éternels,
> Vous êtes l'harmonie et la musique même!
> Vous êtes les soupirs qui font le chant suprême [2]!

Ainsi l'éclair péremptoire du premier vers unifie d'avance une longue séquence d'images volontairement hétérogènes, et la figure dite « énumération chaotique » témoigne paradoxalement pour le Dieu un, moyennant un emploi superbement et démesurément élargi du mot *musique*. « Pour les esprits pensifs, écrit ailleurs Hugo, toutes les parties de la nature, même les plus disparates au premier coup d'œil, se rattachent entre elles par une foule d'harmonies secrètes, fils invisibles de la création que le contemplateur aperçoit, qui font du grand tout un inextri-

---

1. V. Hugo, *Préface philosophique*, II, 3, dans *Œ., M.*, t. XII, p. 51 (cette préface est celle que Hugo destina un temps aux *Misérables*). La phrase de Hugo reproduit sous une forme différente et sans qu'on doive nécessairement conclure à un emprunt, celle qu'on voit plus d'une fois attribuée à saint Paul en milieu catholique ou fouriériste (« Le monde est un système de choses invisibles manifestées visiblement ») avec des variantes insignifiantes (voir sur ce sujet *Le Temps des prophètes*, pp. 181-182, n. 25, et p. 371, n. 32). L'origine de cette fausse citation remonte apparemment à Joseph DE MAISTRE, qui donne expressément cette phrase, en majuscules, comme « un passage de saint Paul » (*Soirées de Saint-Pétersbourg*, Paris, 1821, t. II, p. 238); mais ce passage est introuvable.

2. *Écrit sur la plinthe d'un bas-relief antique*, dans *Les Contemplations*, III, 21 (date du manuscrit « 8 juin 1839 »).

cable réseau vivant d'une seule vie, nourri d'une seule sève, un dans la variété, et qui sont, pour ainsi parler, la racine même de l'être [1]. » Musique, sève, vie, racine, sont des façons de parler en effet; une idée plus positive de l'unité du monde cherche appui dans la parenté des formes, à vrai dire plus imaginée que vue : « Le végétal devient animal sans qu'il y ait un seul anneau rompu dans la chaîne qui commence à la pierre, dont l'homme est le milieu mystérieux, et dont les derniers chaînons, invisibles et impalpables pour nous, remontent jusqu'à Dieu. Le brin d'herbe s'anime et s'enfuit, c'est un lézard; le roseau vit et glisse à travers l'eau, c'est une anguille; la branche brune et marbrée du lichen jaune se met à ramper dans les broussailles et devient couleuvre; les graines de toutes couleurs, mets-leur des ailes, ce sont des mouches; le pois et la noisette prennent des pattes, voilà des araignées; le caillou informe et verdâtre, plombé sous le ventre, sort de la mare et se met à sauteler dans le sillon, c'est un crapaud; la fleur s'envole et devient papillon. La nature entière est ainsi [2]. » Plus de vingt ans après, Hugo écrit encore : « Dieu fait tout de la même manière. L'univers est sa synonymie [...] La création s'exfolie sur l'unité. L'épanouissement est autre, la racine est la même [3]. »

Dans cette unité de la création, il peut y avoir correspondance du physique et du spirituel : « Le matériel répercute le moral; l'équilibre fait la preuve de l'équité. » Mais, dans la relation matière-esprit, Hugo est plutôt tenté de voir le contraste fondamental que les similitudes. Il écrit dans cette même page, parlant de Dieu : « Ici il travaille par antithèse, là par identité [4]. » En fait, c'est l'antithèse du physique et du moral, du mal et du bien, de l'ombre (chair, angoisse, ignorance) et de la lumière (esprit, extase, connaissance) qui est fondamentale dans l'univers de Hugo. Il en a donné la première version dans le couple sublime-grotesque de la Préface de *Cromwell,* dès 1827. Il écrit en 1840 : « Le poète [...] doit faire comme la nature. Procéder par contrastes. » Comme la nature, c'est-à-dire

1. *Œ.,* I.N., *En voyage II,* p. 352 (Voyage des Pyrénées, « Pasages », été 1843) : ces considérations sont destinées à justifier les parentés que Hugo aperçoit dans la série granit-chêne-lion-aigle, et plus loin grès-orme.
2. *Ibid.,* p. 131 (Voyage en France et Belgique, « Étaples », page datée de « Bernay, 5 septembre » [1837]).
3. *Les Travailleurs de la mer,* chap. « La Mer et le vent », II, 3, 3 (chapitre retiré de l'édition), dans *Œ.,* M., t. XII, p. 811.
4. *Ibid.,* même page.

comme Dieu, car « le bon Dieu n'est qu'un faiseur d'anti-thèses » [1]. Or, l'antithèse, comme figure de rhétorique et comme loi de l'univers, est toute différente du symbole. Elle ne figure pas l'idéal dans le réel; elle énonce concrètement et dramatiquement la structure bipolaire de ce qui est. Loin qu'un des termes de l'antithèse puisse représenter l'autre, un combat les oppose, et c'est conflictivement et non symboliquement qu'ils accomplissent la loi de Dieu, étant entendu que la lumière doit progresser irrésistiblement aux dépens de l'ombre.

Énigme, mystère, effroi.

Si Hugo s'est quelquefois vanté que le Livre de Nature lui fût clairement lisible, il a dit incomparablement plus souvent le contraire, et qu'il n'y trouvait pas les réponses qu'il espérait. Car Hugo ne découvre pas le sens des choses, il le cherche; contempler est pour lui, selon un pli constant de son langage, interroger; sa religion est plutôt quête que révélation; sa foi bute contre le mystère. La nature semble prête à parler, et ne dit mot qui vaille :

> *Comme un muet qui sait le mot d'un grand secret,*
> *Et dont la lèvre écume à ce mot qu'il déchire,*
> *Il semble par moments qu'elle voudrait tout dire.*
> *Mais Dieu le lui défend ! En vain vous écoutez;*
> *Aucun verbe en ces bruits l'un par l'autre heurtés* [2].

Le « Dieu caché » qui est nommé dans un poème de 1837 [3] sera jusqu'au bout le Dieu de Victor Hugo : Verbe, mais Verbe obscur, qui ne parvient qu'incomplet à notre oreille, et n'appelle notre foi que dans l'obscurité. Ce Dieu enseigne, avec sa propre immensité, l'amour, la vanité des préjugés et des traditions étroites; leçons certaines, mais mystère au-delà, et angoisse autant que foi, ténèbre autant que signification.

1. *Œ.*, I.N., *Philosophie II, Post-scriptum de ma vie*, pp. 510-511 [1840-1844]; cette pensée est reprise vingt ans après dans *William Shakespeare*, IIᵉ partie, liv. Iᵉʳ (*ibid.*, p. 113) : « Avant d'ôter de l'art cette antithèse, ôtez-la de la nature. »
2. *Pensar, dudar*, dans *Les Voix intérieures*, XXVIII, « 8 septembre 1835 ».
3. *Que la musique date du seizième siècle*, dans *Les Rayons et les ombres*, XXXV, « 29 mai 1837 » (section III, v. 16).

L'usage est de répondre au mystère par la révérence. C'est aussi le cas de Hugo. Mais pas toujours. Le *fiat voluntas tua* n'empêche pas l'amère protestation adressée à Dieu selon le modèle de Job, et dans le style sans ménagements de l'Écriture, surtout quand l'homme tenu à distance de la vérité n'est pas traité non plus selon la justice, du moins pas selon la sienne. Même si l'on espère que « tout parlera » quelque jour [1], comment accepter l'énigme présente? On peut comparer, à l'occasion de la mort de Léopoldine, la soumission, même frémissante, d'*À Villequier* et la révolte qui se fait entendre avec simplicité dans tel autre poème, écrit un mois après :

> *Si ce Dieu n'a pas voulu clore*
> *L'œuvre qu'il me fit commencer,*
> *S'il veut que je travaille encore,*
> *Il n'avait qu'à me la laisser.*

> *[...] Plutôt que de lever tes voiles*
> *Et de chercher, cœur triste et pur,*
> *À te voir au fond des étoiles,*
> *Ô Dieu sombre d'un monde obscur,*

> *J'eusse aimé mieux, loin de ta face,*
> *Suivre, heureux, un étroit chemin,*
> *Et n'être qu'un homme qui passe,*
> *Tenant son enfant par la main* [2].

Dans cette version du *Moïse* de Vigny aggravée par la familiarité de la remontrance, le prophète mécontent de Dieu abdique amèrement sa fonction, comme on cesse de vouloir servir un maître injuste. Si l'on considère un troisième poème, qui date des mêmes semaines, et où le poète s'en prenant à lui-même oppose à son obsession de la tombe les retrouvailles célestes avec les morts :

---

1. *Les Chants du crépuscule*, XXIX, strophe 10 (« 19 février 1835 »).
2. *Trois Ans après*, dans *Les Contemplations*, IV, 3, « 10 novembre 1846 »; *À Villequier*, selon R. JOURNET et G. ROBERT, *Le Manuscrit* des Contemplations, p. 102, date d'octobre de la même année; en fait, Hugo y remontre déjà à Dieu qu'il a beaucoup travaillé pour lui.

> *Un jour tu t'écrieras tout à coup, plein d'ivresse,*
> *Ô mon Dieu! les voici* [1],

on aura une idée des variations presque simultanées de Hugo, dans sa relation avec le Dieu de l'univers [2].

D'un bout à l'autre de l'œuvre de Hugo, court et grandit sous le chant de l'espérance et de la force, sa gloire majeure pour un immense public, une interrogation funèbre. En ces années l'avenir lui semblait une énigme. Vers quel but conduire les hommes dans un monde livré au doute? L'ancienne religion semble mourante, sans que rien vienne la remplacer; serait-ce là le mal profond?

> *Serait-ce que la foi derrière la raison*
> *Décroît comme un soleil qui baisse à l'horizon?*
> *Que Dieu n'est plus compté dans ce que l'homme fonde?*
> *Et qu'enfin il se fait une nuit trop profonde*
> *Dans ces recoins du cœur, du monde inaperçus,*
> *Que peut seule éclairer votre lampe, ô Jésus!*
> *Est-il temps, matelots courbés par la tempête,*
> *De rebâtir l'autel et de courber la tête* [3]*?*

C'est ce que le « poète pensif » se demande en errant la nuit dans la ville. Quelle que soit la réponse à ces interrogations, « Tout aujourd'hui, dans les idées comme dans les choses, dans la société comme dans l'individu, est à l'état de crépuscule. De quelle nature est ce crépuscule? De quoi sera-t-il suivi? Question immense ». En d'autres termes :

> *Seigneur, est-ce vraiment l'aube qu'on voit éclore?*
> *Oh! l'anxiété croît de moment en moment :*
> *N'y voit-on déjà plus? N'y voit-on pas encore?*
> *Est-ce la fin, Seigneur, ou le commencement* [4]*?*

Celui dont la mission est de guider les hommes ne voit plus le chemin ouvert :

---

1. *À Ol.*, dans *Toute la lyre*, III, 41, « 27 octobre 1846 ».
2. Voir déjà *Les Voix intérieures*, III (1837).
3. *Les Chants du crépuscule*, XIII, « 4 septembre 1835 »; voir, sur de tels doutes, *Les Voix intérieures*, I, dernière strophe, « 15 avril 1837 »; aussi *Les Rayons et les ombres*, V, « 26 mars 1839 ».
4. *Les Chants du crépuscule*, Préface (en prose) et *Prélude* (octobre 1835).

> *Ainsi vous me voyez souvent parlant tout bas,*
> *Et, comme un mendiant à la bouche affamée*
> *Qui rêve assis devant une porte fermée,*
> *On dirait que j'attends quelqu'un qui n'ouvre pas* [1].

Le désarroi entre un passé mort [2] et un avenir inconnu est l'expérience de toute la génération, y compris les utopistes les plus dogmatiques, dont la prédication part de là pour proposer ses remèdes. La poésie diffère de l'utopie – Hugo en est un exemple – en ce qu'elle ne surmonte pas cette inquiétude première; l'interrogation est la loi de toute la poésie française jusqu'en 1848 : c'est en interrogeant qu'on espère. Mais un souffle d'effroi et de deuil qui traverse chez Hugo cette espérance le met à part, annonçant dès les années 1830 la poésie du temps de l'exil.

Un poème célèbre, passant à travers siècles, lieux et foules en une sorte de vision, aboutit à l'épouvante [3]. Une femme meurt, et son enfant meurt après elle :

> *Seigneur! vous avez mis partout un noir mystère* [4].

Un vent pousse au néant toute entreprise de l'homme :

> *Oh! de quelle bouche invisible*
> *Souffle ce vent mystérieux* [5] *!*

Évidemment la mort est au fond de ces angoisses; la mort et ce qui la suit. Un poème des *Contemplations,* qui remonte à cette époque, établit la priorité, dans les méditations du penseur, des tribulations possibles de la survie sur les misères terrestres. Deux interlocuteurs se contredisent sur ce sujet; à celui qui ose dire : « Le malheur, c'est la vie » et « Les morts

---

1. *Ibid.,* XXXVIII, *Que nous avons le doute en nous,* « 13 octobre 1835 » (voir aussi *ibid.,* XXVI, *À Mademoiselle J.,* « 1ᵉʳ mars 1835 » : le poète découragé dans sa mission).

2. *Que nous avons le doute en nous :* « Les superstitions, ces hideuses vipères, – Fourmillent sous nos fronts où tout germe est flétri. – Nous portons dans nos cœurs le cadavre pourri – De la religion, qui vivait dans nos pères. »

3. C'est *La Pente de la rêverie,* dans *Les Feuilles d'automne,* XXIX, « 28 mai 1830 ».

4. *Fiat voluntas,* dans *Les Rayons et les ombres,* XI, « 17 février 1837 ».

5. *Toute la lyre,* III, 29, daté par les éditeurs de 1844-1846 (vol. I de ce recueil, dans Œ., I.N., p. 389).

ne souffrent pas », Hugo répond : « Tais-toi! respect au noir mystère [1]! » Le sépulcre, dans sa violente vérité, est déjà un des centres de la poésie de Hugo, en tant qu'il est le lieu de toute énigme. Dans l'été de 1843, peu avant la mort de sa fille, il médita sur le charnier de l'église Saint-Michel de Bordeaux, résultat d'une exhumation générale remontant à 1793, avec son cercle de soixante-dix cadavres debout. Que diraient ces spectres s'ils pouvaient nous parler? « Ils savent ce qu'il y a derrière la vie. Ils connaissent le secret du voyage [...]. Pourquoi ont-ils cet air terrible? Qui leur fait cette figure désespérée et redoutable [2]? » Mais, en deçà du sépulcre, l'angoisse émane de la création entière, et toute pensée l'alimente. À l'aube, face à une muraille de brume où le monde semble finir :

> *Borne où l'âme et l'oiseau sentent faiblir leur aile,*
> *Abîme où le penseur se penche avec effroi,*
> *Puits de l'ombre infinie, oh! disais-je, est-ce toi [3]?*

Les nuits ou les soirs sont pires :

> *J'ai vu dans les sapins passer la lune horrible [4].*

> *Voici que les spectres se dressent.*
> *D'où sortent-ils? Que veulent-ils?*
> *Dieu! de toutes parts apparaissent*
> *Toutes sortes d'affreux profils [5]!*

> *Seul au fond d'un désert avez-vous quelquefois*
> *Entendu des éclats de rire dans les bois?*
> *[...] Dans ce monde inconnu d'où sort la vision,*
> *Avez-vous médité sur la création,*

---

1. *À quoi songeaient les deux cavaliers dans la forêt,* dans *Les Contemplations,* IV, 12, poème daté d'octobre 1855 dans l'édition, mais du « 11 octobre 1841 » dans le manuscrit. La construction dialoguée du poème, et l'identité de l'interlocuteur du Je-Hugo, qu'il nomme Hermann, ont donné lieu à de grandes discussions, qui ne peuvent mettre en cause le sens fondamental du poème.

2. *Voyage aux Pyrénées,* dans Œ., I.N., *En voyage I,* p. 306 et suiv., « 27 juillet 1843 ». Cet épisode du charnier de Bordeaux fait succéder à l'horreur des cadavres le rayonnement espéré de l'immortalité, suivant une antithèse familière à l'imagination de Hugo.

3. *Toute la lyre,* II, 6, daté « Pyrénées, 28 août » [1843].

4. *Ibid.,* II, 8, même date.

5. *Ibid.,* II, 33 [1846].

Pleine, en ses profondeurs étranges et terribles,
Du noir fourmillement des choses invisibles [1] *?*

Ce groupe de poèmes est plus remarquable encore quand on le rapproche de ceux, nombreux en divers temps, où Hugo s'est représenté vagabondant dans les champs, interlocuteur heureux et facétieux des plantes et ami favori des oiseaux. C'est le cas de dire qu'il y a, dans le royaume de Hugo, plus d'une demeure.

1. *Toute la lyre*, II, 30, « 7 juillet 1846 ».

IV

DE HUGO À HUGO

Nous venons de considérer surtout les pensées et les professions de foi d'un certain Hugo : celui qui, ayant acquiescé au renvoi des Bourbons, accepta la monarchie de Juillet et tenta de définir sa personne et ses créations au sein des institutions et des problèmes nouveaux. On ne peut dire que toute cette période, de 1830 à 1848, ait été marquée dans son œuvre par de profonds changements de conception ou d'inspiration; elle le fut surtout par un surcroît notable de force et d'ampleur. Sa grande entreprise dramatique s'y développa; sa poésie lyrique y grandit en richesse et puissance, dépouillant les conventions, anciennes et nouvelles, et achevant d'effacer les limites des genres; elle devint, dans quatre grands recueils publiés et de nombreux poèmes alors inédits, une méditation moderne continuellement reprise et renouvelée.

En politique, Victor Hugo n'a pas sensiblement varié entre les deux révolutions. Il a dit lui-même que, socialiste en 1828, il était devenu démocrate en 1830 [1] : il pouvait donc avoir été socialiste sous les Bourbons avant d'être libéral ni démocrate, car il croyait alors les réformes sociales possibles sans bouleversement politique; en fait il était déjà libéral en 1828, et il pensait être devenu démocrate sous Louis-Philippe en agréant un roi issu d'une insurrection populaire, et, pour finir, républicain seulement en 1849, après l'effondrement de la dernière royauté possible. Pendant tout le règne, donc, « libéral socialiste

---

1. Note de Hugo, déjà citée, dont voici le texte : « 1818, royaliste : 1824, royaliste libéral; 1827, libéral; 1828, libéral socialiste; 1830, libéral socialiste démocrate; 1849, libéral socialiste démocrate républicain. »

démocrate ». Mais quelque sens qu'on donne à ces mots, ils s'accordent mal, pensera-t-on, avec la loyauté au roi du Juste-Milieu. Tel fut cependant Hugo pendant toute cette période : acquis en pratique à la politique royale au-dedans et au-dehors, avec seulement des variations circonstancielles de température sur fond de modération : ardent en 1830 en faveur des combattants de Juillet, en 1832 contre la censure royale qui persécute son théâtre, moins combatif après 1835 quand se confirme la victoire du libéralisme conservateur, entretenant à partir de 1837 des relations sympathiques avec la famille royale, aspirant peut-être alors à un rôle dans l'État, élevé à la pairie en 1845, préconisant une régence orléaniste aux jours de février 1848. Sa modération n'est donc pas douteuse; mais ce qui en lui s'accorde mal avec elle ne l'est pas moins. Son bonapartisme d'abord, qui est avant tout une ardente nostalgie des conquêtes de la France, avec une idée messianique de son action européenne : disposition d'esprit fréquente alors à gauche, mais guère dans le milieu louis-philippiste enclin à la paix avec l'Europe. La légende napoléonienne jetait d'ordinaire un voile sur la tyrannie consulaire et impériale, mais elle n'impliquait pas son approbation : d'où le paradoxe possible de la gauche napoléonienne. Rien malgré tout de plus dissonant avec la politique du règne que la célébration lyrique des guerres de propagande : cette dissonance s'entend chez Hugo tout au long de ces années. Il proclame la mission de la France en toute occasion, interprétant l'histoire et organisant l'avenir des Nations dans de vastes plans où la France doit jouer un rôle prépondérant : ainsi dans l'immense conclusion qui clôt *Le Rhin* en 1841, où il propose aux Russes et aux Anglais de conquérir des colonies que la France viendra ensuite civiliser pacifiquement [1]; dans le discours sur la Pologne en 1846 où il compte sur l'efficacité d'une protestation contre la conduite de l'Autriche en Galicie, par laquelle s'exercera la mission spirituelle de la France, semblable, croit-il, à celle qu'exerçait jadis la Rome catholique [2]. Après l'élection de Pie IX, accueillie avec

---

1. *Œ.*, I.N., *Voyages I*, notamment pp. 472-473, 482. Notons la présence, dans cette vaste construction, du thème, fréquent à cette époque, de l'assimilation aux invasions barbares d'autrefois des révolutions plébéiennes modernes (p. 483). Cette assimilation, chez Hugo comme chez quelques autres, loin d'être péjorative, accompagne une pensée d'élargissement croissant de l'humanité civilisée, par intégration de masses jusque-là déshéritées et exclues.

2. *Discours aux Pairs sur la Pologne*, 19 mars 1846 (*Œ.*, I.N., *Actes et paroles I*,

grande faveur par l'opinion démocratique, il rendit grâce au nouveau pape de s'être fait « l'auxiliaire des idées françaises » [1]. Hugo fit, sous Louis-Philippe, l'éloge de la Convention à l'Académie [2]; l'acceptation de la Révolution française était sans doute article de foi dans le Juste-Milieu; mais moins volontiers la justification de la Terreur; c'est dans une autre région politique qu'on la déclarait nécessaire ou féconde [3]. Enfin Hugo n'oubliait évidemment pas la question de la criminalité et du système pénal : quand la révolution éclata en 1848, il préparait un Discours aux pairs sur les prisons, qui ne fut pas prononcé, la pairie n'ayant pas survécu aux événements [4].

1848-1851.

L'avènement de la IIe République ne changea pas d'abord les dispositions ni les amitiés politiques de Hugo. Mais à la fin de 1851 il prenait le chemin de l'exil et d'une opposition sans merci. Cette mutation dans son attitude politique fut, à un degré égal, une révolution dans sa personne et dans son œuvre. Le cheminement de Hugo au cours de ces quatre années est assez largement connu [5]. N'ayant plus sa pairie, il se fit élire à la Constituante en juin 1848, puis à la Législative en mai 1849; il resta pendant deux ans sur ses positions : affilié au comité conservateur de la rue de Poitiers, et cependant toujours imbu des mêmes convictions humanitaires; répudiant l'« abîme » de la subversion et le drapeau rouge et ne pouvant

pp. 77-79). Guizot et le roi étaient pour la non-intervention dans les affaires de Pologne; et le discours, selon une note ajoutée par Hugo en 1875 (*ibid.*, p. 75, note) « fut très froidement accueilli ».

1. *Discours aux Pairs* du 13 janvier 1848, *ibid.*, p. 97.

2. Dans son discours de réception (voir plus loin, n. 2, p. 345 et le texte).

3. Voir aussi dans Œ., M., t. VII, pp. 602-603, la grande parabole de la Cataracte, « 17 février 1847 ».

4. On peut lire ce long discours dans Œ., I.N., au Reliquat du t. I des *Actes et paroles*, p. 388 et suiv.

5. Par ses déclarations et discours publics, notamment à la Constituante et à la Législative, recueillis dans la collection posthume de ses *Actes et paroles*, dans Œ., I.N., 3 vol., t. I, et les nombreux fragments qui figurent au Reliquat du même volume; aussi par le recueil de manuscrits posthumes intitulé *Choses vues*, *ibid.*, 2 vol.; enfin par les articles et prises de position du journal *L'Événement*, fondé le 1er août 1848 et rédigé jusqu'au 19 novembre 1851 par ses intimes et ses proches.

souffrir qu'on doutât de son républicanisme et de son dévouement au progrès social [1]. La suite a montré que ce n'était pas,
dans son cas, pure rhétorique. L'insurrection parisienne de juin
1848 lui parut un attentat contre la civilisation, mais ses
réflexions mettent en balance l'égarement des insurgés et leur
misère. Il croit que la résistance à l'insurrection fut nécessaire :
« Qui vous a poussés tous, dans ce triste mois de juin, à
attaquer la société, la civilisation, la France! — Vous étiez
pourtant bien des cœurs généreux! Qui donc a pu vous aveugler
à ce point? Il a bien fallu défendre ce que vous attaquiez. De
là tout le mal [2]. » Cependant, dans les mois qui suivirent juin,
il combattit Cavaignac et l'état de siège [3].

Au général, auteur de la répression, il préférait Louis Napoléon, qui affectait de l'intérêt pour les questions sociales. *L'Événement,* son journal, tout en honorant Lamartine, désapprouva
la candidature d'un poète à la présidence [4] et fit campagne
pour le prince. Il semble que Hugo ait attendu de lui une
grande politique de rayonnement intellectuel à l'intérieur et
au-dehors. Vacquerie, dans le journal, prêchait le relèvement
de la condition des lettrés, « ambassadeurs de leur siècle auprès
de l'avenir » [5], tandis que Hugo lui-même, à la Constituante,
demandait que le gouvernement fît place, dans le budget, au
« côté spirituel de la Civilisation, trop oublié »; il souhaitait,
pour les talents, « l'encouragement enthousiaste d'un grand
gouvernement » [6]. Louis Napoléon élu, Hugo fut invité au

---

1. Voir *Œ.*, I.N., *Actes et paroles I*, p. 106 (26 mai 1848); p. 108 et suiv.
(29 mai 1848); on peut aussi consulter le recueil de textes publié par H. Guillemin
(V. Hugo, *Souvenirs personnels, 1848-1851*, Paris, 1952), où malheureusement
la provenance des fragments n'est pas indiquée.

2. Lettre du 27 mars 1849 à G. Hugelmann, insurgé de juin, dont il demanda
en vain la libération (*Œ.*, M., t. VII, pp. 755-756). En 1860, n'ayant plus rien
d'un modéré, il pense toujours de même : voir dans *Les Misérables*, V, I, ɪ, ses
réflexions sur juin 1848 : « une révolte du peuple contre-lui-même, que l'homme
probe doit réprimer, quoiqu'il la sente excusable ». Même attitude, en 1871,
envers les communards.

3. Discours à l'Assemblée constituante, 1ᵉʳ août 1848 (*Œ.*, I.N., *Actes et
paroles I*, p. 128 et suiv.); du 11 octobre, *ibid.*, p. 138 et suiv.; aussi dans *Œ.*,
I.N., *Poésie XIV*, *Dernière Gerbe*, CXLVIII, pp. 483-484, « 25 novembre » [1848],
un poème cinglant contre Cavaignac.

4. *L'Événement*, éditorial (non signé) du 4 octobre 1848.

5. *Ibid.*, feuilleton du 4 septembre 1848.

6. Discours du 10 novembre 1848 sur la question des *Encouragements aux
Lettres et aux Arts* (dans *Œ.*, I.N., *Actes et paroles I*, p. 143 et suiv.). Il déclara,
avec une sincérité naïve, qu'il ne faisait que donner à la république le conseil

premier dîner de l'Élysée, où il suggéra au président de reprendre l'exemple de son oncle et de faire lui aussi un gouvernement mémorable, mais par la paix, de « décorer la paix [...] par toutes les grandeurs des arts, des lettres, des sciences, par les victoires de l'industrie et du progrès », de donner à la France, nation conquérante, les conquêtes de l'esprit [1]. Le lendemain, *L'Événement,* par la plume de Vacquerie, reprenait ces conseils, en y ajoutant la suggestion de créer un « ministère de la paix » [2], c'est-à-dire du rayonnement de la France comme nation civilisatrice. Il est probable que l'entourage de Hugo souhaitait pour lui ce ministère – à qui d'autre pouvait-il être confié? – et que Hugo lui-même partageait cette pensée. Quant au président, il tenait sans doute à avoir Victor Hugo de son côté; cet appui eût confirmé l'espèce de prestige progressiste dont il aimait à s'entourer. Mais il comprit que Hugo parlait sérieusement, et ne se contenterait pas d'une position honorifique. N'ayant que faire du genre de projets qu'il lui exposait, et encore moins de sa posture de mentor, il fit la sourde oreille.

Cependant Hugo se séparait de plus en plus de la droite de l'Assemblée. La Montagne ayant été écrasée par Changarnier dans la journée du 13 juin 1849, Hugo crut qu'il pouvait proposer au parti conservateur victorieux des réformes humanitaires, mais il constata vite combien un tel espoir était chimérique. Le 9 juillet 1849, dans son fameux discours à la Législative *Sur la misère,* il dénonça l'hypocrisie de ceux qui, en privé, déclaraient que c'était chimère de promettre au peuple un quelconque mieux-être [3]. La droite réagit furieusement à cette attaque, et tint désormais Hugo pour transfuge et ennemi. Avec l'Église, la rupture fut consommée le 19 octobre par son *Discours sur l'expédition de Rome* et la politique papale [4]. Il suffit, à partir de là, de signaler les étapes par lesquelles Hugo, en 1850 et 1851, en vint à professer une opposition farouche, non plus seulement à la droite de l'Assemblée, mais au président, évidemment solidaire, à peu près jusqu'au bout, de

---

qu'il avait déjà donné à la monarchie : profession véridique de constance à travers les régimes, qui provoqua, selon le compte rendu, les rires répétés de l'Assemblée.

1. *Œ.,* I.N., *Choses vues I,* p. 411, sous la date du 20 décembre 1848.

2. *L'Événement,* feuilleton du 25 décembre 1848 : l'expression est en majuscules.

3. *Œ.,* I.N., *Actes et paroles I,* p. 157 et suiv. Le moment décisif se situa bien pour Hugo entre juin et juillet 1849.

4. *Ibid.,* p. 166 et suiv.

cette droite. Ce furent : en janvier 1850, un éditorial virulent de *L'Événement,* outré que l'Institut ne fût, dans l'ordre de préséance établi par Louis Napoléon, que le cinquième et dernier des grands corps de l'État : « Voilà le pas qu'a fait l'intelligence dans l'estime des gouvernements » [1] ; peu après, le discours violemment anticlérical de Hugo, lors de la discussion du projet Falloux sur la liberté de l'*enseignement* : la France n'accepte pas « la sacristie souveraine [...], la nuit faite dans les esprits par l'ombre des soutanes » [2] ; en avril, un *Discours sur la déportation* : contre la sévérité pénale, chère à « ces hommes positifs, qui ne sont après tout, que des hommes négatifs » [3] ; en mai, un discours véhément sur *Le Suffrage universel,* que le président projetait de restreindre [4] ; en juillet, un discours sur *La Liberté de la presse,* menacée aussi, stigmatisant « cette misérable coterie ultra-montaine à laquelle est livrée désormais l'instruction publique », et, par contrecoup, les jésuites, « abominable secte » [5]. Enfin, l'année suivante, à quelques mois du coup d'État, un discours sur *La Révision de la Constitution* proposée par Louis Napoléon, où Hugo annonce sous les éclats de rire les États-Unis d'Europe [6], et où il oppose, soulevant le tumulte, à Napoléon-le-Grand Napoléon-le-Petit [7]. Hugo s'était mis progressivement au ban de la société conservatrice. On sait sa conduite au 2 décembre, et ce qui s'ensuivit.

Sainteté de l'exil.

Tels sont les faits qui marquèrent la conversion de Hugo à la gauche entre 1848 et 1851. On a beaucoup discuté sur ses mobiles profonds. Il y eut, certes, une déception personnelle au fond de sa conduite, au sens où toute injure du sort affecte les intérêts de la personne. Mais ce que le sort lui refusa, ce n'est pas un ministère, ni une position en vue dans un ordre

1. *L'Événement,* éditorial du 2 janvier 1850, où le président est fortement malmené.
2. *Œ.,* I.N., *Actes et paroles I,* p. 177 et suiv., discours du 15 janvier 1850.
3. *Ibid.,* pp. 190, 197.
4. *Ibid.,* p. 202 et suiv.
5. *Ibid.,* pp. 223, 228-229.
6. Il avait fait applaudir l'idée des États-Unis d'Europe au Congrès de la Paix à Paris en août 1849 (voir *ibid.,* p. 270).
7. *Ibid.,* p. 236 et suiv. (discours du 17 juillet 1851), en particulier p. 257.

quelconque de choses; ce qui manqua à son désir, c'est ce à quoi il avait attaché depuis vingt ans sa pensée : une éclosion de l'avenir selon l'Idéal, avec l'accord du monde dirigeant [1]. Cela lui étant cruellement refusé, il se vit naïf, et dupe. Il avait cru que le moment des hommes de pensée était venu; il a fini par comprendre qu'il n'en était pas le moins du monde question. Il se mit à haïr les conservateurs, l'Église, pouvoir spirituel déchu qui s'obstinait, le président félon. Le désastre pressenti éclata le 2 décembre, excluant tout accommodement.

Hugo, parmi les écrivains et poètes, ne fut pas le seul atteint. Mais sa réaction au traumatisme central du siècle a revêtu un caractère unique. Les auteurs de sa génération ou bien acceptèrent de se mettre en veilleuse, comme Lamartine ou George Sand, ou bien se maintinrent à distance de la politique actuelle comme Michelet, ou militèrent hors de France dans une relative obscurité, comme Quinet. Je ne dis rien de Vigny, plus conservateur dans l'immédiat, et vacciné en quelque sorte contre le trouble par un esprit de distance et d'amertume originel. Quant à la jeune génération, elle réformait la foi romantique selon une sensibilité désaccordée de la foule et meurtrie par l'Idéal : tels Baudelaire, Leconte de Lisle, Flaubert, Banville. Hugo seul maintint la foi première, fidèle à elle-même et plus féconde que jamais en œuvres, comme un défi éclatant au nouvel ordre de choses et de pensées. Il tint allumé au-dessus de sa tête, et visible depuis son île, le signal qui s'était éteint en France. Le Hugo de l'exil, en ce sens, est un flagrant anachronisme, un démenti à l'empire supposé du temps et des circonstances.

Une foi longtemps confiante en sa mission, chez un homme dont c'était l'intérêt majeur, se voyant soudain contredite, prend une ardente conscience d'elle-même; pour éviter le désespoir elle recourt à un défi redoublé, crié à voix de tonnerre et rompant avec tous les ménagements antérieurs. Mais le choix d'une telle attitude, pour durer, impliquait l'éloignement physique, l'exil. Né d'abord de la nécessité et du péril, il était la seule façon pour Hugo, non seulement de continuer à être Hugo, mais de l'être enfin vraiment. L'exil fut, dans l'histoire de Hugo, le lieu du sacerdoce

1. On peut dire que le cheminement et la mutation de Hugo sont semblables, *mutatis mutandis,* à ceux de Lamennais : aussi intensément *personnels,* et aussi absolument désintéressés. L'aboutissement, dans les deux cas, est le même : rupture avec le présent et les puissances dirigeantes, et projection de l'Esprit et de ses promesses dans l'avenir et dans le peuple.

pleinement assumé, un zénith de force et de vérité. Mais évidemment, le fait qu'un désastre ait été l'occasion, voire la circonstance nécessaire de ce sacre, lui imprime une couleur tragique. Ce n'est pas par hasard que Hugo écarta l'idée de s'exiler dans une capitale étrangère, à Bruxelles ou, mieux, à Londres, et qu'il préféra à ces grandes villes un rocher perdu : l'exil devait être pour lui deuil en même temps que consécration. Glorieux par le rayonnement du défi, il fallait que l'exil fût funèbre par la solitude et l'absence de réponse : la France, en fait, n'écoute plus le prophète de l'avenir, qui semble s'être exilé pour perpétuer, sur le mode fabuleux, l'empire des vérités que le coup d'État a ruinées. La conscience missionnaire du poète atteint son point d'intensité le plus haut, elle parle le langage le plus fulminant, alors qu'elle n'est plus, pour la France, qu'un écho perdu. L'équation Exil-Génie, Soliloque-Vérité est une équation pathétique; elle fut celle de la vie de Hugo pendant les dix-huit ans où il prêcha à la France une foi dont elle s'était déprise.

Le message obstiné de cette foi, s'élevant du rocher de Guernesey, n'était pas assuré d'être, quoi qu'il ait voulu croire, une flamme d'attente en vue d'une résurrection future. L'Empire détruit, une République agnostique lui succéda. Victor Hugo, rentré en France, quoiqu'il ait fini par prendre rang de Père et de Saint dans cette République, ne devait jamais s'y sentir qu'à moitié chez lui. Non seulement il éprouva, dans les premiers temps qui suivirent son retour, la force persistante et virulente du parti conservateur, dont il eut encore à souffrir, mais il dut constater la disproportion entre sa foi et l'esprit de la nouvelle génération républicaine. Chose remarquable, il continua, après son retour, à se dire volontiers « banni », à se glorifier de ce titre, comme si le bannissement avait cessé d'être une circonstance de sa vie pour devenir une définition de son être. Dès les premiers temps de son séjour hors de France, il avait uni la pensée de l'exil à celle de l'éternité. À qui était supposé lui demander où il voulait en venir, seul sur son rocher, il répondait :

> *Sur mes jours devenus fantômes, pâle et seul,*
> *Je regarde tomber l'infini, ce linceul. —*
> *Et vous dites : Après? Sous un mont qui surplombe,*
> *Près des flots, j'ai marqué la place de ma tombe;*

Ici le bruit du gouffre est tout ce qu'on entend;
Tout est horreur et nuit. – Après ? – Je suis content [1].

De retour pour quelque temps à Guernesey en 1872, il écrit un poème où, dans le décor de l'exil, une même pensée rassemble la tombe et la mission :

Je vais dans les forêts chercher la vague horreur.
La sauvage épaisseur des branches me procure
Une sorte de joie et d'épouvante obscure;
Et j'y trouve un oubli presque égal au tombeau.
Mais je ne m'éteins pas : on peut rester flambeau
Dans l'ombre, et, sous le ciel, sous la crypte sacrée,
Seul, frissonner au vent fauve de l'empyrée.
Rien n'est diminué dans l'homme pour avoir
Jeté la sonde au fond ténébreux du devoir [2].

Cette attitude de Hugo nous retrace un drame dont le modèle est dans les livres saints. Les premiers désastres d'Israël et la ruine de ses espérances ont eu pour réponse la prédication à la fois tragique et glorieuse des Prophètes. Et, dans la genèse du christianisme, le désastre de la crucifixion a engendré la foi dans le Christ sauveur. Le XIXᵉ siècle, qui, dans le romantisme, imita la religion en la laïcisant, vit de même Hugo, dans la défaite d'une grande espérance, maintenir une foi démesurée.

Une nouvelle politique ?

Hugo prit en exil une attitude d'opposition radicale et active au régime officiel. Il ne s'était jamais trouvé en pareille situation. L'équilibre d'attente auquel il avait cru pouvoir faire confiance ayant été brisé par Bonaparte, il se jugea dispensé de toute modération; il cessa de craindre, comme il avait toujours fait, le renversement de ce qui était. Il flagella les ministres, honnit l'Église, maudit et insulta le chef de l'État, sanctifia le Peuple. Il élimina de son discours et presque de sa mémoire tout ce

---

1. Écrit en 1855, dans *Les Contemplations*, V, 3, « 10 janvier 1855 » (Œ., M., t. IX, p. 259).
2. *L'Exilé satisfait*, dans *L'Art d'être grand-père*, I, 1, « 24 septembre 1872 ».

qui avait autrefois, dans sa conduite et ses écrits, témoigné de sa prudence : la condamnation de l'émeute, l'antipathie pour Voltaire et le xviiie siècle [1]. Son éloquence académique et parlementaire de l'époque précédente fit place aux multiples manifestes, pétitions, discours de circonstance et protestations publiques qui firent de lui, en Europe et dans le monde, le premier grand littérateur militant. Le nouvel et déplorable état de choses dissipa, paradoxalement, ses inquiétudes précédentes touchant le futur de l'humanité. Le thème de l'avenir obscur et de la route incertaine ne furent plus de saison. Par la vertu de la lutte, l'interrogation et le suspens, accompagnements habituels d'une attitude jusque-là modérée, firent place à une grandiose prédication messianique. Il put écrire : « Les forces ne sont pas encore débouchées. Quand l'homme aura débouché les forces, il sera stupéfait du résultat. Ce mot, *changer la surface du globe,* ne sera plus une *métaphore* [2]. »

Cela dit, il maintint, au plus fort de son démocratisme et de ses projets humanitaires, ses réserves à l'égard des doctrines socialistes. Il s'était gardé, sous la monarchie de Juillet, d'adhérer à aucune école utopique [3]. Il sembla adopter, sous la IIe République, le mot et la notion de socialisme, mais moyennant un sévère distinguo : « Il y a le socialisme qui veut substituer l'État aux activités spontanées, et qui, sous prétexte de distribuer à chacun le bien-être, ôte à chacun la liberté [...] Ce socialisme détruit la société. Il y a le socialisme qui abolit la misère, l'ignorance, la prostitution, les fiscalités, les vengeances par les lois, les inégalités démenties par le droit ou par la nature, toutes les ligatures, depuis le mariage indissoluble jusqu'à la peine irrévocable. Ce socialisme-là ne détruit pas la société, il la transfigure [4]. » Il était par nature ennemi du dogme,

---

1. Voir notamment les retouches et additions qu'il apporta sur ce point au texte des *Misérables,* par rapport à la rédaction de 1847-1848 (R. Journet et G. Robert, *Le Manuscrit des* Misérables, Paris, 1963 : il s'agit notamment des chapitres III, III, iii; IV, VII, iii; V, X, i).

2. *Œ.,* I.N., *Océan. Tas de pierres,* p. 457, « 3 octobre 1853 ».

3. On peut voir à ce sujet l'article de H. J. Hunt dans la *Revue d'histoire littéraire de la France,* 1933, pp. 209-223, et, du même auteur, *Le Socialisme et le romantisme en France, op. cit.,* pp. 247-261; aussi D. O. Evans, *Le Socialisme romantique. Pierre Leroux et ses contemporains,* Paris, 1948, pp. 166-191.

4. *Œ.,* I.N., *Actes et paroles I,* p. 467 (fragment daté de juin 1848 par les éditeurs). Sur les socialistes « fondateurs de couvents », voir aussi une déclaration du 29 mai 1848, *ibid.,* p. 112 : il y appelle « abrutissement » l'excessif dévouement de l'individu à la collectivité, p. 113.

sympathique à la pluralité des conceptions et des pensées : « Tous vont au même but, mais par des voies différentes. Peut-être est-ce Dieu même qui veut que les routes soient diverses, pour que le genre humain ait plus d'éclaireurs [1]. » Maints textes de l'exil confirment cette attitude. Il était, quand il s'exila, plus parlementariste que jamais ; il portait aux nues les débats d'assemblée, ce qui avait été la Tribune de France : « Ce bruit, ce vent, c'était le Verbe. Force sacrée. Du verbe de Dieu est sortie la création des êtres ; du verbe de l'homme sortira la société des peuples [2]. » Il continuait dans l'exil à se défier des réformateurs égalitaires :

> *De cette égalité, dure et qui vit à peine,*
> *La liberté s'en va, vieille républicaine [3].*

Il était particulièrement en garde contre l'idée, déjà répandue, selon laquelle « le peuple n'a que faire de la liberté [...], bonne pour les riches » ; il répond : « La liberté est l'organe visuel du progrès » ; il distingue une fois de plus les deux socialismes : « Écartons tout ce qui ressemble au couvent, à la caserne, à l'encellulement, à l'alignement [...] La chose, cimentée d'une philosophie spéciale, pourrait bien durer » ; certains théoriciens socialistes « en sont venus à une acceptation [...] de la concentration sociale absolue » [4]. Il supposait évidemment écarté ce socialisme totalitaire quand, vers la fin de l'Empire, il déclarait : « République et socialisme, c'est un », en postulant que le socialisme proclame « la souveraineté de l'individu, qui est identique à la liberté » [5].

Il n'est jamais entré dans la philosophie politique de Hugo, même la plus avancée, de partir en guerre contre la bourgeoisie, de la déclarer responsable, comme classe dirigeante ou dominante, du cours des événements. Il écrit : « On a voulu faire à

---

1. *Ibid., Philosophie II, Post-scriptum de ma vie,* p. 473 [1845-1850].

2. *Napoléon-le-Petit,* dans Œ., I.N., *Histoire I,* p. 120, et tout le liv. V [1852].

3. *L'Âne,* « Colère de la bête », VIII, édition Pierre Albouy, Paris, 1966, v. 1674 et suiv. (1857-1858).

4. *William Shakespeare* (1863-1864), IIe partie, liv. V, 3 (Œ., I.N., pp. 165-167). Hugo pense probablement à Cabet.

5. *Discours de clôture au Congrès de la paix à Lausanne,* septembre 1869, dans Œ., I.N., *Actes et paroles II,* pp. 292-293. C'était l'époque où les républicains souhaitaient l'union avec les socialistes contre l'Empire.

tort de la bourgeoisie une classe [1]. La bourgeoisie est tout simplement la portion contentée du peuple. Le bourgeois, c'est l'homme qui a maintenant le temps de s'asseoir. » Disposition dangereuse, il en convient : « Pour vouloir s'asseoir trop tôt, on peut arrêter la marche même du genre humain [2]. » D'ailleurs cette bourgeoisie, il le sait, le hait : « Il y en a qui disent qu'il faut me tirer un coup de fusil comme à un chien. Pauvre bourgeoisie! uniquement parce qu'elle a peur pour sa pièce de cent sous [3]. » Dédaignant cette haine, il croit possible d'allier cette race médiocre au progrès; la grande tâche est d'ouvrir les esprits à l'idéal : « Vous guérirez la bourgeoisie et vous fonderez le peuple [4]. » Exorciser les démons de la bourgeoisie pour la faire participer à l'œuvre commune ne lui paraît pas plus surhumain que de fonder un peuple à partir d'une foule. En 1872, il définissait encore, non sans grande légèreté, le « bourgeois authentique » par ce vers :

> *Âne en littérature et lièvre en politique* [5].

Autre trait de la politique de Hugo qui le sépare de l'extrême gauche : même converti au culte global de la Révolution française et à la justification de sa violence, il a toujours écarté, pour le présent et le futur, l'usage d'une violence semblable. C'est un point trop connu pour qu'il faille le développer [6]. Hugo a toujours professé que la mission du poète, ayant sa source en Dieu, est de paix autant que de justice : la lyre auguste apaise les tourmentes civiles. Cela se disait en 1820

---

1. Ceci vise évidemment les socialistes, la postérité fouriériste en particulier, qui dénonçait dans la bourgeoisie une nouvelle féodalité fondée sur l'argent.

2. *Les Misérables*, IV, I, II (1861-1862). Et voir dans *Les Châtiments*, III, 7, le poème intitulé *Un bon bourgeois dans sa maison* (novembre 1852).

3. *Œ.*, I.N., *Océan. Tas de pierres*, p. 250 (mai 1851).

4. *William Shakespeare*, IIᵉ partie, liv. V, 7 (*Œ. C.*, I.N., p. 172).

5. *Grandes Oreilles*, dans *Toute la lyre*, « La corde d'airain », XXV, « 24 mai 1872 ». Cette définition reprend une phrase semblable, qu'on date de 1831-1832 : « En France, que de gens à longues oreilles, ânes en littérature et lièvres en politique » (voir *Œ.*, M., t. IV, p. 453, dans les « Feuilles paginées »).

6. Le thème est développé dans plusieurs poèmes des *Châtiments*, et non des moins vengeurs même : *Nox, Le Bord de la mer, Non, Sacer esto*, etc.; il fait tout le sujet de *La Pitié suprême* (*Œ.*, I.N., *Poésie IX* : « Pitié pour les tyrans »; écrit en 1857-1858); voir aussi *Le Verso de la page* (1857-1858), dont les éléments furent dispersés dans diverses œuvres et plusieurs recueils posthumes (voir dans *Œ.*, M., t. X, p. 261 et suiv., le poème reconstitué par Pierre Albouy, et son article dans la *Revue d'histoire littéraire de la France*, 1960).

sur le mode royaliste et chrétien. Hugo l'a redit au temps de
la Commune :

> *Ce veilleur, le poète, est monté sur la tour.*
> *Ce qu'il veut, c'est qu'enfin la concorde ait son tour.*
> *[...] Le grand rayon de l'art, c'est la fraternité* [1].

Difficultés du providentialisme.

Il ne semble pas que Hugo ait été préoccupé outre mesure
du dilemme, si caractéristiquement humanitaire, de l'unité
sociale et des droits de l'individu. Les deux points de vue sont
antithétiques, et l'humanitarisme, qui s'efforce de les concilier,
y réussit plus ou moins bien. Hugo ne semble pas être conscient
de la difficulté, que la démocratie libérale devait, empirique-
ment au moins, résoudre en alliant l'héritage de Montesquieu
à celui de Rousseau. L'humanitarisme était obsédé de communion et d'unité. Ces thèmes apparaissent peu chez Hugo, qui
ne va guère au-delà de la fraternité, notion sensiblement différente. Il a cependant, une fois au moins, mis en présence
Unité et Liberté :

> *L'avenir aura deux Romes.*
> *Et, près de celle des hommes,*
> *Celle de Dieu.*

> *L'avenir aura deux temples,*
> *Deux lumières, deux exemples,*
> *Un double hymen,*
> *La liberté, force et verbe,*
> *L'unité, portant la gerbe*
> *Du genre humain* [2].

---

1. *L'Année terrible*, Avril, section IX.
2. *L'Océan*, dans *La Légende des siècles*, XLI (je donne le numéro des poèmes
de la *Légende* selon l'édition définitive de 1883), section II, strophes 13 et 14,
« 18 février 1854 ». « Deux Romes », « deux temples », disent la même chose, à
savoir deux lieux saints, l'un d'unité, l'autre de liberté. « *Double* hymen » surprend : s'il s'agit de l'hymen de l'unité et de la liberté; il ne peut être dit double,
comme tout hymen, que par pléonasme. Il semble plus probable que Hugo
emploie ici « hymen » au sens de « consécration », « sacrement humanitaire », reçu
différemment dans chacun des deux temples, donc double.

Il est remarquable que la dualité du couple Unité-Liberté soit ici objet d'enthousiasme, comme si l'accord entre ses termes allait de soi. Il est plus remarquable encore que ce duo apparaisse comme étant celui de Dieu et de l'Homme ; la Rome de la liberté est la Rome humaine, celle de l'unité est celle de Dieu. C'est sous cette forme en effet, et comme un problème de relation entre le divin et l'humain, que Hugo a envisagé la question de la liberté. L'homme, comme individu, est une force, un « verbe », une liberté ; et pourtant Dieu a sur l'humanité comme être global des projets qui dépassent le plan individuel.

« Le progrès, écrit Hugo, c'est le pas même de Dieu [1]. » Mais quelle liberté nous laisse ce pas souverain ? Nous avons vu Hugo, dès ses débuts, embarrassé de distinguer Providence et Fatalité. La gauche déiste, dans toutes ses nuances, proclamait à la fois que le progrès est voulu par l'homme, et qu'il résulte d'une nécessité supérieure. Hugo lui-même salue cette nécessité quand il reproche aux Bourbons d'avoir été, en 1830, « aveugles en présence des faits et de la portion d'autorité divine que les faits promulguent » ; et il salue en même temps la volonté de l'homme et le droit quand il écrit que « la Révolution de juillet est le triomphe du droit terrassant le fait » [2]. Une telle ambiguïté de pensée, qui refuse de mettre en opposition le vœu humain et la nécessité divine, peut être appelée la forme absolue de l'optimisme. Hugo fonde de même la vocation du Poète missionnaire sur une rencontre de la volonté libre et du plan divin : « Ces esprits missionnaires, écrit-il, ces légats de Dieu ne portent-ils pas en eux une sorte de solution partielle de cette question si abstruse du libre arbitre ? L'apostolat étant un acte de volonté, touche d'un côté à la liberté, et de l'autre, étant une mission, touche par la prédestination à la fatalité. Le volontaire nécessaire. Tel est le messie. Tel est le génie [3]. » Peu importe que ces alliances de mots résolvent ou non l'« abstruse question » : quand la liberté et la pré-

---

1. *Anniversaire de la Révolution de 1848*, dans Œ., I.N., *Actes et paroles II*, p. 115.

2. Ces deux affirmations se trouvent proches l'une de l'autre, dans *Les Misérables*, IV, I, ı ; elles y étaient déjà dans la première rédaction, celle de 1847-1848 (voir R. Journet et G. Robert *Le Manuscrit des* Misérables, à l'endroit qui concerne le chapitre en cause).

3. *William Shakespeare*, Iʳᵉ partie, liv. V (Œ., I.N., pp. 98-99). Il est superflu de rappeler à quel point le problème soulevé ici a préoccupé semblablement Lamartine et Vigny.

destination produisent ensemble un heureux effet, la difficulté métaphysique n'arrête pas l'attention; c'est le cas pour la révolution de Juillet.

Mais Hugo a vu, dans le cours de sa vie, deux cas au moins où la fatalité historique a produit un mal aussi considérable à ses yeux que le bien des Trois Glorieuses : à savoir, Waterloo et le coup d'État. La Providence, ces deux fois-là, était-elle endormie? Pour la sauver, Hugo n'a que la ressource désespérée d'interpréter le mal comme ayant dû produire un plus grand bien futur. Le coup d'État et le régime qui en est sorti, en discréditant l'« orgie de l'ordre », ont détruit le préjugé contre la République. Waterloo a engendré la Charte : le « travail divin » fait donc flèche de tout bois [1]. Cette argumentation, qui n'est pas des plus nouvelles, laisse perplexe : pourquoi faut-il que le mal figure dans le plan divin, que Dieu nous mette en situation de détester ce qui sort de sa main? On allègue, comme un fait incontestable, que le bien et le mal se mêlent ensemble et s'engendrent l'un l'autre. Ce thème est longuement développé dans *Le Verso de la page* [2] :

> *On perd le bien de vue et le mal tour à tour;*
> *Le meurtre est bon; la mort sauve; la loi morale*
> *Se courbe et disparaît dans l'obscure spirale.*
> *[...] Telle est la profondeur de l'ordre; obscur, suprême,*
> *Tranquille et s'affirmant par ses démentis même* [3].

On voit poindre ici, dans un étrange recours à l'indistinction du bien et du mal, l'idée d'un Dieu « obscur »; le Dieu,

---

1. Pour cette vue sur le coup d'État, voir *Napoléon-le-Petit*, liv. VIII, section 1 (aussi les sections suivantes), dans Œ., I.N., p. 166; et une explication du même type dans *L'Année terrible*, Août, *Sedan*, section III. Pour Waterloo, voir *Les Misérables*, II, I, xvii. Ces deux points ont été excellemment commentés par R. JOURNET et G. ROBERT, *Contribution aux études sur Victor Hugo*, t. I, p. 192; voir également G. ROBERT, *Chaos vaincu*, t. I, pp. 77 et 257.

2. Poème de 1857-1858, déjà cité (voir ci-dessus, n. 6, p. 341). Les pages de ce poème qui nous intéressent ici ne parurent, dans un emploi nouveau et avec quelques modifications, que dans *L'Année terrible* (1872), Février, section V, sous le titre *Loi de formation du progrès* : voir Œ., M., t. X, p. 261 et suiv.

3. Œ., M., *ibid.*, pp. 278 et 280. Un poème recueilli dans Œ., I.N., *Toute la lyre*, III, 60, développe des pensées voisines (« Quel sage d'entre vous distinguera [...] Ce qu'il faut condamner et ce qu'il faut absoudre? » etc.) dans une perspective de philosophie de l'histoire universelle : en fait, c'est un fragment du dossier de *Dieu* (1856) : voir Journet-Robert, éd. de *Dieu, fragments*, 1re section, fragment 345-346b, derniers vers.

nécessairement impénétrable à l'homme, de l'apologétique traditionnelle : celui qui demande une aveugle confiance, et a
peine à l'obtenir; car le « certain »,

> *C'est que, devant l'énigme et devant le destin,*
> *Les plus faibles parfois s'étonnent et fléchissent* [1].

Il est un cas, d'une importance majeure, où l'obscurité des
voies divines, et le Mal chemin du Bien, invoqués avec complaisance, font gravement problème : c'est celui de la violence
révolutionnaire, de la Terreur. Justifierons-nous dans ce cas les
moyens par la fin en les imputant à la Providence? N'est-ce
pas éluder, par le détour de Dieu, la responsabilité de crimes
que pratiquement on approuve? Il y avait longtemps, quand
Hugo devint républicain, qu'il absolvait Quatrevingt-treize.
Dès 1841, il professait qu'une certaine « diminution de lumière
morale » est parfois « nécessaire pour que la providence puisse,
dans l'intérêt ultérieur du genre humain, accomplir sur les
sociétés vieillies ces effrayantes voies de fait qui, si elles étaient
commises par des hommes, seraient des crimes, et qui, venant
de Dieu, s'appellent des révolutions » [2]. Le providentialisme
serait-il le moyen de soustraire au jugement moral les actes du
parti avec lequel on sympathise? Il est vrai que Hugo déclare
n'admettre la Terreur que sous condition de ne jamais l'imiter.
Jamais vraiment? Si la Révolution française fut, comme dit
Hugo, une « action de l'Inconnu » [3], fut-elle et sera-t-elle la
seule de son genre? « Tous les deux ou trois mille ans, écrit
Hugo, le progrès a besoin d'une secousse; l'alanguissement le
gagne, et un *quid divinum* est nécessaire [4]. » Fixer à vingt ou
trente siècles la fréquence des massacres historiques voulus de
Dieu en vue d'une bonne fin n'est qu'une échappatoire, destinée
à sauver un principe scabreux tout en l'écartant de l'horizon
visible. Comment distinguer, dans ce qui s'accomplit de nos
jours, la part du *quid divinum* et celle des acteurs humains?

1. Œ., M., t. X, p. 282.
2. V. Hugo, *Discours de réception à l'Académie française*, 3 juin 1841 (Œ.,
M., t. VI, p. 151). Noter l'expression « voies de fait », à la fois brutale et
parfaitement juridique, par opposition à « voies de droit ». Voir aussi, ci-dessus,
note 2, p. 332.
3. *Quatrevingt-treize*, II, 3, I, « La Convention », paragr. 11 (1872-1873).
4. Œ., I.N., *Actes et paroles II*, p. 223, lettre du 19 mars 1866 à Clément
Duvernois.

Rien de plus hasardeux que cette limitation de la responsabilité et du champ de la conscience morale. Hugo va jusqu'à demander que nous fassions « la part de la loi morale humaine et de la loi morale divine qui nous échappe » [1]. En fait, à l'abri de cette théologie et de la meilleure foi du monde, il qualifie la violence avec faveur ou réprobation selon qu'il agrée ou non le but qu'elle poursuit : « En 93, écrit-il, l'idée était bonne ou mauvaise, selon que c'était le jour du fanatisme ou de l'enthousiasme; il partait du Faubourg Saint-Antoine tantôt des légions sauvages, tantôt des bandes héroïques [2]. » Selon cette vue naïve, le sceau de la Providence est dans la main de Hugo, et il en use à son gré. Il y a eu encore des insurrections après 1793; plusieurs sous Louis-Philippe, dont l'une occupe une grande partie des *Misérables* : Hugo, au temps où il reprend, dans l'exil, la rédaction de son roman, les croit conformes en esprit aux desseins de la Providence, mais prématurées [3]. Entendons que le radicalisme de Hugo a des limites, mais qu'il ne veut pas d'ennemi à gauche : position, justifiée ou non, à laquelle c'est une tâche délicate d'associer Dieu dans le silence de la conscience humaine.

Cet arbitraire et ces contradictions du providentialisme humanitaire aident à comprendre que la gauche ait fini par lui préférer, malgré ses évidentes difficultés, un agnosticisme qui laisse le citoyen face à sa seule conscience. Mais peut-il ou non y avoir une conscience républicaine, c'est-à-dire une conscience morale appliquée à la vie publique, sans l'appui d'un impératif tenu pour transcendant? de quelle sorte, chacun en jugera à sa guise, ce n'est pas l'affaire de la République d'en décider. En tout cas, quand Hugo, sous l'Empire, professait que le suffrage populaire, dès lors qu'il acquiesçait au régime, perdait jusqu'à nouvel ordre toute légitimité, il ne pouvait, ni lui ni aucun républicain plus que lui, se passer d'invoquer un tel impératif contre le suffrage. La foule est souveraine, mais il y a quelque chose au-dessus d'elle qui peut invalider son pouvoir :

> *Puisqu'elle est la maîtresse, il sied qu'on lui rappelle*
> *Les lois d'en haut que l'âme au fond des cieux épelle,*
> *Les principes sacrés, absolus, rayonnants [...].*

1. Reliquat de *Quatrevingt-treize*, dans Œ., I.N., *Romans IX*, pp. 391-392.
2. *Les Misérables*, IV, I, v, 6ᵉ paragr. avant la fin (rédaction de 1861-1862).
3. *Ibid.*, V, I, xx (même époque).

> *Et que de cette tourbe il nous vienne demain*
> *L'ordre de recevoir un maître de sa main,*
> *De souffler sur notre âme et d'entrer dans la honte,*
> *Est-ce que vous croyez que nous en tiendrons compte ?*
> *[...] Tout un peuple égaré ne pèse pas un juste* [1].

Ces vers, publiés dans l'été 1870, visaient le dernier plébiscite de l'Empire, de nouveau favorable à Napoléon III; mais ils sont plus anciens, et la pensée qu'ils expriment est constante chez Hugo depuis le coup d'État; témoin cette apostrophe de 1853 aux approbateurs de l'Empire :

> *Est-ce que vous croyez que la France, c'est vous,*
> *Que vous êtes le peuple et que jamais vous eûtes*
> *Le droit de nous donner un maître, tas de brutes!*
> *Ce droit, sachez-le bien, chiens du berger Maupas,*
> *Et la France et le peuple eux-mêmes ne l'ont pas.*
> *L'altière Vérité jamais ne tombe en cendre [...]*
> *Le droit sacré, toujours à soi-même fidèle,*
> *Dans chaque citoyen trouve une citadelle* [2].

La doctrine contraire, celle qui fait du consentement général et du succès qu'il couronne le critère du bien politique, est caricaturée avec mépris dans *L'Homme qui rit,* à propos de lord Clancharlie, aristocrate et républicain sous les Stuarts, retiré en Suisse, et critiqué des ralliés et conformistes, selon l'argumentation suivante : « La vraie vertu, c'est d'être raisonnable. Ce qui tombe a dû tomber, ce qui réussit a dû réussir. La providence a ses motifs; elle couronne qui le mérite. Avez-vous la prétention de vous y connaître mieux qu'elle [3] ? »

On trouvera peut-être, d'après les pages qui précèdent, Hugo bien contradictoire, et bien mal assise la philosophie de l'histoire de la démocratie humanitaire. Elle repose au fond sur un optimisme fondamental, selon lequel la force des choses —

1. On peut lire ces vers dans le Prologue de *L'Année terrible,* parue en 1872; ce Prologue avait paru à part sous le titre significatif « Turba » dans *Le Rappel* en juin 1870 : en fait, il s'agit ici encore d'un morceau emprunté au *Verso de la page* (voir ci-dessus, n. 6, p. 341 et n. 2, p. 344) que Hugo avec quelques variantes réutilisa à l'occasion du plébiscite qui venait de donner encore une majorité à Napoléon III. Voir P. Albouy, éd. des *Œ. poét.* de HUGO (désormais : Hugo, *Œ. poét.*), t. III, p. 910 et suiv.
2. *Les Châtiments,* III, 4, « 4 mai 1853 » selon le manuscrit.
3. *L'Homme qui rit* (1869), II, 1, 1, section 2 (*Œ.,* M., t. XIV, p. 135).

qu'on l'appelle providence, nécessité ou comme on voudra –
doit, à long terme, s'accorder avec les vœux de la conscience
morale. Mais l'accord est loin d'être actuel; et, tant qu'il en
est ainsi, les inspirations puisées dans la conscience risquent,
qu'on le veuille ou non, d'être celles d'un parti : prompt à
accepter le fait s'il s'agit de juger les siens et réservant les
rigueurs du droit et l'invalidation morale à ses adversaires. Ces
contradictions sont apparemment dans la nature des choses : le
débat du fait et du droit ne cessera pas de sitôt d'être impur
dans sa pratique humaine, autant qu'il est obscur dans sa
définition métaphysique. L'important est d'en avoir au moins
conscience. La réflexion obstinée et multiple de Hugo, malgré
tout, nous y aide.

Le Poète vengeur.

   La violente secousse du 2 décembre et de l'exil prêta soudain
une extraordinaire puissance d'éruption et de verve, chez Hugo,
à un genre de poésie qui était depuis longtemps en germe dans
son œuvre : celle qui, dans les troubles civils, dresse le poète
en juge et en vengeur. La « corde d'airain » dont Hugo avait
parlé déjà vingt ans avant, celle qui vibre en admonestations
et en invectives à l'occasion des maux du siècle, résonne souvent
dans la lyre romantique; mais ce qui venait de se passer en
France était sans comparaison plus grave qu'aucun épisode des
règnes précédents. Le coup d'État, brisure dans la vie publique,
affectait rudement la vie et la personne de Hugo. Son cri jaillit,
inlassable, dans *Les Châtiments*; et le « châtiment » fut, jusqu'à
la fin, un des modes et une des fonctions de sa poésie. « Il est
des temps, écrivait-il dans un projet de préface pour *Napoléon-
le-Petit,* dont il faut prendre l'empreinte; il y a dans la vie
des nations des minutes horribles qu'il importe de saisir au
moment où elles passent et de fixer dans leur plus microsco-
piques détails. Ceci est la fonction sévère des écrivains contemporains, fonction qu'ils doivent remplir [...] dans le seul but
d'éclairer à jamais, par ces exemples monstrueux, la conscience
des hommes [1]. » La poésie qui accomplira cette mission ne
relèvera donc pas de la simple satire, mais de la haute édifi-

---

1. *Œ.*, I.N., *Napoléon-le-Petit*, Reliquat, p. 206.

cation. Celui qui fait retentir *Les Châtiments* est quelque chose de plus qu'un citoyen indigné : un juge et un annonciateur ayant mandat d'en haut. L'allusion, aussitôt après les lignes qui viennent d'être citées, aux « sombres poètes de la Bible », situe mieux *Les Châtiments* qu'aucune autre définition : voici surgir, sous une forme et dans des circonstances imprévues, cette moderne poésie sacrée, objet des vœux du romantisme dès ses débuts; la voici, foudroyant écho des Prophètes, flagellant un souverain parjure d'aujourd'hui, au nom de Jéhovah et du Peuple humilié.

L'investiture particulière de celui qui parle ne fait pas de doute pour lui, et il ne s'abstient pas de le dire : « Dans cette expulsion de l'intelligence par la force brutale, j'ai été choisi parmi tant d'hommes qui valent mieux que moi, choisi non par le Bonaparte qui ne sait pas ce qu'il fait, le pauvre imbécile, mais par la Providence, que je remercie [1]. » Des poèmes composés aussitôt après l'arrivée à Jersey profèrent, par la bouche de Victor Hugo, les jugements de Dieu. Ainsi une écrasante réponse d'en haut au général des jésuites, fanfaron de puissance, qui est censé avoir dit :

> *Nous régnerons. La tourbe obéit comme l'onde.*
> *Nous serons tout-puissants, nous régirons le monde [...]*
> *Et nous ne craindrons rien, n'ayant ni foi ni règles... —*
> *— Quand vous habiteriez la montagne des aigles,*
> *Je vous arracherais de là, dit le Seigneur [2].*

Et voici, pour les souverains d'Europe, une prophétie :

> *Avenir! Avenir! voici que tout s'écroule!*
> *Les pâles rois ont fui, la mer vient, le flot roule,*
> *Peuples! le clairon sonne aux quatre coins du ciel;*
> *[...] L'épouvante se lève. — Allons, dit l'Éternel [3].*

1. Lettre du 24 mars 1852 à Jules Janin (Œ., M., t. VII, pp. 989-990). Bonaparte, élu président, pouvait le choisir pour diriger une grande politique française de l'intelligence; mais comment se plaindre qu'il y ait failli? Dieu a compris et a mis Hugo en fonction. Ceux qui soupçonnent du dépit dans cette pensée ignorent tout de Victor Hugo.
2. *Ad majorem Dei gloriam*, dans *Les Châtiments*, I, 7, « 8 novembre » [1852].
3. *Carte d'Europe, ibid.*, I, 12, « 5 novembre 1852 ». Voir aussi la mise en scène à trois personnages (Dieu, Criminel châtié, Poète) dans l'implacable poème sur le maréchal de Saint-Arnaud, mort du choléra en Crimée (*ibid.*, VII, 16, « 17 octobre 1854 »).

Le poète-prophète, annonçant la chute d'un Empire, se voit
Daniel :

> *Ô princes fils du mal, ô maîtres nés du crime,*
> *Qui frappez l'homme et Dieu dans vos rébellions,*
> *Ma prédiction sort de la fosse aux lions* [1].

Le souvenir de Daniel rejoint le thème du Banquet des repus,
apparu très tôt chez Hugo [2], désormais nouveau banquet de
Balthazar, que le châtiment va frapper. Dans le Louvre, hôtel-
lerie de passage,

> *On rit, on boit, on mange et le vin sort des outres;*
> *Toute une boucherie est suspendue aux poutres,*

mais dehors,

> *Hâtant son lourd cheval dont le pas se rapproche,*
> *Muet, pensif, avec des ordres dans sa poche,*
> *Sous ce ciel noir qui doit redevenir ciel bleu,*
> *Arrive l'avenir, le gendarme de Dieu* [3].

Ce gendarme allégorique, comme le Commandeur ou l'Archange qui doit mettre fin à d'autres versions du Banquet [4],
est, en tant qu'agent de Dieu, un frère du poète, qui s'identifie
explicitement à toute figure de la vengeance divine; à la foudre,
par exemple [5], ou à l'escalier funèbre par où montera le spectre
vengeur :

> *Je suis fait d'ombre et de marbre.*
> *Comme les pieds noirs de l'arbre*

1. Œ., I.N., Reliquat des *Châtiments*, p. 353, « 3 mars 1854 ».
2. Voir ci-dessus, n. 3, p. 280 et le texte.
3. *On loge à la nuit*, dans *Les Châtiments*, IV, 13, « 1ᵉʳ février » [1853].
4. Le Commandeur dans *Tout le passé et tout l'avenir* (*La Légende des siècles*,
XLIV, v. 421 et suiv., « juin 1854 »); l'Archange dans *Les Malheureux* (*Les
Contemplations*, V, 26, v. 275 et suiv., « 17 septembre 1855 »). Le Banquet se
trouve aussi sans châtiment, décrit simplement comme odieux : ainsi *Joyeuse Vie*,
dans *Les Châtiments*, III, 9, section 3, « 4 février 1853 »; même recueil, III, 13,
« 19 janvier 1853 », avec l'antithèse Banquet des repus-Gibet des justes. On a
également le Commandeur presque sans Banquet : voir *Les Années funestes*, XVIII,
dans Œ., I.N., p. 52, « 21 janvier » [1853 ou 1854].
5. Voir *César*, dans *Les Années funestes*, IV (Œ., I.N., p. 17, « 15 août 1853 »);
aussi *ibid.*, XIII, p. 40, « 18 avril 1855 ».

Je m'enfonce dans la nuit.
J'écoute; je suis sous terre [...]

Moi qu'on nomme le poète
Je suis dans la nuit muette
L'escalier mystérieux,
Je suis l'escalier Ténèbres;
Dans mes spirales funèbres
L'ombre ouvre ses vagues yeux [...]

Devant ma profondeur blême
Tout tremble; les spectres même
Ont des gouttes de sueur.
Je viens de la tombe morte;
J'aboutis à cette porte
Par où passe une lueur.

Cette porte ouvre sur la salle d'un Banquet des maîtres :

Laissez la clef et le pène.
Je suis l'escalier; la peine
Médite; l'heure viendra;
Quelqu'un qu'entourent les ombres
Montera mes marches sombres
Et quelqu'un les descendra [1].

Toutes ces variantes du thème donnent au Poète vengeur une dimension surnaturelle. Dès les siècles païens, les pensées d'Eschyle et de Juvénal, dressées et sifflantes sur leurs fronts,

Mordant le crime heureux et les monstres rampants,
Font aux poètes saints d'effrayants diadèmes,
Et semblent, sur ces fronts sévères et suprêmes,
Des chevelures de serpents [2].

Et il en est ainsi de tout temps :

1. *Les Quatre Vents de l'esprit,* liv. III, 1, dans Œ., I.N., p. 253, « 3 avril 1854 ». Les pierres tombales des victimes de la tyrannie forment l'escalier dans *Tout le passé et tout l'avenir* (voir ci-dessus, n. 4, p. 350), version presque contemporaine du même complexe d'images (escalier funèbre, vengeur mythique).
2. *Ibid.,* liv. III, 43 (Œ. C., I.N., p. 315), daté de Jersey, 1ᵉʳ novembre [1852 à 1854]. Les Vengeurs sont évidemment identifiés ici aux Euménides antiques.

> *Les punisseurs sont noirs. Leur pâle et grave amie,*
> *La Mort, leur met la main sur l'épaule et leur dit :*
> *— Esprit, ne laisse pas échapper ton bandit.*
> *[...] Car ils sont les géants des châtiments de Dieu;*
> *Car, sur des écritaux d'acier en mots de feu,*
> *Du tonnerre escortés, ces hommes formidables*
> *Transcrivent de là-haut les décrets insondables* [1].

Comprenons que l'auguste fonction punitive est dévolue, de façon en quelque sorte institutionnelle, à une certaine catégorie ou corporation d'hommes, poètes et penseurs : clergé ou légion d'agents de la volonté divine. Mais il faut aussi que l'investiture proclamée et visible de quelques-uns confirme l'institution. Surtout s'il s'agit du châtiment des personnes, il faut que se déclare en personne le porteur, voire l'exécuteur de la sentence :

> *Ces vils coquins qui font de la France une Chine,*
> *On entendra mon fouet claquer sur leur échine* [2].

Et à l'adresse de Bonaparte lui-même :

> *L'histoire à mes côtés met à nu ton épaule,*
> *Tu dis : Je ne sens rien! et tu nous railles, drôle!*
> *Ton rire sur mon nom gaîment vient écumer;*
> *Mais je tiens le fer rouge et vois ta chair fumer* [3].

Je n'ai cité, dans ce qui précède, que des poèmes des premières années de l'exil, qui furent le moment de la plus forte explosion du genre. Mais le Justicier continue à fulminer sur le même mode et selon les mêmes motifs, longtemps encore, avec une recrudescence dans les derniers temps de l'Empire, où il eut l'intention de publier de Nouveaux Châtiments, et jusque dans les débuts orageux de la IIIᵉ République. L'histoire de ces textes, demeurés pour la plupart inédits du vivant de Hugo,

---

1. *Ibid.*, liv. I, 3 (*Œ. C.*, I.N., pp. 12-13), « 17 février 1854 ». Le Proscrit a lui aussi, comme tel, un privilège d'anathème et de prophétie : voir *Les Châtiments*, I, 1, strophes 2-3, « 30 mars » [1853].
2. *Les Châtiments*, I, 11, «13 novembre » [1852]; on trouve aussi le fouet dans *À l'obéissance passive* (*ibid.*, II, 7, « 7-13 janvier 1853 »), deux dernières strophes.
3. *L'Homme a ri*, dans *Les Châtiments*, III, 2, « 30 octobre 1852 ». Les journaux rapportaient que Louis Napoléon avait ri en prenant connaissance d'un exemplaire de *Napoléon-le-Petit*. Il s'agit bien entendu ici d'un fer rouge symbolique, mais c'est bien le bagne que, tout au long du livre, Hugo promet à Bonaparte.

est assez complexe [1]. Ils relèvent, en fait, d'un type d'inspiration, qui déborde les limites des *Châtiments* et peut se manifester dans d'autres régions de l'œuvre, comme on le verra dans l'épopée.

Verbe et Révolution.

Autre effet du coup d'État : au temps même où faisait éruption en lui le Poète vengeur, Hugo se mit à revivre, en la réinterprétant sur un mode nouveau, la révolution littéraire dont il avait été le principal acteur en 1830. Depuis ce temps-là, il avait toujours tenu les deux libertés, la politique et la littéraire, pour sœurs et solidaires l'une de l'autre; il n'avait jamais ignoré que la révolution romantique élargissait et démocratisait le public littéraire. C'est peu après 1830 qu'il écrivait : « Une des grandes questions sociales du siècle, c'est de faire passer les arts de l'état de langue hiératique à l'état de langue démotique [2]. » En tout cela, il entendait mettre la littérature et le style français au niveau de Juillet. Après le 2 décembre, il va s'agir nécessairement d'autre chose. Hugo va se sentir tenu d'élever son art poétique au niveau des principes de la démocratie radicale qu'il professe désormais. En 1854, il prononce : « Romantisme et démocratie, c'est la même chose [3]. » Plus tard, quand on commença à souhaiter contre l'Empire une unité de toute la gauche, socialisme compris, il glorifia « cette grande génération de 1830 [...], qui a enfanté d'un seul jet le socialisme avec le romantisme, c'est-à-dire le monde

---

1. Hugo en publia quelques-uns dans *Les Quatre Vents de l'esprit* en 1881. Dans l'édition I.N. des *Œuvres,* on en trouve au Reliquat des *Châtiments* (vol. publié en 1910) et dans *Les Années funestes,* vol. XIV des *Poésies* (recueil posthume, 1941) : ces textes vont des années 1850 jusqu'à celles qui suivent le retour en France. Plus récemment, R. Journet et G. Robert ont donné, dans le même ordre d'idées, une édition critique de l'ensemble intitulé *Boîte aux lettres* (années 1850), Paris, 1965. P. Albouy, dans son édition des *Œuvres poétiques* de HUGO, a, sous le titre *Alentours et suite des* Châtiments (t. II, p. 251 et suiv.) enrichi et rassemblé cette vaste famille de textes.

2. *Littérature et philosophie mêlées,* Reliquat, *Œ.,* I.N., p. 230.

3. *Journal d'Adèle Hugo,* éd. citée, t. III, pp. 85-86, 17 janvier 1854. Voir aussi le poème intitulé *Littérature* dans *Les Quatre Vents de l'esprit,* liv. I, 13, « 22 novembre 1854 ».

nouveau avec son verbe » [1]. Ainsi le romantisme n'est plus seulement un accompagnement littéraire de la liberté politique, mais le verbe nécessaire, par lequel seul se formule le Progrès. Un poème mémorable, la *Réponse à un acte d'accusation,* développe, dans *Les Contemplations,* cette nouvelle vision de la réforme littéraire de 1830. Hugo, qui l'écrivit en 1854, comme l'atteste la date portée sur son manuscrit, le data, dans l'édition, de 1834 : il était convaincu, et voulait convaincre, qu'il avait pensé ainsi dès le début [2]. Ce poème se présente comme une sorte d'épopée burlesque de la déroute du style classique devant un romantisme sans-culotte [3]. Mais il suggère en outre une philosophie que développe la *Suite,* écrite dix jours après : ce second et très important poème célèbre d'abord la puissance du mot, corps de l'idée, chose autant que signe, qui possède, dans toutes les entreprises de l'homme pensant, sa place éminente et ses pouvoirs propres : par une véritable transfiguration du mot en Verbe, Hugo, précisant une pensée fondamentale du romantisme, élève la poésie au niveau de l'ontologie, et le Verbe poétique au niveau du Verbe créateur. C'était, dès les siècles classiques, un lieu commun d'imaginer la parole naissant sur les lèvres des premiers hommes en action de grâces à Dieu. Mais ici le Verbe de l'homme n'est pas distinct de celui de Dieu; s'identifiant au *Fiat lux* du Créateur, il dit à la Lumière qu'elle est née de lui :

> *J'existais avant l'âme. Adam n'est pas mon père* [4].
> *J'étais même avant toi : tu n'aurais pu, lumière,*
> *Sortir sans moi du gouffre où tout rampe enchaîné;*
> *Mon nom est FIAT LUX, et je suis ton aîné.*

Suivent les exemples de Balthazar condamné et de Jéricho détruit par la parole, et enfin l'équation expresse de toute parole avec le Verbe divin :

1. Lettre à Herzen du 15 juillet 1860 (Œ., M., t. XII, p. 1103); et voir aussi *William Shakespeare,* IIIe partie, liv. II (*Œ. C.,* I.N., p. 208).
2. Il est certain que Hugo ne pensait ni ne parlait ainsi en 1830; mais son développement, d'une époque à l'autre, est logique et rectiligne.
3. *Réponse à un acte d'accusation,* dans *Les Contemplations,* I, 7 : date du manuscrit, « 24 octobre 1854 »; date dans le volume, « janvier 1834 ».
4. Hugo pense ici au passage de la Genèse (II, xix-xx) où Adam est dit avoir nommé les êtres vivants : mais, dit Hugo, la parole existait avant Adam, avant la naissance de l'âme, c'est-à-dire d'une humanité pensante, et – l'Écriture l'atteste par le *Fiat lux* – avant la lumière même, première-née de la création.

Car le mot, c'est le Verbe, et le Verbe, c'est Dieu [1].

Ainsi la Révolution romantique n'a pas seulement confirmé 89 ; elle lui a donné ses porte-parole dans les poètes, dépositaires et metteurs en œuvre du Verbe souverain.

Ces spéculations étaient-elles de nature à convaincre la gauche ? Car, sous un angle concret, qu'on ne peut négliger, c'est de cela qu'il s'agit. Un littérateur qui avait toujours semblé peu engagé aux militants de la démocratie, ex-pair de France par surcroît, pouvait-il si facilement être accepté comme chef spirituel par l'opinion républicaine ? Beaucoup, de ce côté-là, voyaient avec défaveur toute théologie, même hétérodoxe et humanitaire. On peut soupçonner que la nouvelle couleur révolutionnaire de la poétique de Hugo visait à désarmer ces méfiances [2]. Mais c'était surtout lui-même que Hugo voulait convaincre de l'unité profonde de sa carrière, à la lumière des vérités suprêmes qui désormais unissaient indissolublement à ses yeux Poésie et Révolution. Il découvrait plus qu'il ne plaidait. S'il voulait persuader les républicains de quelque chose, ce n'était pas tant de ses titres à figurer parmi eux que de la nécessité pour la République d'être un Verbe en même temps qu'une action, et de son infirmité si elle s'y refusait. C'est ainsi qu'il faut comprendre ce mot de lui : « Les poètes seuls parlent une langue suffisante pour l'avenir [3]. » Mais d'autre part Hugo, dans son usage du verbe, alliait intimement à la gravité des imaginations et des prophéties un sans-gêne naturiste et fantaisiste volontiers provocant. Il s'agit alors, autant que de la Liberté du poète, de l'égalité des objets de la poésie. Un Dieu démocrate ayant créé êtres et choses sans pensée hiérarchique, le poète l'imite, et s'en donne à cœur joie de ce côté, célébrant tour à tour Patmos et Meudon, répercutant dans ses vers les Voix des spectres [4] et le voluptueux « craquement du

---

1. *Suite, ibid.*, I, 8 : date de manuscrit « 3 novembre 1854 » ; dans le volume « juin 1855 ».

2. Voir P. Albouy dans son édition des *Œuvres poétiques* de Hugo, t. II, pp. 1382-1383.

3. *Océan, Tas de pierres*, dans Œ., I.N., p. 472 ; daté par les éditeurs de 1860 au plus tard ; la même phrase dans Œ., M., t. XVI, p. 381, datée de [1874-1876]. Avant et après Hugo, toute une lignée poétique, des Jeune-France de 1830-1832 aux surréalistes de 1926, a tenté d'établir une équation semblable entre poésie et révolution, dans des circonstances et selon des modes de pensée divers.

4. Dans *Dieu*, et ailleurs.

lit de sangle » [1]. Ce côté de Hugo, qui occupe une vaste et admirable part de son œuvre, a sans doute beaucoup fait pour lui valoir, au sein de la République agnostique et anticléricale, une sympathie confraternelle; l'opinion conservatrice y trouvait une raison de plus de réprouver le poète, qu'elle affectait de traiter en vieillard libidineux [2].

Un mot encore : la poétique hugolienne de l'exil, de quelque façon qu'on la considère, confirme, quant au statut social du Poète, la position qui a toujours été celle de Hugo : elle exclut, dans l'« engagement » même, toute subordination des lettres, dont elle équilibre plutôt la dignité avec celle des grands intérêts humains [3]. Elle laisse au Poète voué à la pensée toute son autonomie, et le droit de se faire entendre à sa guise, et à la société le droit de décider s'il la convainc.

Un moi *surhumain.*

La conjonction de la révolution et du romantisme opère, selon Hugo, une nouvelle naissance du genre humain, dont il perçoit l'évidence dans sa personne : « La Révolution littéraire et la Révolution politique, dit-il, ont fait en moi leur jonction [4]. » Tous les esprits missionnaires de l'époque romantique, fondateurs d'écoles, doctrinaires ou poètes, et Hugo lui-même déjà bien avant 1848, nous l'avons vu, ont éprouvé à quelque degré ce grandissement du *moi,* résumant et transcendant le

1. « L'aube au seuil, un grabat dans l'angle; – Un éden peut être un taudis; – Le craquement du lit de sangle – Est un des bruits du paradis » (*Chansons des rues et des bois,* II, 4, « 5 octobre 1859 »).
2. Voir tout le Ier livre des *Chansons des rues et des bois* (poèmes de 1859-1865 : *Genio libri,* I, 1, 7; aussi *Le Cheval,* grand poème liminaire du recueil, et *Paulo « minora » canamus,* I, 2, 1) et, au livre suivant, *Égalité,* II, 3, 7, « 26 juin 1859 ».
3. Les textes abondent dans ce sens au temps de l'exil : dans *William Shakespeare,* IIIe partie, liv. II (Œ. C., I.N., p. 207 et suiv., caractère absolument nouveau de la mission des écrivains au XIXe siècle : ils « ont affaire à la virilité du genre humain » et doivent se mettre à cette hauteur); même pensée (le XIXe siècle, époque d'une « genèse formidable ») dans Œ., I.N., *Post-scriptum de ma vie,* p. 473 (1863), aussi p. 509; voir également dans Œ., I.N., *Actes et paroles, II* (« Pendant l'exil »), p. 247, lettre du 22 juillet 1867 aux poètes de la nouvelle génération (« Le grand art fait partie de ce grand siècle. Il en est l'âme »); aussi *ibid.,* p. 285.
4. Œ., I.N., *Océan. Tas de pierres,* p. 266 [vers 1870?].

nous humain. Dans la situation où ces hommes croient être et avec les devoirs qu'elle implique à leurs yeux, le partage de l'assurance et de la modestie ne peut se faire selon les mesures communes : ils peuvent changer sensiblement la proportion sans délirer le moins du monde, au sens proprement pathologique de ce mot. Dès le début de l'exil, Hugo a pu dire : « Après avoir traversé tout ce qu'on est convenu d'appeler les grandeurs humaines [...] je vis dans l'exil ; là, je perds le caractère de l'homme pour prendre celui de l'apôtre et du prêtre [1]. » Ou encore : « Il y a dans ma fonction quelque chose de sacerdotal. Je remplace la magistrature et le clergé. Je juge, ce que n'ont pas fait les juges ; j'excommunie, ce que n'ont pas fait les prêtres [2]. »

Il ne faut pas s'étonner, à partir de là, que, dans un esprit aussi puissamment imaginatif que celui de Hugo, foisonne une figuration spectaculaire de son élection :

> *Le sommet est désert, noir, lugubre, inclément,*
> *Bordé de toute part d'un sombre escarpement.*
> *[...] On y voit des carcans et des fers, comme au bagne.*
> *J'étais en bas, les yeux fixés sur la montagne.*
> *Deux êtres ont passé pendant que j'étais là ;*
> *[...] L'un avait l'air candide et l'autre l'air altier.*

Et ces deux êtres allégoriques, qui sont Conscience et Vérité, messagers évidents du Dieu inconnu, conduisent Hugo au sommet de la montagne d'épreuve et d'élection :

> *Alors ces deux passants sévères m'ont fait signe*
> *De me lever ; c'était l'aigle à côté du cygne ;*
> *Et je les ai suivis, et ce sont eux qui m'ont*
> *Conduit et laissé seul sur le haut de ce mont [3].*

---

1. *Journal d'Adèle Hugo*, éd. citée, t. III, p. 284 [13 juillet] 1854.
2. Cité par H. Guillemin dans ses recueils de fragments de HUGO (*Pierres*, Genève, 1951, p. 61, non daté ; et *Post-scriptum de ma vie*, Neuchâtel, 1961, p. 55) : fragment non donné pour inédit, mais que je ne trouve nulle part ailleurs ; sans doute des premières années de l'exil ? Voir aussi dans Œ., I.N., *Choses vues II*, p. 243 (Carnets, 1870-1871) : « J'ai une certaine quantité de pouvoir spirituel. Veux-je autre chose ? Non [...] Je suis sur la terre un Esprit. Je veux rester cela. Je n'ai pas besoin d'être fonctionnaire des hommes. Je suis fonctionnaire de Dieu. »
3. *Les Quatre Vents de l'esprit*, liv. III, 45, « 4 août 1854 ».

Ailleurs c'est l'Océan, immensité divine et théâtre de l'exil insulaire, qui l'accueille et le sacre, quand, dans le désastre général, il souhaite devenir Ombre pour exercer la justice nécessaire :

> *Je voudrais n'être rien qu'un aspect irrité,*
> *Une apparition d'ombre et de vérité.*
> *À force d'être une âme on cesse d'être un homme;*
> *Qui suis-je, mer? Dis-moi de quel nom je me nomme.*
> *C'est par les visions que les rois sont punis.*
> *Est-ce que ce n'est pas une ombre qu'Érynnis?*
> *Est-ce que ce n'est pas une larve qu'Électre?*
> *Et l'Océan m'a dit : — Sois le bienvenu, Spectre* [1] *!*

Ou encore :

> *Où donc m'entraîne-t-on dans ce nocturne azur?*
> *Est-ce un ciel que je vois? Est-ce le rêve obscur*
> *Dont j'aperçois la porte ouverte toute grande?*
> *Est-ce que j'obéis? Est-ce que je commande?*
> *Ténèbres, suis-je en fuite? Est-ce moi qui poursuis?*
> *Tout croule; je ne sais par moments si je suis*
> *Le cavalier terrible ou le cheval farouche;*
> *J'ai le sceptre à la main et le mors dans la bouche;*
> *Ouvrez-vous que je passe, abîme, gouffre bleu,*
> *Gouffre noir! Tais-toi, foudre! Où me mènes-tu, Dieu?*

Il se compare à Jésus criant *Lama Sabactani,* il demande si ce sera fini bientôt, mais

> *L'esprit fait ce qu'il veut. Je sens le souffle énorme*
> *Que sentit Élisée et qui le souleva;*
> *Et j'entends dans la nuit quelqu'un qui me dit : Va* [2] *!*

L'élection, dans ces figures éperdues de l'élu, a tout d'une possession; Hugo, dans ce type de représentation est allé plus

1. *Les Années funestes,* premier poème (Œ., I.N., p. 11), date « 14 juin » [1875, selon les éditeurs]. Il y a deux autres versions de ce poème, reproduites *ibid.,* pp. 183-185.

2. *Toute la lyre,* V, 13 [1857-1858?]; aussi *Insomnie,* dans *Les Contemplations,* III, 20, « 9-10 novembre 1853 » : le poète, « Noir cheval galopant sous le noir cavalier ». Pour le thème « Possession du poète par l'inconnu », voir *Dernière Gerbe,* LXXXIV (Œ., I.N., p. 403 [1858-1860]).

loin et sur un mode plus hyperbolique qu'aucun autre. Et pourtant il se distingue aussi de plus en plus par un ego démesuré qui vise à égaler sa propre dimension métaphysique à celle de l'infini qui le possède :

> *Tout l'espace, c'est là que j'entre.*
> *Je veux tout le ciel bleu, je veux tout le ciel noir;*
> *L'infini par moments me semble à peine avoir*
> *La dimension de mon antre* [1].

Les tribulations que valut à Hugo son action parlementaire sous la IIe République, son échec dans les Assemblées, la dérision et les avanies du parti dominant quand il s'en est séparé, l'effondrement de vingt ans de spéculations optimistes sur l'avenir, sont bien autre chose que ce dont il avait pu se plaindre sous Louis-Philippe. Par l'exil, enfin, il prit vraiment figure de victime héroïque. Cette confirmation apportée dans son cas par la réalité au mythe du Poète-Martyr a encouragé l'hyperbole. Juliette Drouet peut lui écrire : « Tu ne peux pas échapper à ta double mission de poète et de martyr, mon pauvre grand dévoué, il faut te résigner à ton douloureux calvaire, comme ton divin aimé, Jésus, et te laisser adorer par moi pendant ta longue et lamentable passion [2]. » Elle veut être la Madeleine de ce Christ, qu'elle place au rang des « sublimes messies ». Un des nouveaux traits de la conscience missionnaire de Hugo est en effet l'appartenance à une liste de sommités, « grands dévoués » comme lui, qui jalonnent l'histoire humaine, Jésus et Socrate en tête [3]. Hugo ne peut expressément se placer parmi eux; mais il laisse entendre quelquefois ce qu'il ne dit pas :

> *Il faut toujours quelqu'un qui dise : Je suis prêt.*
> *Je m'immole [...]* [4].

---

1. *Les Quatre Vents de l'esprit,* liv. III, 29, « 10 février 1855 ». L'« antre » identifie le poète au lion, comme dans *Ibo,* autre poème démesuré, dont nous aurons l'occasion de reparler.
2. Lettre du 20 janvier 1854, in GUIMBAUD, *Victor Hugo et Juliette Drouet,* Paris, 1914, p. 438.
3. Voir par exemple (Œ., I.N., p. 342 = HUGO, *Œ. poét.,* t. II, p. 341) le morceau qui commence « Même pour le proscrit », etc., « 4 mars 1853 ».
4. *Les Quatre Vents de l'esprit,* liv. III, 33, section 2, « 13 septembre 1854 ».

Ou bien :

> *Finissons-en! Voici nos têtes pour le glaive*
> *Pourvu qu'à l'Orient une blancheur se lève!*
> *Pourvu que, dans ses mains tenant tous les flambeaux,*
> *L'éclatant avenir sorte de nos tombeaux* [1].

Une fois au moins il a fait état sans ambiguïté de son incorporation dans la surhumaine cohorte :

> *Dieu ne frappe qu'en haut. Infimes que nous sommes!*
> *Oh! disais-je, qu'ils sont heureux, tous ces grands hommes!*
> *[...] Je baissais la tête et j'étais triste ainsi. —*
> *Maintenant, ô Destin, ô Méduse, merci* [2].

1. *Les Années funestes*, VIII, « 18 octobre 1854 » (= *Boîte aux lettres*, éd. Journet-Robert, p. 114).
2. *Les Quatre Vents de l'esprit*, Livre lyrique, XI, « 17 mars 1855 ».

CONSTITUTION D'UNE FABLE MODERNE

L'instrument sur lequel Hugo avait compté jadis pour agir sur la foule était le drame. L'insuccès des *Burgraves* en 1843, l'espoir de toucher plus efficacement le public par une action parlementaire à la Chambre des pairs, puis dans les Assemblées de la IIe République, lui avaient fait abandonner le théâtre. Il ne fallait plus songer, dans l'exil, ni à la scène ni à la tribune. Restait, comme moyen d'atteindre la masse, la littérature narrative, traditionnellement pourvue d'un large public. Hugo avait donné la preuve, dès ses tout premiers recueils de poésie, de son talent épique. D'autre part, sûr de ses forces dans le roman, surtout depuis *Notre-Dame de Paris,* il avait mis en chantier, en 1847-1848, une vaste composition romanesque, *Les Misères.* C'est dans ces deux directions qu'il s'orienta.

Forme et moyens épiques.

Le projet qu'il forma en 1853 d'écrire des « petites épopées » atteste son désir, dès ce moment, d'un nouveau type de création. Le problème de l'épopée moderne avait obsédé toute sa génération, et n'avait été qu'imparfaitement résolu. On y avait beaucoup réfléchi en 1823-1824, au temps de *La Muse française.* Hugo, en 1853, acceptait les idées émises trente ans auparavant par Émile Deschamps et Vigny sur le « Poème », désormais insupportable sous la forme d'un unique récit en douze chants ou plus, et avec le style et les conventions de structure héritées de l'antique; seule était possible la narration

courte en vers. D'où l'idée d'une collection de poèmes de petite
étendue sur des sujets divers de légende ou d'histoire. C'est ce
que Vigny avait essayé de faire, et que Hugo, mieux doué
pour les vastes projets, réalisa plus largement [1]. Une première
série de petites épopées parut en 1859 sous le titre de *La
Légende des siècles* : ces épopées sont petites en effet, mais à la
mesure de Hugo; si beaucoup sont vraiment courtes, d'autres
atteignent plusieurs centaines de vers, et parfois avoisinent ou
dépassent le millier. Il en est de même des séries suivantes [2].
Hugo fut longtemps tenté d'organiser dans l'œuvre de vastes
structures, non simplement issues du classement des poèmes,
mais organiques et préconçues. Le préjugé, malgré tout vivace,
du long poème épique d'un seul tenant avait été encouragé par
la conception, propre au romantisme néo-chrétien, d'une Œuvre
mêlant, dans son affabulation, la Terre, le Ciel et l'Enfer : *Les
Visions* de Lamartine entre 1820 et 1830, *La Divine Épopée*
d'Alexandre Soumet, parue en 1840, sont sur un tel modèle.
Hugo fut longtemps tenté par le projet de publier comme un
ensemble total *La Légende des siècles, Dieu* et *La Fin de Satan* [3];
mais *La Légende des siècles,* telle qu'elle est, eût démenti toute
structure organique; en fait, *Dieu* et *La Fin de Satan,* « livres
mystiques » en somme du grand œuvre projeté, sont restés à
part, chacun de son côté, et inachevés l'un et l'autre.

Tout projet épique moderne, depuis la Renaissance, butait
contre la question du *merveilleux,* c'est-à-dire des éléments
surnaturels d'affabulation dont l'épopée antique avait légué
l'exemple. Ce merveilleux païen pouvait sembler d'application
difficile dans un temps où l'Olympe ne pouvait plus être qu'une
fiction littéraire : cet artifice mettait à mal la nécessaire gravité
du genre. On lui opposa très tôt, dans une polémique de deux
siècles au moins, un « merveilleux chrétien » intéressant au sort
des héros les trois Personnes divines, la Vierge et les saints;

1. Voir sur ce sujet la préface de Léon Cellier à son édition de *La Légende
des siècles,* Paris, 1967, 2 vol. Sur l'épopée au XIXᵉ siècle français, voir l'ouvrage
très documenté et instructif de Herbert J. HUNT, *The Epic in Nineteenth Century
France,* Oxford, 1941, et le livre suggestif de Léon CELLIER, *L'Épopée romantique,*
Paris, 1954; aussi Pierre ALBOUY, *La Création mythologique chez Victor Hugo,*
Iʳᵉ partie, chap. I.

2. La deuxième série parut en 1877, la troisième en 1883; et une édition
d'ensemble, reclassant les poèmes dans un nouvel ordre, la même année.

3. Voir l'exposé de ce projet dans la préface de 1859 : essai de présenter cette
première série de poèmes comme constituant déjà un « tout organisé », et annonce
de l'œuvre totale, « en ce qu'on pourrait appeler trois chants ».

mais beaucoup trouvèrent l'emploi littéraire de ces augustes figures, soit superstitieux, soit – pire – irrespectueux pour la foi. Le romantisme néo-chrétien eut pourtant, à la suite de Chateaubriand, accepté cette solution; mais un instinct de modernité fit chercher autre chose. Vigny montra la route : dans les récits épiques qui furent l'essentiel de son œuvre, il transposa le surnaturel en *légendaire* : merveilleux moderne qui élude toute obligation de croyance en faveur d'une sympathie d'imagination et de sentiment. Ce merveilleux a toute la gravité que la littérature peut communiquer à ses créations; on ne peut le taxer d'artifice ni d'irrévérence, au moins dans son principe, puisque ce qu'il représente ne se place pas sur le plan de la vérité : c'est un cadre narratif, riche de signification ancienne, que l'auteur ne garantit pas vrai, et qu'il peut interpréter de façon nouvelle. Vigny a pu procéder ainsi avec des épisodes de l'Écriture sainte, sans tomber dans le merveilleux de type confessionnel si souvent essayé en vain. Son *Moïse* en est le premier et parfait exemple, suivi des autres. Cette réussite marque une date, parce que le merveilleux est bien, comme l'ont cru les générations antérieures, une composante indispensable de l'épopée. Elle s'adresse, si elle veut vivre, à un large public, qui aime être tenu en suspens, et, surpris, reconnaître ce qui lui est familier et admirer ce qui le dépasse; les moyens ordinaires ne suffisent pas à l'entraîner sans quelque addition de démesure fabuleuse ou de miracle. Le merveilleux de légende selon les modernes, qui satisfait à ce besoin sans mobiliser la croyance, se trouve dès lors assez proche de celui qui peut émaner d'épisodes de la vie moderne et commune, pourvu qu'ils soient suffisamment surprenants ou pathétiques : c'est ainsi que chez Vigny les histoires de Moïse, Jephté, Samson, Jésus, voisinent avec celles du pauvre Flûtiste, du Navigateur en perdition et de la Sauvage du Nouveau Monde.

On a reconnu le genre de moyens que Hugo a mis en œuvre, sur une échelle immense, dans sa *Légende*. La Bible, relue avec des yeux neufs, lui a sans doute fourni l'idée première de cette régénération de *l'épos*. Elle donnait en outre à imiter un style, dont Hugo pouvait à son aise exagérer les effets de rudesse ou d'énergie, jusqu'à l'énormité, autre composante, dès les *Odes* et *Les Orientales,* de son merveilleux [1]. Mais il étendit son

---

1. Voir, pour Hugo et le style biblique, *Choses de la Bible,* recueil de fragments de Hugo édité par R. JOURNET et G. ROBERT dans leur ouvrage *Autour des*

Hugo

domaine bien au-delà de ce modèle. Il a convoqué, pour collaborer à sa *Légende,* une foule de dieux autres que l'Unique, de personnages surnaturels ou sacrés, de héros, de rois et de souverains de toutes époques, y compris le plus proche de tous et le plus fabuleux [1]. Il y a ajouté les êtres imaginaires que son esprit créait ou transfigurait et, au pôle opposé, des figures anonymes d'aujourd'hui et des scènes de leur vie. Il a fait entrer à l'occasion dans son épopée les animaux, les montagnes, les fleuves, dignifiant sur le mode épique le vieux genre terre à terre de la fable [2]. La légende, traitée sur le mode moral, âme de l'entreprise épique moderne, a éclaté et foisonné chez lui, vivifiée par une éloquence métaphorique sans pareille, et par un don inépuisable d'invention animiste, symbolique, mythique [3].

L'épopée antique, avec son merveilleux, se donnait malgré tout pour une histoire vraie; de même, la Geste médiévale. L'épopée romantique, même déliée du présupposé de vérité dans le surnaturel, prétend, au moins dans ce qu'elle raconte de l'histoire humaine, être véridique. Elle veut être histoire, et histoire de l'Humanité. Fable et Histoire : comment jouer à la fois sur ces deux registres? Vigny avait répondu, à propos du roman « historique », qui pose le même problème, en plaidant pour la mémoire vécue par la postérité, comme important plus que la vérité des savants [4]. Hugo a repris le plaidoyer en tête de *La Légende des siècles,* en affirmant que la légende, à sa façon, n'est pas moins vraie que l'histoire [5]. Cette sorte d'argumentation remplace les excuses plus humbles que les poètes épiques ou dramatiques des générations classiques présentaient

Contemplations, pp. 131-191 : ce sont des traductions de textes bibliques et évangéliques auxquelles Hugo s'est exercé en 1846 et en 1852-1853 (reproduites dans Hugo, *Œ. poét.,* t. II, pp. 859-891 et dans *Œ.,* M., t. VII, pp. 397-432).

1. Napoléon, figure naturellement épique, a obsédé Hugo bien avant *La Légende des siècles.* En fait, dès qu'il apparaît chez Hugo, il fait pressentir l'épopée dans son œuvre, par sa destinée démesurée, à la fois prodige et enseignement.

2. Le Loup de Vigny est devenu chez lui légion.

3. Sur Hugo mythologue voir le chapitre III du vieux livre de Ch. Renouvier, *Victor Hugo, le poète,* déjà cité. Ce sujet a été repris magistralement de nos jours par P. Albouy (*La Création mythologique chez Victor Hugo*); et voir aussi Albert Py, *Les Mythes grecs dans la pensée de Victor Hugo,* Genève, 1963.

4. A. DE Vigny, *Réflexions sur la vérité dans l'art* (1827), en tête de *Cinq-Mars.*

5. V. Hugo, Préface de 1859 à *La Légende des siècles.*

aux doctes à propos de leurs manquements à l'histoire. Le Poète romantique ne s'excuse plus sur la difficulté d'accorder l'exacte vérité avec les convenances littéraires; il fait valoir la mémoire du peuple, parce que c'est d'elle que naît l'avenir et qu'il ne peut la négliger, ayant lui-même mission de connaître et d'enseigner ce peuple mieux que ne pourraient faire les savants. En fait, il ne suit pas seulement les légendes reçues; il en crée à l'usage de son public et selon le goût qu'il lui suppose.

Enseignements et figurations épiques.

L'épopée romantique enseigne l'histoire et les destinées de l'humanité, en exaltant les valeurs simples qui donnent son sens à ce tableau; elle montre « l'épanouissement du genre humain de siècle en siècle, l'homme montant des ténèbres à l'idéal [1] ». L'épopée, dans cette perspective, oublie parfois de raconter pour méditer, plaider ou prophétiser : le Poète-penseur, de loin en loin, y dresse longuement sa silhouette.

Un des enseignements majeurs de l'épopée humanitaire est que le Mal, dans le plan de la Providence comme dans l'effort du genre humain, est voué à l'expiation. Le poète s'était fait le proclamateur de cette loi, par l'invective et la satire, dans le livre des *Châtiments*. S'il quitte le présent pour le passé, dérobant son moi derrière un récit, il devient poète épique. Mais la limite peut être indécise entre une attitude et l'autre. Le grand poème de *La Vision de Dante,* écrit en 1853, était, croit-on, destiné aux *Châtiments*; mais il n'y figure pas. Hugo lui fit place en 1883 dans la dernière série de poèmes de *La Légende des siècles* [2]. Dans ce poème, la foule des morts, mutilés et forçats, tombés victimes des rois d'Europe, accusent les soldats qui furent leurs bourreaux; ceux-ci rejettent l'accusation sur leurs officiers, auxquels ils n'ont fait qu'obéir; les officiers, sur les princes leurs maîtres; le défilé des princes, avec le lamentable parjure du 2 décembre en queue, dénonce le Pape :

1. *Ibid.,* composée la même année (date du manuscrit « 26 avril 1859 »), *La Vision d'où est sorti ce livre,* publiée en 1877 comme poème liminaire de la seconde série de *La Légende des siècles,* dit la même chose de façon plus figurée et plus magnifique.
2. Il y figure avec le n° XX; il porte le n° LIV dans l'édition définitive.

Mastaï paraît [1]; tous l'accusent et Dieu le condamne pour avoir
béni les souverains assassins. La substance de ce récit est la même
que celle des poèmes imprécatoires des *Châtiments* contre Bonaparte et Mastaï lui-même; il n'est épique que formellement,
par son organisation en histoire objective; ou plutôt il le serait
tout à fait, si la narration n'était donnée pour une vision de
Dante, racontée par lui, dans laquelle Dieu lui dit pour finir :

> *Prends ce pape qui fit le mal et non le bien,*
> *Mets-le dans ton enfer, je le mets dans le mien!*

Le Poète est donc là quand même, si Hugo n'y est pas en
personne, et il a part à l'administration du châtiment. D'ailleurs, Hugo n'a pu s'empêcher d'y être lui-même, car c'est à
lui que Dante raconte sa vision; en effet le poème s'ouvre par
ce vers :

> *Dante m'est apparu. Voici ce qu'il m'a dit.*

Même si l'on a des chances d'oublier ce vers dans le cours des
sept cents et quelques dizaines de vers qui suivent, il a son
importance. Un autre exemple où le Poète laisse apercevoir son
rôle dans le déploiement de la justice divine paraît déjà dans
un poème de 1846, dont le premier vers :

> *Écoutez. Je suis Jean. J'ai vu des choses sombres,*

nous laisse douter si c'est saint Jean, l'auteur présumé de
l'Apocalypse, qui est censé parler, ou si c'est Hugo qui, en
disant : « Je suis Jean », s'identifie à lui. Littéralement, c'est la
première interprétation qui est vraie : en 1846 Hugo faisait
des traductions de l'Écriture, et le poème est en plusieurs
endroits une paraphrase de l'Apocalypse [2] : évocation « objective », donc, du discours d'un illustre Voyant. Mais le thème
du discours est la croissante corruption du monde et l'urgence
d'une intervention divine, texte ordinaire du Poète vengeur :

---

1. C'est Pie IX, acclamé à son avènement comme pape libéral, devenu dans
la suite de son pontificat le pape par excellence de la contre-révolution et de la
résistance aux principes modernes. Hugo le fait appeler par Dieu en ces termes :
« Mastaï, Mastaï, Pie appelé neuvième, – Approche, infortuné [...] Me voici, vois
ma face et sache que j'existe. »
2. Voir Œ. poét., t. II, p. 1608.

de sorte qu'il faut bien entendre la voix de Hugo derrière celle du Révélateur, et mettre au compte du poète le vers final :

Et Dieu m'a répondu : « Certes, je vais venir [1] *! »*

Tout lecteur de *La Légende des siècles* sait qu'elle est remplie de poèmes où Dieu exerce le châtiment du crime tout seul et par les moyens surnaturels qui lui sont propres, le poète n'étant que le narrateur d'une justice émanée d'un plus grand que lui. Ainsi *Le Parricide*, *L'Aigle du casque*, aussi le groupe de pièces qui porte pour titre global *L'Italie-Ratbert*, et où la tête du tyran tombe tranchée par un archange, en même temps que celle de sa victime [2]. Mais nous sentons trop bien la passion avec laquelle le poète prend part à ce qu'il raconte. C'est vrai même de certains poèmes qui n'évoquent les pouvoirs du Justicier que par la dérision jetée sur toute puissance humaine en comparaison de la sienne : il semble que la seule idée de l'omnipotence divine et du néant de l'orgueil humain soit pour Hugo un sujet de joie épique, comme s'il participait implicitement à la Toute-Puissance en la célébrant, et comme s'il suffisait de la proclamer pour consoler les faibles en abaissant leurs oppresseurs [3].

Il est cependant fréquent — c'est, à vrai dire, la figure épique la plus naturelle — que le châtiment du crime soit confié à un vengeur humain, héros, chevalier errant, réparateur de torts. C'est là, comme chacun sait, un des principaux Personnages de la Fable hugolienne. Le XIXᵉ siècle, à la recherche d'une mythologie propre, qui ne dût rien à celle de l'Antiquité, a beaucoup utilisé ou imité la matière légendaire du Moyen Âge.

1. Le poème a paru dans *Les Contemplations*, VI, 4; on le date de 1846 par le papier et l'écriture : ainsi Albouy, et déjà Vianey dans sa grande édition des *Contemplations* (collection « Les Grands Écrivains »), quoiqu'il ne soit pas daté sur le manuscrit; Hugo l'a daté, en l'éditant, de « Serk, juillet 1853 » (il était effectivement à Serk à cette date) : il est possible qu'il ne se soit aperçu qu'alors de son double sens, que les circonstances justifiaient à ses yeux.

2. Respectivement, dans *La Légende des siècles*, X, 1 (1858), XVII, 4 (1876), XVIII, 1-2-3 (1857), dans le numérotage de l'édition définitive, que je donne sauf indication contraire. Quelquefois les victimes châtient elles-mêmes : voir *Le Travail des captifs*, XVII, 1 (1873).

3. Ainsi *Zim Zizimi*, XVI, 1 (1858); *La Rose de l'Infante*, XXVI (1859); *La Ville disparue*, V (1874); et les poèmes où Dieu humilie l'orgueil des dieux, des bêtes, des astres : *Abîme*, LXI (1853); *Suprématie*, III (1870); *Quelqu'un met le holà*, VII [1876].

Les ressorts de la chanson de geste et du roman médiéval, l'honneur, la loyauté, le défi, le rappel au droit, la justice rendue sans faveur, l'amour bravant les obstacles, tout cet Idéal d'un Moyen Âge par ailleurs honni, se prêtait fort bien à une utilisation moderne et populaire; par lui une Fable authentiquement européenne se prolongeait dans la conscience publique moderne, opposant avec autorité le Bien au Mal. Dès les années 1840, Hugo s'était exercé à façonner une forme et un style épiques imités du Moyen Âge; la chanson de geste faisait pendant à l'Écriture dans son imagination et ses exercices de narration poétique, avant même qu'il n'ait songé à inclure dans ses évocations médiévales une prédication proprement dite. *Le Mariage de Roland* et *Aymerillot,* qui sont tenus pour antérieurs à l'exil, sont de purs morceaux de genre, sur les seuls thèmes de franchise, bravoure et prouesse épique qui font partie en tous pays de la légende chevaleresque. Des compositions de ce genre s'augmentèrent vite d'une signification morale moins élémentaire. Le chevalier vassal s'oppose à son roi : situation historiquement attestée, fréquente dans les chansons de geste et de forte résonance actuelle, pourvu que le vassal soit censé incarner le Droit et, implicitement, la résistance à toute oppression et le sentiment populaire du Bien.

Le Cid, une des plus hautes figures de la *Légende* hugolienne, se croit tenu de servir son père plus humblement que son roi [1], façon pour Hugo d'abaisser l'institution artificielle de la Royauté devant l'antique et primordiale Paternité : l'attitude du Cid hugolien réfute le droit divin des rois; c'est le droit du Père, son image immédiate, que Dieu a sanctionnée d'un commandement qui vit en toute conscience [2]. Dans le Vassal rebelle selon Hugo éclatent le défi lancé aux rois et le mépris qui les écrase : vieux thème de rancune féodale, devenu imprécation moderne au prix d'une exagération dans l'insolence, dont le caractère anachronique ne semble pas avoir gêné la verve de Hugo. Ainsi l'immense *Romancero du Cid* [3] qu'on peut lire dans *La Légende des siècles* grossit et varie avec une fantaisie

---

1. Bivar, dans *La Légende des siècles*, X, 4 (1859).
2. Les types prestigieux du Père et du Vieillard abondent chez Hugo. Voir *ibid.*, XXI, 3, le poème intitulé *La Paternité* (1875).
3. *Ibid.*, VI, 2, 3 (1856) : cent quatre-vingt-un quatrains heptasyllabiques (c'est le mètre même du Romancero – *octosílabo* selon les Espagnols, qui comptent l'éventuelle finale atone) pour défier le roi; en seize poèmes, plus un quatrain final où Hugo conclut.

sans mesure le fait historique du désaccord du Cid avec le roi de Castille [1]. Le Cid mis à part, qui est de tradition un personnage triomphal, les vassaux rebelles peuvent être aussi des victimes tragiques; leur grandeur et la valeur de leur exemple n'y perdent rien. Ainsi, dans *Les Quatre Jours d'Elciis,* un chevalier du vieux temps maudit, quatre jours durant, devant l'empereur Othon le temps présent, les rois, le clergé, la dégénérescence générale; et, quand il a fini de parler, on lui coupe la tête [2].

Le type du Vassal rebelle apparaît plus tard dans la *Légende* de Hugo sous une autre forme. Les deux dernières séries de poèmes, parues en 1877 et 1883, font une grande place au mythe grec de la guerre des Dieux et des Géants. Dans cette fable, les Géants ou Titans sont les vaincus; mais ils ont précédé les Olympiens, dieux nouvellement promus, contre lesquels ils s'insurgent. Cumulant ainsi la position d'aînés et de victimes, ils respirent, dans leur défaite, la force et le mépris : c'est en cela qu'ils sont sympathiques, dans le sens le plus fort du mot, à l'imagination de Hugo. Vaincus gigantesques, herculéens et toujours indomptés, ils continuent de menacer, d'injurier et de mépriser les Olympiens vainqueurs [3]. L'un d'eux, ayant percé sa prison souterraine et ouvert une fenêtre sur l'autre côté de l'espace, y aperçoit l'inconnu et, devinant le vrai Dieu, en proclame l'existence à la face des Olympiens. Tout se passe comme si la fable hugolienne se donnait pour but de défier dans les dieux conçus par l'homme, cruels et immoraux comme les rois, une fausse image de l'autorité : le seul pouvoir légitime appartient au Dieu créateur et à ses porte-parole.

Voici maintenant l'incarnation terrestre la plus optimiste, et de tous temps la plus populaire, de la justice divine : non plus le Rebelle, mais le Redresseur de torts, originaire lui aussi de la geste, et plus encore du roman de chevalerie :

---

1. Hugo a trouvé dans le Romancero du Cid, surtout dans les compositions les plus tardives, des échantillons d'arrogance verbale du héros, que son imagination ennemie des rois a amplifiés parfois jusqu'à l'absurde. Le vieux poème de *Mío Cid,* première apparition littéraire de Rodrigue de Bivar, le peint respectueux de son roi dans son exil même, conformément à l'esprit originel du monde féodal. La matière médiévale ne pouvait, c'est trop naturel, entrer sans remaniement dans une *Légende des siècles* humanitaire.

2. *Ibid.,* XX (1857). Voir aussi *Welf, castellan d'Osbor, ibid.,* XIX (1869).

3. *Entre géants et dieux, ibid.,* IV, 1-4 (1875).

La terre a vu jadis errer des paladins.
[...] Prêts à toute besogne, à toute heure, en tout lieu,
Farouches, ils étaient les chevaliers de Dieu.
[...] Leur seigneurie était tutrice des chaumières [1].

Roland châtie des rois bandits prêts à tuer ou cloîtrer leur jeune neveu pour s'approprier son royaume de Galice. Éviradnus sauve, en exterminant un empereur et un roi, Mahaud, marquise de Lusace, qu'ils se préparaient à tuer traîtreusement pour avoir sa terre. Le Cid tue, de sa propre décision, un calife impopulaire :

Quand le Cid fut entré dans le Généralife,
Il alla droit au but et tua le calife.

Il devance dans cette exécution sommaire le Tonnerre de Dieu, qui s'en venait vers le même but, et qui déclare :

Me voici, la douleur des peuples me réveille,
Et je descends du ciel quand un prince est mauvais;
Mais je vois arriver le Cid et je m'en vais [2].

Cependant ces chevaliers porteurs de justice et de réconfort sont parfois pourvus, dans l'image que s'en fait Hugo, de l'auréole de terreur et de nuit qui, chez lui, entoure tout ce qui tient au mystère :

Ils étaient justes, bons, lugubres, ténébreux;
[...] Ils passaient effrayants, muets, masqués de fer;
Quelques-uns ressemblaient à des larves d'enfer.
[...] Tragiques, ils avaient l'attitude du rêve.
Ô les noirs chevaucheurs! ô les marcheurs sans trêve [3].

De tels vers nous éloignent du ton proprement épique, et semblent contredire la figure sans ombre du Redresseur de torts. Ils prolongent le caractère du Justicier dans celui du

---

1. *Les Chevaliers errants* [1858], 1ᵉʳ poème de la section XV de *La Légende des siècles*, où figurent *Le Petit roi de Galice* (1858) et *Éviradnus* (1859), respectivement XV, 2 et XV, 3.
    2. *Ibid.*, VI, 2, 2 [1876]. Celui qui éprouve la justice du Cid est « Le noir calife Ogrul, haï de ses sujets ».
    3. *Les Chevaliers errants*, poème déjà cité.

Mage empreint d'au-delà. Ils relient le monde épique à l'univers spectral de la Résurrection et de la Mort, que Hugo n'oublie jamais. Ils donnent à la Puissance, à celle de Dieu et à celle du Poète [1], qui sont la matière de l'épos, une obscure et effrayante frontière métaphysique.

Naturellement, le Mal et son châtiment ne sont pas la seule leçon de la Fable moderne qui se constitue chez Hugo. D'autres couleurs se joignent à celle-là, moins primitives, évoquant des situations et des enseignements contemporains. *La Légende des siècles* est aussi la légende de ce xixe siècle, pour lequel elle a été tout entière écrite. La Charité, vertu fondamentale, en tant que pitié pour le vaincu ou pour l'inférieur, y est volontiers représentée sous un vêtement d'aujourd'hui [2]. L'entraide comme vertu des humbles, le caractère sacré de l'enfance aux yeux du peuple dessinent une légende de la grandeur d'âme populaire [3]. Une allégorie autobiographique dit la mort préférable à la honte [4]. Plusieurs de ces poèmes sont entrés, conformément à leur destination, dans la mémoire et la conscience de tous. Ce sont des poèmes sur le temps présent et à son usage. On en trouve, naturellement, chez Hugo ailleurs que dans la *Légende*. Leur matière est la matière de prédilection du roman humanitaire.

Affabulations romanesques.

La mise en œuvre de valeurs et de types modernes destinés à édifier la foule s'est faite, chez Hugo comme chez d'autres,

1. Car le Poète est naturellement derrière ses héros, et il est leur émule : voir *Les Quatre Vents de l'esprit*, III, 8 : le Poète, soldat du droit, accueilli dans l'au-delà par le Cid et Bayard (1872 ou 1874).
2. Pitié d'un général pour un ennemi blessé dans *Après la bataille* (*La Légende des siècles*, XLIX, 4, 1850); d'un âne pour une bête torturée dans *Le Crapaud*, LIII (1858). Affabulation historique et exotique d'un thème de pitié, et combinaison avec un thème théologique virtuellement laïcisé dans *Sultan Mourad*, XVI, 3 (1858) : un geste de pitié pour un pourceau agonisant efface aux yeux de Dieu de grands crimes.
3. *Les Pauvres Gens, ibid.*, LII (1854) : adoption d'un orphelin par un ménage pauvre; *Guerre civile*, LVII, 1 (1876) : un sergent de ville épargné par les insurgés à l'apparition de son petit garçon.
4. *1851. Choix entre deux passants*, XLIX, 7 (1859).

plus encore dans le roman que dans la poésie. Toute l'œuvre romanesque de Hugo à partir de l'exil pourrait être considérée, en dehors de son originalité propre sur le plan de la création, des figures et de la verve, comme une vaste contribution à cette fable moderne à laquelle Hugo essayait, dans le même temps, de donner vie dans sa *Légende* poétique. Je ne peux en dire ici que quelques mots.

Les Misérables, commencés en 1847-1848, instituent un enseignement symbolique plus explicite et plus vivement significatif que celui que Hugo avait prétendu donner dans ses drames. Dans cette œuvre, achevée au cours de l'exil [1], apparaît un groupe complet de personnages types, qui épuisent, non la réalité sociale contemporaine – ce n'est pas ce que Hugo veut faire – mais la doctrine sociale qu'il professe. Au centre du roman, le forçat innocent, portant implicitement accusation contre la société et son système pénitentiaire, type herculéen rejeté injustement vers le mal, et qui s'affranchit de cette emprise par le travail, à travers une suite de crises de conscience héroïquement résolues. Cette figure centrale est riche en valeurs symboliques; parfois comparé à Satan dans sa chute ou au Christ dans son sacrifice final, Jean Valjean, père terrestre idéal quand il libère la petite Cosette de son martyre, tient aussi de Dieu le Père lui-même; au moins l'enfant le croit : « Elle sentait quelque chose comme si elle était près du bon Dieu »; et Hugo lui-même y souscrit : « L'entrée de cet homme dans la destinée de cet enfant avait été l'arrivée de Dieu [2]. » À côté du forçat grandiose, la prostituée au cœur pur, victime elle aussi de la société, figure d'une maternité sublime, vouée à la réprobation et au sacrifice. Les types qui, face à ceux-là, sont censés représenter la société établie, ne lui appartiennent pas vraiment : un vide se creuse là où devraient figurer les types et les valeurs reçues. On a seulement un vieux bourgeois royaliste, noué par ses préjugés, non antipathique, mais intéressant surtout par son anachronisme. Nul notable en tout cas, magistrat, propriétaire, père de famille important, en état de représenter et d'accréditer, si peu que ce soit, l'ordre de choses existant, sauf le forçat lui-même qui, après sa régénération, remplit ce rôle à sa manière. Quelques figures éphémères de

1. Entre 1860 et 1862.
2. *Les Misérables,* II, III, x; II, IV, iii. Je cite bien brièvement; on trouve des indications presque aussi explicites dans II, III, v, quand la main de Jean Valjean la délivre du seau qu'elle porte; dans II, III, vii, quand elle marche à ses côtés.

bourgeois médiocres ou vils. Seul un policier, paria par état, incarne l'ordre, pleinement et avec gravité : et ce champion, significativement choisi, de la société et de la loi, ayant découvert, en une occasion décisive, que la conscience pouvait contredire l'ordre établi, ne sait répondre à cette insurmontable expérience que par le suicide. Le Mal prospère dans les basfonds de cette société (et du roman, auquel il fournit une bonne part de son intrigue); il est représenté par un groupe de criminels invétérés aux figures si sinistres, qu'on hésite à attribuer à la société seule les causes de leur dépravation; on devine en eux une racine métaphysique du Mal, un mystère qui appelle quelque haute et finale régénération, impossible aux seuls moyens humains. L'évêque qui, au pôle opposé, incarne le Bien n'appartient pas vraiment à la Religion, sinon à la Religion au sens de Hugo; il est chrétiennement sublime, par sa charité peu commune, mais la sainteté que Hugo lui attribue inclut une ouverture singulière sur l'hérétique Religion de l'humanité : il s'agenouille devant un ancien conventionnel mourant demeuré fidèle à sa foi humaine, et lui demande sa bénédiction; homme de Dieu selon Hugo, au-delà de son sacerdoce officiel, ou mieux, image de Dieu même au-dessus de toute religion instituée : c'est cette image que Jean Valjean se fait de lui qui le sauve et le maintient hors du mal. Enfin, incarnant dans la société réelle l'Action et l'Avenir, un groupe de jeunes héros prêts au sacrifice, armée du Bien dans le monde présent. Autour de ces types, des êtres de hasard que le destin broie, Gavroche, Éponine, Mabeuf, témoins que le train du monde n'est pas si facile à expliquer par le Bien et le Mal, et que nous n'en possédons pas toute la clef. Cette construction, qui ignore le monde du conformisme social et ses vertus, évoque avec force l'idée d'une société autre, selon le registre moral de l'humanitarisme, la charité balançant la révolte. Il n'est pas surprenant que ce roman extraordinaire ait eu l'action qu'on s'accorde à lui attribuer, dans une société et une époque dont il formulait la pensée idéale : « Il faut, disait Hugo, la misère étant matérialiste, que le livre de la misère soit spiritualiste [1]. »

Tous les romans de Hugo, après *Les Misérables,* sont faits semblablement d'une matière moderne, qu'ils offrent ou non une façade historique apparente. Et cette matière s'organise en

---

1. Préface projetée des *Misérables,* dite *Préface philosophique,* dans Œ., M., t. XII, p. 71.

significations et en valeurs : le Travail, surhumain et taciturne, l'Amour et le total Sacrifice de soi dans *Les Travailleurs de la mer;* dans *L'Homme qui rit,* la Lutte désespérée d'un couple de parias sublimes contre une société mauvaise, et aussi, si nous en croyons Hugo lui-même, le débat de l'Âme et de la matière; enfin, dans *Quatrevingt-treize,* tous les dilemmes et les problèmes que la Révolution française pose à la conscience et qui, au xixᵉ siècle, étaient encore vécus comme actuels.

VI

MÉTAPHYSIQUE DE L'EXIL

Dans tout ce qui concernait l'avenir du genre humain et la fonction du Poète, les spéculations de Hugo au temps de l'exil écartèrent les doutes ou les timidités de l'époque précédente. Sa métaphysique, par contre, conserva et accentua son caractère ambivalent. Dans sa relation avec Dieu et l'univers, les tentations contraires de l'angoisse et de la foi prirent les proportions fabuleusement imaginatives qui restent pour nous le caractère de son génie. Le livre VI des *Contemplations, Dieu, La Fin de Satan,* qui datent des premiers temps de l'exil, portent témoignage de cette étape finale de sa pensée.

Le déisme hugolien.

À la base de cette pensée demeure un déisme augmenté d'éléments religieux ou parareligieux, comme c'est généralement le cas en milieu romantique ou humanitaire. Le déisme du XVIIIe siècle pratiquait l'élévation vers Dieu, mais non la prière, considérée comme une prétention absurde au dialogue avec l'Être infini. Or, Hugo, pénétré en tant que déiste de la disproportion qui soustrait Dieu à notre familiarité, n'a cessé toute sa vie de prier [1]. Un poème de 1854 représente la prière sous la forme d'un fantôme bâtisseur de pont entre l'homme et Dieu [2]. Et

---

1. Voir H. GUILLEMIN, « La prière de Hugo », dans Œ., M., t. XII, p. I-XVII (repris dans *Précisions,* Paris, 1973, pp. 215-235).
2. *Le Pont,* dans *Les Contemplations,* VI, 1, date du manuscrit « 13 octobre 1854 ».

il y a, dans la IIe partie des *Misérables* tout un livre, écrit au temps de l'exil, qui justifie par la prière la vie monacale, et implique même la croyance en la réversibilité des mérites : « Il faut bien ceux qui prient toujours pour ceux qui ne prient jamais [1]. » Plus généralement, on constate chez Hugo, à côté d'un déisme philosophiquement rigoureux, des éléments de piété, voire de dévotion commune, qui s'arrêtent à peine en deçà de ce qu'on a coutume, en langage déiste, de nommer superstition. L'ensemble compose chez lui une foi qui le fait plaider en mainte occasion contre la négation et le désespoir : les poèmes d'affirmation et d'édification spiritualiste parsèment toute son œuvre, et n'ont pas peu fait, avec ses poésies patriotiques, pour sa renommée dans le grand public [2]. Il s'est senti contrarié par l'interprétation qu'on donnait de la destinée écrasante des protagonistes de ses romans, comme illustrant une doctrine fataliste du monde; cette interprétation semblait confirmée par l'« ananké » qu'il avait donnée lui-même pour l'idée génératrice de *Notre-Dame de Paris*. Et en effet il explique, en tête des *Travailleurs de la mer,* comment ses deux romans précédents, *Notre-Dame de Paris* et *Les Misérables,* avaient respectivement représenté l'ananké des dogmes, puis celle des lois, l'œuvre nouvelle devant montrer celle des choses; et il y ajoute une évocation de « l'ananké suprême, celle du cœur humain », par laquelle il entend quelque chose comme le poids du péché [3]. Mais deux ans après, dans un projet de préface pour *L'Homme qui rit,* il rejette, touchant ses romans, toute imputation de fatalisme, et proclame au contraire qu'il faut voir, dans ce groupe d'œuvres, « une série d'affirmations de l'âme » [4] : l'ananké, veut-il dire sans doute, n'est que ce qui donne occasion à l'âme, dans une lutte qui est la condition même de l'homme, d'affirmer ses pouvoirs et sa destination.

Il a professé mainte et mainte fois l'idée platonico-chrétienne de la mort libératrice; il en a fait le sujet de plusieurs poèmes

---

1. *Les Misérables,* II, VII, VIII. Voir tout ce livre VII où Hugo, après mille précautions et désaveux humanitaires de la vie monacale, plaide le respect.

2. Voir, par exemple, *Spes,* dans *Les Contemplations,* VI, 21, « 17 janvier 1855 »; et du « 11 juin » de la même année, *Cérigo, ibid.,* V, 20, en réponse à une page désolée de Nerval dans son *Voyage en Orient,* et peut-être au *Voyage à Cythère* qui, chez Baudelaire, dérive de cette page. Le fameux *Stella,* dans *Les Châtiments,* professe magnifiquement le même optimisme touchant l'avenir, à partir de la même foi spiritualiste (*Les Châtiments,* VI, 15, 1852).

3. *Les Travailleurs de la mer,* Avant-propos sans titre, « mars 1866 ».

4. Projet de préface pour *L'Homme qui rit,* dans Œ., M., t. XIV, p. 387.

des *Contemplations* [1]. Il y revient, naturellement, au temps où il travaille à *Dieu* :

> *Non, le cercueil n'est pas, homme, ce que tu crois.*
> *La mort, sous le plafond des tombeaux noirs et froids,*
> *C'est la mystérieuse et lumineuse offrande* [2].

Le sacerdoce vrai est au-delà de cette porte, dit un révélateur au poète :

> *Ne crains rien, tu seras prêtre un jour; mais il faut*
> *Que la porte, ô vivant, d'abord te soit ouverte.*
> *[...] Il me montra du doigt l'orient qui rougit*
> *Et j'y lus ces deux mots dans la clarté : CI-GÎT* [3].

Un jour, contemplant l'envol d'une mésange qu'il vient de libérer, il conclut :

> *Pensif, je me suis dit : Je viens d'être la mort* [4].

On doit expliquer par cette foi dans la survie le fait qu'il ait répugné aux enterrements purement civils, sans cérémonial ni référence à l'immortalité. « Écarter le prêtre, disait-il, ce n'est pas écarter Dieu [...] Il convient de suppléer aux oraisons officielles par la grande prière humaine et populaire, par la communion des âmes en présence de l'infini. Il y a des cas où le peuple peut officier pontificalement. Là où le prêtre manque, que le philosophe vienne [5]. » Hugo a prononcé pendant son exil plusieurs discours à des funérailles de proscrits, et il n'a jamais manqué d'y évoquer et d'y exalter la vie éternelle, de façon indépendante de toute Église, mais hautement sacerdotale [6]. Pensait-il vraiment à l'institution de rites funéraires nou-

1. Ainsi *Mors*, « 14 Mars 1854 » (dans les *Contemplations*, IV, 16); voir aussi, *ibid.*, IV, 17, le poème intitulé *Charles Vacquerie*; et *ibid.*, VI, 22, *Ce que c'est que la mort*, « 8 décembre 1854 », qui commence par « Ne dites pas mourir, dites naître. Croyez ».

2. *Dieu, fragments*, éd. R. Journet et G. Robert (désormais : *Dieu, fragments*), section 1, fragment 278b = *Toute la lyre*, III, 62.

3. *Ibid.*, fragment 17b. Le thème est repris superbement dans le fragment, intitulé *Le Jour* (1856), qu'on place ordinairement à la fin de *Dieu*.

4. *La Mise en liberté*, dans *L'Art d'être grand-père*, X, 6, « 27 avril 1864 ».

5. Préface philosophique, déjà citée (Œ., M., t. XII, p. 69).

6. Voir *Actes et paroles II, passim*.

veaux, à un culte futur ? Une telle pensée n'était pas rare à l'époque. Mais il semble bien que Hugo répugne à rien prévoir de précis en cette matière : il parle seulement de « quelque transformation divine de la formule religieuse aujourd'hui étroite et usée » [1]. À la différence des chefs de sectes, les poètes et les écrivains romantiques n'ont formulé aucun rituel de cette religion future, laissant au temps le soin d'accréditer des rites, s'il devait y en avoir. Le sens d'une sagesse moderne et l'instinct libéral les retenaient d'aller plus loin. Hugo n'excluait pourtant pas l'idée de cette religion inconnue : on sait que les deux lignes de points qui forment dans *Dieu*, après un vers d'annonce, la section IX de *L'Océan d'en haut* (les huit premières étant consacrées à l'échelle ascendante des religions jusqu'à celle de Hugo comprise) évoquent cette foi future sans prétendre la dire [2].

Le spiritualisme de Hugo, et même ce qu'on peut appeler sa piété, ne diminuent en rien son opposition aux religions dogmatiques. Cette opposition s'est accrue du fait de sa rupture ouverte avec le catholicisme officiel et l'Église, soutiens de l'Empire. Il affecta de plus en plus d'étendre le *Caeli enarrant gloriam Dei* à toute la création, aux bois, aux prés, aux cimes, à l'infinité de l'espace surtout, de trouver Dieu en tous lieux dans la nature plutôt que dans un oratoire. Cette préférence propre à la foi déiste, de Jean-Jacques Rousseau à Michelet, a fait crier, du côté catholique, au panthéisme, à la confusion du monde matériel et de la divinité. Il a protesté contre cette imputation : « Le panthéisme dit : Tout est Dieu. Moi, je dis : Dieu est tout [3]. » Il veut dire que l'immanence universelle de Dieu, telle qu'il la conçoit, n'ôte rien à sa transcendance [4]. Un de ses poèmes de l'exil atteste sa fidélité, d'une époque à

---

1. *Préface philosophique*, même page.
2. Voir *Dieu (L'Océan d'en haut)*, éd. R. Journet et G. Robert, Paris, 1960, p. 163 ; Auguste Vacquerie, ayant entendu Hugo lire cette œuvre, interprétait ces points comme laissant « la porte de l'avenir ouverte » (*ibid.*, pp. 180-181, d'après le *Journal d'Adèle Hugo*, 2 mai 1855).
3. Lettre du 31 juillet 1867, de Bruxelles, au directeur du *Croisé* (Œ., M., t. XIII, p. 869).
4. On a écrit excellemment : « L'immanence comme Hugo la conçoit est la présence du transcendant » (Y. Gohin, *Sur l'emploi des mots « immanent » et « transcendant » chez Victor Hugo*, Paris, Archives des Lettres modernes, nº 94, 1968, p. 35). Voir aussi J.-P. Jossua, *Un essai méconnu de théologie poétique* : Dieu de *Victor Hugo*, in *Revue des sciences philosophiques et théologiques*, 1969, p. 665 ; P. Albouy, éd. des Œ. poét. de Hugo, t. III, p. 1033 ; G. Robert, *Chaos vaincu, op. cit.*, t. I, p. 98 et t. II, p. 46.

l'autre, à la « religion naturelle ». À un interlocuteur le sommant de confesser une Bible, un ciboire, une Eucharistie, un temple, il montre la lune, « hostie énorme », montant au ciel :

> *Je lui dis : – Courbe-toi. Dieu lui-même officie,*
> *Et voici l'élévation* [1].

Hugo exilé perdit de plus en plus ses préventions contre la philosophie du XVIIIᵉ siècle :

> *Ces douteurs ont frayé nos routes,*
> *Et sont si grands sous le ciel bleu*
> *Qu'à cette heure, grâce à leurs doutes,*
> *On peut enfin affirmer Dieu* [2] *!*

C'est dire qu'il faut se débarrasser de la religion pour pouvoir croire, et fonder la foi sur un acte de modestie de l'intelligence qui exclut dogme, rites et fanatisme. Cet argument est le pain quotidien de Voltaire : le dogme est outrecuidant autant qu'est insensée la négation de Dieu. Hugo ne dit plus désormais autre chose :

> *Il est ! mais nul cri d'homme ou d'ange, nul effroi,*
> *Nul amour, nulle bouche, humble, tendre ou superbe,*
> *Ne peut balbutier distinctement ce verbe* [3].

Cela dit, ce Dieu inaccessible à notre intelligence, selon Hugo comme selon Voltaire et Rousseau, se manifeste à lui comme à eux par la voix de la conscience morale. Cette théologie

1. *Relligio,* dans *Les Contemplations,* VI, 20, « 10 octobre 1854 » selon le manuscrit. Il existe un équivalent en prose de ce poème, auquel ne manque pas la lune-hostie : c'est un discours d'Olympio, qu'on fait remonter à 1840 environ (voir R. JOURNET et G. ROBERT, *Autour des* Contemplations p. 57 = Œ., I.N., *Post-scriptum de ma vie,* pp. 579-80). La Nature-Temple de Dieu était un thème déiste et romantique accrédité depuis longtemps, mais la lune-hostie a enflammé contre Hugo des fureurs catholiques (voir mêmes auteurs, *Notes sur les* Contemplations, Paris, 1958, pp. 193-194).

2. *Rupture avec ce qui amoindrit,* dans *La Légende des siècles,* LVI [1865?]. Voltaire, jadis si maltraité, est déjà porté aux nues dans *Les Châtiments* (apparié à Jésus dans *Nox,* poème prologue; exalté avec Rousseau et Diderot dans I, 3; voir aussi le premier vers de V, 5.).

3. Conclusion de *Religions et religion* [passage datant environ de 1869], dans Œ., M., t. XIV, p. 799.

simplifiée du déisme, théoriquement théocentrique et pratiquement humaniste, qui dépossède les Églises, est bien celle
de Hugo; mais il est d'un temps où l'on ajoute à la conscience
morale les valeurs politico-sociales de la démocratie humanitaire :

> *Il est! il est! Regarde, âme, il a son solstice,*
> *La Conscience; il a son axe, la Justice;*
> *Il a son équinoxe, et c'est l'Égalité;*
> *Il a sa vaste aurore, et c'est la Liberté* [1].

Le déisme philosophique répudie d'ordinaire le sacerdoce chrétien; le déisme romantique fait de même; ainsi quand il
prescrit :

> *Rejette donc, avec la science imparfaite,*
> *Ces faux textes du ciel qu'un mage ou qu'un prophète,*
> *Funèbres imposteurs, sèment sur leur chemin;*
> *Ces révélations teintes de sang humain,*
> *Qui font du temple un antre et du prêtre un sicaire* [2].

Dans la perspective déiste, l'héroïsme moral et la haute intuition
de l'avenir humain peuvent suffire au sacre des vrais prêtres,
et à leur prééminence sur les ministres des religions établies;
Hugo a figuré cette hiérarchie dans la scène fameuse des
Misérables où un saint évêque s'agenouille devant un conventionnel mourant et lui demande sa bénédiction : au terme d'un
long dialogue sur les choses essentielles, l'homme de 93, quoiqu'il dise « l'idéal » ou « l'infini » pour dire Dieu, a réussi à
convaincre le prélat qu'il est plus saint que lui. Hugo, qui
réprouva jusqu'au bout l'athéisme, constate que, même en niant
Dieu devant le spectacle désespérant du monde, certains ont
pu atteindre à la sainteté par la vertu et quelquefois par le
martyre, que leur vie est sainte sans l'assurance de la foi, et
leur mérite sans proportion avec celui des dévots qui les haïssent :

1. *Ibid.*
2. *Dieu, fragments,* section I, fragment 272-273b (1856), v. 37 et suiv. Le
mot « mage » surprend ici, pour désigner les prêtres « imposteurs » des religions;
on sait que Hugo l'emploie de préférence pour nommer les vrais prêtres de
l'humanité, penseurs et poètes, quand il souhaite marquer leur privilège de
« voyants ».

Oh! ceux-là, ces porteurs d'âmes à leur insu,
Ces donnants qui n'ont pas demandé de reçu,
Ces prêteurs qui croyaient la banqueroute sûre,
[...] Ces passants qui, saignants, sans compter sur quelqu'un,
Tristes, ont fait le bien rien que pour son parfum,
Ces graves orphelins qui se sont montrés pères,
Ces croyants de la nuit qui furent des lumières,
Ces souffrants qui vivaient offrant le bon, le beau,
Le sublime à la cendre horrible du tombeau,
Ces purs entre les purs, ces héros! il est juste
Que la tombe leur soit une surprise auguste [...]
Dieu doit à de tels saints l'étonnement des cieux [1].

Connaître Dieu, pour Hugo comme pour le déisme philosophe, c'est pratiquer le bien :

Quiconque est bon voit clair dans l'obscur carrefour [2].

Homme, ne te crois pas plongé dans l'inconnu;
Tu connais tout, sachant que tu dois être juste [3].

Qu'un Dieu tellement hors de nos mesures ait pour loi notre morale, c'est pourtant une des difficultés du déisme; et comment comprendre, si cette morale est de Dieu, qu'il la laisse si communément violer? ou croire qu'il ait une autre justice qu'il ne nous communique pas, que nous ne pouvons concevoir, et qui admet la souffrance des innocents? Si c'est la définition de toute âme religieuse de se plier à ce mystère et de bénir la main qui nous rudoie, quel parti prendra Hugo? On l'a vu hésiter, dans un deuil privé, entre la révolte et la soumission. Il n'était pas question, dans un tel cas, d'expliquer l'infortune par une punition divine. C'est ce qu'on fait quand on explique théologiquement les inondations qui ravagent la France comme le châtiment de ses péchés :

Quoi! prêtres! ce chaos, ce hasard, ce néant
Promenant son niveau sur la foule innocente,

1. *Ibid.*, section I, fragment 618-620, v. 85 et suiv.
2. *Le Crapaud*, dans *La Légende des siècles*, LIII (1858).
3. *Le Pape*, « Paroles dans le ciel étoilé », v. 7-8 [1875]. Voir aussi *L'Année terrible*, Juillet, section XII, v. 40 : « Ma conscience en moi, c'est Dieu que j'ai pour hôte », et Novembre, section IX, « À l'évêque qui m'appelle athée », *passim* (1871).

> *Ces désastres faisant ensemble leur descente,*
> *Ce serait l'action de ce maître hagard!*
> *Quoi! cet aveuglement, ce serait son regard* [1] *!*

Même si le mal régnait en France, un Dieu massacreur n'est pas concevable :

> *Ah! si vous disiez vrai, myopes de l'autel,*
> *Si ce prodigieux et sublime Immortel*
> *Avait de tels accès et s'il était possible*
> *Qu'ainsi qu'un archer sombre, il eût l'homme pour cible,*
> *S'il pouvait être pris dans ce flagrant délit,*
> *S'il chassait les torrents farouches de leur lit,*
> *S'il tuait, fou lugubre, en croyant qu'il se venge,*
> *Alors la Justice, âpre et formidable archange,*
> *Se dresserait devant le pâle Créateur,*
> *Questionnerait l'être immense avec hauteur,*
> *Et le menacerait, elle, cette éternelle,*
> *De fuir et d'emporter l'aurore sous son aile,*
> *Et rien ne serait plus sinistre, ô gouffre bleu,*
> *Que le balbutiement épouvanté de Dieu* [2] *!*

Cette réfutation par l'absurde, si monté qu'en soit le ton, est au fond un acte d'optimisme : Dieu n'est pas ce bourreau, et sa justice n'est pas discordante de la nôtre, comme il est dit dans la suite du même poème :

> *Esprit humain, nul vent ne te cassera l'aile;*
> *Jamais rien ne pourra troubler le parallèle*
> *Entre l'ordre céleste et l'humaine raison* [3].

Cet optimisme ne va pourtant pas de soi, et il resterait à justifier par rapport à Dieu l'existence de la souffrance imméritée même si on ne la tient pas pour un châtiment. Ce point, on

---

1. *L'Élégie des fléaux*, dans *La Légende des siècles*, L, « 16 juillet 1875 » (*Œ.*, M., t. XV, p. 810). À ces inondations récentes du midi de la France (juin 1875), le poème mêle le souvenir des désastres précédents du pays (coup d'État et dictature prolongée, puis défaite militaire) pour en innocenter également le pays : c'est à cette accumulation de malheurs que fait allusion le troisième vers de la citation.

2. *Ibid.*, p. 813.

3. *Ibid.*, p. 815.

le verra, n'a pas manqué d'ébranler l'optimisme déiste de Hugo, en l'obligeant à se contredire.

Une autre question embarrassante concerne les relations de la justice et de la pitié dans le gouvernement divin; elle semble avoir passablement préoccupé Hugo. Dans *Dieu* Hugo représente, un peu légèrement, le judaïsme comme faisant de la toute-puissance créatrice et de la vengeance les attributs fondamentaux du Dieu unique [1]; le christianisme est censé au contraire, dans un discours magnifiquement laudatif, se fonder sur la pitié divine [2], mais ce discours est ensuite réfuté par l'Ange qui représente apparemment la religion humanitaire : cet ange développe un système universel d'épreuves et de progrès, ordonné selon la loi de justice, la seule digne de Dieu [3]; finalement, définissant sa propre religion comme celle de l'Amour, Hugo dit expressément :

Il n'est point juste, il est, Qui n'est que juste est peu.
La justice, c'est vous, Humanité; mais Dieu,
C'est la Bonté [...] [4].

Un autre problème, proche de celui-là, est celui des rapports entre Justice et Grâce : il arrive à Hugo d'interpréter la grâce comme étant « l'âme de la loi » (?) et d'attribuer cette découverte à saint Paul : « Ce qu'il nomme grâce au point de vue céleste, écrit-il, nous, au point de vue terrestre, nous le nommons droit [5]. » Il répugnait à exclure cette notion comme l'osait Michelet, autant qu'à l'envisager dans toute sa portée théologique, où le droit humain se voit trop évidemment transcendé, ou annulé.

1. *Dieu (L'Océan d'en haut)*, V, discours de l'Aigle (éd. Journet-Robert, v. 1663 et suiv., 1676 et suiv.).

2. *Ibid.*, VI, discours du Griffon, v. 1795, 1801, etc.

3. *Ibid.*, VII, discours de l'Ange, v. 2022-2025; et toute la fin, v. 3311-3346.

4. *Ibid.*, VIII, discours de la Lumière, v. 3481-3483. Sur les indécisions de Hugo entre justice et pitié, comparez la *Préface philosophique*, III, 13 (Œ., M., t. XII, p. 68 : « Qu'entendez-vous par ce mot : Dieu miséricordieux? Contentez-vous de ceci : l'absolu est juste ») avec *William Shakespeare* (Reliquat, dans Œ., I.N., p. 264 : « Avoir pitié, c'est probablement la grande fonction de Dieu »). Ces indécisions tiennent sans doute pour beaucoup au fait que le concept de pitié (comme de colère) divine est généralement en défaveur dans le déisme.

5. *William Shakespeare*, I, 2, 2, paragr. 10 (Œ., I.N., pp. 36-37). Il dit, plus étrangement encore, un peu plus haut : « Qu'est-ce que la grâce? C'est l'inspiration d'en haut, c'est le souffle, *flat ubi vult*, c'est la liberté. »

Figures de l'angoisse.

Ces difficultés que Hugo, théologien peu conséquent, ne parvient pas à surmonter – mais qui y est vraiment parvenu? – sont, dans un esprit comme le sien, choses accessoires. Un alliage aventureux de déisme rationnel et de piété est le matériau habituel de la religion romantique [1]. Son tourment à lui est autre : ce qui le distingue est une forme d'anxiété puissamment affabulatrice qui accompagne en lui toute méditation sur la divinité ou sur l'au-delà. La religion, chez les poètes de ce temps-là, est partout sujette au doute, qu'ils se plaisent communément à professer en même temps que la foi, à approfondir même jusqu'au désespoir, pour lui offrir la foi comme unique remède. Tel est, comme on l'a surtout remarqué chez Lamartine, la démarche dominante de la méditation romantique. J'entends le doute, non seulement portant sur les dogmes – celui-là aboutit en fait à une négation – mais portant sur Dieu lui-même et sur la signification divine du monde. Hugo est peut-être moins en proie au doute qu'à une sorte d'effroi. La nature de son génie, qui est de lutter contre l'emprise de la terreur par les ressources du verbe, a longtemps fait prendre à tort sa métaphysique pour une rhétorique, quoique les plus avisés ne s'y soient jamais trompés. Toutes les douleurs ne sont pas forcément sobres de paroles, et Hugo dit avec surabondance une expérience insurmontable.

Nous avons vu poindre cette poésie désolée avant 1848; en voici, au temps de l'exil, quelques exemples plus saisissants :

> *L'air sanglote et le vent râle,*
> *Et, sous l'obscur firmament,*
> *La nuit sombre et la mort pâle*
> *Se regardent fixement* [2].

> *Connais-tu les deux nuits, la morte et la vivante,*
> *La vivante engendrant le monstre, l'épouvante,*

---

1. Voir sur ce sujet une page excellente de Léon CELLIER dans son *Fabre d'Olivet*. Paris, 1953, p. 406.
2. *Les Quatre Vents de l'esprit*, liv. III, 21, « 19 novembre 1853 ».

L'hydre, les dévorant sans fin et les créant ;
La morte, c'est-à-dire le vide, le néant,
Une ouverture aveugle et par l'effroi fermée,
De l'ombre qui n'est plus même de la fumée,
Le silence hideux et funèbre de Rien [1] *?*

La réunion joyeuse, au coucher du soleil, de buveurs attablés, fait surgir cette rêverie :

C'est l'instant de songer aux choses redoutables.
On entend les buveurs danser autour des tables ;
Tandis que gais, joyeux, heurtant les escabeaux,
Ils mêlent aux refrains leurs amours peu farouches,
Les lettres des chansons qui sortent de leurs bouches
Vont écrire autour d'eux leurs noms sur leurs tombeaux.

De là la pensée de toute agonie humaine ; que voit l'homme à ses derniers moments :

Que voit-il ?... – Ô terreur ! de ténébreuses routes,
Un chaos composé de spectres et de doutes,
La terre vision, le ver réalité
Un jour oblique et noir qui, troublant l'âme errante,
Mêle au dernier rayon de la vie expirante
Ta première lueur, sinistre éternité !

On croit sentir dans l'ombre une horrible piqûre.
Tout ce qu'on fit s'en va comme une fête obscure,
Et tout ce qui riait devient peine ou remords.
Quel moment, même, hélas ! pour l'âme la plus haute,
Quand le vrai tout à coup paraît, quand la vie ôte
Son masque, et dit : « Je suis la mort [2] *! »*

Cette sorte de poésie, qu'on ne voit que chez Hugo, culmine dans l'identification du ciel nocturne étoilé avec le plafond de la tombe. Ce motif ambigu était apparu pour la première fois dans un poème de 1839 :

1. *Religions et religion*, IV, dans Œ., M., t. XII, p. 795 [1856-1858].
2. *Joies du soir*, dans *Les Contemplations*, III, 26, date du manuscrit : « 13 décembre 1854 ».

> *Oh! ce serait vraiment un mystère sublime*
> *Que ce ciel si profond, si lumineux, si beau,*
> *Qui flamboie à nos yeux ouvert comme un abîme,*
> > *Fût l'intérieur du tombeau* [1] *!*

Le même motif, en 1854, est significativement lié à une définition préalable du proscrit :

> *Le jour le voit à peine et dit : Quelle est cette ombre ?*
> *Et la nuit dit : Quel est ce mort ?*

Le proscrit interroge à son tour :

> *Nous demandons, vivants douteux qu'un linceul couvre,*
> *Si le profond tombeau qui devant nous s'entr'ouvre,*
> > *Abîme, espoir, asile, écueil,*
> *N'est pas le firmament plein d'étoiles sans nombre,*
> *Et si tous les clous d'or qu'on voit au ciel dans l'ombre*
> > *Ne sont pas les clous du cercueil* [2] *?*

Un poème de même coupe strophique, écrit la même année, dit semblablement :

> *Hélas! tout est sépulcre. On en sort, on y tombe :*
> *La nuit est la muraille immense de la tombe.*
> > *Les astres dont luit la clarté,*
> *Orion, Sirius, Mars, Jupiter, Mercure,*
> *Sont les cailloux qu'on voit dans la tranchée obscure,*
> > *Ô sombre fosse Éternité* [3] *!*

L'assimilation de la tombe et du ciel reparaît encore quelques années plus tard :

> *Le sépulcre géant d'étoiles se compose.*
> *Poète, tu l'as dit. La mort n'est autre chose*
> *Qu'un formidable azur d'astres illuminé.*
> *[...] Meurs et vois! De la nuit le couvercle se lève.*
> *Sombre éblouissement! Les Morts mystérieux*

---

1. *Saturne*, même recueil, III, 3, « 30 avril 1839 », strophe 20.
2. *Horror*, même recueil, VI, 16, strophes 4 et 9, « 31 mars 1854 ».
3. Même recueil, VI, 18, date du manuscrit : « 9 juin 1854 ».

Laissent de sphère en sphère errer leurs vagues yeux,
Et dressent, effarés, leur regard taciturne
Dans les dômes sans fond du grand palais nocturne;
La mort, c'est l'ouverture effrayante des cieux;
L'immense firmament tranquille et monstrueux,
Où vibre d'astre en astre un hymne séraphique,
Emplit de ses soleils la tombe magnifique [1].

Le sens de cette équation du funèbre et du radieux reste indécis :
on ne sait si elle annexe la vie et l'univers à la tombe ou si
elle vivifie la tombe en l'ouvrant sur l'Être infini. À vrai dire,
toute doctrine de l'immortalité, mettant le salut dans la mort,
lui donne en quelque façon le pas sur la vie. Hugo opère cette
équation à sa manière : peut-être est-elle, sous des formes plus
voilées, une des clefs de sa poésie. Ainsi dans le bouleversant
poème où il fait si étrangement fraterniser l'amour et la mort :

L'étang mystérieux, suaire aux blanches moires,
Frissonne; au fond du bois la clairière apparaît;
Les arbres sont profonds et les branches sont noires;
Avez-vous vu Vénus à travers la forêt?

Avez-vous vu Vénus au sommet des collines?
Vous qui passez dans l'ombre, êtes-vous des amants?
Les sentiers bruns sont pleins de blanches mousselines;
L'herbe s'éveille et parle aux sépulcres dormants.

[...] Les mortes d'aujourd'hui furent jadis les belles.
Le ver luisant dans l'ombre erre avec son flambeau.
Le vent fait tressaillir, au milieu des javelles,
Le brin d'herbe, et Dieu fait tressaillir le tombeau.

[...] Aimez-vous! c'est le mois où les fraises sont mûres.
L'ange du soir rêveur, qui flotte dans les vents,
Mêle, en les emportant sur ses ailes obscures,
Les prières des morts aux baisers des vivants [2].

L'Être, dans le langage de Hugo, est l'univers dans son immensité en même temps que le Dieu qui en détient le mystère, et

1. *Dieu, fragments*, section I, fragment 525a [1856-1857] (= Œ., I.N., *Dernière Gerbe*, XCV).
2. *Crépuscule*, dans *Les Contemplations*, II, 26, « 20 février 1854 ».

ce mystère est indistinct de la mort qui en est le seuil nécessaire ;
d'où le caractère spectral de l'être :

> *Nous contemplons l'obscur, l'inconnu, l'invisible.*
> *Nous sondons le réel, l'idéal, le possible,*
> *L'être, spectre toujours présent* [1].

Un poème donne à la recherche acharnée du poète l'aboutissement suivant :

> *À force de parler à l'inconnu sans bornes,*
> *Au mystère où l'horreur entr'ouvre ses yeux mornes,*
> *À force de vouloir, noir plongeur fait de jour,*
> *Jusqu'en l'océan Nuit trouver la perle Amour,*
> *J'ai fini, cœur où vibre une invisible lyre,*
> *Par voir sortir de l'ombre un effrayant sourire* [2].

Un autre poème invite à craindre de rencontrer dans la crypte
où sont les fantômes des dieux morts quelque sage affreux,
grand négateur,

> *Quelque faune hagard de la pensée humaine,*
> *Riant, seul dans la nuit, d'un rire énergumène,*
> *Qui t'appelle du geste, ô fatal curieux,*
> *Et dérange les plis du ciel mystérieux,*
> *Et soulève le drap des astres, lourd suaire,*
> *Et, le doigt sur la bouche, au fond de l'ossuaire,*
> *Te montre, à l'endroit noir que l'être a pour milieu,*
> *Cette tête de mort épouvantable, Dieu* [3] *!*

À côté de cette sorte de poèmes, il ne faut pas s'étonner d'en
rencontrer d'autres qui sont de purs défis de l'âme au mal et
à la matière. Ainsi celui qui proclame à la face des ténèbres,
des abîmes et des vents jaloux :

---

1. *Ibid.*, VI, 14, non daté dans le manuscrit [1853 ou 1854].
2. *Dieu, fragments*, section I, fragment 284a (intitulé *Apparition ;* = Œ., I.N.,
Dernière Gerbe, XXXVII), date supposée [1855-1856].
3. *Ibid.*, section I, fragment 735-740, date probable [1856]. Voir aussi le
poème qui commence par ce vers : « Qui sait si tout n'est pas un pourrissoir
immense ? » (*Toute la lyre*, III, 47, date supposée [1862].)

> *Je suis une âme, ombres farouches,*
> *Je vous échappe; mon flambeau*
> *Ne peut être éteint par vos bouches,*
> *Gouffres de l'énorme tombeau* [1] *!*

ou cet autre :

> *Ô ténèbres, le ciel est une sombre enceinte,*
> *Dont vous fermez la porte et dont l'âme a la clé* [2].

Il ne faut jamais perdre de vue le constant contrepoint hugolien de l'angoisse avec la foi, de la mort spectrale avec la mort libératrice. Il n'est pas rare chez Hugo qu'on passe à l'intérieur d'un même poème, d'un registre à l'autre, comme dans cette évocation de « la fleur blême de la mort » :

> *Au fond des brumes fatales,*
> *Sur ses sinistres pétales*
> *Tremble une étrange lueur;*
> *La lugubre fleur regarde,*
> *Vertigineuse et hagarde,*
> *Comme une face en sueur.*

> *À sa lumière où s'éclipse*
> *La terrestre apocalypse,*
> *J'entrevois la vérité* [...] [3].

Naturellement, à côté de ce contrepoint, Hugo use aussi bien d'une orchestration plus commune, en mouvements successifs où la foi a le dernier mot. De ce type de construction, fréquent de son temps dans le débat poétique du doute et de la foi, on pourrait citer bien des exemples chez lui. Un des plus notables est sans doute celui du vaste ensemble poétique, un et triple, où il fait parler les Sept Merveilles du monde, se célébrant elles-mêmes; puis le Ver se glorifiant de pouvoir les détruire, et − démesurément − d'avoir puissance sur toutes

---

1. Premier vers : « Sombres aboyeurs des ténèbres », dans *Toute la lyre*, III, 43 (pièce datée de 1855 dans *Œ. poét.*, t. III, p. 1031).

2. Premier vers : « Ne vous figurez pas, ténèbres, que je tremble » (*Œ.*, I.N., *Dernière Gerbe*, CXXXV [1876-1878]).

3. *Les Quatre Vents de l'esprit*, liv. III, 5-2, « 31 mai 1857 ».

choses; puis le Poète rappelant au Ver que son domaine se
borne à la matière :

> *Non, tu n'as pas tout, monstre ! et tu ne prends point l'âme.*
> *Cette fleur n'a jamais subi ta bave infâme [...]*
> *Tu n'es que le mangeur de l'abjecte matière.*
> *La vie incorruptible est hors de ta frontière;*
> *Les âmes vont s'aimer au-dessus de la mort;*
> *Tu n'y peux rien. Tu n'es que la haine qui mord* [1].

Un semblable retournement, non dans la joute rhétorique de
deux personnages, mais dans les moments d'une même conscience, se voit dans d'autres poèmes : ainsi dans *Umbra*, le
pessimisme mortel du discours lyrique dans ses vingt-six premières strophes est soudain démenti quand jaillissent la vingt-
septième et les suivantes :

> *Non, il ne se peut, ô nature,*
> *Que tu sois sur l'homme au cachot,*
> *Sur l'esprit, sur la créature,*
> *De la haine tombant d'en haut.*
> *[...] Il ne se peut que l'édifice*
> *Soit fait d'ombre et de surdité.*

Puis de nouveau, après un retour de doutes et de sarcasmes :

---

1. *Les Sept Merveilles du monde, L'Épopée du ver, Le Poète au ver de terre,* dans
La Légende des siècles, XII, XIII et XIV (respectivement fin 1862, même date,
et 1877); les discours des Sept Merveilles, qui incarnent l'orgueil humain, font
ensemble près de sept cents vers; celui du Ver, qui abat cet orgueil, occupe cent
douze sixains, soit six cent soixante-douze vers; celui du Poète, qui n'a besoin
que de dire la vérité, simple et définitive, seulement trente. Parmi les dilemmes
du spiritualisme, celui qui oppose la matière à l'esprit domine les autres,
principalement sous la variante Chair-Âme; il est loin d'être absent de l'œuvre
de Hugo, où le dégoût des choses charnelles s'exprime souvent de la façon la
plus extrême et la plus explicite; voir par exemple dans *Les Contemplations,* VI,
11, « 20 août 1855 » : « [...] ce monde où l'esprit n'est qu'un morne étranger,
[...] – Où dans les lits profonds l'aile d'en bas palpite »; aussi dans *Dieu (L'Océan
d'en haut),* les propos de l'Aigle, v. 1659-1660 : « Vos sens sont un fumier dont
votre amour s'arrange, – Et dans votre baiser, le porc se mêle à l'ange » (1855);
également *Dieu, fragments,* section I, fragments 296-302b, v. 135-136, et 235b,
v. 13-14. Mais sur ce plan aussi le spiritualisme refuse de poser une antinomie
radicale : voir, entre autres, *L'Âne,* éd. Albouy, v. 2745 : « Sans l'étage d'en bas
quel serait l'édifice »; un lien sacré dans l'homme « Joint l'échelon de nuit aux
marches de lumière » (automne 1856).

> *Non ! non ! la fleur qui vient d'éclore*
> *Me démontre le firmament*
> *[...] Ce qui ment, c'est toi, doute ! envie !*
> *Il ne se peut que le rayon,*
> *Que l'espérance, que la vie*
> *Soit une infâme illusion* [1] *!*

Le Dieu caché.

La méditation sur Dieu peut être cause d'angoisse en tant que nous envisageons Dieu comme maître du destin de l'homme, auteur de la souffrance, du mal et de la mort, mais aussi comme objet de connaissance, nécessairement inaccessible en raison de son infinité. Les deux modes d'anxiété tendent nécessairement à s'unir et jusqu'à un certain point à se confondre ; mais le second occupe chez Hugo une place singulière. La religion accepte le mystère divin, voire s'en nourrit ; et le déisme romantique se rapproche de la religion autant par le sens et la culture du mystère que par la prière. Mais Hugo, dans ce domaine, vit une expérience d'inassouvissement et un délire d'imagination uniques. Avant d'accepter le mystère ou de s'y apaiser, si tant est qu'il y parvienne jamais, il en ressent la torture, il en cherche éperdument la clef. Si parfois il lui arrive de dire : Dieu seul sait, confions-nous en lui, il éclairera ce que nous ne comprenons pas [2], il imagine plus souvent en Dieu non seulement une inévitable obscurité, en raison de la disproportion de sa nature à la nôtre, mais quelque chose comme une volonté d'énigme.

C'est, naturellement, dans le grand poème de *Dieu* que Hugo s'est le plus assidûment posé le problème de l'occultation divine. Écrite par Hugo dans les premières années de l'exil, cette œuvre resta inachevée et ne fut publiée pour la première

---

1. *Umbra,* dans *Toute la lyre,* III, 45, strophes 27 et 28, 33 et 34 ; ce poème, daté *in fine,* dans le manuscrit, du 9 mai 1870, est écrit dans la strophe des *Mages,* et on le considère comme ayant été composé dans le même temps (1855) ; voir Jacques Seebacher, « Sens et structure des *Mages* », *Revue des sciences humaines,* juillet-septembre 1963, p. 347 et suiv.

2. C'est à peu près le sens de la réponse que Hugo fait à des proscrits sceptiques dans *Les Châtiments,* dernier poème : *Lux,* sections III et IV, manuscrit daté « 16-20 décembre » [1852].

fois qu'après sa mort, en 1891. Le corps de l'œuvre, telle que
Hugo l'a laissée, comprend deux ensembles constitués. L'un,
écrit pour l'essentiel en 1855 et complété en 1856, consiste en
une série de huit discours, attribués à des animaux, ou êtres
allégoriques, développant l'esprit des religions de l'humanité
dans l'ordre de leur progrès tel que Hugo le conçoit. À cette
partie de l'œuvre, Hugo a donné successivement pour titre
Solitudines coeli, Ascension dans les ténèbres, et *L'Océan d'en
haut.* L'autre ensemble est destiné surtout à établir l'impossibilité pour l'homme de connaître Dieu comme il le souhaiterait.
Hugo a intitulé cet ensemble *Les Voix du seuil,* puis *Le Seuil
du gouffre.* C'est cette seconde partie qui, selon une note non
ambiguë de l'auteur, datant du 12 août 1870, devait précéder
l'autre dans le plan de l'œuvre [1]; cette disposition relative des
deux ensembles, qui inverse l'ordre chronologique de composition, est donc généralement adoptée : il semble logique que
Hugo ait conçu les développements négatifs touchant l'approche
humaine de Dieu comme précédant, sans l'empêcher, la marche
ascensionnelle vers lui à travers la succession des religions. La
vie de l'œuvre, en tant que fiction narrative, et non uniquement
exposé d'idées, est donnée par la présence continue d'un *Je*
narrateur (Hugo assurément), parti à la recherche de Dieu, et
par la façon dont il rencontre et écoute les êtres mythiques qui
l'instruisent sur ce sujet. Il voit un point noir dans le ciel,
s'apprête à s'envoler vers lui avec les ailes de la pensée, quand
il est arrêté dans ce premier vol par « une étrange figure », un
être allégorico-apocalyptique de complexion multiple et
ambiguë, monstre et fantôme à la fois, qui dit s'appeler l'« Esprit humain » et aussi « Légion » et « Souffle », le « Démon
Foule » et le « Médiocre immense ». Il offre au narrateur de
l'instruire de ce qu'il sait des secrets de la nature, mais le
narrateur déclare ne vouloir que « Lui », sur quoi un éclat de
rire anonyme retentit et roule en échos dans l'espace enténébré;
il demande qu'on lui dise au moins Son nom : en vain; et sur
son insistance longue et indignée, qui s'achève en une espèce
de sommation, le rire se répète en tonnerre. Chuchotements,
plaintes et railleries se multiplient confusément dans l'obscurité;
puis, le jour revenu, l'Esprit immense et protéiforme engendre
des voix qui se mettent à parler. Suivent les discours de ces

1. Voir cette note dans *Dieu (L'Océan d'en haut),* éd. Journet-Robert, p. 187,
et dans Œ., M., t. IX, p. 409, Avertissement de Jean Gaudon.

Voix, en nombre variable, de treize à vingt et une, selon les éditions et l'usage plus ou moins étendu que les éditeurs ont jugé pouvoir faire des manuscrits laissés par Hugo. Toutes ces Voix s'accordent à déconseiller au narrateur, comme vaine et périlleuse, toute recherche de Dieu. Ce *Seuil du gouffre* comprend donc le vaste texte intitulé *L'Esprit humain,* suivi des *Voix.* *L'Océan d'en haut,* écrit antérieurement, avait été bâti sur la fiction répétée du point noir vu au loin dans l'espace et de l'envol vers lui du narrateur, de plus en plus haut; le premier point noir se révèle, de près, être une Chauve-souris, qui incarne l'athéisme et discourt figurativement dans ce sens; le deuxième, un Hibou (le scepticisme); le troisième, un Corbeau (le manichéisme); le quatrième, un Vautour (le paganisme); le cinquième, un Aigle (le mosaïsme); le sixième, un Griffon (le christianisme); le septième, un Ange (le spiritualisme humanitaire); le huitième, une Clarté (la religion d'amour de Hugo); chacun de ces personnages expose longuement sa doctrine; le neuvième point noir, dont il n'est rien dit d'autre que sa présence au ciel, figure la religion inconnue de l'avenir.

L'œuvre constituée de ces deux parties est manifestement incomplète, et nous ne savons comment Hugo pensait la compléter, ni si même il avait à ce sujet des intentions précises. Nous avons la trace, dans ses fragments manuscrits, de plus d'une contradiction touchant la place assignée à certains morceaux. Et la masse des textes se rattachant à *Dieu* et écartés du texte principal par les éditeurs est énorme [1]. Un de ces textes surtout a embarrassé la critique : c'est celui qu'on intitule *Le Jour,* épisode bref (une quarantaine de vers), mais d'importance capitale, qu'on ne sait où placer. Le Narrateur, aux prises avec un fantôme qui lui demande avec insistance s'il veut vraiment tout savoir, répond oui, et aussitôt touché du doigt au front par le spectre, meurt [2]. Par cette mort que lui-

1. Nous avons vu que R. Journet et G. Robert ont pu rassembler trois volumes de fragments de *Dieu* (les éditeurs des Œ., I.N., en avaient dispersé beaucoup ailleurs, dans des recueils d'inédits de Hugo, ou des « reliquats » d'autres ouvrages); nous avons souvent eu l'occasion d'emprunter des citations à cette précieuse édition critique.

2. Ce texte dont nous avons déjà parlé (voir ci-dessus n. 3, p. 377), a été publié seulement en 1911 (Œ., I.N., *Poésie XI*) avec le titre *Le Jour*; le carnet de Hugo où les éditeurs l'ont trouvé n'est pas accessible aujourd'hui, mais il y en a deux autres versions dans les manuscrits de *Dieu,* recueillies dans l'éd. Journet-Robert de *Dieu* (*Le Seuil du gouffre,* p. 35, et *L'Océan d'en haut,* pp. 165-166).

même raconte, le narrateur nous ferait entendre, si l'épisode
devait être incorporé à l'œuvre, que son poème, dans ce qui a
pu précéder, fut le récit, fait par un mort, des dernières
aventures de sa vie, et ne pourra être, dans ce qui suivra, que
la relation de ce qui lui est arrivé *post mortem.*

> *Il me toucha le front du doigt* et je mourus [1]

ne peut être que le langage d'un revenant. Si Hugo avait, dans
l'œuvre définitive, adopté ce texte, il aurait donné un caractère
d'outre-tombe à son poème. L'épisode est d'un grand effet : il
fait de la mort la condition de l'accès à Dieu ; mais il obligerait
à voir dans ce *Je* qu'on croyait Hugo un défunt anonyme ou
à supposer que Hugo assume le rôle d'un Mort-qui-parle dans
un poème de plusieurs milliers de vers, hypothèses devant
lesquelles on recule [2]. Il est douteux qu'un tel épisode ait pu
être pour Hugo écrivant *Dieu* plus qu'une tentation. Les éditeurs ont cédé à celle de l'intégrer à leur texte ; il leur a paru
trop remarquable pour être laissé en dehors. Ils étaient dès lors
obligés de décider à quel endroit du texte Hugo avait pu
penser à le rattacher. Malheureusement cette question n'a pu
trouver de réponse plausible ; elle s'est trouvée insoluble pour
eux, comme elle l'avait sans doute été pour Hugo lui-même.
Sans vouloir entrer dans une discussion détaillée, on peut dire
que des indices textuels difficilement contestables semblent faire
de l'épisode en cause une variante du dénouement de *L'Esprit
humain* [3]. Cette variante, au lieu de conduire aux *Voix,* comme
celle que nous avons résumée plus haut, aboutit, on vient de
le voir, à la mort du narrateur. Il faudrait, pour l'adopter,
renoncer à ces *Voix,* avertissements désormais inutiles. Cette
amputation est peu acceptable ; et, en outre, le narrateur ayant
raconté sa propre mort, tout ce qu'il dit avoir vu et entendu
ensuite ne peut avoir eu lieu que dans l'au-delà : les discours
qu'il entend dans *L'Océan d'en haut* sur les religions successives

---

1. C'est le dernier vers de cet épisode : voir *Œ.,* I.N., *Dieu,* p. 514 ; v. 3710
de *L'Océan d'en haut* dans l'éd. Journet-Robert.
2. Dans les autres récits de révélations plus ou moins surnaturelles que l'on
trouve chez Hugo, quand il n'est pas lui-même le révélateur, il est auditeur
terrestre et vivant : ainsi dans *Ce que dit la bouche d'ombre.*
3. Le fantôme qui parle dans *Le Jour* est dit (v. 3671-3672) être celui-là
même qui précédemment a ri du narrateur ; or, c'est dans *L'Esprit humain* que
ce rire se fait entendre.

seraient, si nous voulons être logiques, les révélations auxquelles sa mort lui a donné droit. Mais on peut penser qu'il paie bien cher des connaissances auxquelles tous les vivants ont accès au prix d'un peu de lecture, sans avoir à les acheter de leur vie. Il faut dire que d'autres indices semblent au contraire devoir situer *Le Jour* à la fin de *L'Océan d'en haut,* comme un épilogue de *Dieu* tout entier [1]. L'œuvre alors ne finirait pas par une ouverture sur la religion future inconnue, ce qui est dommage, mais sur la mort du narrateur-héros avide d'en savoir davantage. Et l'on pourrait se demander pourquoi ce héros de la connaissance, arrivé à l'exposé des formes religieuses les plus hautes, baigné d'amour et de lumière, devrait être aux prises, pour un surcroît d'initiation par la mort, avec un spectre nocturne, sarcastique et aussi effroyable que celui que l'épisode nous décrit; au point où il en est parvenu, pour l'aider à franchir ce dernier pas, quelque compagnie moins désolante eût convenu. Hugo voulait-il faire à *Dieu* une fin funèbre et négative? Il semble bien qu'il n'ait pas tout à fait su lui-même ce qu'il voulait faire, et que, quand il cessa de travailler à son ouvrage, il tâtonnait encore sur la disposition du récit et sa conclusion [2]. *Dieu* est pour nous un riche héritage hugolien, non une œuvre articulée comme telle et pleinement conséquente [3].

Ce qu'enseignent le plus obstinément et constamment, dans les diverses parties de l'œuvre, tous les messagers de l'au-delà, c'est l'impossibilité de connaître Dieu et le danger d'entre-

1. Le fantôme, dans son discours, fait allusion aux connaissances imparfaites que le narrateur vient d'acquérir, dit-il, « d'étage en étage », sur les vérités suprêmes (v. 3675 et suiv., 3683); or, cette structure étagée est celle de *L'Océan d'en haut,* avec ses discours successifs sur des doctrines de plus en plus proches de Dieu.

2. Des deux solutions évoquées ci-dessus, Jean Gaudon a plaidé pour la première dans son Avertissement déjà cité, pp. 409-410, comme ayant été au moins envisagée par Hugo; l'édition Massin des *Œuvres,* t. X, p. 36 et suiv., publie côte à côte les deux conclusions possibles de *L'Esprit humain* qui conduisent, l'une aux *Voix,* l'autre à l'intervention du spectre et à la mort du narrateur (et voir *ibid.,* p. 24, la note de Jean Gaudon sur ce sujet). L'édition de l'Imprimerie nationale avait, au contraire, placé *Le Jour* à la fin de *Dieu*; R. Journet et G. Robert, dans leur édition, l'ont suivie, sans trop de conviction.

3. J'ai suivi et suivrai dans mes citations et références l'édition de R. Journet et G. Robert de *Dieu* en deux volumes : désormais *Dieu (L'Océan d'en haut),* et *Dieu (Le Seuil du gouffre).* Cet ordre de publication est celui dans lequel Hugo, chronologiquement, composa les deux parties de *Dieu,* l'ordre contraire étant, de l'avis général et de celui des éditeurs, selon l'indication de Hugo lui-même, celui de la disposition de l'œuvre.

prendre cette connaissance. C'est ce que répètent l'Esprit humain et les Voix, dont c'est la fonction dans l'œuvre; mais les représentants emblématiques des diverses doctrines religieuses, sauf peut-être les deux ou trois derniers, en font autant à l'occasion. On nous dit à l'envi, non seulement : Il est trop grand pour que nous le connaissions, mais encore : Il nous interdit de l'essayer :

> *Malheur au curieux lugubre qui s'acharne*
> *À la vertigineuse et sinistre lucarne!*
> *Malheur aux imprudents penchés sur l'absolu!*

Ils voient quelque chose, mais quoi?

> *Quoi? l'inconnu, muré dans sa muette loi* [1].

Le candidat à la connaissance de Dieu est directement pris à partie :

> *Est-ce que, voyageur fatal, tu prémédites*
> *Des actions de rêve étranges et maudites,*
> *D'aller, de forcer l'ombre, et fouillant, et bravant,*
> *De t'enfoncer plus loin que les ailes du vent?*
> *[...] Avant d'aller plus loin, regarde ton néant.*
> *Car tu ne pourras pas, quelle que soit ta course,*
> *Aborder l'inconnu, l'origine, la source,*
> *Le lieu fatal où tout s'explique et se rejoint,*
> *Car tu n'entreras point, car tu n'atteindras point* [2].

Ces apostrophes se multiplient dans les *Fragments* :

> *Que veux-tu? Quelle est donc cette audace insensée*
> *De jeter comme une ancre au gouffre, la pensée?*
> *Le spectre voilé rit de toi [...]* [3].

Ou bien :

---

1. *Dieu (Le Seuil du gouffre)*, Voix IV, v. 1-3, 59.
2. *Ibid.*, Voix VIII, v. 1-4, 72-76.
3. *Dieu, fragments*, section I, fragment 32-33a, v. 29-31.

Quelle pensée as-tu d'allumer ton esprit
Au bord de ce problème où la raison périt [1] *?*

Ou bien encore :

Viens-tu de l'infini feuilleter le dossier?
[...] Crois-tu que l'inconnu se hâte de descendre
S'il s'entend appeler par toi, le grain de cendre [2] *?*

Hugo, dans tous ces textes, bafoue sa propre humanité, en empruntant la voix sarcastique de l'Inconnu céleste [3]. Aux porte-parole symboliques du genre humain, dans *L'Océan d'en haut*, il prête moins d'ironie et plus d'accablement. Ainsi le Hibou, allégorie du doute :

Chercher, c'est offenser; tenter c'est attenter;
Savoir, c'est ignorer. Isis au bandeau triple
À la surdité morne et froide pour disciple [4].

Et le Vautour, qui parle au nom du monde païen, dit lui aussi :

Tous répètent : – Pourquoi? pourquoi? – Nul ne devine
L'obscur secret de l'ombre infernale et divine [5].

Le sarcasme renaît avec l'Aigle mosaïque, qui tient le langage écrasant de Dieu à Job :

Serais-tu par hasard, ô parleur dérisoire,
Un des grands mécontents de l'immensité noire?
Trouves-tu que les cieux sacrés vont de travers?
Peut-être étais-tu là quand Dieu fit l'univers [6] *?*

---

1. *Ibid.*, fragment 437-438a, v. 1-2.
2. *Ibid.*, fragment 499a, v. 1, 19-20. On pourrait multiplier sans fin des citations analogues.
3. La raillerie est parfois forte; ainsi *ibid.*, fragment 499b : « et d'abord qui es-tu? – Tu veux aller à Dieu, voyons ton enjambée. »
4. *Dieu (L'Océan d'en haut)*, v. 534-536. Isis, type romantique de la divinité qui se voile, est souvent associée chez Hugo à l'image de Dieu, même quand elle n'est pas nommée; ainsi « L'immobile et muet visage, – Le voile de l'éternité » (*Magnitudo parvi*, dans *Les Contemplations*, III, 30, section II, avant-dernière strophe).
5. *Dieu (L'Océan d'en haut)*, v. 1295-1296.
6. *Ibid.*, v. 1499-1502 : cf. Job, 39-40. Job et son influence semblent être passés du discours de l'Aigle (1855) à ceux des *Voix* (1856-1857). On sait combien les souvenirs de Job ont marqué, en général, la méditation romantique.

Quels que puissent être les divers personnages qui prononcent
ces discours, c'est Hugo qui est leur auteur, et ils donnent
l'impression que le poète ressent cruellement l'impénétrabilité
de Dieu, comme si elle résultait, en même temps que de la
nature des choses, d'une volonté hostile, comme si Dieu lui
signifiait son peu d'estime en se cachant à lui.

Deux questions se posent ici : comment réagir, humainement, à ce mépris, et comment l'interpréter théologiquement?
Sur le premier point, écoutons ce que conseillent les redoutables
Voix, voix émanées, à ce qui nous est dit, de l'Esprit humain,
et qui veulent détourner leur semblable Hugo d'une entreprise
insensée. Elles évoquent à plusieurs reprises le sort des malheureux chercheurs d'infini et la punition de leur audace :

> *As-tu vu les penseurs s'en aller dans les cieux?*
> *Les as-tu vu partir, hautains, séditieux,*
> *Jetant dans l'inconnu leur voix terrifiante [...]?*
> *Et qu'ont-ils rapporté, ces oiseleurs d'étoiles?*
> *Ils n'ont rien rapporté que des fronts sans couleur*
> *Où rien n'avait grandi, si ce n'est la pâleur.*
> *Tous sont hagards après cette aventure étrange.*
> *Songeur! tous ont, empreints au front, des ongles d'ange,*
> *Tous ont dans le regard comme un songe qui fuit,*
> *Tous ont l'air monstrueux en sortant de la nuit!*
> *On en voit quelques-uns dont l'âme saigne et souffre,*
> *Portant de toutes parts les morsures du gouffre* [1].

Une des Voix raconte en particulier l'aventure de Swedenborg
qui s'en alla « boire à l'azur terrible », qui égara ses pas

> *Jusqu'au gouffre inconnu, jusqu'aux pléiades d'or,*
> *Jusqu'au ruissellement des fontaines d'aurore,*
> *Jusqu'à l'ombre où l'on voit l'inexprimable éclore;*
> *[...] Là sont les infinis, la cause, le principe,*
> *L'être qui s'évapore en mondes, se dissipe*
> *En astres, et s'épanche au ciel démesuré :*
> *Il revint éperdu, chancelant, effaré,*
> *[...] Ayant dans son cerveau l'ombre et tous ses délires,*

---

1. *Dieu (Le Seuil du gouffre)*, Voix X, v. 1-3, 28-36.

De ses doigts écartés cherchant de vagues lyres,
Nu, bégayant l'abîme et balbutiant Dieu [1].

Ces évocations ont naturellement pour but d'incliner le « songeur » téméraire à renoncer; on lui suggère tantôt une amère résignation :

Recueille-toi, courbé sous ce souffle d'en haut,
Et, sans rien demander au sombre ciel sublime,
Sur tes membres glacés laisse couler l'abîme [2],

tantôt le refuge dans une sagesse bornée :

Heureux qui se limite et sage qui s'enferme [3] *!*

ou dans les affections communes :

Qu'importe! Vis. Tais-toi. Va-t'en. Aime ton père,
Ta mère et tes enfants. Qui cherche désespère [4].

Hugo n'évoque qu'à contrecœur ces solutions médiocres, l'obscurité divine lui étant proprement intolérable. Mais les solutions religieuses, quoique moins vulgaires, sont aussi des renoncements. C'est pourquoi Hugo, tout en s'inspirant d'elles, n'en accepte exactement aucune.

Le déisme, constatant que Dieu, Être suprême ou Grand Être, est hors de portée de nos efforts pour l'atteindre, en conclut surtout à la vanité des dogmes qui prétendent décrire sa nature, et des rites qui sont censés répondre à sa volonté. Hugo lui fait écho en cela, et fait parler en ce sens certaines des Voix qui l'interpellent :

1. *Ibid.,* Voix XIII, v. 9-11, 18-21, 26-28. Ce retour de Swedenborg rappelle, invinciblement, les vers qui, en 1830, décrivent Hugo au terme d'une rêverie fantastique dans le temps et l'espace : « Mon esprit plongea donc sous ce flot inconnu, – Au profond de l'abîme il nagea seul et nu, – Toujours de l'ineffable allant à l'invisible, ... – Soudain il s'en revint avec un bruit terrible, – Ébloui, haletant, stupide, épouvanté, – Car il avait au fond trouvé l'éternité » (voir ci-dessus n. 3, p. 327). Cette similitude rhétorique, à vingt-cinq ans de distance, est notable; mais n'est-ce pas plutôt similitude d'expérience?
2. *Dieu, fragments,* section I, fragment 32-33a, v. 44-46.
3. *Ibid.,* fragment 34a, v. 2.
4. *Dieu (Le Seuil du gouffre),* Voix IV, v. 105-106; pareillement, Voix XIII, v. 35-37 : « Esprit, fais ton sillon, homme, fais ta besogne. – Ne va pas au-delà. Cherche Dieu, mais tiens-toi – Pour le voir, dans l'amour et non pas dans l'effroi. »

Supposes-tu que Dieu passe son temps à faire
Des testaments, qu'il jette ensuite à votre sphère ?
Des règlements disant : – Vis de cette façon.
Tel jour, mange la chair et, tel jour, le poisson [1].

Mais le déiste, en se félicitant que sa philosophie le mette à
l'abri de ces absurdités, accepte avec sérénité de ne rien mettre
à leur place que la connaissance du bien, et se repose dans
cette sagesse, bien différente de la fièvre hugolienne de connaître.
De son côté le porte-parole de la religion mosaïque dans
L'Océan d'en haut, l'Aigle, proclame en glorifiant Dieu,

        Qu'il se montre surtout dans tout ce qui le cache [2],

et développe cet axiome en une tirade inspirée de la réponse
de Dieu à Job : comment les œuvres de l'Être infini ne seraient-
elles pas impénétrables à notre insignifiance? Cette réponse, qui
ne laisse de place que pour l'adoration, impressionne certainement Hugo, mais sans l'apaiser. Enfin, le christianisme
explique par la faute de l'homme et par sa chute les ténèbres
où il se trouve :

        Voyant qu'il avait seul une âme, Adam fut ivre;
        Il voulut la science et déroba le fruit.
        C'est pourquoi Dieu jeta les hommes dans la nuit [3].

Hugo, qui fait ainsi parler le Griffon chrétien, n'était nullement
étranger à l'idée d'expiation comme clef possible de la condition
humaine, mais on verra qu'il l'entendait à sa façon. Il répugnait
à imaginer un Dieu punisseur, et un salut qui ne dépende que
de lui, et laisse l'homme passif.
    Ce qui oppose Hugo à tous ces modèles qui lui sont offerts,
c'est qu'il *n'accepte pas* aussi facilement de se voir condamné à
l'obscurité. La réponse proprement hugolienne à l'occultation

---

    1. *Dieu, fragments,* section I, fragment 105-106c, v. 31-34.
    2. *Dieu (L'Océan d'en haut),* v. 1420.
    3. *Ibid.,* v. 1728-1730. PASCAL, qui développe (éd. Brunschvicg des *Pensées,*
n°s 194, 242, 518, 585) une variante paradoxale de cette idée (l'obscurité de
Dieu, suite logique de la Chute, prouve la vérité du christianisme) prétend
l'appuyer sur un passage d'Isaïe (XLV, 15, « *Vere tu es Deus absconditus* »)
abusivement interprété : voir, sur cette interprétation de Pascal, les actes du
Colloque de Cerisy (été 1984), publiés sous le titre *Hugo le fabuleux,* Paris,
Seghers, 1985, p. 146 et suiv.

divine, celle dont il ne doit l'idée à nul autre que lui-même, est
une sorte de défi prométhéen, composante de l'image qu'il se
fait du Poète pensant et contrepartie triomphale de ses douleurs :

> *L'homme, en cette époque agitée,*
> *Sombre océan,*
> *Doit faire comme Prométhée*
> *Et comme Adam.*
>
> *Il doit ravir au ciel austère*
> *L'éternel feu.*
> *Conquérir son propre mystère*
> *Et voler Dieu.*
>
> *[...] J'irai lire la grande bible,*
> *J'entrerai nu*
> *Jusqu'au tabernacle terrible*
> *De l'inconnu,*
>
> *Jusqu'aux portes visionnaires*
> *Du ciel sacré,*
> *Et si vous aboyez, tonnerres,*
> *Je rugirai* [1].

Le poème est trop connu pour être cité plus longuement. Mais
il n'est pas seul de son genre dans l'œuvre de Hugo. Un autre
au moins en est, sur le rythme des Mages, voisin par la pensée
et par la figuration [2]; les serres de l'aigle valent le rugissement
du lion :

> *Je m'en irai dans les chars sombres*
> *Du songe et de la vision;*
> *Dans la blême cité des ombres*
> *Je passerai comme un rayon.*
> *J'entendrai leurs vagues huées;*
> *Je semblerai dans les nuées*

1. *Ibo*, dans *Les Contemplations*, VI, 2, « 24 juillet 1854 ».
2. *L'Âme à la poursuite du vrai*, dans *L'Art d'être grand-père*, XVIII, 5,
section 1, date du manuscrit : « 7 juin 1857 ». Ce poème a moins frappé que le
précédent, parce que le ton du défi y est moins marqué; le poète, quelle que
soit ici aussi sa démesure, y travaille pour La cause de Dieu, pour le rendre
évident aux incrédules : « Je forcerai bien Dieu d'éclore – À force de joie et
d'amour »; tout de même, forcer Dieu n'est pas une entreprise ordinaire.

Le grand échevelé de l'air;
J'aurai sous mes pieds le vertige,
Et dans les yeux plus de prodige
Que le météore et l'éclair.

Je rentrerai dans ma demeure,
Dans le noir monde illimité.
Jetant à l'éternité l'heure,
Et la terre à l'immensité,
Repoussant du pied nos misères,
Je prendrai le vrai dans mes serres
Et je me transfigurerai,
Et l'on ne verra plus qu'à peine
Un reste de lueur humaine
Trembler sous mon sourcil sacré.

Car je ne serai plus un homme,
Je serai l'esprit ébloui,
À qui le sépulcre se nomme,
À qui l'énigme répond : Oui.
L'ombre aura beau se faire horrible;
Je m'épanouirai terrible
Comme Élie à Gethsémani [1],
Comme le vieux Thalès de Grèce,
Dans la formidable allégresse
De l'abîme et de l'infini.

Je questionnerai le gouffre
Sur le secret universel,
Et le volcan, l'urne de soufre,
Et l'océan, l'urne de sel;
Tout ce que les profondeurs savent,
Tout ce que les tourmentes lavent,
Je sonderai tout; et j'irai
Jusqu'à ce que dans les ténèbres,

---

1. Cet épanouissement d'Élie à Gethsémani, c'est apparemment une erreur ou une imagination de Hugo : Gethsémani est le lieu où Jésus, au pied du mont des Oliviers, a vécu les moments d'angoisse qui précédèrent son arrestation; c'est dans la caverne du mont Nebo, d'où Moïse passait pour avoir vu Dieu, Exode, XXXIII, 22, que le premier livre des Rois, XIX, 9, représente le prophète Élie réfugié et sentant soudain la présence de Dieu à un bruissement. La confusion de Hugo vient peut-être du fait qu'on a parfois parlé aussi, à propos de Jésus et du Gethsémani, d'une « *grotte* de l'agonie ».

> *Je heurte mes ailes funèbres*
> *À quelqu'un de démesuré.*

On peut voir dans ce genre de défis à Dieu, comme dans les griefs farouches de Vigny, une velléité de religion humaniste, dans la mesure où ces deux mots, entendus chacun dans son plein sens, sont compatibles l'un avec l'autre. La méditation romantique nourrit confusément un tel espoir, et c'est une de ses plus fortes séductions. Les récriminations de Vigny peuvent sembler une façon figurée de nier Dieu. Le défi de Hugo incline en sens contraire : c'est un acte de foi dans l'accord possible du désir humain et de la divinité : « J'irai » malgré toi signifie au fond : Tu ne voudras pas m'empêcher d'aller.

Cet acte de foi revêt chez Hugo plus d'une forme. Le Griffon, qui vient de rappeler le verdict de nuit porté contre l'homme déchu, n'offre, pour compenser ce verdict, que la chance de pardon donnée à tout homme [1]. Mais l'Ange humanitaire, quoiqu'il sache qu'il est vain d'espérer être voisin de Dieu [2], va plus loin que le Griffon, en prononçant l'annulation du péché originel :

> *Personne n'est puni pour la faute d'autrui.*
> *D'ailleurs, hommes, le fruit est fait pour qu'on le cueille* [3],

et il encourage la marche du penseur vers Dieu :

> [...] *L'audace est sainte et Dieu bénit l'effort*
> *Tous les glaives de Dieu derrière Adam ont tort.*
> *Monte, esprit, Dieu t'attend* [...] [4].

Un poème paru en 1877, et qui développe le thème habituel de l'inaccessibilité, ne se résigne qu'en apparence :

> *Il est pourtant, ce Dieu. Mais, sous son triple voile,*
> *La lunette avançant fait reculer l'étoile.*
> *C'est une sainte loi que ce recul profond.*

---

1. *Dieu (L'Océan d'en haut)*, v. 1796-1797 : « Le pardon dit tout bas à l'homme : recommence! – Redeviens pur. Remonte à la source. Essayons. »
2. *Ibid.*, v. 2030 et suiv., notamment v. 2036 : « Nul saint : l'Éternité n'a pas de voisinage. »
3. *Ibid.*, v. 2094-2095.
4. *Ibid.*, v. 2136-2138.

> *Les hommes en travail sont grands des pas qu'ils font;*
> *Leur destination, c'est d'aller, portant l'arche;*
> *Ce n'est pas de toucher le but, c'est d'être en marche;*
> *Et cette marche, avec l'infini pour flambeau,*
> *Sera continuée au-delà du tombeau* [1].

La notion de progrès, appliquée à la quête de Dieu, concilie la distance et l'approche. Elle n'est pas nouvelle, en théologie illuministe ou néo-chrétienne aussi bien qu'humanitaire. Mais l'attitude conquérante de Hugo tend à lui donner un tour paradoxal : en tant que chercheur de Dieu, il oscille entre le désespoir et la bravade; il exerce une piété dramatique où la volonté humaine affecte de mesurer ses forces avec celles de Dieu. Et dans ce drame, il n'est pas trop surprenant, vu le redoutable humour de Hugo, que tragédie et comédie puissent voisiner. Témoin cette espèce de parabole hugolienne : « Le grand obscur se dérobe, mais veut être poursuivi. L'énigme, cette Galatée formidable, fuit sous les prodigieux branchages de la vie universelle, mais elle vous regarde et désire être vue. Ce sublime désir de l'impénétrable, être pénétré, fait éclore en nous la prière [2]. » Dieu est comparé ici à la bergère de la troisième églogue, cette Galatée dont il est dit :

> Et fugit ad salices, et se cupit ante videri [3].

Qui accusera Hugo de mauvais goût? Il est au-delà.

Nous sommes aussi loin ici des habitudes de la religion traditionnelle que de celles du déisme philosophique. L'une crierait au sacrilège, l'autre à la puérilité. Mais la religion de Hugo joint toujours des contraires; elle agit comme un éclair, d'un pôle à l'autre, elle court de l'obscurité divine à la lumière sans changer pour ainsi dire de place :

> *C'est l'éternel pourquoi, c'est l'éternel comment;*
> *Cela se meurt, obscur, clair, visible, invisible.*

---

1. *À l'homme,* dans *La Légende des siècles,* XLII (publié en 1877, ce poème porte sur le manuscrit, pour la partie qui nous intéresse, la date du « 6 septembre 1875 »; mais une indication au coin de la page le destinait à *Dieu* (biffée ensuite et remplacée par *Légende des siècles*); il peut donc bien être sensiblement antérieur à 1875, qui est peut-être la date d'achèvement (?).

2. Œ., I.N., *Post-scriptum de ma vie,* « Contemplation suprême », p. 626 [1863-1864].

3. Virgile, *Bucoliques,* III, v. 65 : elle vient de jeter une pomme à Damoetas, « et elle court se cacher derrière les saules, et elle désire être vue avant ».

> [...] *Cela n'est appuyé sur rien, c'est fou; pourtant*
> *C'est là. C'est réel, vrai, formidable, éclatant,*
> *Ô sage, et l'univers autour de toi condense*
> *L'impossibilité d'où jaillit l'évidence* [1].

Ou encore, dans un chapitre sur l'effrayant ciel nocturne : « L'intelligence trouve dans cette terreur auguste son éclipse et sa preuve [...] On est contraint à la foi. Croire de force, tel est le résultat [2]. » Et même « les mages hagards », « les noirs explorateurs » de Dieu, épuisés de ne découvrir que de l'ombre :

> *À l'heure où la stupeur du doute les gagnait,*
> *Éperdus ils voyaient subitement des astres*
> *De confirmation poindre dans les désastres,*
> *Ou sortir brusquement du nuage ébloui*
> *Une foudre hurlant dans les gouffres : c'est lui* [3] *!*

Ailleurs il a ce vers étonnant, et définitif quant au caractère de sa quête de Dieu :

> *Rien qui ne soit latent, rien qui ne soit patent* [4].

De telles formules, qui traduisent évidemment une expérience, attestent en Hugo un type de disposition proprement religieuse, rare dans le déisme. Reste le point le plus difficile : l'explication du mal dans la création. Le déisme ne le comprend pas rationnellement, tour à tour proteste et s'incline en supposant quelque justification cachée, quelque réparation dans l'ordre de l'éternité; il répugne à disqualifier trop vivement, et surtout trop dévotement, la raison humaine [5]. Hugo, dans une *Réponse à l'objection Mal*, écrit ceci :

> [...] *Jette une éponge à l'océan : voyons;*
> *Reprends-la. Qu'as-tu? Rien. Un verre d'eau salée.*
> *Quant à la mer, profonde et terrible mêlée,*

---

1. Œ., I.N., *Océan*, p. 127, daté de 1855 par les éditeurs.
2. *Les Travailleurs de la mer*, II, 2, 5 : « Sub umbra » (dans Œ., I.N., pp. 301-303); ce roman date de 1864-1866.
3. *Dieu, fragments*, section I, fragment 503-504b, v. 37-41 (1856-1857).
4. Œ., I.N., *Poésie IX*, p. 272, vers tirés d'un carnet de 1870 et destinés à *Religions et religion*.
5. Voir VOLTAIRE, *Poème sur le désastre de Lisbonne*, et les remarques de Rousseau sur ce poème dans sa lettre à Voltaire du 18 août 1756.

> [...] *Quant à cet infini, noir, fauve, éblouissant,*
> *Crois-tu que tu le tiens dans ta main ? À présent,*
> *S'il te plaît de porter à ta bouche ce verre,*
> *S'il te plaît de tremper ta lèvre à l'eau sévère,*
> *Et si ton estomac frémit en la buvant,*
> [...] *Est-ce que tu diras qu'ayant goûté l'abîme*
> *Tu viens, toi qui ne vis que si bas et si peu,*
> *De revomir la mer et de recracher Dieu* [1] ?

Cette étrange parabole revient à tenir pour infime le mal terrestre au regard de l'insondable immensité divine. Celui qui a dit, sous cent formes, que son cœur

> *N'accepte le divin qu'autant qu'il est humain* [2]

a donc ses moments de soumission. Nulle ferveur de piété n'accompagne, il est vrai, cette soumission. On peut en dire autant de textes comme celui-ci : « Le mal, n'étant qu'incompréhensible, ne prouve rien contre Dieu [...] Si je pouvais expliquer le mal, je pourrais expliquer Dieu; si je pouvais expliquer Dieu, je serais Dieu [3]. » Mais cette dialectique étonne; elle ne laisse d'issue, si l'on veut croire en Dieu, qu'à la prosternation et à l'humble espérance. C'est à quoi Hugo semble parfois en venir : « En présence, écrit-il, de nos deux grandes cécités, la destinée et la nature, c'est dans son impuissance que l'homme a trouvé le point d'appui, la prière. L'homme se fait secourir par l'effroi; il demande aide à sa crainte; l'anxiété, c'est un conseil d'agenouillement [...] La prière s'adresse à la magnanimité des ténèbres; la prière regarde le mystère avec les yeux mêmes de l'ombre, et, devant la fixité puissante de ce regard suppliant, on sent un désarmement possible de l'Inconnu [4]. » Ce saut de la cécité à la prière est, indiscutablement, hors des limites de la religion des Philosophes.

---

1. *Dieu, fragments,* section I, fragment 344b, v. 17-19, 32-36, 39-41 [environ 1856].
2. *À l'homme,* poème déjà cité (voir ci-dessus, n. 1, p. 404).
3. *Préface philosophique,* II, 12, dans Œ., I.N., t. XII, p. 67 (1860). Il y a d'autres textes du même genre : ainsi dans *Les Travailleurs de la mer,* II, 2, 3 (dans Œ., I.N., p. 336) un passage sur la Nature personnifiée : « Pour elle, la fin justifie les moyens. L'absolu seul a ce droit. Probablement, qui est sans mesure peut être sans scrupule. » Ce qui vaut pour la Nature, dès lors qu'elle est appelée, non sans légèreté, l'« Absolu », doit valoir pour Dieu.
4. *Les Travailleurs de la mer,* III, 1, 1 (Œ., I.N., p. 399).

VII

VARIÉTÉS THÉOLOGIQUES [1]

Souffrons donc, puisque c'est la loi, c'est-à-dire la volonté de Dieu. Il ne va pourtant pas de soi que la souffrance soit inscrite dans la loi providentielle. La bonne conscience déiste est malmenée quand il lui faut, comme nous venons de voir, rejeter l'homme dans les ténèbres pour justifier Dieu à ses dépens. Le dogme du péché et de la chute avait rempli cette fonction dans la religion traditionnelle. Mais justement, depuis le siècle précédent, ce qu'on appelait la « religion naturelle » répudiait ce dogme ; elle substituait, dans sa représentation de l'histoire humaine, une Perfectibilité linéaire au tracé brisé de l'Éden, de la Déchéance et de la Rédemption. Le spiritualisme laïque du XIXᵉ siècle et son frère, le romantisme, avaient beau tenir au christianisme par la vertu qu'ils attribuaient en morale au sacrifice et à la souffrance, ils n'en faisaient pas volontiers la conséquence nécessaire et la réparation d'une faute. Le néo-christianisme humanitaire essayait de combiner, par une théologie appropriée, la doctrine de la Faute et celle du Progrès, en échelonnant des étapes expiatoires sur la route ascendante de l'humanité : ainsi, dès le début de la Restauration, Ballanche. Les penseurs de la gauche, au contraire, de Benjamin Constant à Quinet et Michelet, penchaient pour un Progrès libre de faute. Mais Hugo, tout au long de son œuvre, parle d'expiation ; déjà en 1835, il évoque

---

1. Je groupe dans ce chapitre et le suivant tout ce qui, au-delà des positions générales de Hugo sur l'homme, l'univers, la mort, Dieu et la religion, prend forme de doctrine particulière plus ou moins hérétique ou d'affabulation surnaturelle.

Cette âpre loi que l'un nomme Expiation
Et l'autre Destinée [1].

La loi d'expiation.

Comment entend-il lui-même cette loi? Dans un chapitre
des *Misères*, première forme des *Misérables*, il rapprochait, en
un étrange parallèle, le bagne et le couvent; pensée doublement
humanitaire, qui fait aller de pair l'effacement du crime par
la peine et la régénération de l'humanité par la pénitence des
âmes pures, « expiation pour autrui » [2]. Qui dit expiation dit
faute; mais Faute originelle, imputable à l'humanité? Hugo
pose la question :

> *Souffrance, es-tu la loi du monde?*

> *[...] Dieu! qu'a donc fait la créature,*
> *Et pourquoi l'être est-il puni?*
> *C'est le grand cri de la nature*
> *Dans le grand deuil de l'infini* [3].

La réponse de Hugo à cette question est en plus d'un endroit
celle du christianisme :

> *Courbons-nous sous l'obscure loi [...]*

> *Homme, n'exige pas qu'on rompe le silence;*
> *Dis-toi : Je suis puni. Baisse la tête et pense [...]*

> *Ô douleur! clef des cieux! l'ironie est fumée.*
> *L'expiation rouvre une porte fermée;*
> *Les souffrances sont des faveurs* [4].

1. À *Olympio*, dans *Les Voix intérieures*, XXX, « 15 octobre 1835 ».
2. *Les Misérables*, II, VIII, ix (Œ., I.N., pp. 278-280); ces pages figuraient
déjà dans *Les Misères*, première version de ce roman (1847-1848) : voir R. JOURNET
et G. ROBERT, *Le Manuscrit des* Misérables, p. 112; elles annoncent les développements sur la vie monacale qui furent ajoutés dans la version définitive (voir
ci-dessus n. 1, p. 376, et le texte correspondant).
3. *Toute la lyre*, III, 57, « 27 juillet 1854 », premier et derniers vers.
4. *Dolor*, dans *Les Contemplations*, VI, 17, « 30 mars 1854 », strophes 2, 3,
16.

Et on lit dans *Les Misérables* : « La terre n'est point sans ressemblance avec une geôle. Qui sait si l'homme n'est pas un repris de la justice divine [1] ? » Mais il ne peut évidemment en rester sur cette position, si inusuelle en son siècle. Ballanche, tout catholique qu'il voulait être, n'avait pu acquiescer au dogme sur ce point qu'en incluant dans le châtiment même les voies du rachat, en nommant l'expiation épreuve, c'est-à-dire ouverture vers le salut. Hugo connaissait bien ce débat, et voulait suivre Ballanche : « La souffrance pour la souffrance n'est pas. Rien n'existe sans cause : la souffrance est donc invinciblement ou un châtiment ou une épreuve, et, dans tous les cas, un rachat [2]. » La loi de souffrance et d'épreuve n'en est pas moins dure, surtout pour un critique aussi déterminé que Hugo des rigueurs de la loi pénale. Ce qui est tenu pour barbare dans l'institution humaine pourrait-il se justifier dans le plan divin?

Hugo a tenté une réponse au problème de la souffrance qui mît en cause une loi d'attraction des créatures nécessairement imparfaites vers Dieu, agissant progressivement et dans la peine, plutôt que la volonté divine d'équilibrer la faute par le châtiment. L'idée même d'épreuve s'efface dans cette vue des choses, où le crime est imperfection et l'amendement, progrès. Le monde créé par Dieu ne pouvait être aussi parfait que Dieu lui-même : « Ce qui distingue la création du créateur, c'est qu'elle est mélangée de matière [...] La création, c'est l'imperfection [...] À l'origine, Dieu fit la création aussi peu distante de lui que possible. L'imperfection était imperceptible. Il n'y avait presque pas de matière. Tous les êtres étaient anges. Or l'être ne suffit pas à l'être [...] [3]. Être, c'est faire. Or, l'imperfection étant, a fait [...] Qu'a-t-elle donc fait? l'imperfection [...] Or, l'imperfection ajoutée à la création première, ce sera plus d'imperfection dans la création. » On distingue bien ici le désir d'éluder l'idée d'un Dieu punisseur par l'appel à une logique en quelque sorte naturelle de l'imperfection comme source du mal. Cette logique prend forme dans les idées de matière ou de poids : « Le mal crée la matière pondérable [...] La première faute a été le premier poids. Le pondérable, c'est

---

1. *Les Misérables*, IV, VII, I, rédaction de 1861-1862.

2. *Préface philosophique*, I, 9 (Œ., M., t. XII, p. 31) (1860).

3. Je crois qu'il faut entendre, en accord avec le contexte : « Or *le fait d'être* ne suffit pas à l'être » ; il lui faut en outre *faire* ; et, étant imparfait, il ne peut que faire mal.

le mal [...] De là les globes semés dans l'espace. Ces globes sont les créations de la faute [1]. » La doctrine qui fait naître le mal de l'inévitable imperfection de l'univers créé était déjà accréditée dans la philosophie classique. Celle qui fait naître la matière du mal est empruntée à la tradition théosophique. Hugo, en expliquant le mal par une sorte de gravitation inévitable, voudrait en disculper l'homme en même temps que Dieu. Et de même que le mal est pesanteur, le bien est lévitation et remontée : « Continuer, écrit Hugo. Démontrer que la loi, c'est de remonter »; et il évoque une antithèse parallèle, celle de l'ombre et de la lumière : « Faire le bien [...] c'est rentrer dans la lumière, c'est devenir esprit, c'est devenir ange [2]. » Mais cette dissolution naturaliste de la faute et de sa réparation ne supprime pas la difficulté, à moins qu'on ne suppose qu'elle annule toute responsabilité, ce que Hugo ne fait pas expressément et ne voudrait pas faire. Les symboles physiques de la pesanteur et de la lumière déplacent le problème moral et métaphysique; ils ne peuvent le supprimer; et ils risquent d'effacer le mérite en même temps que la culpabilité, ce que Hugo ne souhaiterait pas non plus [3]. On comprend que l'idée d'une Faute première éloignant l'homme de Dieu, en dehors même de ce qu'elle a d'encombrant dans une pensée progressiste, ait eu si peu de crédit dans la pensée moderne : elle complique inutilement la question des origines morales de l'humanité. Elle est indiscutablement, chez Hugo, une persistance de la théologie et de la foi traditionnelles.

Le nouvel au-delà.

Victor Hugo a joint à son déisme, dans les années 1850 surtout, des conceptions nouvelles de la survie, comportant

---

1. Texte de 1853-1854 reproduit par R. JOURNET et G. ROBERT, *Notes sur Les Contemplations*, pp. 214-216 (déjà publié in *Œ., I.N., Post-scriptum de ma vie*, pp. 589-591, accolé à un autre texte). Cette théorie du mal-pesanteur est reprise en 1855 dans *Ce que dit la bouche d'ombre*.
2. Même texte, *in fine*.
3. Il n'est pas question de faire grief à Hugo de contradictions ou d'antinomies que personne n'a jamais pu résoudre, mais seulement de signaler les efforts qu'il fait, après d'autres, pour tenir, en plusieurs cas, les deux bouts d'une chaîne. Voir un de ces autres cas dans le *Journal d'Adèle Hugo*, éd. citée, t. III, p. 175, 21 avril 1854.

d'une part une migration des âmes dans les astres, d'autre part une métempsycose dans l'échelle des êtres terrestres. L'importance qu'il leur a donnée dans son œuvre n'a pas trop retenu l'attention du grand public; cependant son insistance en ce domaine le distingue sensiblement des autres grands écrivains romantiques, chez qui cette sorte de théologie hétérodoxe n'apparaît qu'occasionnellement, et à titre accessoire, ou pas du tout. L'originalité de Hugo, quant au fond des doctrines, est toutefois moins grande qu'on ne pourrait croire : de telles idées obsédaient les esprits depuis trois quarts de siècle; de sorte qu'il est impossible de les considérer chez lui indépendamment de leurs antécédents. Il ne s'agit pas ici de la tradition théosophico-illuministe, dont la source est plus ancienne et l'esprit différent, mais de variantes surgies au xviiie siècle dans le sein du déisme naturiste, dont Hugo, en un sens, peut passer pour un des continuateurs. On ne peut en donner ici qu'une vue d'ensemble, nécessairement schématique [1].

Le déisme philosophique, celui de Voltaire, Rousseau et tant d'autres, fervent sans dogmes ni rites, reste au fond des esprits. Mais l'espèce de promotion que cette doctrine confère, sous sa forme même la plus nue, à la Nature, création et temple de l'Être suprême, tend à ruiner d'une certaine manière la distinction chrétienne du sensible et du spirituel. Il en est résulté dans beaucoup d'esprits diverses conséquences, dont leur peu d'accord avec l'esprit de la science moderne a borné le crédit, mais qui ont curieusement prospéré pendant plusieurs générations littéraires. L'une d'elles est la tendance à confondre le monde sidéral et l'au-delà, à placer le paradis dans les corps célestes. Une autre, le besoin d'habiller l'âme survivante d'une nouvelle enveloppe corporelle : retour inattendu du « corps glorieux » de la théologie chrétienne, rendu pour ainsi dire naturel et donné à tous. D'autre part, l'abîme ouvert par le dogme entre l'âme humaine et la divinité, avec le seul intermédiaire des anges, voulut être comblé par une échelle graduée d'existences accessibles à l'homme entre la terre et le ciel, plus conforme à une loi d'universel progrès que la métamorphose

---

1. Sur ces prédécesseurs de Hugo, voir notamment Aug. Viatte *Les Origines occultes du romantisme*, Paris, 1928, 2 vol., t. I, pp. 124-125; H. Guillemin, édition des *Visions* de Lamartine, Paris, 1936, p. 39; Aug. Viatte, *Victor Hugo et les illuminés de son temps*, Montréal, 1943, p. 45; P. Albouy, *La Création mythologique chez Victor Hugo*, pp. 369 et suiv., 385 et suiv.; R. Journet et G. Robert, *Notes sur* Les Contemplations, pp. 8-21.

instantanée et totale prévue par le dogme. Un nouvel au-delà
se constitua ainsi au sein du déisme, singulièrement divergent
de l'esprit initial de cette doctrine, mais tenace et surgissant
de tous côtés. Nul système arrêté ne règne en ce domaine ; c'est
une constellation d'éléments divers nés d'une disposition de
pensée commune, dont les auteurs ne se connaissent pas nécessairement les uns les autres, et, finalement, l'esquisse percep-
tible, à travers tous, d'une conception d'ensemble. L'âme
humaine, après la mort, émigre ascensionnellement, d'existence
en existence, vers une succession d'astres toujours meilleurs,
revêtue d'un corps de plus en plus subtil (d'ange, d'archange,
dit-on parfois), à proportion de ses progrès, le terme du voyage
étant, sous divers noms, la Divinité. Le crédit de cette doctrine,
ou de cette rêverie, s'étend sur la fin du XVIIIᵉ siècle et toute
la première moitié du XIXᵉ. On la voit professée ou évoquée
avant Hugo chez des auteurs d'aussi haut rang, entre autres,
que Bernardin de Saint-Pierre, Lamartine, Jouffroy, Michelet.

Certains imaginent simplement le soleil comme lieu universel
de survie [1] ; d'autres placent le paradis, sans plus de précision,
dans un astre, ou dans les astres [2] ; mais on imagine surtout
des migrations progressives à travers les corps célestes : telle
est évidemment la forme achevée de cette pensée. On la trouve
assez répandue dans la génération littéraire du début du siècle,
sans qu'on puisse toujours distinguer si ce type de survie fait
l'objet d'une fantaisie, d'un vœu ou d'une croyance, ou s'il
participe à la fois de ces divers caractères. Fontanes, littérateur

---

1. Ainsi BERNARDIN DE SAINT-PIERRE, *Harmonies de la nature,* composées à
partir de 1790, t. III (= t. X de l'éd. Aimé Martin des *Œuvres,* 1818), p. 388,
p. 421 : « Les âmes des justes, Orphée, Confucius, Socrate, Platon, Marc Aurèle,
Épictète, Fénelon jouissent de l'immortalité dans le soleil et nous guident de là-
haut. C'est là que sans doute se trouve l'infortuné Jean-Jacques » ; LAMARTINE,
La Foi (dans les *Méditations*), parlant à son âme : « Hôte mystérieux, que vas-
tu devenir ? – Au grand flambeau du jour vas-tu te réunir ? – Peut-être de ce feu
n'es-tu qu'une étincelle, – Qu'un rayon égaré que cet astre rappelle » (1818).
2. Voir LAMARTINE, *Les Étoiles* (dans les *Nouvelles Méditations*), v. 85 et suiv.
(1819) ; aussi *Pensée des morts* (dans les *Harmonies*), v. 165-168 (1826), toujours
sur le mode de l'imagination poétique. En prose : Fr.-Cl. TURLOT (né en 1745),
Études sur la théorie de l'avenir, t. II, 1810, p. 302 ; Aug.-H. KÉRATRY (né en
1769), *Inductions morales et physiologiques,* Paris, 1817, p. 432 ; BÉRANGER, dans
une de ses dernières chansons, fait revenir un rossignol de l'au-delà pour nous
en apporter les enseignements ; « Aux plus éclatantes planètes – L'homme retrouve
ses aïeux ; – Sages, héros, saints, demi-dieux, – Affranchis de l'ombre où vous
êtes » (*L'Oiseau fantôme,* p. 244 des *Dernières Chansons,* Paris, 1857). Les deux
polygraphes cités plus haut parlent très sérieusement quant à eux.

déjà connu dans les derniers temps de l'Ancien Régime, qui devait être plus tard l'ami de Chateaubriand et le grand-maître de l'Université napoléonienne, adressait, dès 1788, cette apostrophe aux planètes :

> *Peut-être enfermez-vous ces esprits, ces génies,*
> *Qui, par tous les degrés de l'échelle du ciel,*
> *Montaient, selon Platon, jusqu'au trône éternel* [1].

Charles de Lacretelle, son contemporain, historien et publiciste, qui croyait à « la transmigration des âmes dans les mondes qui brillent sur nos têtes » et à des étapes successives de perfectionnement de monde en monde, essayait vers 1802 de convertir Mme de Staël à cette doctrine, sans y parvenir [2]. Jean-Antoine Gleizes, dont Nodier vers le même temps admirait les ouvrages, pense que l'homme à sa mort passe dans un autre séjour, et se dirige par un rayon vecteur vers l'âme ou le centre de notre système cosmique, Dieu ou Soleil, en passant par un grand nombre de centres intermédiaires [3].

Lamartine, dans la génération suivante, se complut à ces hypothèses; dans un poème de 1821, passant en revue les destinées possibles de l'homme après la mort, il se demande s'il est voué à l'immortalité, au néant, à la résurrection terrestre,

> *Ou si, changeant sept fois de destins et de sphère,*
> *Et montant d'astre en astre à son centre divin,*
> *D'un but qui fuit toujours il s'approche sans fin* [4].

1. FONTANES, *Essai sur l'astronomie* (1788) dans *Œuvres*, Paris, 1839, 2 vol., t. I, p. 21. Sur Platon, voir ci-dessous note 2, page 417.

2. C'est celui qu'on appelle LACRETELLE le Jeune, né en 1866; il vécut jusque sous le second Empire; voir son *Testament philosophique et littéraire*, Paris, 1840, 2 vol., t. I, chap. XVIII, et au chap. XIX l'« Entretien avec Mme de Staël » (au cours d'un voyage à Coppet en 1802), notamment p. 82. Mme de Staël préférait s'en tenir à l'immortalité spiritualiste ordinaire.

3. J.-A. GLEIZES, *Thalysie ou la nouvelle existence*, Paris, 1840-1841-1842, 3 vol., t. II, 12e discours, « De l'état des êtres après la mort », notamment pp. 345-350; Gleizes, né en 1773, mourut en 1843. J'ai dit quelque chose de ses ouvrages dans *Le Sacre de l'écrivain*, p. 216 et suiv., en partageant l'opinion commune qui le faisait confondre avec son frère Auguste. Voir sur lui les éclaircissements donnés par Jacques-Rémi DAHAN dans son article *Charles Nodier et les « Méditateurs »*, *Lendemains* (Berlin), n° 25-26, 1982, p. 71 et suiv.

4. LAMARTINE, *Philosophie* (1821), v. 62-64 (dans les *Méditations*). Voir aussi les pages souvent citées du *Cours familier de littérature* (Entretien XVIII, t. III,

Le paléontologue et polygraphe Boucher de Perthes, qui fut
célèbre par ses fouilles et ses découvertes touchant l'homme
préhistorique, croyait à une progression des âmes, incarnées de
globe en globe dans des formes de plus en plus parfaites selon
leur mérite et la justice de Dieu [1]. Théodore Jouffroy, qui fut
l'un des penseurs les plus vigoureux de son temps, écrivait au
début de sa carrière : « Je vois devant moi une suite indéfinie
de vies par lesquelles je passerai [...] Ne vous figurez-vous pas
une suite de planètes où nos âmes vivront successivement sous
différents costumes? [...] À mesure que nous avancerons nous
ne manquerons pas de nous trouver toujours un peu moins
mal et un peu moins imparfaits [...] Nous voyagerons longtemps, peut-être toujours [...] L'éternité n'est pas trop longue
pour un si grand chemin [...] Heureux les enfants du dernier
des mondes, ils naîtront dans le bonheur absolu [...] J'imagine
que nous trouverons Dieu dans cette dernière vie [2]. » Michelet,
dans les années mêmes où il écrivait l'*Histoire de France,*
évoquait dans son *Journal* « cette immortalité telle que nous
la concevons plutôt aujourd'hui, immortalité par migration de
globe en globe, par éducation à travers le monde », il est prêt
à y souscrire à condition que la continuité de la mémoire
personnelle y soit garantie comme dans l'immortalité des philosophes et de la religion [3]. Cette condition admise, il se laisse
aller à développer cette doctrine; « Ce globe est à l'état d'enfance
non seulement par rapport à ce qu'il pourra devenir un jour,
mais, bien plus, selon toute apparence, aux globes plus avancés
sur lesquels nous passerons [...] de globe en globe, en sorte

p. 553 et suiv., mai 1857), où il raconte l'illumination au cours de laquelle en
1821 il avait conçu le projet des *Visions* : ce projet nous est connu comme retraçant
les réincarnations terrestres d'un ange déchu, en expiation et rachat de sa faute;
le peu qui fut réalisé de ce projet, et, plus tard, *Jocelyn* et *La Chute d'un ange*
confirment un tel plan. Mais le récit de 1857 évoque des voyages stellaires d'âmes,
montant ou descendant selon leur mérite ou leur déchéance, et attribue au héros
et à l'héroïne eux-mêmes une telle destinée.

   1. BOUCHER DE PERTHES (1788-1868), *De la création,* Abbeville, 1838-1841,
5 vol., t. III; p. 159, t. V, p. 388.

   2. Th. JOUFFROY, lettre du 10 juillet 1819 à Dubois (*Correspondance,* éd. Lair,
Paris, 1901, pp. 278-280). SAINTE-BEUVE, qui en 1833 avait apparemment
connaissance de cette lettre, parle de « saillies d'imagination philosophiques » chez
Jouffroy (*Revue des deux mondes,* 1er décembre 1833, article sur Jouffroy = *Portraits
littéraires,* t. I, pp. 308-309).

   3. Jules MICHELET, *Journal,* 24 juillet 1839, éd. Viallaneix, t. I, Paris, 1959,
p. 307.

que l'Église de Dieu aille se faisant et s'édifiant dans l'éternel et l'infini, poursuivant l'idéal impossible de l'identification [1]. » Eugène Pelletan, plus jeune de quinze ou vingt ans que les derniers de ceux que nous venons de citer, critique littéraire et militant démocrate, pense de même : « Par l'irrésistible logique de l'idée, je crois pouvoir affirmer que la vie immortelle aura l'espace infini pour lieu de pèlerinage [...] L'homme ira donc toujours de soleil en soleil, montant toujours comme sur l'échelle de Jacob, la hiérarchie de l'existence; passant toujours, selon son mérite et selon son progrès, de l'homme à l'ange, de l'ange à l'archange [2]. »

Mais c'est Jean Reynaud, saint-simonien d'origine, publiciste démocrate, sous-secrétaire d'État à l'Instruction publique en 1848 et député à la Constituante, qui a donné la version la plus complète de la Survie astrale, appuyée sur une critique explicite de l'immortalité selon le christianisme [3]. Dès 1833, il tenait les corps célestes pour des centres assignés au séjour

1. *Ibid.*, 28 mars 1842, pp. 386-387. Le dernier membre de phrase fait allusion à l'impossible identification à Dieu, terme asymptotique de l'ascension; nous venons de voir la même idée chez Lamartine; cette figure est d'un grand usage, dans cette zone de pensée, pour représenter la relation de l'homme à Dieu.
2. Eugène PELLETAN, *Profession de foi du dix-neuvième siècle*, Paris, 1852, p. 427. (On croit que cet ouvrage fut écrit avant 1848; Pelletan, républicain bon teint, fut quelque peu persécuté sous l'Empire; il fut membre du gouvernement de la Défense nationale en 1870, et opposant au 16 mai.)
Je n'ai pas fait état de BALLANCHE dans cette revue, quoiqu'il envisage lui aussi, après la vie terrestre, des étapes d'épreuve et de purification (voir notamment *Palingénésie sociale. Prolégomènes*, 1827, dans *Œ.*, éd. in-12, t. IV, p. 131), mais sans indication explicite d'une carrière astrale.
On peut en dire autant du discours hétérodoxe que BALZAC, dans *Les Proscrits* (1831), prête au docteur Sigier, théologien de l'Université de Paris au Moyen Âge : l'évocation des « sphères » spirituelles qui séparent l'homme de Dieu, l'exhortation : « Eh bien, allez, partez! montez par la foi de globe en globe » semblent indiquer une pure carrière de conquête mystique, signalée aux vivants pour être parcourue sans quitter ce monde (voir H. DE BALZAC, *La Comédie humaine*, éd. P.-G. Castex, Paris, Gallimard, Bibliothèque de la Pléiade, t. XI, pp. 540, 541, 544).
3. Jean REYNAUD a publié, sur le sujet de la survie : *De l'infinité du ciel*, dans la *Revue encyclopédique*, t. LVIII, avril-mai 1833, pp. 5-20; l'article *Ciel*, dans l'*Encyclopédie nouvelle*, vol. III, Paris, 1840 (livraison parue en 1837, selon P. ALBOUY, *La Création mythologique chez Victor Hugo*, p. 286); et un livre entier, *Terre et ciel*, Paris, 1854. Ses écrits ont certainement contribué, avec ceux de Fourier et des fouriéristes, sur lesquels nous reviendrons bientôt, à répandre dans les milieux humanitaires la doctrine de la survie astrale, de préférence à la plate métempsycose terrestre, de corps humain en corps humain, professée par Pierre Leroux.

échelonné des âmes en progrès vers Dieu [1]. En 1837, il critique l'immortalité statique du christianisme, comme contraire au principe d'activité créatrice qui, selon lui, est dans l'homme la marque et la ressemblance de Dieu; action et perfectibilité doivent empreindre la survie comme la vie : « Le ciel, écrit-il, n'est donc point une demeure, mais un chemin [2]. » Il relie cette pensée à l'opinion selon laquelle le prétendu péché originel est la matrice du progrès, et la condamnation d'Adam le principe de son émancipation : « À quoi se réduit en effet l'arrêt divin? À l'établissement des épreuves qui font la grandeur de l'homme sur la terre [3]. » Ces épreuves fécondes, qui qualifient l'humanité, doivent donc se continuer au-delà de la mort terrestre; ainsi l'âme humaine, « passant d'un séjour à un autre séjour, et laissant son premier corps pour un corps nouveau, sans cesse variable dans sa demeure et dans son apparence, poursuit sous les rayons du Créateur, de transmigration en transmigration, et de métamorphose en métamorphose, le cours palingénésique de sa destinée éternelle » [4].

Jusqu'ici nous avons affaire à une échelle qui s'élève de l'homme vers le haut. La théologie optimiste de ces générations veut trouver dans la mort la continuation de la loi de perfectibilité; peut-être même est-ce là son inspiration principale. Deux vers de Hugo le suggèrent :

La loi, sous ses deux noms une dans les deux sphères,
Vivants, c'est le progrès; morts, c'est l'ascension [5].

Cette ascension est souvent représentée comme continue, et sans qu'on ait l'air d'envisager que les épreuves prévues, et qui sont

1. *De l'infinité du ciel*, p. 19.
2. *Ciel*, p. 609; formule reprise, à peu près littéralement, dans *Terre et ciel*, p. 272; quant à l'idée d'une survie active, déjà présente dans *Ciel*, voir *Terre et ciel*, p. 251 et suiv.
3. *Ibid.*, p. 205.
4. *Ciel*, p. 613; de même *Terre et ciel*, pp. 290-291. Pour donner une idée du crédit que ces idées eurent en leur temps, et du sérieux avec lequel on les envisageait, signalons qu'un homme aussi grave que Barbès, emprisonné après la tentative manquée d'insurrection de 1839 et s'attendant à subir la peine capitale, adopta après une lecture la doctrine de Reynaud, qui, dit-il, « me parut satisfaire à la fois toutes mes aspirations multiples » : voir Armand Barbès, *Deux Jours de condamnation à mort*, p. 5 [1848].
5. V. Hugo, *Dieu (L'Océan d'en haut)*, v. 3022-3023; c'est, bien sûr, l'Ange humanitaire qui parle.

liées à toute existence active, au ciel comme sur terre, puissent ne pas être surmontées. Mais l'optimisme inhérent aux doctrines du nouvel au-delà et la répugnance à tout système punitif n'empêchent pas que certains ne prévoient des fautes, suivies de rétrogradations [1]. On sait, de toute façon, que l'homme, qui occupe le premier échelon de la carrière, n'est pas toujours digne de s'élever d'emblée plus haut. Comment traiter son indignité si souvent patente, sans recourir à la vindicte divine? Beaucoup eurent recours à l'antique métempsycose, qui fait émigrer l'homme vers le bas, dans des corps animaux ou des plantes. L'idée de ce mode de punition est déjà dans Platon [2], et le crédit dont jouissait alors l'histoire naturelle attirait l'esprit de ce côté. Une échelle des espèces terrestres pouvait précéder d'en bas celle de l'homme et de ses perfectionnements stellaires, et les voyages de l'âme courir sur cette double carrière.

Un tel système est ébauché vers 1770 chez Sébastien Mercier. Il voit, d'une part, les corps célestes organisés pour recevoir l'homme dans ses progrès : « L'âme humaine monte dans tous ces mondes, comme à une échelle brillante et graduée, qui l'approche à chaque pas de la plus grande perfection. » Par contre, les âmes basses « s'enfoncent dans ces ténèbres où jaillit à peine un pâle rayon d'existence [...] Tel monarque à son décès devient taupe; tel ministre un serpent venimeux » [3]. Le schéma est sommaire, et ne semble pas prévoir le passage d'une échelle à l'autre. La perspective est plus vaste et le sentiment plus grave chez le physiocrate Dupont de Nemours, philosophe de la raison et de l'enthousiasme selon l'esprit de son temps. Il développe un système de l'univers comportant, au-delà des

---

1. Rappelons que Lamartine (voir ci-dessus n. 4, pp. 413-414) voit les âmes montant et descendant, c'est-à-dire, sujettes à des retours en arrière. Jean REYNAUD, *Terre et ciel,* p. 271, imagine des routes montant ou s'abaissant dans le ciel.

2. Voir PLATON, *Phédon,* dans la traduction Victor Cousin des *Œuvres,* t. I. p. 242 (âmes transportées en punition dans des corps d'animaux correspondant à leurs vices); même idée, jointe à celle d'une assignation de demeure astrale aux âmes pures, dans *Timée, ibid.,* t. XII, p. 139; Platon évoque aussi des carrières spirituelles, pérégrinations et pénitences des âmes, avec vies successives, sans référence astrale (*Phèdre, ibid.,* t. VI, p. 54; *La République,* t. X, p. 281). Les souvenirs de Platon ont pu influer à l'époque qui nous intéresse, mais on le voit rarement cité chez nos auteurs. BERNARDIN DE SAINT-PIERRE, par exemple, *op. cit.,* p. 77, cite les Indiens, et non Platon, comme ayant foi aux métempsycoses punitives dans des corps animaux.

3. Sébastien MERCIER, *L'An 2440,* Londres, 1771, 3 vol., t. I, pp. 123 et 125. Mercier a vécu de 1740 à 1814. Il envisage aussi, dans le parcours céleste, des globes-purgatoires.

vérités *certaines* de la physique et de la morale, un ordre de
vérités *probables,* selon lequel existe au-dessus de nous, dans
les globes célestes, une échelle d'êtres supérieurs : vers ces
Augustes Témoins, comme il les appelle, il nous engage à nous
élancer en esprit, s'appuyant sur un troisième ordre de vérités,
crédibles, qui nous ouvre le chemin vers eux. Tout être vivant,
selon lui, revêt après sa mort corporelle un corps nouveau selon
son mérite. Et ce mérite peut être longuement pesé, s'il est
douteux, au cours d'une période de passage entre deux degrés,
où la monade, nue et en suspens, s'examine et fait pénitence
jusqu'à ce que le résultat fasse pencher la réincarnation vers le
haut, le retour au même niveau, ou le bas, pour le temps
nécessaire. Cette loi joue depuis les formes les plus élémentaires
de la vie jusqu'à l'homme, puis à l'Ange et à l'Optimate ou
Super-ange. L'Optimate même peut continuer à avancer indéfiniment, s'approchant toujours davantage de Dieu, quoique
sans jamais l'atteindre; si ce parcours sans fin le lasse, s'il
s'arrête, il retombe jusqu'au végétal et recommence tout le
cycle, sans qu'il y ait jamais en tout cela punition à proprement
parler, mais accomplissement d'un ordre équilibré et progressif.
La prière a place dans ce système; elle s'adresse aux Augustes
Témoins, peuple des astres, et plus particulièrement aux Optimates, que l'auteur invoque en ces termes ; « Vous qui, mortels
par votre nature, pouvez devenir immortels de fait, en ne
cessant jamais de vouloir vous améliorer, [...] frayez-nous le
chemin [...] Secondez nos efforts, soutenez notre courage, éclairez
notre raison, embrasez notre zèle. Que votre main puissante,
que vos brillants flambeaux aident à s'élever vers votre sphère
de feu les Génies, les Anges, et les Hommes, et mes Amis, et
mes Fils et moi qui [...] m'élance, comme un autre Icare, en
enfant perdu sur la route [1]. » De tous les éléments dont se

---

1. Pierre-Samuel DUPONT DE NEMOURS, *Philosophie de l'univers,* édition originale sans date (date de composition probable 1792-1793), p. 123 et suiv.;
pp. 140-142 (prière aux Augustes Témoins); pp. 157 et suiv., 159 et suiv., 172
et suiv., 184 et suiv. 190-191, 197, 214-215 (prière aux Optimates). L'auteur
critique fort, chemin faisant, la survie chrétienne (enfer éternel, paradis purement
contemplatif contraire à toutes nos tendances). L'ouvrage a eu en l'an VII (1799)
une « 3ᵉ édition » augmentée de notes; une de ces notes, p. 268, rejette le Péché
originel de la théologie chrétienne dans les « nuages de la mythologie ». Dupont
de Nemours (1739-1817) ne fut ni un personnage insignifiant ni un extravagant.
Il avait exercé sous Louis XVI plusieurs fonctions importantes en raison de sa
compétence en économie; il fut délégué aux États généraux, et membre de la
Constituante, dont il occupa en 1790 la présidence; sa fidélité à la royauté le fit

compose le nouvel au-delà, c'est la métempsycose animale qui a le moins prospéré au xixᵉ siècle. On la trouve pourtant chez Alexandre Weill, qui fut l'ami de Nerval [1], et bien sûr, comme nous verrons, chez Victor Hugo, qui en a fait le versant terrifiant de sa mythologie humanitaire.

Une autre idée que l'on trouve fréquemment liée aux doctrines nouvelles de la survie est celle qui fait des corps célestes eux-mêmes des êtres vivants, voire doués d'âme, et de qualification diverse dans l'échelle du bien et du mal. Ce glissement paganisant de la théo-mythologie naturiste apparaît assez tôt et s'est longuement répercuté d'un siècle à l'autre. Au xviiiᵉ siècle, c'est Rétif de La Bretonne qui surtout « animalise » l'univers : notre soleil, sorti du Soleil-principe unique (Dieu?), a engendré tout notre monde; tout vit dans la nature, et les globes sentent leur existence [2]; le soleil mâle, générateur, envoie à la terre femelle des émissions fécondantes; nous vivons une « existence de participation, par laquelle nous sommes *cohéremment* avec la Terre notre planète, et par elle avec notre Soleil et tout l'univers » [3]; le soleil produit les planètes par excrétion ou génération; il les expulse, et elles lui reviennent, et tous les soleils pareillement reviennent à Dieu leur centre [4]. Nulle idée d'épreuve ni de progrès n'apparaît dans ce système purement vitaliste, parsemé de sarcasmes à l'adresse des chimères religieuses; mais la vitalisation des astres peut s'intégrer aussi bien dans un système spiritualiste de l'univers, comme on verra chez Hugo, et comme il apparaît déjà chez Fourier jusqu'à un certain point [5]. Selon Fourier, les planètes vivent et meurent; et à leur

---

emprisonner sous la Terreur; élu député au Conseil des Anciens, il émigra après Fructidor, puis de nouveau pendant les Cent-Jours, aux États-Unis, où il a, comme on sait, fait souche jusqu'à nos jours.

1. Alexandre Weill, *Mystères de la Création,* Paris, 1855, p. 101; l'auteur prétend que l'idée des âmes montantes et descendantes, des plantes aux anges, appartient à la tradition rabbinique (?).

2. Nicolas Rétif de La Bretonne (1734-1806), *L'École des pères,* Paris, 1776, 3 vol., t. III, pp. 191, 198, 209.

3. *Id., La Découverte australe,* « Leipsick »-Paris [1781], 4 vol., t. III, pp. 453-454; pp. 612-613.

4. *Id., Philosophie de Monsieur Nicolas,* Paris, an V (1796), 3 vol., t. I, p. 55, p. 78, pp. 114-115; t. II, pp. 268-269.

5. On trouve çà et là des suggestions, plus ou moins fugitives, en faveur de la vie ou de l'âme des astres, preuve que cette idée existait à l'état diffus : ainsi chez Bernardin de Saint-Pierre, *op. cit.,* p. 401 : « Un génie gouverne chaque planète, ange, divinité, âme »; Dupont de Nemours, *op. cit.,* p. 53, et dans une

mort leur « grande âme », accompagnée des « petites âmes » de leurs habitants, émigre vers une planète supérieure, s'y incarne, et ainsi de suite, d'existence en existence, s'élève en degré, devient âme de soleil, de nébuleuse, d'univers, de groupes d'univers. Les planètes sont androgynes, et les êtres individuels des deux sexes attachés à chacune d'elles émanent, corps et âmes, de leur planète et suivent sa destinée tout en vivant la leur propre, dans une longue suite de vies alternées, « mondaines » ou « intramondaines », c'est-à-dire, en ce qui nous concerne, terrestres, dans des corps charnels chaque fois nouveaux, et « ultramondaines » ou « transmondaines », dans un corps « aromal-éthéré » toujours le même [1]. Dans cette conception, on remarque que l'élément progressif ou ascensionnel est attaché au moins autant à la planète qu'à l'être individuel.

Naturellement, le chantier de théo-mythologie romantique dont ces pages tentent de donner une idée permet chez certains auteurs les combinaisons de variantes les plus libres [2]. Il ne faut d'ailleurs pas parler dans ce domaine de sources ni d'emprunts précis, à moins de similitudes telles dans le détail des idées et des expressions, qu'elles excluent le hasard. Il s'agit de pensées qui courent partout, vingt fois dites sans doute, une fois écrites, circulant par motifs séparés et différemment recombinés ici ou là, selon quelques orientations constantes. Les difficultés que rencontre le nouveau système de survie ne sont d'ailleurs pas moins dignes d'intérêt que les innovations qu'il introduit. Signalons-en deux. En premier lieu, nos auteurs, très hostiles non seulement à l'idée d'un enfer éternel, mais même

longue Note de la 3ᵉ éd., pp. 245-246; aussi LAMARTINE, *Cours familier*, Entretien XVIII, t. III, p. 360.

1. Charles FOURIER, *Traité de l'association domestique-agricole*, Paris-Londres, 1822, 2 vol., t. I, p. 238 et suiv., « Thèse de l'immortalité bi-composée » (notamment pp. 243-244, 248-251 = *Œuvres complètes*, Paris, 6 vol., t. III, 1841, p. 304 et suiv.). Son disciple, Hippolyte RENAUD (1803-1873), polytechnicien et officier de carrière, a repris les idées du maître dans *Solidarité*, Paris, 1842, chap. VII, « Cosmogonie », pp. 205-233, et plus tard dans *Destinée de l'homme dans les deux mondes*, Paris, 1862, liv. II, « Sur l'autre vie », pp. 176-201. On a l'impression qu'il essaie d'introduire dans la doctrine un élément de rétribution des globes célestes selon leur mérite et une possibilité de rétrogradation et, p. 214, une rétribution avec mémoire dans les existences « mondaines ». On a remarqué que les existences inférieures à l'homme n'ont pas place, selon cette école, dans la doctrine de la survie. Fourier les exclut absolument (*op. cit.*, p. 250).

2. On peut s'en convaincre en lisant *La Vie future du point de vue socialiste* d'Alphonse ESQUIROS, Marseille, 1850; voir quelques pages et des références sur Esquiros dans *Le Temps des prophètes*, pp. 448 et suiv.

à celle d'un Dieu capable de faire souffrir ses créatures, sont bien obligés de concevoir pourtant dans l'univers un système de récompenses et de peines comme ressort du progrès. Quand ils n'éludent pas purement et simplement la difficulté, ils sont bien obligés d'expliquer comment les peines peuvent exister sous un Dieu qui ne les voudrait pas ; et les voilà dans le même embarras que les théologiens, obligés d'expliquer comment un Dieu infiniment bon peut vouloir punir : de la religion traditionnelle au déisme, le problème n'a fait que se déplacer. La réponse est dans l'idée d'ordre et d'équilibre : une création nécessairement imparfaite doit avoir en elle-même de quoi s'orienter vers le mieux, et c'est ce que Dieu a rendu possible par un système de rétributions réglant l'échelle des êtres.

En second lieu, l'immortalité par réincarnations successives pose de façon particulièrement aiguë la question de la persistance de la mémoire d'une existence à l'autre. Le sujet garde-t-il, au cours de ces vies, le sentiment de son identité ? Les auteurs ont souvent ignoré la difficulté, par légèreté ou par embarras. Quelques-uns ont voulu y répondre, et nous verrons que Hugo ne l'a pas évitée. Il est difficile de la poser pour les métempsycoses d'êtres inférieurs en hommes, l'expérience ne nous montrant sur terre aucun être humain ayant mémoire d'une telle aventure ; quant au voyage d'une âme humaine dans un corps animal ou végétal, il n'a que relativement peu intéressé, Hugo mis à part : l'idée de ce genre de métempsycose accompagné de mémoire est peu séduisante, même pour l'esprit le plus amoureux de dépaysement [1]. Il en est autrement des migrations stellaires, qui offrent à l'imagination une libre et exaltante carrière. Sébastien Mercier et Dupont de Nemours se prononcent tous deux, sans crainte d'être contredits, l'expérience étant ici hors de notre portée, pour la conservation du souvenir et de l'identité personnelle à travers les vies célestes. Jean Reynaud, plus circonspect, croit que la mémoire se perd d'abord d'une vie astrale à l'autre, mais qu'à un certain degré d'élévation dans l'échelle, nous recouvrons la mémoire de toutes nos vies

---

1. La fable universelle et les contes oraux de tous pays font, comme on sait, grand usage des métamorphoses d'êtres humains en bêtes, moins souvent des métamorphoses contraires. Dans les contes les humains changés en bêtes sont d'ordinaire restés conscients de leur identité. Nos auteurs admettent de telles situations d'animalité dans l'économie de leur système, mais ne s'arrêtent pas à les commenter. On verra qu'il n'en est pas de même de Hugo.

successives [1]. Fourier et son disciple Hippolyte Renaud pensent que les incarnations « mondaines », c'est-à-dire charnelles et terrestres d'une âme, sont frappées d'oubli, tandis que dans l'intervalle de ces incarnations, ses séjours dans le corps aromal-éthéré, dites vies « ultramondaines », jouissent de la mémoire continue de tout le passé vécu dans les deux états [2].

Versions hugoliennes de la survie.

Si nous nous sommes quelque peu écartés de Hugo dans les pages précédentes, ce n'est pas pour découvrir les « sources » de ses idées sur la survie, comme s'il s'agissait chez lui en ce domaine de nouveautés ou d'anomalies dont il faille éclaircir l'origine particulière. Il s'agit, au contraire, de montrer dans les générations qui l'ont précédé une recherche générale de représentations nouvelles touchant la survie, une agitation et une émotion inventives accompagnant la critique des idées traditionnelles sur l'immortalité. Comme toujours dans les mouvements de cette sorte, le courant général entraîne l'apport particulier des individus, chacun croyant tirer de soi ce qui court partout, tout en ajoutant sa pierre à l'édifice : de sorte qu'il s'agit moins de déceler des filiations que de décrire un concert créateur, un et multiple. De ce point de vue, on ne

---

1. Sébastien MERCIER, *op. cit.*, pp. 123-124 : l'âme garde sa mémoire, le magasin de ses idées, « son plus cher trésor »; DUPONT DE NEMOURS, *op. cit.*, pp. 171-172 ; Jean REYNAUD, *Ciel*, p. 616 : « Qui sait si notre âme ne renferme pas, dans le secret de notre essence de quoi illuminer un jour tous les espaces successivement traversés par elle ? »; formule identique dans *Terre et ciel*, pp. 306-307.

2. FOURIER, *op. cit.*, p. 251 (= *Œ. compl.*, III, pp. 329-330); Hippolyte RENAUD, *Solidarité*, pp. 210-212; *Destinée de l'homme*, p. 190 et suiv. L'extraordinaire « immortalité composée » du fouriérisme semble, exceptionnellement, dériver d'une source précise. Dans *Monsieur Nicolas* de RÉTIF, le cordelier Gaudet d'Arras développe le même système : alternance pour l'âme de vies purement spirituelles et de vies terrestres, avec la même économie de la mémoire, effacée à chaque incarnation terrestre, et retrouvée dans toute son étendue à chaque vie spirituelle (voir RÉTIF DE LA BRETONNE, *Monsieur Nicolas ou le cœur humain dévoilé*, 4ᵉ époque, t. II, p. 131 de l'édition en 4 vol., Paris, H. Jonquières et Cⁱᵉ, 1924). Cette page se trouve reproduite textuellement, à des détails près, par Gérard DE NERVAL dans *Les Illuminés*, « Les Confidences de Nicolas », *Œuvres*, éd. Richer-Béguin, Paris, Gallimard, Bibliothèque de la Pléiade, t. II, pp. 1035-1036. La parenté Fourier-Rétif, on le sait, ne se borne pas là.

trouvera plus si étranges les imaginations théo-mythologiques
de Hugo : elles tiennent intimement à la littérature de son
temps, qui se voyait héritière de la religion et l'était d'une
certaine façon. En le trouvant moins unique, on le trouvera
aussi moins seul; plus authentique et plus proche, plus émou-
vant dans sa recherche : ce fut celle de trois générations, avant
que n'ait été abandonné – l'a-t-il été vraiment? – le grand
dessein romantique de faire vivre quelque chose entre la vieille
religion et le pur agnosticisme. Hugo reste unique malgré tout
par l'immensité de son apport; ce que beaucoup disaient avant
lui et autour de lui, il le met en œuvre à sa glorieuse façon,
il le change en brûlante poésie, avec des variantes d'inspiration
et d'élocution qui fulgurent, une étendue dans l'exploration et
la découverte, un degré dans la foi, un pathétique dans le
combat de l'espérance et de l'angoisse, qui font de cette partie
de son œuvre le monument majeur de la religion romantique.

Hugo, poète adolescent, connaissait le thème, déjà répandu,
de la survie dans les astres : un poème de ses seize ans l'évoque [1].
On ne le voit pas reparaître chez lui, autant que je sache, avant
le poème de 1839 qui a pour titre *Caeruleum mare,* et dans
lequel on peut lire :

> *Mais un jour, ton œuvre profonde,*
> *Nous la saurons, Dieu redouté,*
> *Nous irons voir de monde en monde*
> *S'épanouir ton unité;*
>
> *[...] Ô songe! ô vision sereine!*
> *Nous saurons le secret de tout,*
> *Et ce rayon qui sur nous traîne,*
> *Nous en pourrons voir l'autre bout [2] !*

Dans *Saturne,* qui est de la même époque, se précise la représentation de la carrière astrale chez Hugo comme quête de
connaissance plutôt que de salut; il en est venu, dit-il,

> *À croire qu'à la mort, continuant sa route,*
> *L'âme se souvenant de son humanité,*

---

1. *Le Désir de la gloire,* ode, « 2-3 février 1818 », recueilli dans *Œ.,* I.N.,
Océan, p. 28, strophe 4 : « Peut-être au sortir de la vie – Va-t-on sur ces globes
nouveaux », etc. (= *Œ. poét.,* t. I, p. 145).

2. *Caeruleum mare,* dans *Les Rayons et les ombres,* XL, « 25 mars 1839 ».

> *Envolée à jamais sous la céleste voûte,*
> *À franchir l'infini passait l'éternité* [...]
>
> *Et qu'ainsi, faits vivants par le sépulcre même,*
> *Nous irions tous un jour, dans l'espace vermeil,*
> *Lire l'œuvre infinie et l'éternel poème,*
> *Vers à vers, soleil à soleil !*

Mais le ciel des astres a son enfer, où iront les méchants après la mort :

> *Ceux-là, Saturne, un globe horrible et solitaire*
> *Les prendra, pour le temps où Dieu voudra punir,*
> *Châtiés à la fois par le ciel et la terre,*
> *Par l'aspiration et par le souvenir !*
>
> *Saturne ! sphère énorme ! astre aux aspects funèbres !*
> *Bagne du ciel ! prison dont le soupirail luit !*
> *Monde en proie à la brume, aux souffles, aux ténèbres !*
> *Enfer fait d'hiver et de nuit* [1] *!*

Cette représentation sinistre d'un lieu de damnation doit plus à la tradition religieuse qu'aux habitudes, plutôt évasives en matière de châtiment, des nouveaux mythologues. Ces évocations sinistres sont un caractère propre à l'au-delà de Hugo, quoiqu'il coïncide avec ses prédécesseurs dans le refus des peines autres que temporaires [2].

Entre 1839 et l'exil, quelques textes, non publiés du vivant de Hugo, concernent certains aspects de la survie. Une page,

---

1. *Saturne,* dans *Les Contemplations,* III, 3, « 30 avril 1839 ». « L'âme se souvenant de son humanité » marque la réponse affirmative de Hugo au problème de la survivance du *moi* dans les vies posthumes ; même idée touchant les réprouvés, châtiés « par l'aspiration et par le souvenir ». Il y avait une tradition de pensée péjorative touchant Saturne dans l'Antiquité (voir R. JOURNET et G. ROBERT, *Notes sur* Les Contemplations, p. 89, n. 57, *Œ. poét.,* t. II, p. 1470). La carrière de l'âme à travers les astres est encore évoquée dans des vers qu'on croit être des dernières années de l'exil : « La mort, libérateur souriant, nous transfère – D'astre en astre, de ciel en ciel, de sphère en sphère », etc. (V. HUGO, *Épîtres,* éd. Françoise Lambert, Paris, 1966, p. 89).

2. Le deuxième vers de notre citation le marque bien. Sébastien Mercier avait aussi son globe purgatoire et évoquait surtout la façon d'en sortir (en mourant amendé). Hugo emploie le mot « sphère », qui signifie aussi bien « globe » que « région de l'espace » et qui est d'un grand usage dans cette théorie naturellement imprécise.

qu'on croit antérieure à 1848, et qui décrit la création comme
« une ascension perpétuelle de la brute vers l'homme, de
l'homme vers l'ange, de l'ange vers Dieu » par le dépouillement
de la matière et l'accroissement de l'esprit, précise que cette
ascension s'opère moyennant les morts successives : « À chaque
fois qu'on meurt, on gagne un peu plus de vie. » La brute est
à peine évoquée ici, il s'agit surtout des anges, qui sont les
hommes passés dans un monde supérieur : « Les âmes – les
anges – passent d'une sphère à l'autre, sans perdre leur moi,
deviennent de plus en plus lumière, se rapprochent sans cesse
de Dieu [...] Le point de jonction est dans l'infini. Se rapprocher
toujours, n'atteindre jamais, c'est la loi de l'asymptote, c'est la
loi de l'ange, c'est la loi de l'âme. C'est cette ascension sans
fin, c'est cette perpétuelle poursuite de Dieu, qui est son
immortalité [1]. » Ces âmes-anges, selon le même texte, pourraient très bien avoir un corps : « Certains penseurs repoussent
ces questions : – Aurons-nous un corps dans l'autre vie? [...] –
Ces questions n'ont rien qui me répugne. Pourquoi n'aurait-
on pas un corps, corps subtil et éthéré, dont notre corps humain
ne serait qu'une ébauche grossière [2] ? » Voici une autre tentation,
qui vient de loin aussi, dans un propos des tout premiers temps
de l'exil : celle qui voit dans le soleil un centre des esprits :
« Le Soleil, écrit Hugo, est tout à la fois la Source et la Fin
de tous les grands génies qui viennent tour à tour habiter un
certain temps dans les sphères inférieures. Ces sphères inférieures
sont la Lune, la Terre, Saturne, Vénus, etc. [3]. »
  C'est en 1854 que surgissent les grands poèmes de la Survie
hugolienne. L'expiation et les métempsycoses terrestres y ont
pris la plus grande place, installant dans l'échelle des êtres un

---

1. V. Hugo, *Post-scriptum de ma vie*, dans *Œ.*, I.N., *Philosophie II,* p. 572
(« Explication de la vie et de la mort »). On a noté les deux idées saillantes, déjà
connues de nous : permanence du *moi* et asymptote; daté de 1844-1848 par les
éditeurs.
2. *Ibid.*, p. 567 [1848-1850]. Nous avons vu que les théo-mythologues de la
Nature et de la Perfectibilité trouvent invraisemblable la désincarnation instantanée
et totale de l'âme au moment de la mort, telle qu'on la professe traditionnellement.
Hugo, si spititualiste qu'il soit, si adorateur de la Lumière et de l'Esprit, n'en
est pas moins tenté par l'idée d'une subtilisation progressive de la chair.
3. O. Uzanne, *op. cit.*, p. 14 = *Journal d'Adèle Hugo*, éd. citée, t. I, p. 330,
« 8 novembre 1852 ». Nous connaissons cette mythologie héliocentrique; elle
s'accompagne chez Hugo, comme on voit, d'une sorte de discrédit jeté sur les
planètes; les étoiles étant des soleils, elle n'est pas absolument inconciliable avec
les imaginations stellaires habituelles de Hugo.

versant d'horreur. D'abord *Pleurs dans la nuit* : chant de doute, chant de deuil du genre humain captif, ce poème fait surgir une métempsycose minérale, un emprisonnement dans la pierre de l'âme punie : thème étrange, sans doute autorisé par la vieille alliance mythique qui figure la mort par la pierre du sépulcre ou de la statue; ici pierres du dedans de la tombe, pierres de crime et de châtiment où sont captifs les rois et empereurs tortionnaires du genre humain, Néron, Nemrod, Phalaris, Caligula, Charles IX, Tibère :

> *Est-ce que ces cailloux, tout pénétrés de crimes,*
> *Dans l'horreur étouffés, scellés dans les abîmes,*
> *Enviant l'ossement,*
> *Sans air, sans mouvement, sans jour, sans yeux, sans bouche,*
> *Entre l'herbe sinistre et le cercueil farouche,*
> *Vivraient affreusement?*
>
> *Est-ce que ce seraient des âmes condamnées,*
> *Des maudits qui, pendant des millions d'années,*
> *Seuls avec le remords,*
> *Au lieu de voir, des yeux de l'astre solitaire,*
> *Sortir les rayons d'or, verraient les vers de terre*
> *Sortir des yeux des morts?*
>
> *Homme et roche, exister, noir dans l'ombre vivante!*
> *Songer, pétrifié dans sa propre épouvante!*
> *Rêver l'éternité!*
> *Dévorer ses fureurs, confusément rugies!*
> *Être pris, ouragan de crimes et d'orgies,*
> *Dans l'immobilité* [1] *!*

---

1. *Pleurs dans la nuit*, dans *Les Contemplations*, VI, 6, section 7, strophes 8-10, « 25-30 avril 1854 ». Le caillou comme prison expiatoire se trouve aussi, à une date que nous ne saurions préciser, dans le *Journal de l'exil* : « Je crois qu'un homme coupable subit le châtiment de son crime. Son crime devient son châtiment. Après sa mort le criminel sentira sa faute se transformer en un caillou, une pierre ou un rocher. Cette pierre ou ce rocher sera la prison où il expiera son crime. » Ces lignes sont citées par Vianey dans son édition des *Contemplations*, t. III, p. 432, qui renvoie à Wack. Il s'agit de l'ouvrage de Henry Wellington WACK, *Le Roman de Juliette et de Victor Hugo*, Paris, 1905, où cette citation se trouve page 85, sans indication de date. Ce texte (*ibid.*, p. 68) proviendrait d'un nouveau lot de textes inédits du *Journal de l'exil*, communiqué à Wack par W. A. Luff, auteur de la première découverte à Guernesey du manuscrit qui fut vendu à Londres en 1890; Wack en donne, *passim*, plusieurs extraits dans son

En fait, la pierre maudite n'est plus seulement pierre chez Hugo, elle est l'enfer d'une âme coupable; en elle est captif un *moi* voué au remords et à la fureur, c'est-à-dire à la mémoire, Hugo ayant opté expressément, seul dans ce cas, pour la tradition folklorique qui maintient la mémoire et l'identité consciente dans les métamorphoses sous-humaines. Il est le seul aussi à les avoir poussées, pour plus d'horreur, jusqu'au minéral, camisole de force du crime [1].

Le caillou-prison qu'on ne voit que chez lui est comme une réduction du globe-purgatoire; aussi la pierre elle-même est-elle tenue pour damnée; elle souffre avec l'âme qu'elle enferme :

> *Est-ce que par hasard ces pierres sont punies,*
> *Dieu vivant, pour souffrir de telles agonies [2] ?*

de même que le globe-bagne fait figure de bagnard : il y a déjà des globes de cette sorte dans l'*Éloa* de Vigny, où il est dit qu'au passage de l'Ange de pitié,

> *Quelques globes punis semblaient se consoler [3].*

livre, qui a paru également en 1905 en anglais à Londres et New York (*The Romance of Victor Hugo and Juliette Drouet*). Sauf chez Vianey, je n'ai vu faire mention nulle part de Wack; et je ne sais ce que peut être le lot de manuscrits en question. On peut rapprocher de *Pleurs dans la nuit* et des autres poèmes de 1854 où s'exprime la même métaphysique de la survie, le poème intitulé *Ténèbres*, publié seulement en 1883, mais qui peut bien être de beaucoup antérieur (tableau de la nuit, frémissante d'angoisse et d'interrogation) : « Qu'a-t-on fait à la ronce et qu'a-t-on fait à l'arbre? – Qu'ont-ils donc à pleurer? Pour qui l'antre de marbre – Verse-t-il ces larmes d'adieux? – Sont-ce les noirs Caïns d'une faute première? » (*La Légende des siècles*, XXXIV, 2.)

1. L'invention de Hugo est, par l'intention, aux antipodes du thème « pythagoricien » qui fait vivre un esprit dans les pierres, et qui dignifie le minéral en le spiritualisant : voir les fameux *Vers dorés* de NERVAL, et dans BALZAC un théologien médiéval assignant une mission, un avenir aux minéraux, à la plante, à l'animal (Sigier, dans *Les Proscrits*, éd. citée, p. 23). Hugo fait tout autre chose : il met, au moins dans sa vision de la survie, une malédiction dans toute la nature. Je ne vois qu'un exemple chez lui où le passage d'un degré d'être terrestre à un autre se fait en montant vers l'homme, comme un développement heureux : c'est le poème *Écrit sur un exemplaire de la Divina Commedia* (*Les Contemplations*, III, 1, « 22 juillet 1853 ») où Dante dit qu'il a été montagne, chêne, puis lion, avant d'être Dante.

2. *Pleurs dans la nuit, ibid.*, section 7, strophe 1.

3. VIGNY, *Éloa*, v. 277. Un tel vers, en 1823, ne doit pas étonner : l'idée d'expiation obsédait toute la littérature de la contre-révolution, et par conséquent

Saturne, dans le poème de Hugo,

> *Ainsi qu'une araignée au centre de sa toile,*

est bien un de ces globes coupables. Et l'imagination de Hugo
continuait à travailler dans ce sens. Un poème de 1854 fait
une épouvantable évocation de ces « affreux univers morts »,
peuplés de monstrueux coupables :

> *Agitant des linceuls et secouant des chaînes,*
> *Pleins de vers, fourmillants de monstres, noirs de haines,*
> *Demandant au gouffre un flambeau,*
> *En proie aux vents soufflant d'une bouche insensée,*
> *Mondes spectres qui font hésiter la pensée*
> *Entre le bagne et le tombeau* [...]

> *Quelques-uns ont été des édens et des astres.*
> *Et l'on voit maintenant, tout chargés de désastres,*
> *Rouler, éteints, désespérés,*
> *L'un semant dans l'espace une effroyable graine,*
> *L'autre traînant sa lèpre et l'autre sa gangrène,*
> *Ces noirs soleils pestiférés* [1] *!*

On peut penser que l'*âme* de ces lieux sinistres est une pure
métaphore, et c'est l'impression que fait l'éloquence de ces
vers. Mais Hugo parle en prose aussi précisément que Fourier
sur le même sujet : « Les mondes sont des êtres. Un monde
est une âme. Il leur est donné de s'éloigner ou de se rapprocher
de Dieu. Il y a des mondes anges : les paradis. Il y a les
mondes démons : les enfers. Les mondes de récompense — les
mondes d'expiation [...] Il y a les mondes intermédiaires : les
mondes de purification, ce qu'on pourrait appeler les mondes-
hommes. La terre en est un [2]. » Cette fonction convient naturellement à la terre, située au partage des deux versants de
l'univers hugolien, entre l'ombre et la lumière, comme l'homme

le premier romantisme et le groupe de *La Muse française*, où Hugo et Vigny
firent leurs débuts, et dont les modèles, en fait de « poème sacré », étaient Milton
et Klopstock. Il est probable que l'inspiration de Hugo que nous commentons
dans ces pages a son premier germe dans cette sphère poétique.
   1. *Inferi*, dans *La Légende des siècles*, XXXII, « 11 juin 1854 ».
   2. Œ., I.N., *Post-scriptum de ma vie*, p. 591 (reproduit par R. JOURNET et
G. ROBERT, *Notes sur* Les Contemplations, pp. 216-217 (1853-1854).

est mêlé de chair et d'âme. Mais un autre poème de 1854 tient toutes les planètes, et la terre donc, pour de purs enfers :

La terre est au soleil ce que l'homme est à l'ange.
L'un est fait de splendeur, l'autre est pétri de fange.
Toute étoile est soleil, tout astre est paradis;
Autour des globes purs sont les mondes maudits;
Et dans l'ombre où l'esprit voit mieux que la lunette,
Le soleil paradis traîne l'enfer planète.
L'ange habitant de l'astre est faillible; et, séduit,
Il peut devenir l'homme habitant de la nuit.
Voilà ce que m'a dit le vent sur la montagne [1].

Il est entendu que les mondes punis, dans l'universelle rédemption à venir, seront délivrés du mal et se convertiront à l'amour. C'est ce que nous apprend un grand poème messianique de la même année; car toute horreur débouche chez Hugo sur la délivrance :

Les sphères vogueront avec le son des lyres.
Au lieu des mondes noirs pleins d'horribles délires,
Qui rugissent vils et maudits,
On entendra chanter sous le feuillage sombre
Les édens enivrés, et l'on verra dans l'ombre
Resplendir les bleus paradis [...]

Les globes se noueront par des nœuds invisibles,
Ils s'enverront l'amour comme la flèche aux cibles;
Tout sera vie, hymne et réveil;
Et comme des oiseaux vont d'une branche à l'autre,
Le Verbe immense ira, mystérieux apôtre,
D'un soleil à l'autre soleil [2].

Cependant l'invention des Mondes-enfers à côté des Astres-paradis, et plus encore avec la Terre comme purgatoire, forment un système complet : l'expiation du mal et l'ascension vers Dieu étant si bien assurée dans les corps célestes, à quoi bon cette prison des pierres que nous avons vue et celle des fleurs et des bêtes que nous montrera La Bouche d'ombre? Borgia,

---

1. *Explication,* dans *Les Contemplations,* III, 12, « 5 octobre 1854 ».
2. *Tout le passé et tout l'avenir,* dans *La Légende des siècles,* XLIV, « 7-17 juin 1854 », section 2, strophes 27 et 31.

pour ne citer que lui, est prisonnier d'un silex dans un poème;
un autre le montre dans un globe maudit [1] : il faut entendre,
semble-t-il, que les métempsycoses dans des êtres inférieurs ont
lieu justement dans des globes punis, que ces globes occupent
la partie basse et ténébreuse, infernale en somme, de l'espace
et que la terre, dans le décor de laquelle Hugo les décrit, est
un de ces globes, ce qu'il a parfois l'air de dire. La vérité, c'est
que nous sommes dans un domaine où l'exacte logique n'est
pas de mise. Nos mythologues font penser à ceux de la Grèce
antique dont les traditions (ou les inventions) particulières se
contredisent aussi souvent qu'elles se répètent, varient parfois
chez un même auteur, se diversifient sur tel point et font défaut
sur tel autre. C'est ainsi qu'il faut considérer nos prédicateurs
modernes de survie, comme des poètes ou des conteurs brodant
sur un fonds imprécis et non comme des doctrinaires obligés
à la stricte cohérence. D'ailleurs les poètes ne sont pas, comme
les théologiens dogmatiques, sous la dépendance d'un unique
Saint-Esprit : Hugo, quant à lui, écoute tantôt, comme on a
vu, le vent soufflant sur la montagne, tantôt la Nuit interrogée,
ou bien

L'être mystérieux qui me parle à ses heures [2],

et quelques autres. Le plus illustre de ces informateurs surnaturels est le spectre dit La Bouche d'ombre.

La Bouche d'ombre développe avec une accablante magni-
ficence le système des métempsycoses inférieures dans la triple
échelle des pierres, des plantes et des animaux [3]. Elle établit
ce système de métempsycose universelle (« tout est plein
d'âmes ») sur la doctrine que nous connaissons déjà, de la faute-
pesanteur, suite en action de l'imperfection inévitable de la
créature [4]. Hugo tient à cette explication de philosophe quoi-

1. *Pleurs dans la nuit*, section 7, strophe 13; *Inferi*, strophe 11.
2. *Explication*, v. 9; *Pleurs dans la nuit*, v. 2; *Tout le passé et tout l'avenir*,
v. 1.
3. Dans *Pleurs dans la nuit*, il était surtout question des pierres, sauf (section 7,
strophe 19) une allusion rapide à des métempsycoses dans le jonc, le ver, le tigre.
4. *Ce que dit la bouche d'ombre*, dans *Les Contemplations*, VI, 26, « 1ᵉʳ-13 octobre
1854 », v. 7-98 : cf. ci-dessus, n. 1, p. 410, et le texte. Hugo revient plus loin
(v. 225-226) à cette doctrine : « Dieu ne nous juge point. Vivant tous à la fois,
– Nous pesons et chacun descend selon son poids. » Il s'agit toujours d'absoudre
Dieu de l'odieux du châtiment en masquant sa volonté sous une sorte de nécessité
rationnelle.

qu'elle jure avec le cauchemar d'expiation qui hante tout le poème. Avant d'entrer dans ce cauchemar, et de dire au poète :

Avançons dans cette ombre et sois mon compagnon [1],

le spectre rappelle l'envergure totale du système de purification ascensionnelle que nous connaissons, ombre et matière en bas, lumière et esprit en haut, avec la terre et l'homme à mi-chemin :

Ton soleil est lugubre et ta terre est horrible.
Vous habitez le seuil du monde châtiment.
Mais vous n'êtes pas hors de Dieu complètement [2].

Car la carrière ouverte aux âmes ne s'arrête pas à la terre et à l'homme,

Non, elle continue, invincible, admirable,
Entre dans l'invisible et dans l'impondérable,
Y disparaît pour toi, chair vile, emplit l'azur
D'un monde éblouissant, miroir du monde obscur,
D'êtres voisins de l'homme et d'autres qui s'éloignent,
D'esprits purs, de voyants dont les splendeurs témoignent,
D'anges faits de rayons comme l'homme d'instincts ;
Elle plonge à travers les cieux jamais atteints,
Sublime ascension d'échelles étoilées [...] [3].

Le spectre, ayant ainsi posé la doctrine hugolienne de la faute et du rachat, et celle de la pérégrination ascendante des existences vers Dieu, va longuement décrire le monde du châtiment, et la foule des âmes tombées,

Dans la brute, dans l'arbre, et même, au-dessous d'eux,
Dans le caillou pensif, cet aveugle hideux [4].

1. *Ibid.*, v. 232.
2. *Ibid.*, v. 108-110.
3. *Ibid.*, v. 148-155. Naturellement, la chaîne vient de plus bas que la terre : voir v. 167 et suiv., la description, proprement mythique, des abîmes infernaux où elle prend naissance et où « [...] l'on voit tout au fond, quand l'œil ose y descendre, – Au-delà de la vie, et du souffle et du bruit, – Un affreux soleil noir d'où rayonne la nuit ! ».
4. *Ibid.*, v. 77-78.

Le châtiment s'exécute en vertu de l'ordre du monde, qui inclut la peine dans le crime même :

> *Toute faute qu'on fait est un cachot qu'on s'ouvre* [1].

L'âme retrouve en ce cachot la forme et la mémoire même de son crime : ainsi le duc d'Albe et Philippe II, tortionnaires des Pays-Bas, forment à eux deux, après leur mort :

> *La pince qui rougit dans le brasier hideux;*
> *[...] Hérode, c'est l'osier des berceaux vagissants;*
> *[...] Et le vent qui jadis soufflait sur les Sodomes*
> *Mêle, dans l'âtre abject et sous le vil chardon,*
> *La fumée Érostrate à la flamme Néron* [2].

Tibère est un rocher; Séjan son favori, un serpent; du tombeau d'Anitus, accusateur de Socrate, il sort une ciguë où son âme est enfermée [3]; et toute la nature suppliciée, pierres, fleurs, et bêtes, cette nature que Hugo a si souvent peinte glorieusement belle et heureuse, est un peuple d'âmes au martyre, contraintes d'exercer la malfaisance que leur incarnation leur impose et qui leur rappelle leur crime, d'opprimer, de mordre et d'empoisonner, et dans ce sinistre exercice, dans leurs blasphèmes et leurs fureurs, songeant et aspirant à Dieu. Leur souffrance ignorée emplit atrocement l'univers, où tout est douleur :

> *Ce que Domitien, césar, fit avec joie,*
> *Tigre, il le continue avec horreur, Verrès,*
> *Qui fut loup sous la pourpre, est loup dans les forêts;*
> *Il descend, réveillé, l'autre côté du rêve:*
> *Son rire, au fond des bois, en hurlement s'achève;*
> *Pleurez sur ce qui hurle et pleurez sur Verrès.*
> *Sur ces tombeaux vivants, marqués d'obscurs arrêts,*
> *Penchez-vous attendri! Versez votre prière!*
> *[...] Ayez pitié vous tous et qui que vous soyez!*

---

1. *Ibid.*, v. 239.
2. *Ibid.*, v. 269-270 (les deux branches de la pince, instrument de torture, sont le roi et le duc, rougissant au feu sous leur nouvelle forme); Hérode, auteur du massacre des innocents, prisonnier dans l'osier des berceaux, entendra à toute heure, pleurer les enfants; Érostrate et Néron, incendiaires, renaissent fumée et flamme (v. 285-290) sous le souffle justicier qui jadis détruisit Sodome.
3. *Ibid.*, v. 246, 263.

Les hideux châtiments, l'un sur l'autre broyés,
Roulent, submergeant tout, excepté les mémoires [1].

Toute cette douleur suspendue à Dieu appelle donc ici, comme dans *Pleurs dans la nuit,* la pitié et la prière [2]. De là l'hymne final d'espérance que La Bouche d'ombre, se changeant en Bouche de lumière, fait succéder à ses sinistres révélations [3] : les enfers se referont édens, les monstres déborderont d'amour, le jour est proche où Dieu

> *Fera rentrer, parmi les univers archanges,*
> *L'univers paria;*

le troupeau des hydres infernales montera et se transfigurera,

> *On leur tendra les mains de la haute demeure,*
> *Et Jésus, se penchant sur Bélial qui pleure,*
> *Lui dira : C'est donc toi* [4] !

> *Et vers Dieu par la main il conduira ce frère* [5] !
> *Et quand ils seront près des degrés de lumière*
> *Par nous seuls aperçus* [6]

1. *Ibid.,* 620-627, 665-667.
2. Toutes ces citations, il faut le dire, donnent une faible idée du poème. Voir un mouvement analogue dans un poème de 1875 (dans *L'Art d'être grand-père,* IV, *Le Poème du Jardin des Plantes,* section 10) : d'abord tout le peuple animal imaginé comme un monde de damnés expiant d'anciens crimes (« Tas de forçats qui grince et gronde, aboie et beugle »), puis les bêtes, entendant soudain la voix des enfants venus les visiter, et émues à l'idée qu'elles peuvent être aimées, soudain apaisées et entrevoyant la délivrance : « Ô clémence! ô lueur dans l'énorme prison! »).
3. Ce final est en sizains lyriques $AA^{12} B^6 CC^{12} B^6$, alors que tout ce qui précède est en alexandrins rimant deux à deux, dont cependant les vingt derniers, admirables, décrivent déjà dans les « profondeurs noires » un tressaillement d'amour, annonçant l'hymne.
4. Cette conversion du monde maudit est l'esquisse d'une *Fin de Satan.* Mais le poème étant étranger d'intention à la mythologie biblico-chrétienne, et plus plein de monstres que de démons, Hugo y a mis des hydres, et Bélial, moins notoire que Satan. *Beliyaâl* est en hébreu un vaurien, un homme vil; puis un démon, ou le diable, dans la littérature rabbinique; saint Paul l'oppose à Jésus dans la IIe Épître aux Corinthiens, VI, 15.
5. Jésus conduisant Satan à Dieu se trouve déjà en 1846 chez l'abbé Constant : voir *Le Temps des prophètes,* p. 440.
6. C'est le spectre qui dit « nous », faisant allusion aux privilèges de vision des esprits, que ne partagent pas les humains.

> *Tous deux seront si beaux, que Dieu dont l'œil flamboie*
> *Ne pourra distinguer, père ébloui de joie,*
>   *Bélial de Jésus !*

Alors le mal expirera, les larmes tariront, les douleurs finiront, et un ange criera : Commencement !

Nous avons réservé jusqu'ici le problème de la mémoire, continuée ou suspendue, dans la conception hugolienne de la survie; des textes cités ressortait seulement, de façon patente, que le maintien de la mémoire et de la personnalité lui apparaissait comme un élément indispensable dans l'économie de la survie. Cette façon de penser était fortement ancrée en lui; elle s'exprime déjà en 1839 dans *Saturne,* où elle s'applique aux mutations ascendantes aussi bien que descendantes [1]. Pendant l'exil, il résume ainsi sa pensée dominante à cet égard : « [...] Puissance indomptable du moi. L'homme ne comprend et n'accepte l'immortalité qu'à la condition de se souvenir [2]. » Mais, une fois au moins, on lit dans son œuvre quelque chose d'un peu différent, à savoir : « Un homme dort. Il fait un rêve [...] À son réveil il se retrouve. Le rêve s'est évanoui. Il est après ce qu'il était avant [...] Le lendemain il fait un autre rêve [...] Il s'éveille et se retrouve homme. Ainsi de la vie. Ainsi de toutes les vies terrestres que nous pouvons être condamnés à traverser. Les vies planétaires sont des sommeils. Ces vies peuvent n'avoir aucun lien entre elles, pas plus que les rêves de nos nuits. Le moi qui persiste après le réveil, c'est le moi antérieur et extérieur au rêve. Le moi qui persiste après la mort, c'est le moi antérieur et extérieur à la vie [3]. » Dans cette page, Hugo semble faire sienne la théorie fouriériste de l'« immortalité composée », qui comporte l'éclipse de la mémoire et du moi au cours des vies terrestres successives de l'individu [4]. Hugo a intitulé ce morceau « Persistance du moi » pour marquer ce qui, dans une telle conception, lui importe le plus : l'existence d'un moi permanent et doué de mémoire au-delà de notre

    1. Voir ci-dessus n. 1, p. 424 et le texte.
    2. Œ., I.N., *Post-scriptum de ma vie,* p. 570, fragment daté par les éditeurs de [1856-1858]. MICHELET réclamait de même, avec la survie, « le plein souvenir, le profit de l'expérience, la vive conscience de soi, une mémoire totale de toutes les vies d'auparavant qui instruise, punisse ou récompense » (*Journal,* 28 mars 1842, p. 386).
    3. Œ., I.N., *ibid.,* p. 573, daté par les éditeurs de [1848-1850].
    4. Voir ci-dessus n. 1, p. 420 et 2, p. 422, et le texte.

expérience terrestre. Qu'il s'inspire ici d'une lecture de Fourier ou de quelque exposé résumé de sa doctrine, c'est possible : Fourier comparait déjà son « immortalité composée » à la succession alternée de la veille et du rêve, comme fait à son tour Hugo [1]. Mais Hugo n'a nulle part ailleurs envisagé une carrière d'existences terrestres alternant avec des existences célestes ; ce sont pour lui deux séries dont l'une commence quand l'autre finit. D'ailleurs, la conception qui semble le tenter ici exclurait les métempsycoses inférieures, cruellement affectées de mémoire, auxquelles il donne tant de place, et que Fourier n'admet absolument pas. Le texte auquel nous venons de nous arrêter n'exprime sans doute chez Hugo qu'une pensée fugace : sans doute lui faut-il bien admettre une amnésie attachée à l'existence humaine, mais c'est dans un autre sens que Fourier et en étroit rapport avec ses propres vues. C'est un fait incontestable que l'homme, s'il a vécu des existences antérieures, n'en garde pas mémoire [2]. Ce fait, pour Hugo, est exceptionnel dans l'échelle des êtres, et il se fait un devoir de l'expliquer [3] : c'est

1. L'emploi du mot « planétaire » comme doublet généralisant de « terrestre » semble trahir aussi une influence fouriériste. Pour la comparaison de l'immortalité composée avec le couple veille-rêve chez Fourier, voir Ch. FOURIER, *op. cit.*, pp. 249-251. Hugo a possédé le livre d'Hippolyte RENAUD, *Solidarité* (voir R. JOURNET et G. ROBERT, *Notes sur* Les Contemplations, pp. 226-227), et il a pu y lire un exposé des doctrines fouriéristes sur la survie, mais la comparaison en question ne s'y trouve pas ; l'auteur ne l'a reprise qu'en 1862 dans son livre *Destinée de l'homme dans les deux mondes*, pp. 189-192. Il n'est d'ailleurs pas douteux que Hugo ait eu, comme beaucoup de ses contemporains, quelque connaissance des idées et du vocabulaire fouriériste. Ainsi Fourier appelait aromal le corps qui revêt l'âme dans ses vies « transmondaines ». Ce mot, inusuel ailleurs que chez lui, se trouve au moins deux fois, pris dans le sens qu'il lui donne, chez Hugo : dans *Ce que dit la bouche d'ombre*, v. 97 (L'Ange est appelé « l'être aromal ») ; et dans *Dieu (L'Océan d'en haut)*, v. 786 (« en l'être charnel comme en l'être *aromal* »). Cependant Hugo, si l'on en juge par les propos qu'il tenait à Jersey, n'avait pour Fourier que peu d'estime : voir *Journal d'Adèle Hugo*, éd. citée, t. III, pp. 338, 362-363.

2. On peut, il est vrai, atténuer cette évidence négative, en invoquant des réminiscences, comme celles que Hugo attribue au berger de *Magnitudo parvi* (dans *Les Contemplations*, III, 30) : il sent croître en lui la foi et la « mémoire antérieure » : « Il sent revivre d'autres vies ; – De son âme il compte les nœuds ; – Il cherche au fond des sombres dômes – Sous quelles formes il a lui ; – Il entend ses propres fantômes – Qui lui parlent derrière lui » (section 3 du poème, strophes 45-47). Hugo, il faut le reconnaître, ne fait pas dans son œuvre un usage excessif de ce problématique recours.

3. On peut bien attribuer aux bêtes, aux plantes et aux pierres toutes les expériences possibles, vies antérieures et mémoire torturante, à la faveur de leur

que l'homme a, dans l'échelle des êtres, une situation tout à fait unique; il occupe l'échelon intermédiaire dans la création, entre le monde d'en bas et le monde d'en haut,

> *Degré d'en haut pour l'ombre et d'en bas pour le jour.*
> *L'ange y descend, la bête après la mort y monte;*
> *Pour la bête il est gloire, et pour l'ange il est honte.*
> *Dieu mêle en votre race, hommes infortunés,*
> *Les demi-dieux punis aux monstres pardonnés.*

Mais surtout l'homme est le premier être, quand on remonte l'échelle des êtres, qui jouisse de la liberté :

> *Songeur, retiens ceci : l'homme est un équilibre.*
> *L'homme est une prison où l'âme reste libre.*
> *L'âme, dans l'homme, agit, fait le bien, fait le mal,*
> *Remonte vers l'esprit, retombe à l'animal;*
> *Et pour que dans son vol vers les cieux, rien ne lie*
> *Sa conscience ailée et de Dieu seul remplie,*
> *Dieu, quand une âme éclôt dans l'homme au bien poussé,*
> *Casse en son souvenir le fil de son passé* [...]
> *L'homme est l'unique point de la création*
> *Ou pour demeurer libre en se faisant meilleure,*
> *L'âme doive oublier sa vie antérieure.*

Ainsi, c'est pour donner pleine carrière et pleine responsabilité à la liberté de l'homme que Dieu efface en lui, et en lui seul, la mémoire des impressions et des enseignements de ses vies inférieures passées :

> *Mystère! au seuil de tout l'esprit rêve ébloui* [1].

Hugo a repris la même argumentation dans d'autres vers de cette époque :

> *Si l'homme pénétrait sa vie antérieure,*
> *La future serait transparente; il verrait,*

---

mutisme. Mais c'est alors la moindre des choses de dire pourquoi l'homme manque à l'ordre commun, en ne se souvenant de rien.

1. *Ce que dit la bouche d'ombre*, v. 394-398, 415-422, 426-428, 429.

À *travers un secret connu, l'autre secret.*
[...] *Il ne serait plus l'homme, il ne douterait plus* [1].

Entendons qu'il n'aurait plus lieu d'hésiter, ni ne serait libre
de choisir, qu'il serait déterminé par ses anciennes vies. Hugo,
dans la littérature du nouvel au-delà, n'a pas été le premier à
argumenter de la sorte. Dupont de Nemours avait pensé quelque
chose d'assez semblable : « Ce souvenir de la vie précédente,
écrit-il, serait un puissant secours pour celle qui la suit. Quelques
êtres supérieurs à l'homme [...] ont peut-être cet avantage
comme récompense de leur vertu passée. » Mais les êtres qui
n'ont pas atteint ce niveau ne sauraient jouir d'un tel avantage ;
Dieu voudra plutôt les éprouver « d'après leurs seules forces,
en commençant, ou recommençant [2], entièrement à neuf, cette
carrière initiative de la haute moralité. Tel paraît l'état de
l'Homme, placé aux limites de deux règnes [...] On a pu dire
à son intelligence, si elle a été punie : Ta peine est terminée
[...] Bois du Léthé. Il s'agit à présent de savoir si tu seras bon
par toi-même [...] Pars, essaie du destin de l'homme ; il t'est
permis d'animer un fœtus » [3]. Le « on » qui tient ce discours,
et le conclut par un permis de réincarner, ne saurait être que
Dieu.

Il n'est pas nécessaire de supposer que Hugo avait lu Dupont
de Nemours pour expliquer la similitude de leurs conjectures
sur un point particulier. Tout courant d'idées nouveau a ses
problèmes à résoudre : le fait que l'homme n'ait pas souvenance
de ses vies antérieures supposées en était un dans la doctrine
qui postulait des survies successives. Ce problème a une réponse
chez Dupont de Nemours, une autre chez Fourier. Hugo est
tenté surtout par la première, et songe un instant à la seconde [4].
Qu'il les ait imaginées l'une et l'autre lui-même, c'est-à-dire

1. *Dieu, fragments*, section I, fragments 280 à 283b, v. 138-140, 143 (discours
d'un ange à un sceptique).
2. « En commençant », s'il s'agit d'un animal promu à l'humanité ; « en
recommençant », si c'est un homme appelé à « redoubler ».
3. Dupont de Nemours, *Philosophie de l'univers*, pp. 171-173.
4. Elle reparaît en 1860 dans sa *Préface philosophique*, éd. citée, IIe partie, où
Hugo rappelle (p. 48) les carrières astrales des âmes, puis évoque (p. 51) : « Un
moi latent, source et foyer de nos existences successives, racine de nos épanouis-
sements alternatifs, qu'après chacune de nos morts, nous retrouvons dans les
profondeurs de l'infini. C'est là, s'il y a quelque fondement à cette hypothèse,
c'est là que gît et que nous attend la conscience collective de toutes nos vies
distinctes, et l'unité réelle de notre moi. »

déduites, de son propre chef, des données du problème n'est pas à exclure, ni qu'il les ait empruntées toutes deux à leurs auteurs s'il les a lus, ou l'une d'elles seulement. Comment savoir? La logique peut aboutir aux mêmes résultats dans deux esprits qui s'ignorent. Nous pouvons cependant nous demander, d'un autre biais : qu'avons-nous trouvé, dans les pensées de Hugo sur la survie, qui lui appartienne en propre, quel accent, quelle couleur qui ne soient qu'à lui?

Nous voyons qu'il a maintenu, de façon plus saisissante qu'un autre, dans la chaîne continue d'êtres et de valeurs que tous voulaient établir entre l'existence la plus élémentaire et Dieu, l'opposition des deux pôles, matériel et spirituel. Tous le faisaient implicitement, le déisme étant, dans son principe, une tentative pour réconcilier la création et Dieu sans les fondre l'un dans l'autre. Toutefois ce postulat dualiste est souligné chez lui avec une intensité unique, et moins encore par sa pensée que par son art. Car le monde d'en bas est chez lui l'objet d'une peinture, violemment réaliste, où les formes de l'horreur, de la déchéance et du mal sont palpables : globes, rochers, plantes et animaux devenus prisons des âmes s'imposent monstrueusement à nos sens. Le verbe du poète épouse et fait vivre des lieux et des êtres d'enfer. À cette *peinture* s'oppose, dans l'évocation de l'espace d'en haut, un *chant,* un lyrisme de la pureté où les formes s'évanouissent et n'ont pas lieu d'être. Hugo ne peint plus, il célèbre, il exalte. Loin de s'arrêter à des paradis, à des globes fortunés qui s'opposeraient à ses globes maudits, il traverse, il ignore, dans le mouvement pur de l'hymne, toute réalité visible, il est tout illumination, ascension et extase. À ce double mode de poésie préside le couple Ombre-Lumière, à la fois un par la mue infinie du plus obscur vers le plus clair, et double par l'opposition permanente des principes. Hugo a accepté l'héritage des notions traditionnelles d'Enfer et de Ciel, de faute et de rachat, de tyrannie du mal et de délivrance, et il en a transporté le pathétique, renforcé, dans une vision hétérodoxe du salut. En tout cela, sa version de la nouvelle survie se présente comme une expérience en même temps que comme une doctrine.

Qu'est-ce que croire?

À propos de Hugo, comme de ses prédécesseurs dans le champ du nouvel au-delà, on ne peut éluder la question que le lecteur de ces pages se sera plus d'une fois posée : ont-ils *cru* vraiment ce qu'ils imaginaient? Une réponse simple à cette question est rendue difficile par les obscurités qui couvrent la psychologie de la croyance, et par suite sa définition. Et d'abord, les choses surnaturelles, pour lesquelles nous n'avons l'appui certain ni de l'expérience ni du raisonnement, sont-elles *crues* de la même façon que les naturelles? L'immortalité de l'âme relève-t-elle du même genre de croyance que la pesanteur, ou que la nécessité de s'alimenter pour vivre? Une telle équivalence peut exister chez quelques-uns, et être attestée jusqu'à un certain point par la conduite; mais il semble que de tels cas soient rares, surtout depuis le développement de ce que nous appelons la science. On croit beaucoup plus invinciblement les choses de ce monde que celles de l'autre, surtout quand une antique habitude ne les accrédite pas. Les nouvelles doctrines de la survie donnent l'impression que ceux qui les proposent, s'étant convaincus que la Trinité, la Chute, l'Incarnation et la Résurrection ne sont que des légendes, et qui nuisent au progrès des lumières, ont essayé de leur en opposer d'autres, plus plausibles mais non plus démontrables à leurs yeux, qui répondent mieux à leur optimisme métaphysique. Aussi les « qui sait si...? », les « peut-être » et « s'il en est bien comme je dis » abondent, on l'a vu, dans cette littérature. Voici comment Dupont de Nemours situe la doctrine qu'il va exposer, et à laquelle il estime, nous dit-il, raisonnable de *croire* : « Pesez le sens de ce mot, *Croire* signifie *douter avec de fortes raisons pour affirmer. Ne pas croire* signifie *douter avec de fortes raisons pour nier.* Lorsqu'il n'y a point de doute, il n'est plus question de *croire* ou de *ne pas croire.* On *affirme* ou l'on *nie*; on voit, on *sait* [1]. » Ces définitions vont loin : elles distinguent la certitude véritable de la croyance imparfaite et mêlée de doute, la seule qui puisse convenir aux objets de l'au-delà, soustraits par nature à l'évidence, comme à ceux de ce monde que nous ne pensons pas avoir suffisamment

---

1. Dupont de Nemours, *op. cit.*, p. 152.

élucidés. Il est exact que *croire* implique une nuance de doute; quand nous disons : je crois qu'il fera beau demain, nous ne prétendons pas en être sûrs. Si, en matière de religion surtout, le mot se charge d'une certitude exempte de trouble, ce n'est peut-être que par l'effet d'une ferveur qui veut être tenue pour évidence, voire pour science; ainsi la Pauline de Corneille :

> *Je* vois, *je* sais, *je* crois, *je suis désabusée.*

Dupont de Nemours, apparemment, refuse cette équation hasardeuse; il exclut qu'une croyance religieuse puisse être un savoir, et c'est sous cette réserve qu'il énonce les siennes. On peut se demander si cette façon de voir n'a pas fini par gagner, jusqu'à un certain point, les *croyants* eux-mêmes. La pensée selon laquelle « si Dieu n'existait pas il faudrait l'inventer » revient à conseiller de croire en Dieu, qu'il existe ou non. Cette pensée, professée par Voltaire, puis par Robespierre, guide implicitement les apologistes catholiques de la même époque, qui exaltent la religion sur le plan de la convenance humaine au moins autant que sur celui de la vérité. Convenance morale, selon l'esprit du temps, puis avec Chateaubriand et son *Génie du christianisme,* convenance esthétique et poétique, plus distante encore des régions de la conviction et de la foi qui sait, ou croit savoir. Ce livre, à bon droit fameux, marque le moment où une nouvelle façon de croire a envahi le terrain de la religion. Les Églises continuent à condamner cette nouveauté sur le plan de la stricte théologie, mais l'esprit théologique se raréfie à l'extrême parmi les fidèles, et la religiosité romantique est bienvenue à défaut de mieux. Croire, chez beaucoup, pratiquants ou non des religions instituées, est devenu imaginer et espérer. Les différents articles du credo sont inégalement atteints par le doute; tel, pour qui la croyance en un Dieu touche à la certitude, vacille sur l'immortalité de l'âme et ses modalités. C'était déjà le cas de Voltaire. C'est celui de Lamartine, qui n'était encore inébranlé sur le second point que moyennant de grands écarts d'imagination, comme nous avons pu voir. Un jeune écrivain qui le connut dans les années 1840 dit avoir reçu ses confidences sur la façon dont il concevait la survie : « Les naufragés de la terre, lui fait-il dire, sont recueillis après la mort dans une autre sphère, dans un paradis, je ne sais pas! La vérité, l'incomparable lumière de l'ordre et de la justice, leur apparaît pendant un temps, puis leurs yeux se referment à cette clarté et ils retombent dans d'autres batailles, dans d'autres univers, sous un autre soleil, dans une autre épreuve, mais toujours dans le travail, qui est la loi suprême et la joie sans égale. » Les propos qui sont prêtés ici au poète sont proches de ce que nous avons pu lire en quelques endroits de son œuvre, et nous n'avons pas de raison de contester ce témoignage, que complète cet autre souvenir : « Je lui exposais parfois la lumineuse théorie des sphères, des incarnations sans fin dans des humanités renouvelées et des épurations successives. J'étais très convaincu. Il inclinait vers cette vraisemblance ; il ne se prononçait pas [1]. »

Dans ce demi-jour de la croyance peuvent persister à quelque degré le sentiment du sacré et une espérance du salut. On ne peut les prétendre absentes de l'œuvre de Hugo : ne lui doit-on pas, en fin de compte, une sorte de poésie sacrée moderne ? Le caractère absolu et entier – tout ou rien – attribué à ce qu'on appelle la foi dans nos religions pourrait bien n'être qu'un long épisode dans l'histoire de l'esprit humain, non l'effet d'une logique ou d'une nécessité permanente. Foi et doute se sont rapprochés au XIXᵉ siècle, se tenant la main et refusant de se séparer. Dans l'histoire de ce rapprochement s'inscrivent les grands noms de l'âge romantique comme les moindres. Renouvier, voulant définir Hugo, le dit « croyant sans croire à la rigueur, ou gouvernant sa croyance et la dominant par un doute supérieur » [2]. Hugo est, selon lui, un mythologue, et c'est l'opinion qui prédomine aujourd'hui [3]. Mais le mythe est-il vraiment le domaine du poète moderne ? La création mythique peut-elle vraiment refleurir comme telle, et la poésie au XIXᵉ siècle mythologiser comme aux temps païens ? Hugo peut-il être un nouvel Hésiode ? Il est certain que, lorsqu'il imaginait une nouvelle idée du ciel et de l'enfer, ce n'était pas pour son seul usage, c'était avec l'espoir de la mettre en crédit dans le public. Mais le mythe est quelque chose de plus qu'une fable communément reçue ; il s'accompagne de

---

1. Henri DE LACRETELLE, *Lamartine et ses amis,* Paris, 1878, pp. 62, 270. L'auteur date de 1845 cette conversation avec Lamartine. Henri de Lacretelle, né en 1816, était le fils de Charles, dont il a été question plus haut (voir ci-dessus n. 2, p. 413), et qui précisément essayait, un demi-siècle plus tôt, de gagner Mᵐᵉ de Staël à cette même doctrine de la transmigration des âmes dans les astres.

2. Charles RENOUVIER, *Victor Hugo, le philosophe,* Paris, 1900, p. 375.

3. Voir le très remarquable ouvrage de Pierre ALBOUY, déjà cité, sur *La Création mythologique chez Victor Hugo.*

rites, c'est une institution qui prend son appui dans une tradition et dans des pratiques. Il précède, dans sa relative souplesse et variabilité, le dogme et son absolue autorité. Quand le crédit du dogme a fléchi, c'est le doute et la liberté individuelle de la croyance qui lui ont succédé. Alors sont nées des fictions nouvelles, pures suggestions individuelles de philosophes ou de poètes, se sachant telles et se donnant pour telles à un monde où le moi émancipé règne sur la pensée. Leurs propositions dans l'ordre surnaturel, institutionnalisées, prendraient figure de dogmes débiles, et la science, héritière victorieuse du dogme en matière d'autorité, aurait beau jeu d'opposer à leur vague ses certitudes objectives. Le poète moderne n'est donc héritier de la pensée mythique que dans un sens très large. Son véritable héritage est le royaume de l'imagination, du désir, de la parole, sur lequel plein pouvoir et libre faculté de création lui sont aujourd'hui donnés. Il puise à toute tradition, scrute tout avenir; il invente et il propose; ses mythes sont la forme sensible de sa quête et de son expérience. Hugo, mage et révélateur de l'au-delà, n'entendait pas autrement son ministère.

VIII

SATAN ET JÉSUS

De tout l'ensemble du dogme chrétien, ce que le déisme et l'humanitarisme répudiaient par-dessus tout, c'était le péché originel, l'éternité du mal et des peines, l'existence de Satan. Le pur déisme rejetait ces articles de la croyance chrétienne comme des fables. Le romantisme humanitaire, en quête d'une foi animée par des symboles, les utilisait en les transformant profondément. Un commentateur de la poésie romantique a pu écrire : « Nos poètes philosophes laïcisent le " mythe " chrétien. Ils le vident de son contenu orthodoxe pour y enfermer des significations profanes. Mais ils le gardent jalousement. De ce biais ils introduisent dans leur épopée une sorte de merveilleux, dont les incroyants eux-mêmes peuvent s'accommoder [1]. » Satan tombé pouvait avoir part au bénéfice du rachat, et le mal prendre fin au sein de l'univers, dans une version humanitaire du Jugement dernier : non plus *dies irae,* mais jour d'universel triomphe de l'amour.

La Fin de Satan : variantes du thème.

La Fin de Satan est dans le romantisme un sujet consacré. Vigny, dès le début des années 1820, avait entrepris un poème sur ce sujet, sans oser ou pouvoir donner suite à son projet. D'autres tentatives du même genre ou exposés doctrinaux en

---

1. Claudius GRILLET, *Le Diable dans la littérature au XIXᵉ siècle,* Paris, 1935, p. 146.

ce sens jalonnent la première moitié du siècle [1]. Comment Hugo aurait-il négligé ce sujet? Il s'imposait à lui doublement, en tant que mythologue, et en tant qu'auteur du *Dernier Jour d'un condamné* et critique, depuis toujours, du système pénal existant : car Satan racheté était, dans l'humanitarisme, le répondant métaphysique du Criminel régénéré dont rêvait la doctrine. Le récit du rachat de Satan, événement suprême, s'ébauchait à la fin du discours de La Bouche d'ombre : quelques vers au futur y évoquaient, comme on a vu, une réconciliation de Jésus et du Démon, devenus indiscernables l'un de l'autre aux yeux mêmes du Clairvoyant. En octobre 1854, quand il écrivait ces vers, Hugo avait déjà composé une bonne partie de sa *Fin de Satan*.

Ce sujet peut se traiter selon diverses variantes de pensée. On peut supposer la contrition parfaite de l'Ange rebelle et la faire agir comme celle du pécheur repenti, sans approfondir quelle part peut y avoir le libre arbitre du coupable ou la grâce divine. Cette première variante rachète Satan sans modifier les conditions orthodoxes de l'absolution; elle fait seulement entrer la rébellion de Satan dans le droit commun du péché, en levant l'exception qui déclare seule irréparable la faute de ce malheureux. Mais une telle version de la fin de Satan choque la doctrine humanitaire de la délinquance, qui demande davantage : que l'auteur de la faute n'en soit pas jugé seul coupable, et qu'on révise la délimitation traditionnelle du bien et du mal. De même que, sur le plan terrestre, il convient d'accuser le système pénal en même temps que le délinquant, de même Dieu, qui dispose des peines dans l'autre monde, ne peut rester à l'abri du reproche, ni le pécheur porter tout le poids de sa faute. Cette façon de voir aboutit logiquement à souhaiter l'amendement de Dieu en même temps que celui du coupable. Mais on ne veut pas aller jusque-là. On entend seulement substituer au Dieu des religions de châtiment un Dieu plus vraiment Dieu, qui entend autrement le Bien et le Mal. L'idée surgit donc que Dieu a pu permettre la faute, impliquée dans la liberté qu'il a donnée à l'homme, comme le chemin d'un salut conquis par l'épreuve, supérieur à la félicité passive de l'Éden. La doctrine, appliquée à Adam et à ses descendants,

1. Voir *Le Sacre de l'écrivain,* pp. 372-374; *Le Temps des prophètes.* p. 101 (Ballanche); p. 207 (Soumet, 1840); p. 392 (Béranger); p. 434 (Ganneau-Caillaux, 1840); pp. 438-440, 443-444 (abbé Constant, 1846-1848); p. 452 (Esquiros, 1840-1841).

fait de la faute l'origine d'un progrès voulu de Dieu. Ce qu'on
dit de la chute de l'homme, de ses suites et de sa réparation
peut aussi bien se dire, *mutatis mutandis,* de celle de l'ange.
Dans le plan providentiel, ayant perdu l'homme à l'origine
des temps, il couronnerait, à leur consommation, le rachat de
l'humanité par le sien. Cette version fournit le fond habituel
des fins de Satan humanitaires. Mais ses frontières sont indé-
cises; il n'est pas rare qu'elle admette quelques larmes contrites
du Maudit, des plus conventionnellement édifiantes, ou au
contraire qu'elle incline à quelque sarcasme contre la rigueur
ou l'iniquité divine [1].

C'est par rapport à ce complexe d'idées qu'il convient de
situer le poème de Hugo. On sait qu'il a écrit *La Fin de Satan*
en deux étapes, d'abord entre janvier et mai 1854, puis en
1859-1860, et que l'œuvre ne fut publiée, inachevée, qu'en
1886, un peu après la mort de son auteur. Telle qu'elle se
présente à nous, elle se déroule alternativement sur deux plans,
à savoir « Hors de la terre » (dans le ciel ou le gouffre infernal),
et sur la terre : *hors de la terre* d'abord, sous le titre *Et nox
facta est,* récit de la chute de Satan; la plume blanche d'une
de ses ailes d'ange reste au bord du gouffre où il est précipité,
et Dieu recommande de ne pas la jeter dans l'abîme; *sur la
terre,* le progrès du Mal, le déluge et le règne d'Isis-Lilith, que
Satan a créée avec de l'ombre; puis Dieu consent que le monde
revive; les eaux baissent, laissant cependant aux mains d'Isis-
Lilith les trois armes de Caïn, teintes du sang d'Abel, triple
germe du crime humain : le clou d'airain germe du Glaive;

1. Un bon exemple, cité par L. Cellier, dans sa présentation de *La Fin de
Satan, Œ.,* M., t. X, pp. 1599-1600 : George Sand, ayant lu sur la couverture
des *Contemplations* l'annonce de *La Fin de Satan* de Hugo, célèbre dans *La Presse*
la doctrine de la « réhabilitation par l'expiation », chère à la poésie moderne, et
évoque l'« inique supplice » de Satan : si le supplice est inique, pourquoi l'appeler
expiation? Je n'ai rien dit d'une autre variante qui, poussant à l'extrême la
sympathie pour la révolte de Satan, prend le parti du Mal, maudit le Bien, et,
si on la prend à la lettre, voudrait que Satan persévère comme tel. Cette variante,
dite « satanique » est assez étrangère à la littérature humanitaire, où ses accents
se font à peine entendre quelquefois; elle relève plutôt du romantisme « fréné-
tique », gageure plutôt que littérature; et, rejoignant l'orthodoxie dans l'idée de
l'éternité du mal, elle fait la preuve de son impuissance à modifier les valeurs
établies : voir sur ce sujet Max MILNER, *Le Diable dans la littérature française
de Cazotte à Baudelaire, 1772-1861,* Paris, 1860, 2 vol., t. I, p. 300; également,
du même auteur, *Signification politique de Satan dans le romantisme français,* in
Romantisme et politique, colloque de l'E.N.S. de Saint-Cloud, Paris, 1969, p. 157
et suiv.

le bâton, germe du Gibet; la pierre germe de la Prison; et ici
le poème de Nemrod, conquérant, héros du Glaive, agresseur
mythique de Jéhovah, foudroyé; mais une monstrueuse croissance de la guerre a lieu sur la terre; de nouveau *hors de la
terre,* la plume blanche de Satan, sous le regard de Dieu, prend
la forme d'un ange radieux auquel le Verbe divin lui-même
donne le nom de Liberté, et ce nom fait éclore une étoile à
son front; retour *sur la terre,* et victoire du Gibet, auquel Jésus
est condamné : ici, deuxième poème dans le poème, un véritable
Évangile selon Victor Hugo, un poème immense de la vie et
de la passion de Jésus; pour la dernière fois *hors de la terre,*
la longue plainte de Satan dans sa nuit, la descente de l'ange
Liberté dans le gouffre, sa lutte contre Isis-Lilith, qu'il anéantit,
et son discours à Satan, étrangement endormi; enfin, *sur la
terre,* l'épisode relatif à la troisième arme de Caïn, la Pierre-
Prison, devenue Bastille à Paris sous les rois : mais ce ne sont
ici que des fragments et des titres; la prise de la Bastille n'a
pas été écrite; du dénouement, dont elle devait être la partie
terrestre, Hugo n'a écrit que le côté céleste : le pardon accordé
par Dieu à Satan, qui redevient Lucifer au ciel [1].

Le Mal comme néant.

La Fin de Satan, en tant que poème épique de la Terre et
du Ciel, réalise magnifiquement un des projets fondamentaux
du romantisme. Pourquoi cette sorte d'Histoire sainte humanitaire qui a pu, chez Hugo, développer son envergure depuis

1. Quant à la chronologie de composition, on peut dire, très en gros, que le
premier quart environ du poème, jusqu'à l'histoire de Nemrod y comprise, a été
écrit en 1854; le reste, jusqu'à la fin, entre 1859-1862 (presque entièrement dans
les deux premières années de cette période). Un point particulier doit être souligné :
le court passage (*Et nox facta est,* IX, v. 205-212) qui montre la plume de
l'Ange déchu restée au bord du gouffre est bien de 1854, comme toute cette
partie du poème, et n'a pas été rajouté en 1859-1860, quand fut écrite la
création par Dieu de l'ange Liberté, comme l'avaient cru les éditeurs des Œ.,
I.N. (voir R. JOURNET et G. ROBERT, éd. critique de *La Fin de Satan* (= *Contribution aux études sur Victor Hugo,* t. II, Paris, 1979, p. 14) et apparat critique
de la p. 42 : opinion déjà accréditée par P. ALBOUY, *La Création mythologique
chez Victor Hugo,* p. 168, et Cellier, Œ., M., t. X, p. 1603). Il résulte de cette
datation que le personnage de l'Ange féminin rédempteur, élément d'affabulation d'une extrême importance quant à la pensée de Hugo, date du début
même de la composition du poème.

la chute de l'Ange jusqu'à la Révolution française, a-t-elle dû rester inachevée? C'est sans doute que la prise de la Bastille n'a trop évidemment pas mis fin au mal sur la terre; Hugo, dans son exil, ne le savait que trop, et la pierre de Caïn, pour lui et pour ses compagnons d'épreuves, pouvait mieux évoquer le rocher de Sisyphe que la Bastille détruite. Il était difficile d'associer le 14 juillet 1789 au rachat de Satan tant qu'il restait sur terre des prisons et des tyrannies. Le poème, quant au rachat définitif de l'Ange du Mal, aurait dû finir par une prophétie. Cette prophétie, pour la terre et pour le ciel, Hugo l'a faite dans maints poèmes; elle aurait contredit le titre même de *La Fin de Satan*; l'achèvement, dans ces conditions, pouvait bien sembler impossible.

Peu importe. Hugo ne nous en donne pas moins, dans ce qu'il a écrit, une idée assez claire de la façon dont il envisage l'économie de la Chute et de la Rédemption. On pourrait s'étonner que dans ce poème, qui reprend les personnages et les épisodes de la tradition, Dieu, Satan et sa chute, Jésus, son ministère et sa passion, on ne voie figurer ni l'Éden ni la transgression par Adam et Ève de la volonté divine, quoique, en bonne tradition, ce soit par là que Satan est réputé avoir mis le mal sur la terre. Satan produit ici la déchéance humaine moyennant la création d'Isis-Lilith, démon féminin, né de l'ombre, inspiratrice d'idolâtrie et de soumission à l'Ananké, et qui entra dans le lit d'Adam avant Ève. Cette étiologie hérétique du mal n'occupe cependant que quelques vers [1]; elle n'est pas figurée dramatiquement, et n'inclut nulle culpabilité expressément indiquée d'Adam, encore moins d'Ève. Isis-Lilith, qui va jouer un grand rôle dans tout le poème et, dans la prostration de Satan, représenter le Mal actif, est simplement un principe mauvais émané de Satan et qui corrompt collectivement l'humanité. Lilith est un personnage maléfique de quelques traditions orientales; la littérature romantique ne l'ignore pas; son union avec Adam ne peut en être vraiment une, puisque ce fantôme du Mal n'a pour ainsi dire pas de réalité. Hugo l'a identifiée ou fondue avec Isis, déesse du mystère et de l'interdiction de connaître, parce que pour lui le mal est une obscurité qui nous cache Dieu : fille de l'ombre et déesse au voile impénétrable ne font qu'un dans son poème.

1. *La Fin de Satan*, v. 238-254. Autres allusions, fugitives, à Adam et Ève, par exemple aux v. 957, 4435, 5503. Je cite d'après l'édition Journet et Robert.

On ne voit guère, à vrai dire, comment Hugo aurait pu utiliser le scénario de la Chute tel que le donne la Genèse. Même s'il ne trouvait pas le serpent et la pomme indignes de la gravité du sujet, il avait coutume d'envisager la Faute originelle comme un effet de pesanteur charnelle plutôt que comme la transgression consciente d'un interdit : il pensait innocenter par là Dieu et l'Homme à la fois. Encore plus inacceptables d'un point de vue humanitaire étaient deux traits essentiels du récit biblique : il diffame le désir de savoir en le donnant pour la source du Mal; et non seulement il incrimine le couple d'où est issue toute l'humanité, mais il fait peser sur la Femme la culpabilité la plus lourde dans l'éclosion du Mal.

Le refus des données bibliques, signe patent d'hétérodoxie, trahit chez Hugo le désir d'une définition nouvelle du Mal. Il accepte ici de le faire naître implicitement d'une transgression, mais en attribuant cette transgression à l'Ange seul et non à l'homme, qui est mis de ce fait hors de cause. D'où procède la rébellion de l'Ange, nous ne le savons pas d'emblée. La Chute nous est montrée *in medias res,* sans que la cause nous en soit dite. L'Ange tombant proclame qu'il hait Dieu et tout ce qui touche à lui :

> *Je hais le jour, l'azur, le rayon, le parfum* [1].

Mais il apparaît vite que cette haine n'est pas véritable; car voyant, à mesure qu'il s'enfonce dans la nuit du gouffre, le soleil s'éloigner et disparaître, il supplie :

> *Frère! attends-moi! j'accours! ne t'éteins pas encore* [2] *!*

C'est suggérer que la haine de la lumière, misérable et fragile dépit, recouvre une invincible adoration. On voit un autre exemple de cette fausse haine dans l'eunuque malfaisant de Nemrod, inassouvible approbateur du crime et du carnage, qui célèbre lui-même sa cruauté comme une détresse :

> *Cités, brûlez au vent! Cadavres, pourrissez!*
> *Jamais l'eunuque noir ne dira : C'est assez!*

1. *Ibid.,* v. 75 (je cite toujours d'après l'édition Journet-Robert).
2. *Ibid.,* v. 100.

Car ce banni rugit sur l'éden plein de flamme;
Car ce veuf de l'amour est en deuil de son âme [1] *!*

Haine d'inférieur donc, non surmontée, et qui pourrait l'être, puisque à ce chant de mort répond le chant de vie et de bénédiction du lépreux, quoique abject et lapidé par la foule :

Oui, j'ai le droit d'aimer! J'ai le droit de pencher
Mon cœur sur l'homme, l'arbre et l'onde et le rocher;
J'ai le droit de sacrer la terre vénérable,
Étant le plus abject et le plus misérable!
Je dois bénir le plus étant le plus maudit [2].

Ainsi le mal, dans l'optique de Hugo, est mensonge à soi, inconsistance et douleur vaine. De quel mouvement de l'âme procède cette douleur? La vocation du mal naît en Nemrod quand il entend Orphée chanter la déroute des Géants devant les Dieux : Zeus change en rocher le géant Andès,

Et Titan dit : Merci! tu nous donnes des armes!
Et, pendant que tremblait la terre, aïeule en larmes,
Il courut, et, prenant Andès par le milieu,
Il jeta le géant à la tête du dieu.

Et Nemrod rêveur, dit : Titan est mon ancêtre [3].

Un soir, il entendit dans un rocher la voix du futur Melchisédech [4] racontant en ces termes la création du monde :

Le monstre Nuit planait sur la bête Chaos;
C'était ainsi quand Dieu se levant, dit à l'ombre :
Je suis. Ce mot créa les étoiles sans nombre,
Et Satan dit à Dieu : Tu ne seras pas seul.

---

1. *Ibid.*, v. 589-592.
2. *Ibid.*, v. 817-821.
3. *Ibid.*, v. 935-939.
4. Melchisédech est un roi-prêtre de Canaan, qui bénit Abraham (Genèse, xiv, 18-20) et qu'on prend comme type de vertu ou sainteté sacerdotale.

Nemrod pensif cria : – Satan est mon aïeul [1].

En somme, le péché initial fut l'envie, l'impossibilité de se supporter inférieur : ce n'est ici qu'en apparence une variante de l'orgueil que la tradition chrétienne prête au Rebelle : car si le refus d'obéir à Dieu, chez un être libre qui a ce pouvoir, peut passer pour un attentat, la prétention d'une créature de s'égaler à lui est si disproportionnée, qu'elle doit être tenue pour folie plutôt que pour offense : c'est un désordre solitaire, une faute plutôt qu'un crime, dont l'absurdité est secrètement connue de celui qui la commet. Nuance importante, et plus que nuance, qui fait toute la distance du déisme humanitaire au christianisme : celui-ci avec son Mal, choisi librement et effectif, celui-là avec son Mal irréel, pénétré de la révérence du Bien, fragile et avide de guérir, c'est-à-dire de disparaître. Il est vrai que, par certains côtés, par le ministère effroyable de Lilith sa créature et par son impénitence, le Satan de Hugo ressemble bien au Diable chrétien; il se délecte et rit de toute iniquité, il grince des dents dans les ténèbres [2]. Mais Isis-Lilith, opératrice du Mal, ne participe même pas de l'être, puisque le seul rayon de l'astre que l'Ange porte à son front peut suffire à dissiper et anéantir son semblant d'existence; et Satan lui-même ne cesse de reconnaître qu'il aime Dieu.

Les plaintes de Satan, entre sa chute et son pardon développent, sur le fond d'un texte premier qui proclame, en 1854, son intime adhésion à la loi d'ordre et d'amour, quelques additions de 1859-1860 qui parfois mêlent à la plainte un sursaut de haine. Le premier cri du Condamné est : « Je l'aime [3] ! »

> *Oh! je l'aime! c'est là l'horreur, c'est là le feu!*
> *Que vais-je devenir, abîmes? J'aime Dieu!*
> *Je suis damné! L'enfer, c'est l'absence éternelle.*
> *C'est d'aimer. C'est de dire : hélas, où donc est-elle,*
> *Ma lumière? Où donc est ma vie et ma clarté* [4] *?*

---

1. *La Fin de Satan*, v. 990-994. Satan, selon le récit de Melchisédech, entendant célébrer la manifestation éclatante de la divinité, veut à l'instant être son égal; et Nemrod l'apprenant se reconnaît aussitôt de sa race.

2. *Ibid.*, v. 3491-3493, 3707-3711 (textes de 1859-1860).

3. *Ibid.*, v. 4015 : ce sont les premiers mots du premier vers des plaintes de Satan (dans « Hors de la terre III ») (texte de 1854).

4. *Ibid.*, v. 4061-4065, suite des plaintes (texte de 1854). Ainsi le feu d'enfer

Ou ailleurs, cet éclatant aveu d'amour :

> *Si je ne l'aimais point, je ne souffrirais pas* [1].

Il ne hait plus que les hommes, et par jalousie encore, en tant qu'ils sont plus aimés de Dieu que lui, et c'est la raison pour laquelle il s'acharne à leur nuire en les précipitant dans le mal :

> *Je hais ! – Oui, je vous hais, tas humain, foule blême,*
> *Parce que vous l'aimez, parce que Dieu vous aime,*
> *[...] Mais je me vengerai sur son humanité,*
> *Sur l'homme qu'il créa, sur Adam et sur Ève,*
> *Sur l'âme qui sourit, sur le jour qui se lève* [2].

Mais la plainte et la supplication reviennent :

> *Grâce ! pardonne-moi, rappelle-moi, prends-moi* [3] *!*

La lamentation a jusqu'au bout le même ton :

> *Cent fois, cent fois, cent fois j'en répète l'aveu,*
> *J'aime ! Et Dieu me torture, et voici mon blasphème,*
> *Voici ma frénésie et mon hurlement : J'aime* [4] *!*

C'est donc un Diable priant Dieu que nous avons ici, et lui demandant pour grâce de ne plus exister en tant que Diable, mieux, lui démontrant que la majesté divine exclut qu'il y ait un Diable, immortel comme Diable :

---

est le feu de l'amour de Dieu dans un indigne. Hugo en 1859-1860, a introduit un peu plus loin des vers (4076 et suiv.) où Satan revit sa haine et ses bravades lors de sa chute, mais c'est pour finir par un amer « Je l'aime ! » actuel. L'addition vise donc à un effet dramatique, sans changer le sens des plaintes.

1. *Ibid.*, v. 4389 (reprise des plaintes, texte de 1854).
2. *Ibid.*, v. 4399-4400, 4434-4436 (textes de 1854).
3. *Ibid.*, v. 4534 (texte de 1854).
4. *Ibid.*, v. 4890-4892, début du morceau final des plaintes, « Hors de la terre III », section 16 (le passage est de 1854). Cet invincible attachement du Satan de Hugo à Dieu, qui revient, en fait, à annuler la réalité du mal, Hugo le traduit ailleurs en une saisissante image : « Satan, l'ange échappé, – Se cramponne lui-même au père, et l'on devine – Dans le pli d'un des pans de la robe divine – Ce noir poignet crispé » *Dieu (L'Océan d'en haut)*, v. 3247-3250, texte de 1855.

> *Grâce, ô Dieu ! pour toi-même il faut que je l'obtienne.*
> *Ma perpétuité fait ombre sur la tienne.*
> *[...] Toi seul vis. Devant toi tout doit avoir un âge.*
> *Et c'est pour ta splendeur un importun nuage*
> *Qu'on voie un spectre assis au fond de ton ciel bleu,*
> *Et l'éternel Satan devant l'éternel Dieu !*
> *[...] Dieu m'excepte. Il finit à moi, je suis sa borne.*
> *Dieu serait infini si je n'existais pas* [1].

Est-ce vraiment le Diable qui parle ici? Ou le déiste qui argumente contre son existence?

Théologie du Rachat.

Comment, dans ces conditions, va se produire le Rachat? Celui qui crie inlassablement qu'il aime Dieu n'est-il pas déjà racheté? Apparemment non; il faut en outre un acte de sa volonté. Voyons comment cet acte se produit. Il n'est pas suscité par un mouvement de la grâce divine, ni par un Sauveur prenant sur lui l'expiation de la faute. Jésus, qui tient tant de place dans le poème [2], ne joue aucun rôle dans le rachat de Satan. Mais il n'y a là rien d'étonnant; Hugo, situant Jésus, comme nous verrons, dans les seules limites de la nature humaine, n'avait pas à lui faire place dans la théologie de la Rédemption. L'intercesseur surnaturel, dans le poème de Hugo est l'ange Liberté. C'est un être féminin, ce qui, en théologie humanitaire, va presque de soi; d'autres faisaient de la Vierge Marie l'auxiliaire, voire la figure centrale du rachat de Satan. L'invention d'un ange féminin destiné à tenir ce rôle se trouve déjà chez Vigny dans les années 1820, comme on a pu voir. Hugo, en appelant Liberté l'ange sauveur, en a fait l'agent d'une rédemption sociale autant que spirituelle, une figure féminine combattante, semblable à celles des fêtes civiques de la Révolution, République, Raison, Liberté aussi : c'est moins un ange de pitié qu'un ange de lutte et de victoire [3]. Une

---

1. *La Fin de Satan*, v. 4563-4564, 4567-4570, 4884-4885 (textes de 1854).
2. Son histoire occupe dans *La Fin de Satan* plus de deux mille six cents vers, la moitié, à peu de chose près, de toute l'œuvre.
3. Rappelons que l'ange Liberté apparaît déjà triomphalement au dernier vers de *Stella*, dans *Les Châtiments*, VI, 15 (fin 1852).

nouveauté bien plus remarquable est que la Rédemptrice réponde chez Hugo à un type filial, non maternel, et qu'elle soit précisément la fille du Maudit : variante tout à fait exception- nelle, née peut-être du culte de Hugo pour une fille disparue, mais qui surtout établit une filiation directe, et pour ainsi dire essentielle, entre le Péché et le Rachat. Cependant Hugo a donné aussi au Mal une figure de femme, Isis-Lilith, ce qui est chose inusitée en théologie humanitaire, et qui interdit de lui prêter vraiment une religion féminisante [1].

Comment procède la Salvatrice dans *La Fin de Satan*? Elle fait, en substance, pour libérer son père, une descente aux enfers, démarche non étrangère à Jésus-Christ lui-même dans la littérature évangélique dite « apocryphe ». Alexandre Soumet, de seize ans l'aîné de Hugo, et qui avait collaboré avec lui à *La Muse française*, l'avait précédé dans l'usage de cet élément d'affabulation [2]. La Descente aux enfers était, dans la mytho- logie et la poésie antiques, un thème fréquent; l'inspiration chrétienne le lie à cet autre mythe universel, celui du Héros terrassant le monstre, en l'espèce, le Monstre du Mal. C'est

---

1. L'adhésion de Hugo au féminisme humanitaire est loin d'être entière. Nous l'avons vu très passionné sur le chapitre de la Prostituée en tant que victime de la société : mais il s'agit là surtout d'un aspect du problème pénal. Un autre type féminin que son œuvre magnifie est celui de la Mère-martyre, auquel il a fait place dans *Les Misérables* et dans *Quatrevingt-treize*. Dans *La Fin de Satan* on voit apparaître, sous les figures de Marie mère de Jésus et de Marie-Madeleine, deux variantes, également sublimes, de la Femme, chapitres intitulés « Le Devoir » (v. 2723 et suiv.) et « Deux différentes manières d'aimer » (v. 2742 et suiv.) : la Mère et l'Amante du militant humanitaire (l'Amante songeant surtout à la vie du bien-aimé, la Mère à la mission qu'il doit accomplir). Tout cela n'est pas proprement féministe, et concerne les souffrances et la vertu de la femme plutôt que l'exigence de son émancipation. Hugo n'oublie pas le problème dans ses manifestes et déclarations de principe du temps de l'exil : c'était de rigueur. Mais rien dans son œuvre ne montre qu'il ait vraiment considéré la femme comme une victime ou une paria dans notre société, ni qu'il ait souhaité modifier profondément les relations entre les sexes. Quand il exalte la femme, c'est sur le mode romantico-chevaleresque, coloré de spiritualisme moderne. Le fameux poème du *Sacre de la Femme* (dans *La Légende des siècles*, II, 1, octobre 1858) fait accéder Ève au niveau d'Adam, mais par la maternité : attitude générale alors dans tous les secteurs d'opinion. Nous avons vu Vigny beaucoup plus franchement ambi- valent que lui sur le chapitre de la Femme; rappelons que, dans les derniers temps de sa vie, il projeta un poème sur « Lélith ou le Génie de la nuit », première femme d'Adam, créée par le Démon et ennemie du genre humain issu d'Ève (Vigny ne pouvait connaître *La Fin de Satan*, autant qu'on sache) : voir *Journal*, Œ. C., Pl. II, pp. 1330-1331 [1857], p. 1343 [1859], p. 1391 [1862]; aussi *Mémoires*, pp. 411-413 [1859].

2. Voir *Le Temps des prophètes*, p. 208.

cette gémination que reprend Hugo. Alors que le Glaive et le Gibet ont triomphé dans les épisodes de Nemrod et de Jésus, le troisième héritage de Caïn va se voir défait dans la Prise de la Bastille. On sait que la Bastille fut prise, historiquement et humainement, par un peuple soulevé. L'Ange, dans le projet de Hugo, à peine ébauché dans cette partie de l'œuvre, devait-il participer à l'événement, comme les Dieux aux combats de *L'Iliade*? Peu importe. Hugo, en tout cas, n'a pas été le premier à faire du 14 juillet 1789 une date mystique en même temps que terrestre : le fameux Mapah, qui tenta de fonder une religion humanitaire sous Louis-Philippe, avait proposé en 1840 de faire de cette date le nouveau Noël [1]. La Rédemption, littéralement le rachat du captif, fut, dans l'Ancien Testament l'événement historique par lequel le peuple hébreu fut délivré de la servitude d'Égypte; et sans doute, dans la pensée des premiers chrétiens, dut-elle être la délivrance prochaine du mal par l'avènement du royaume messianique que Jésus annonçait; puis, après sa crucifixion et sa glorification, on dut attendre de son retour (de sa nouvelle présence ou « parousie ») cette même délivrance. Une longue tradition ultérieure a séparé plus radicalement les perspectives terrestres de celles du salut céleste des âmes. L'humanitarisme affecte de les fondre de nouveau; et il faut convenir qu'il s'écarte en cela du déisme son père, qui soumettait à la mesure de la raison et des possibilités naturelles l'espérance du progrès sans mêler surnaturellement le ciel à la terre, et pour qui la notion de rédemption et de salut semblait avoir perdu beaucoup de son sens.

Quand l'ange Liberté descend dans le gouffre infernal, Isis-Lilith est en train de glorifier l'appui que la Bastille prête au mal en opprimant le peuple français. Satan, à qui s'adresse ce discours triomphal, ne répond pas. Ô prodige! il s'est endormi, pour la première fois depuis la longue torture qui a suivi sa chute. Isis-Lilith une fois rendue au néant par l'Ange, la logique du rachat s'articule telle que Hugo l'a conçue. Dans la longue adjuration que l'Ange adresse à son père, il évoque d'abord sa propre initiative, puis l'agrément de Dieu :

J'ai crié vers Dieu; Dieu formidable a dit : Oui [2].

1. Voir *ibid.*, pp. 431-432.
2. *La Fin de Satan*, v. 5434.

Toutefois le « j'ai crié » doit s'entendre à la lumière d'un vers, adressé à Satan, qui le précède de peu :

> *Ce qui survit de toi, c'est moi. Je suis ta fille* [1].

C'est en fait, la partie survivante de Satan qui s'est faite l'interprète d'un désir que sa partie foudroyée ne pouvait exprimer : la vie, l'être veulent le bien, que seule la volonté anéantie méconnaît. Hugo a imaginé de mettre fin à la torture satanique par le moyen du sommeil, passage vers l'existence et la lumière par le rêve. Il faut maintenant que le Condamné se déclare : moment providentiellement fixé pour l'allègement de la faute. Cependant il n'y a pas contrition à proprement parler, mais consentement, comme d'un enfant qu'on a convaincu de sortir de sa noire bouderie, et qui revient à la vie et à lui-même. « Consens », lui demande l'Ange,

> *Que je sauve les bons, les purs, les innocents ;*
> *Laisse s'envoler l'âme et finir la souffrance.*
> *Dieu me fit Liberté ; toi, fais-moi Délivrance !*
> *[...] Laisse-moi prodiguer à la terrestre sphère*
> *L'air vaste, le ciel bleu, l'espoir sans borne, et faire*
> *Sortir du front de l'homme un rayon d'infini.*
> *Laisse-moi sauver tout, moi, ton côté béni* [2]*!*
> *Consens ! Oh ! moi qui viens de toi, permets que j'aille*
> *Chez ces vivants, afin d'achever la bataille*
> *Entre leur ignorance, hélas, et leur raison,*
> *Pour mettre une rougeur sacrée à l'horizon,*
> *Pour que l'affreux passé dans les ténèbres roule,*
> *Pour que la terre tremble et que la prison croule* [3],

pour que j'aille, en somme, prendre et détruire la Bastille. C'est à cette prière que Satan répond enfin : « Va [4] ! » Le peu qui, dans ce que Hugo a écrit, concerne la Bastille, se situait là ; ce n'est qu'une description de la prison. Au-delà, nous n'avons qu'un court « Dénouement », que rien ne relie au reste

---

1. *Ibid.*, v. 5428.
2. C'est moi qui souligne : le rédempteur est en quelque sorte consubstantiel au coupable.
3. *Ibid.*, v. 5578-5580, 5583-5592.
4. *Ibid.*, v. 5618.

du texte; à Satan qui se croit toujours haï de Dieu, une « voix à travers l'infini » répond :

> *Non, je ne te hais pas*
> . . . .
> *Un ange est entre nous; ce qu'elle a fait te compte;*
> *L'homme, enchaîné par toi, par elle est délivré.*
> *Ô Satan, tu peux dire à présent : Je vivrai!*
> *Viens, la prison détruite abolit la géhenne!*
> *Viens, l'ange Liberté, c'est ta fille et la mienne.*
> *Cette paternité sublime nous unit.*
> *L'archange ressuscite et le démon finit,*
> *Et j'efface la nuit infâme, et rien n'en reste;*
> *Satan est mort, renais, ô Lucifer céleste!*
> *Remonte hors de l'ombre avec l'aurore au front* [1] *!*

Ainsi l'ordre des événements a été le suivant : l'Ange a crié vers Dieu, et Dieu a dit oui : il peut aller parler à Satan son père; l'Ange implore Satan d'acquiescer à son projet de détruire la Bastille, et Satan dit : « Va »; la Bastille est prise, à la suite de quoi Satan, jusque-là en suspens, est solennellement réhabilité par Dieu et rappelé au ciel. Le rachat de Satan s'est donc produit par une étroite conjonction de volontés entre le Juge et le Condamné, moyennant un intercesseur qui tient à la fois de l'un et de l'autre, et par la combinaison non moins intime d'une action émancipatrice sur la terre et d'un progrès au ciel : le texte du « Dénouement » ne laisse aucun doute sur ce dernier point [2].

Ce qui frappe dans *La Fin de Satan* de Hugo, c'est que, contrairement à ce qu'on pourrait attendre, le condamné n'est nullement un révolté. Il semble aux antipodes de Prométhée, le rebelle à la haute conscience, si cher à l'imagination hugolienne, et qui refuse d'accepter la ligne de division du Bien et du Mal établie par les puissances. Il ne diffère pas moins du Satan humanitaire, frère de Prométhée, dont la faute est censée avoir mis en marche le progrès humain, par une interprétation nouvelle du *felix culpa*. On trouve ailleurs, dans l'œuvre de

---

1. *La Fin de Satan*, p. 240.
2. Il y a discussion sur l'ordre du texte dans la dernière partie de *La Fin de Satan* : voir pp. 25-27. Nous avons suivi l'ordre adopté dans cette édition, à l'encontre des éditions antérieures. Le sens général du dénouement nous semble le même de toute façon, à très peu près.

Hugo, ce Prométhée avec ses défis, et cet Adam, sinon Satan, justifié dans sa désobéissance. Mais, dans les alentours de sa *Fin de Satan*, ne paraissent que quelques traces d'un personnage semblable :

> *La plume Liberté tombe*
> *De l'aile Rébellion* [1].

Ces deux petits vers semblent faire naître la Liberté figurée par l'Ange de la rébellion même de Satan. Ailleurs, au moment où la plume va devenir ange, une sorte de frisson magnifie la révolte :

> *Une flamme semblait flotter dans son duvet;*
> *On sentait, à la voir frissonner, qu'elle avait*
> *Fait partie autrefois d'une aile révoltée;*
> *Le jour, la nuit, la foi tendre, l'audace athée,*
> *La curiosité des gouffres, les essors*
> *Démesurés, bravant les hasards et les sorts,*
> *L'onde et l'air, la sagesse auguste, la démence,*
> *Palpitaient vaguement dans cette plume immense;*
> *Mais dans son ineffable et sourd frémissement,*
> *Au souffle de l'abîme, au vent du firmament*
> *On sentait plus d'amour encor que de tempête* [2].

Ces vers laissent bien à supposer que Satan a été perdu par une sorte d'inquiétude grandiose, mais cette note divergente n'est plus jamais développée; elle ne semble être ici que pour aboutir au dernier vers, qui pose chez Satan, dans la tempête qui l'agite, la primauté de l'amour.

La conception hugolienne de Satan semble démentir sa pensée touchant la question pénale, quoiqu'elles tendent l'une et l'autre à la réhabilitation du coupable. Le condamné humain est, en doctrine humanitaire, l'homologue terrestre du Maudit, et l'on a bien remarqué que Jean Valjean au bagne refaisait le chemin

---

1. *La Fin de Satan*, Reliquat, dans Œ., I.N., p. 277. Ces deux vers ont été trouvés, isolés, et il n'y a d'heptasyllabes dans *La Fin de Satan* que dans « Le Cantique de Bethphagé » et la « Chanson des oiseaux », qui sont tout à fait extérieurs à l'affabulation du poème. On croit ces vers, après discussion, de 1854 (voir P. ALBOUY, *La Création métaphysique chez Victor Hugo*, p. 168).
2. *La Fin de Satan*, v. 1327-1337 (années 1859-1860).

de ténèbres de Satan tombé [1]. Mais Valjean forçat aurait des comptes à demander à la société, tandis que le Satan de Hugo ne saurait en demander à Dieu; et les vers de *La Pitié suprême* ne placent pas sur le même plan, en dépit du parallélisme apparent, le démon et le paria :

> *Toujours Satan revient avec le paria,*
> *Toujours l'enfer vomit, comme une double lave,*
> *Le démon dans le ciel, sur la terre l'esclave* [2].

Le démon ne peut avoir droit qu'à la pitié ou à la clémence; le paria peut revendiquer la justice. Et il faut bien que Hugo, sur la terre même, distingue la rébellion égoïste et mauvaise de la révolte humanitaire et tendant au bien : il les représente comme deux sapes parallèles, mais sans communication l'une avec l'autre, sous le sol social [3]. La lutte pour le progrès, contre ce qui est, est peut-être contiguë à la délinquance, mais elle en est aussi l'antithèse [4]. Si porté qu'il soit à lutter contre la morale établie, l'humanitarisme, du fait qu'il est aussi un moralisme, ne peut aller dans la voie de la révolte jusqu'à la complaisance pour le mal. C'est pourquoi le Satan de Hugo, en tant qu'il est Satan, le Mal monstrueux et noué sur lui-même, n'appelle à aucun moment la sympathie, ni la justification. Hugo suppose seulement qu'il connaît le bien, qu'il l'aime secrètement et douloureusement, et qu'il a la faculté d'y revenir.

Le Jésus de Hugo.

La révérence pour Jésus est habituelle dans le déisme dès son origine : non seulement on salue la pureté de la morale

---

1. Voir notamment Jean GAUDON, « *Je ne sais quel jour de soupirail* », in *Centenaire des* Misérables, *1862-1962, Bulletin de la Faculté de Strasbourg*, février-mars 1962, p. 149 et suiv.

2. *La Pitié suprême*, XIV (date du manuscrit, 1er janvier 1858).

3. *Les Misérables*, III, VII, I.

4. Cette ambiguïté apparaît bien dans le poème en deux parties qui s'intitule *Écrit après la visite d'un bagne*, dans *Les Quatre Vents de l'esprit*, I, 24 (février-mars 1853) : après un plaidoyer pour les délinquants, victimes sociales, indignation de voir mêlés à eux, dans la répression, les penseurs persécutés : « Quoi, l'archange enchaîné coudoyant les vampires! »

évangélique, mais on entoure d'une auréole de sainteté hors nature le « législateur des chrétiens »; on consent à lui trouver quelque chose de divin, quoique dans un contexte qui exclut la divinité, au sens où l'entend le dogme. Rousseau a donné l'exemple [1]; il est naturel que le romantisme, qui réforme dans un sens plus religieux la foi déiste, cède davantage encore au même penchant. C'est ce que Hugo a fait d'abord.

Avant l'exil, sa poésie, quoique déprise du christianisme, vénère volontiers Jésus comme source de foi spiritualiste et de haute morale. Ainsi, ayant fait l'éloge du siècle nouveau, il avoue craindre que le sens de la spiritualité et du sacrifice n'y soit en décroissance par oubli de Jésus :

> *Une chose, Jésus, en secret m'épouvante,*
> *C'est l'écho de ta voix qui va s'affaiblissant* [2].

L'image d'un tel Jésus est si sainte à ses yeux qu'elle lui fait détester le catholicisme esthétique à la mode en ce temps-là parmi les écrivains religieux et les gens du monde; il s'indigne de voir, dans un siècle de vices,

> *Des femmes secouer la tête d'un air triste*
> *Et dire à Jésus-Christ : « Vous êtes un artiste,*
> *Vous n'êtes pas un dieu* [3] *! »*

Il semble professer la foi chrétienne quand, dans une consolation aux pauvres, il invoque :

> *Le Dieu qui souffrit et qui règne* [4].

---

1. Jean-Jacques ROUSSEAU, *Profession de foi du vicaire savoyard,* éd. Furne des *Œuvres,* t. II, p. 597 : « Oui, si la vie et la mort de Socrate sont d'un sage, la vie et la mort de Jésus sont d'un Dieu. »

2. *Les Voix intérieures,* I, « 15 avril 1837 », dernière strophe; voir aussi *Regard jeté dans une mansarde,* dans *Les Rayons et les ombres,* IV (1839), section 6, apostrophe au XVIIIᵉ siècle : « Monde, aveugle pour Christ, que Satan illumine »; *Caeruleum mare, ibid.,* XL (1839), contre les modernes : « L'un donne Satan à nos âmes – L'autre leur retire Jésus. »

3. *Œ., I.N., Océan. Tas de pierres,* p. 488, « Vers faits en dormant, la nuit du 17 au 18 mai 1843 ».

4. *Dieu est toujours là,* dans *Les Voix intérieures,* V (1837), section 3 : toute la section développe cette pensée; aussi *Les Rayons et les ombres,* XXX (1838) : « Puisqu'un Dieu saigne au Calvaire », etc.

Mais que valent ces allusions à la divinité de Jésus quand on lit ailleurs, à une date voisine :

> *Zeus! Irmensul! Wishnou! Jupiter! Jéhova!*
> *Dieu que cherchait Socrate et que Jésus trouva* [1] *!*

Ici Jésus n'est qu'un homme, un mage « trouveur » de Dieu. C'est ainsi que Hugo va le voir de plus en plus, en l'opposant à l'Église qui se prétend son héritière. Cette façon de considérer Jésus était devenue assez tôt la sienne. Il avait pourtant composé en 1847 le quatrain suivant :

> *Vous qui pleurez, venez à ce Dieu, car il pleure.*
> *Vous qui souffrez, venez à lui, car il guérit.*
> *Vous qui tremblez, venez à lui, car il sourit.*
> *Vous qui passez, venez à lui, car il demeure* [2].

Ce quatrain, comme la plupart des pièces des années 1840, ne parut qu'en 1856 dans *Les Contemplations*. Michelet fut alors choqué de ces vers dévots que Hugo disait écrire « au bas d'un crucifix » : « On nous en frappe sur la tête, écrivait-il à Hugo exilé, c'est pour nous le casse-tête indien [3]. » Hugo, dans sa réponse, acquiesce; ne déclarant considérer Jésus que comme une incarnation saignante du progrès, autrement dit comme un martyr de la vérité humanitaire, il ajoute : « Je le retire au prêtre, je détache le martyr du crucifix et je décloue le Christ du christianisme. Cela fait je me tourne vers ce qui n'est plus qu'un gibet, le gibet actuel de l'humanité, et je jette le cri de guerre [4]. » La croix romaine gibet du genre humain vaut bien le crucifix casse-tête. Depuis longtemps sans doute le Dieu souffrant n'était plus pour Hugo que le type de la souffrance humaine. Dans une page des *Misérables* qui date aussi de 1847, Jean Valjean, qui fixe un crucifix en priant pour Fantine mourante, lui explique : « Je priais le martyr qui est là-haut », et il ajoute en pensée : « pour la martyre qui est ici-bas ». Et dans le fameux chapitre, de la même date, où Jean Valjean

1. *Sagesse*, dans *Les Rayons et les ombres*, XLIV, section 5, « 15 avril 1840 ».
2. *Écrit au bas d'un crucifix*, dans *Les Contemplations*, III, 4, « nuit du 4 au 5 mars 1847 ».
3. Michelet, lettre à Hugo du 4 mai 1856, citée par R. JOURNET et G. ROBERT, *Notes sur* Les Contemplations, p. 91.
4. Hugo, lettre à Michelet du 9 mai 1856 (Œ., M., t. X, p. 1249).

hésite à se livrer à la justice pour disculper un innocent, Hugo évoque la passion de Jésus, « l'être mystérieux en qui se résument toutes les saintetés et toutes les souffrances de l'humanité », et qui avait lui aussi, au mont des Oliviers, « longtemps écarté de la main l'effrayant calice » [1]. Cette christologie humanitaire s'accompagne de plus en plus, au temps de l'exil, d'une mise en accusation de l'Église, en réponse à l'appui prêté par le catholicisme officiel au coup d'État et à ses suites : c'est déjà un des thèmes majeurs des *Châtiments* [2].

Elle se développe pleinement dans *La Fin de Satan* en 1859-1860, date à laquelle Hugo écrit son livre du *Gibet,* qui est sa Vie de Jésus. Il y trace une image atroce du sacerdoce juif, empruntée pour l'essentiel aux Évangiles eux-mêmes, mais implicitement appliquée à la hiérarchie catholique. Quant aux éléments du récit, il respecte dans l'ensemble les données chrétiennes. L'allure surnaturelle et les miracles y sont, Hugo n'ayant certes pas formé le projet d'écrire une Vie de Jésus positiviste; il a plutôt, dans ce domaine, rajouté du sien. Mais ce qu'il raconte d'extraordinaire a le ton de *La Légende des siècles,* celui d'un merveilleux auquel il n'est pas nécessaire de croire. Considérons plutôt la doctrine. Hugo admet, c'est certain, la vertu du sacrifice souffert pour le salut d'autrui [3] :

Oh! que je sois celui qui pleure et qui rachète [4]!

fait-il dire à son lépreux contemporain de Nemrod. A-t-il voulu mettre dans son Ancien Testament une « figure » de Jésus, au sens où l'entend l'exégèse chrétienne? Mais le Lépreux de Hugo ne peut figurer Jésus que comme un être humain peut en figurer un autre, plus grand que lui dans la pratique de la même sainteté, non comme l'homme figure le Dieu.

Dès les premiers temps du ministère de Jésus, Hugo fait apparaître une Sibylle qui tente de le décourager de sa mission : Dieu, lui dit-elle, est impénétrable et ne veut pas être approché.

---

1. *Les Misérables,* I, VI, I, début, et I, VII, III, tout à la fin (chapitres datant de 1847).

2. Voir *Les Châtiments,* I, 7 *(Ad majorem Dei gloriam)*; I, 8 *(À un martyr)*; II, 2 *(Au peuple)*; IV, 4 *(À des journalistes de robe courte)*; IV, 7 *(Un autre)*; VII, 12 *(Paroles d'un conservateur).*

3. Cette pensée chrétienne est familière à la littérature romantique : le sacrifice agit en cela comme la prière.

4. *La Fin de Satan,* v. 795.

Nous savons que c'est là une des idées maîtresses de Hugo; mais la Sibylle va plus loin que lui, elle insiste sur le châtiment que Dieu réserve aux investigateurs téméraires :

Courbez-vous. L'adoré doit rester l'inconnu.
Toutes les fois qu'un homme, un esprit est venu
L'approcher de trop près, et s'est, opiniâtre,
Mis à souffler sur lui comme on souffle sur l'âtre,
Il a frappé. Malheur aux obstinés qui vont
Faire une fouille sombre en cet être profond!
[...] L'homme est tortue, et l'ombre est votre carapace;
Ne sortez pas du temps, du nombre et de l'espace;
Car il se vengera, l'être mystérieux [...]
Il est le maître obscur des tortures aiguës,
Des haches, des brasiers, des chanvres, des ciguës.
Il choisira les forts, il prendra dans sa main
Ceux qui sont les cerveaux de tout le genre humain,
Et, fatal, les jetant au glaive froid qui tue,
Il décapitera la sagesse têtue.
Pour punir les chercheurs, il n'a qu'à les livrer
À la fureur de ceux qu'ils voudront éclairer [1].

S'il en était ainsi, le martyre des « chercheurs » ne serait que châtiment, et non témoignage. Hugo ne fait certainement pas sienne la conclusion négative de la Sibylle :

Ne cherchez pas. Rampez. Tremblez, c'est le meilleur [2].

Cette conclusion, Jésus la récuse :

Ô prophétesse, il faut pourtant sauver les hommes.
– À quoi bon? – Pour sortir de cette ombre où nous sommes [3].

Jésus se présente donc bien ici comme un de ces chercheurs de Dieu, qui se dévouent parce qu'ils croient pouvoir quelque chose pour les hommes. Tout ce débat où Hugo l'introduit est celui du doute et de la foi, tel que l'a posé tout le

---

1. *Ibid.*, v. 2009-2014, 2031-2033, 2035-2042. Tout ce passage, qui avait appartenu primitivement à *Dieu (L'Océan d'en haut)*, « Le Hibou », est de 1856.
2. *Ibid.*, v. 2154.
3. *Ibid.*, v. 2215-2216 (cette fin de chapitre est de 1859-1860).

romantisme [1]. Dans ce débat, l'amertume et la négation sont un des moments, rarement évités, de la dialectique romantique. Barabbas, le criminel dont la foule a demandé la grâce plutôt que celle du Christ, stupéfait de sa liberté et horrifié par la vue de Jésus en croix, annonce un âge atroce :

> *C'est fini, le dragon règne, le mal se fonde,*
> *On ne chantera plus dans la forêt profonde,*
> *Les hommes n'auront plus d'aurore dans leur cœur,*
> *L'amour est mort, le deuil lamentable est vainqueur,*
> *La dernière lueur s'éteint dans la nature* [2].

Hugo constate bien la perpétuation du mal après la croix, c'est-à-dire l'échec de l'entreprise de Jésus; mais il incarne cet échec dans le sacerdoce chrétien, falsificateur de l'enseignement évangélique; de Jésus, victime des prêtres juifs, ont surgi d'autres prêtres :

> *Et l'on vit, ô frisson, ô deuil, des prêtres sombres*
> *Aiguiser des poignards à ses préceptes saints,*
> *Et de l'assassiné naître des assassins* [3].

Le message de Jésus n'en reste pas moins valable pour toute génération : il faut sauver les hommes et sortir de l'ombre. Cette réponse que Jésus adresse à la Sibylle prend tout son sens par la victoire de l'ange Liberté et la prise de la Bastille. Au temps où Hugo écrit, cette victoire est bien effacée par celle que Napoléon-le-Petit vient de remporter sur la République. On peut penser que le langage de la Sibylle et de Barabbas fait écho à celui des proscrits les plus amers, de ceux qui n'espèrent plus, et que le démêlé de la foi et de la négation, dans *La Fin de Satan*, est aussi celui de l'action et du dégoût d'agir. Mais le dégoût ne peut être le dernier mot du poète; pour lui Jésus a vaincu, puisque à ses yeux le Golgotha est un pas en avant sur le Sinaï :

> *Moi j'ai vu le gibet plus grand que le tonnerre !*

---

1. Le discours de la Sibylle rappelle *Le Mont des Oliviers* de Vigny, sans la conclusion stoïque.
2. *La Fin de Satan*, v. 3687-3691 (années 1859-1860).
3. *Ibid.*, v. 3892-3894.

fait-il dire dans *Dieu* au Griffon chrétien [1]. Un fragment qu'on peut supposer de la même époque dit : « La foudre est divine, mais moins que le gibet. Je vois plus de Dieu sur le calvaire que sur le Sinaï [2]. » Un pape, que Hugo imagine ayant décidé de quitter Rome pour Jérusalem, dit en entrant dans la ville sainte :

> *Je viens près de celui qui fit voir ici-bas*
> *Toute la quantité de Dieu qui tient dans l'homme* [3].

Si Dieu ne se révèle que par degrés variables, selon les hommes et les temps, on comprend les vicissitudes du progrès, et qu'il ne faut à aucun moment cesser d'espérer :

> *Christ, ce libérateur, ne brisa qu'un anneau*
> *De la chaîne du mal, du meurtre et de la guerre* [4].

Selon l'optimisme hugolien, le reste de la chaîne ne peut manquer d'avoir le même sort.

La France Christ.

Il y a, dans le messianisme français, un trait qui rappelle curieusement le modèle hébraïque du thème. De même que les Juifs anciens prêtaient à Israël un rôle éminent dans l'avènement du monde à venir, de même l'humanitarisme français attribue à la France une fonction d'inspiratrice et de conductrice dans la régénération universelle. Alors que l'œcuménisme chrétien annulait en principe toute hiérarchie entre les nations, les prophètes de la France humanitaire, sans se départir théologiquement de cet œcuménisme, distinguent, comme ceux d'Israël, une nation guide, dépositaire en quelque sorte des intentions de la Providence. L'idée a son germe dans le fait de la Révolution française et dans le dessein, proclamé en Europe

1. *Dieu (L'Océan d'en haut)*, v. 1704.
2. Œ., M., t. XVI, p. 445 (reproduit d'après V. Hugo, *Pierres*, éd. H. Guillemin, Genève, 1951).
3. V. Hugo, *Le Pape*, dans le morceau intitulé « Entrant à Jérusalem », Œ., I.N., *Poésie IX*, p. 66.
4. *La Fin de Satan*, v. 3882-3883.

par cette révolution, d'émanciper en même temps que de conquérir. De là, dans la gauche du XIXᵉ siècle, l'idée d'une France conduisant les Nations vers l'avenir. Les Nations n'y acquiescèrent pas longtemps; mais la France, surtout celle de gauche, tenait à cette prérogative. Que la notion d'une suprématie française pût contredire celle de la fraternisation des peuples, ni Quinet, ni Michelet, ni tant d'autres ne semblaient le ressentir comme une difficulté, peut-être parce que, dans le projet humanitaire, le spirituel et le temporel ne faisant qu'un, une sorte de sainteté s'attache naturellement à la capacité d'agir avec succès dans le sens souhaité : or, on n'apercevait alors cette capacité que dans la France, ou plutôt dans l'idéale République française, toujours créditée, après ses disparitions, d'une résurrection possible.

Hugo n'était pas plutôt sorti de France qu'il écrivait, à propos du peuple français : « Il y avait un peuple parmi les peuples qui était une sorte d'aîné dans cette famille des opprimés, qui était comme un prophète dans la tribu humaine. Ce peuple avait l'initiative de tout le mouvement humain [...] Il parlait par la voix de ses écrivains, de ses poètes, de ses philosophes, de ses orateurs comme par une seule bouche, et ses paroles s'en allaient aux extrémités du monde se poser comme des langues de feu sur le front de tous les peuples. Il présidait la cène des intelligences. Il multipliait le pain de vie à ceux qui erraient dans le désert [...] Les nations malades, souffrantes, infirmes, se pressaient autour de lui; celle-ci boitait, la chaîne de l'inquisition rivée à son pied pendant trois siècles l'avait estropiée; il lui disait : marche! et elle marchait; cette autre était aveugle, le vieux papisme romain lui avait rempli les prunelles de brume et de nuit; il lui disait : vois, elle ouvrait les yeux et voyait. Jetez vos béquilles, c'est-à-dire vos préjugés, disait-il; jetez vos bandeaux, c'est-à-dire vos superstitions, tenez-vous droits, levez la tête, regardez le ciel, regardez le soleil, contemplez Dieu. L'avenir est à vous. Ô peuples! [...] allez, marchez, brisez les liens du mal, je vous délivre, je vous guéris! C'était par toute la terre une clameur reconnaissante des peuples que cette parole faisait saints et forts [...] Depuis plus de trois ans [1], les hommes du passé, les scribes, les pharisiens, les

---

1. Il écrivait cela en 1852; il date donc le désastre, non du coup d'État, mais de 1849, c'est-à-dire de l'année où il comprit que les conservateurs étaient les ennemis déterminés de la République.

publicains, les princes des prêtres, crucifient, en présence du genre humain, le Christ des peuples, le peuple français [...] Maintenant c'est fini. Le peuple français est mort. La grande tombe va s'ouvrir. Pour trois jours [1]. »

Hugo pensait surtout à la résurrection qui devait venir. Au début de son exil, souhaitant une fédération de l'Europe sur les ruines de la tyrannie, et la croyant réalisable par une « dernière guerre », il écrivait : « La France seule peut faire cette rude besogne. Elle est le Christ des autres peuples. Elle les délivrera et elle se dévouera pour eux [2]. » « Se dévouer », en français classique, c'est proprement se sacrifier; il faut que le Messie soit mis en croix avant de ressusciter; voici comment Hugo représente la France au moment du coup d'État :

> *Quand, des trous à ses mains, des trous à ses pieds froids,*
> *Du sang sur chaque membre,*
> *La France, peuple-Christ, pendait les bras en croix*
> *Au gibet de Décembre,*
>
> *Quand, l'épine à son front, râlait sur le poteau*
> *La Nation pontife* [...] [3].

La France, comme champion du genre humain, est fortement présente dans l'affabulation de *La Fin de Satan*. C'est au bord de la Seine, sur l'emplacement futur de Paris, que Lilith, au début des temps bibliques, brandit en défiant Dieu les trois armes de Caïn [4]. Au dénouement, c'est sur la Bastille qu'elle compte pour maintenir en servitude le peuple français, et par lui l'humanité entière :

1. On aura reconnu dans cette page une accumulation d'allusions évangéliques qui font de la France l'homologue moderne du Christ : guérison des paralytiques et des aveugles, intervention des scribes et des pharisiens (le texte complet précise : Falloux a mis la couronne d'épines, Montalembert l'éponge de vinaigre et de fiel, Louis Napoléon a donné le coup de lance au flanc), crucifixion, résurrection après trois jours. Noter aussi l'allusion à la Cène, mêlée à l'évocation de la multiplication des pains, et à la traversée du désert (cumul de souvenirs du Nouveau et de l'Ancien Testament). Quant aux langues de feu, elles rappellent celles de la Pentecôte (Actes des Apôtres, II, 1), signal de la propagande chrétienne.
2. Propos de Hugo selon *le Journal d'Adèle Hugo*, éd. citée, t. I, p. 284, 10 septembre 1852. L'idée de la France – Christ se trouvait déjà en 1840 chez Ganneau dit Le Mapah (Waterloo-Golgotha, et le 18 juin-vendredi saint : Voir *Le Temps des prophètes*, p. 432).
3. *Les Années funestes*, XVIII [1853-1854?], Œ., I.N., *Poésie XIV*, p. 51.
4. *La Fin de Satan*, v. 410 et suiv., 448 et suiv.

Dans cette fourmilière obscure un peuple luit ;
Il est le verbe, il est la voix, il est le bruit ;
Il agite au-dessus de la terre une flamme ;
Ce peuple étrange est plus qu'un peuple, c'est une âme ;
Ce peuple est l'Homme même ; il brave avec dédain
L'enfer, et dans la nuit cherche à tâtons l'Éden.
[...] Il va ; tous les progrès sont faits avec ses pas ;
Pas de haute action que ses mains ne consomment ;
Les autres nations l'admirent, et le nomment
FRANCE, et ce nom combat dans l'ombre contre nous.

Cette France a le culte offensif du Bien, de l'Idéal, et pour les
servir

Elle a Paris, la Ville univers, pour cerveau [1].

Le mythe de Paris prospérait depuis quelques générations, en
dehors même de toute orientation politique déterminée : Paris,
ville de mystères, creuset des passions, des vertus et des vices,
Paris, capitale de la civilisation et reine de l'esprit, de quelque
façon qu'on veuille entendre cette royauté, Paris monstre et
merveille, tel qu'on le voit chez Balzac et Baudelaire, prenait
figure d'être vivant et de prodige. Dans la mythologie humanitaire, il était surtout la matrice des palingénésies de l'avenir ;
car la ville où s'est accomplie la grande Révolution porte en
elle l'irrésistible force qui doit transformer le monde et le
régénérer : « Paris, écrit Hugo, est la ville pivot sur laquelle,
à un jour donné, l'histoire a tourné [...] Paris, lieu de la
révélation révolutionnaire, est la Jérusalem humaine [2]. » Ce
thème triomphal prend lui aussi sa couleur tragique, en 1870-
1871, quand la Ville est assiégée, défaite, déchirée par l'insurrection et la répression. On peut encore célébrer la suprématie
de Paris, écrire avec une foi plus nécessaire que jamais :

Le genre humain gravite autour de cet aimant ;

mais Paris est plus que jamais un Messie souffrant :

1. *Ibid.*, v. 5177-5182, 5186-5189, 5197.
2. Introduction à *Paris-Guide* (ouvrage collectif publié à l'occasion de l'Exposition de 1867, Œ., M., t. XIII, pp. 586 et 591).

> *Personne ne pourra t'approcher sans entendre*
> *Sortir de ton supplice auguste une voix tendre,*
> *Car tu souffres pour tous et tu saignes pour tous.*

Et au-delà du supplice, la résurrection; en même temps que
le sang versé, le pouls d'une gestation maternelle :

> *[...] Paris! dans ton artère,*
> *D'où le sang de tout l'homme et de toute la terre*
> *Coule sans s'arrêter, hélas, mais sans finir,*
> *On sent battre le pouls profond de l'avenir.*
> *On sent dans ton sein, mère en travail, ville émue,*
> *Ce fœtus, l'univers inconnu, qui remue* [1].

Ces thèmes et ces figures nous apprennent quelle était la nature
de ce premier nationalisme français, si différent de celui qui
devait le supplanter à la fin du siècle. Tel quel, il a vibré
intensément chez les gens de pensée, le temps d'une ou deux
générations, et ses échos se sont prolongés jusqu'à nous.

---

1. *L'Année terrible*, Mai, section III, « Paris incendié » (*Œ.*, M., t. XV, p. 141;
et voir, p. 139, encore la Cène et les langues de feu); Juillet, section XI, 3 et 4
(*ibid.*, pp. 203 et 204).

IX

SCIENCE, AVENIR, ANTI-SCIENCE

Il est arrivé à Hugo de traiter de la régénération du genre humain, dans les années mêmes où il écrivait *La Fin de Satan*, tout autrement que dans ce poème. La variation n'est pourtant pas de pure fantaisie. L'hymne naturaliste et prométhéen du *Satyre* contredit sans doute le pur spiritualisme de *La Fin de Satan*; mais la double tentation habite l'humanitarisme, Janus doctrinal; et elle se manifeste en particulier, chez Hugo chantre de l'Âme et de la Nature, de l'inspiration divine et de la conquête humaine, qui ne peut éviter d'entremêler ces deux musiques.

Pensée du Satyre.

Hugo a composé *Le Satyre* pour sa *Légende des siècles,* lui donnant pour mission de représenter dans l'immense fresque le « seizième siècle » ou le « monde païen retrouvé », le « paganisme » : tels sont les avant-titres auxquels il avait songé [1]. Le poème est, en fait, tout moderne, et développe dans une version particulière l'histoire du progrès et de l'émancipation de l'homme, thèmes étrangers au paganisme antique et à peine naissants au xvie siècle.

L'histoire de la vie universelle, telle que la chante le Satyre « à la fois divin et bestial », quand Hercule le traîne par l'oreille

---

1. *Le Satyre* parut pour la première fois en 1859; date du manuscrit « 17 mars 1859 »; dans *La Légende des siècles*, XXII. Les mots « Seizième siècle – Renaissance – Paganisme » précèdent le titre.

devant les dieux de l'Olympe, est d'abord une sanctification des êtres primitifs au lendemain du chaos. La matière n'est donc pas donnée ici pour le résultat d'une déchéance des âmes; au contraire, l'âme naît de cette matière :

> *Quelqu'un parle. C'est l'Âme. Elle sort du chaos.*
> *[...] L'Être est d'abord moitié brute et moitié forêt;*
> *Mais l'Air veut devenir l'Esprit, l'homme apparaît.*
> *L'homme? Qu'est-ce que c'est que ce sphinx? Il commence*
> *En sagesse, ô mystère! et finit en démence.*
> *Ô ciel qu'il a quitté, rends-lui son âge d'or* [1].

On voit surgir ici, traversant le progrès de la matière vers l'âme aussitôt après l'avènement de l'homme, un accident soudain, un âge d'or perdu selon la tradition antique, mais par l'aberration de l'homme lui-même. Le Satyre, invité à chanter sur la lyre l'histoire de l'Homme, le confirme :

> *Il chanta l'Homme. Il dit cette aventure sombre;*
> *L'Homme, le chiffre élu, tête auguste du nombre,*
> *Effacé par sa faute, et, désastreux reflux,*
> *Retombé dans la nuit de ce qu'on ne voit plus.*
> *Il dit les premiers temps, le bonheur, l'Atlantide;*
> *Comment le parfum pur devint miasme fétide,*
> *Comment l'hymne expira sous le clair firmament,*
> *Comment la liberté devint joug, et comment*
> *Le silence se fit sur la terre domptée;*
> *Il ne prononça pas le nom de Prométhée,*
> *Mais il avait dans l'œil l'éclair du feu volé* [2].

Rien ne nous renseigne sur la nature de la faute par laquelle l'homme a changé de condition. Le souvenir biblique est patent ici [3]. Mais cette faute initiale n'est plus mentionnée dans le reste du poème, et nous pouvons l'entendre comme nous voulons, peut-être comme analogue à celle que Hugo attache à l'imperfection nécessaire de la créature. Ce n'est pas elle en tout cas qui fait le sujet du *Satyre*. Le poème traite une autre fable, où Prométhée tient le rôle central. Non qu'il faille

---

1. *Le Satyre*, v. 425, 429-433.
2. *Ibid.*, v. 463-473.
3. La variante du vers 433 (« Ô ciel qui t'as chassé »), la « faute » (v. 465), la chute « dans la nuit » (v. 466) suggèrent ce rapprochement.

considérer que cette faute première soit celle pour laquelle Prométhée a été puni : le texte l'attribue expressément à l'homme, non au titan; et en volant le feu aux Dieux pour le donner aux hommes, Prométhée ne s'est nullement rendu coupable aux yeux du Satyre, ni de Hugo. Nous ne sommes pas avec lui dans le domaine de la faute, mais dans celui d'une glorieuse rébellion, par laquelle le genre humain, devenu la proie d'une tyrannie, s'en émancipe. Hugo, dans une affabulation païenne, exalte la révolte contre les dieux tyrans, ce qu'il n'osait ni ne voulait dans un contexte comme celui de *La Fin de Satan,* où Jéhovah était nécessairement en cause. Les dieux auxquels l'homme a affaire ici sont

> *Des spectres tournoyant comme la feuille morte,*
> *Qui combattent l'épée à la main, et qu'emporte*
> *L'évanouissement du vent mystérieux.*
> *Ces spectres sont les rois, ces spectres sont les dieux* [1];

des dieux, donc, dépourvus d'être, qui ne sont que des imaginations de l'homme, compagnes de sa déchéance et génératrices de tous fléaux. Les rois sont les agents de leur tyrannie; ils mobilisent contre l'homme les puissances de la matière; et de la matière même, utilisée par l'homme, naîtra le salut :

> *Avec ce qui l'opprime, avec ce qui l'accable,*
> *Le genre humain va se forger son point d'appui.*
> *[...] Misérable homme, fait pour la révolte sainte*
> *Ramperas-tu toujours parce que tu rampas?*
> *Qui sait si quelque jour on ne te verra pas,*
> *Fier, suprême, atteler les forces de l'abîme,*
> *Et, dérobant l'éclair à l'Inconnu sublime,*
> *Lier ce char d'un autre à tes chevaux à toi?*
> *Oui, peut-être on verra l'homme devenir loi,*
> *[...] Se construire à lui-même une étrange monture*
> *Avec toute la vie et toute la nature,*
> *Seller la croupe en feu des souffles de l'enfer,*
> *Et mettre un frein de flamme à la gueule du fer* [2]!

---

1. *Ibid.,* v. 483-486.
2. *Ibid.,* v. 580-581, 584-590, 595-598.

Suit la prophétie d'une technologie démesurée, par laquelle l'homme surmonte enfin la pesanteur et gravite dans la lumière :

> *Deviens l'Humanité, triple, homme, enfant et femme* [1] *!*
> *Transfigure-toi! Va! sois de plus en plus l'âme!*
> *Esclave, grain d'un roi, démon, larve d'un dieu,*
> *Prends le rayon, saisis l'aube, usurpe le feu,*
> *Torse ailé, front divin, monte au jour, monte au trône,*
> *Et dans la sombre nuit jette les pieds du faune* [2] *!*

Cette fantastique carrière s'accomplit à l'encontre des dieux et en état d'insurrection contre eux; le Satyre assume insolemment pour le révolté un nom péjoratif :

> *Oh! lève-toi, sois grand, homme! va,* factieux [3] *!*

Factieux à bon droit, contre les faux dieux de la déchéance, spectres de néant, à propos desquels Hugo a écrit ailleurs que Promothée voulut

> *Diminuer les dieux de la croissance humaine* [4].

En fait, le Satyre décrit, sous le signe de cette révolte, la même marche ascensionnelle de l'humanité que Hugo a mise tant de fois sous le signe, différent mais non contraire, de l'adoration. Le terme de cette marche est, dans les deux cas, le même : l'Esprit, vainqueur de l'animalité (ici, le rejet des pieds du faune dans le néant), la Lumière, le Dieu qui appelle l'homme à lui. Ce Dieu, qui est celui de Hugo, le Satyre lui-même le montre au loin à la fin de son discours :

> *Je vois. Olympes bleus et ténébreux Avernes,*
> *Temples, charniers, forêts, cités, aigle, alcyon,*
> *Sont devant mon regard la même vision.*
> *Les dieux, les fléaux, ceux d'à présent, ceux d'ensuite,*

---

1. Cette formule de trinité humaine est fréquente dans l'humanitarisme romantique : on la trouve chez l'abbé Constant, Flora Tristan, Michelet (voir *Le Temps des prophètes*, pp. 442 et 445, 448, 454).
2. *Le Satyre*, v. 631-636.
3. *Ibid.*, v. 622 (c'est moi qui souligne).
4. *Dieu (L'Océan d'en haut)*, v. 1328; entendre : diminuer les dieux de ce qu'il ajoutait à l'homme.

Traversent ma lueur et sont la même fuite.
Je suis témoin que tout disparaît. Quelqu'un est.
Mais celui-là, jamais l'homme ne le connaît [1].

Le discours du Satyre pose un dernier problème. Après avoir rejeté sa nature demi-animale, il subit, pour finir, une glorieuse métamorphose. Mais il ne se transforme pas en ange. Ayant dénoncé tous les dieux présents et futurs comme des faux-semblants de la divinité, et annoncé le triomphe

De ce dieu noir final que l'homme appelle Assez [2] *!*

il grandit démesurément, prend la forme multiple de l'immense nature, devient la totalité du monde visible, ciel, terre et êtres, et ses derniers mots, qui terminent le poème, proclament :

Place à tout ! Je suis Pan ! Jupiter ! à genoux.

On en a conclu parfois que le poème était panthéiste, ce qui irait contre toute l'œuvre de Hugo. Le Satyre avait dit, quelques vers avant :

[...] L'avenir, tel que les cieux le font,
C'est l'élargissement dans l'infini sans fond,
C'est l'esprit pénétrant de toutes parts la chose [3].

Le dieu Pan de Hugo n'est donc pas celui de l'Antiquité, en qui la nature se divinisait ; il est le tout de la création, la seule forme digne d'accueillir en elle et de signifier l'Esprit infini qui la fait être.

Le déisme, dès ses débuts, a sacré la Nature temple de Dieu. Ce qu'on appelle « sentiment de la nature » est né de là, et est devenu, comme on sait, partie constitutive du romantisme. Il eût fallu dire « sentiment métaphysique ou religieux de la

---

1. *Le Satyre*, v. 660-666. Au vers 663, « ceux d'à présent » sont les dieux de l'Olympe à qui il parle ; « ceux d'ensuite », ceux qui seront adorés dans l'avenir : l'expression inclut le Dieu unique, sous la forme où le conçoivent les religions monothéistes instituées.
2. *Ibid.*, v. 678.
3. *Ibid.*, v. 709-711. Le dernier vers du poème, cité plus haut (« Je suis Pan ! »), est le vers 726.

nature », car là était la nouveauté [1] : la Nature comme émanation du Dieu unique et intermédiaire sensible entre nous et
lui, lieu débordant pour nous de sa présence. Nul panthéisme
en cela, mais renouvellement des voies et des modes de l'adoration, par la mise au premier plan du *Coeli enarrant gloriam
Dei,* embrassant non seulement l'armée céleste, mais les montagnes et les ruisseaux, les aurores et les brins d'herbe, l'océan
et l'oiseau. Les attributs divins, puissance, mystère, fécondité,
bonté, sont désormais attestés autant et plus dans l'univers que
dans l'intimité de l'âme. Toutes les normes traditionnelles de
la dévotion, liées à l'institution ecclésiastique et aux lieux
consacrés par elle, en sont bouleversées. Il n'y a rien sans doute
dans les éléments de cette piété nouvelle qui soit absolument
inconnu de l'ancienne, mais un tel déplacement d'accent aux
dépens des habitudes et des rites consacrés, que le sentiment
religieux en devient tout autre. D'autre part, la Nature, excluant
règlements et contraintes, suggère une liberté des instincts
vitaux agréée de Dieu ; la référence à la Nature aide à lever
des interdits anciens ; elle élargit l'horizon de la connaissance
et du désir. C'est ainsi que le romantisme, qui exalte l'Esprit
pur, libéré des pesanteurs terrestres, exalte aussi, au pôle opposé,
la nature et ses puissances : ce n'est une contradiction qu'en
surface ; en profondeur, un double mouvement de désaveu de
la tradition religieuse, et une volonté d'accroître l'envergure
humaine. En tout cas, c'est un fait : spiritualisme laïque et
religion de la nature ont, dans le romantisme, envahi ensemble
les esprits.

Le nouveau Prométhée.

Prométhée se révolte contre l'Olympe païen. En principe,
on ne se révolte pas contre le vrai Dieu. Hugo semble pourtant,
à l'occasion, s'insurger aussi contre lui : nous l'avons vu, lui
qui proclame si souvent l'insignifiance de l'homme face à l'Être

---

1. Le goût ou le sentiment de la nature a existé dans tous les siècles, comme
l'atteste, en Europe en particulier, une tradition constante de littérature pastorale,
où les classes cultivées opposent les charmes de la campagne à l'artifice des villes
et des cours ; mais les relations avec Dieu s'établissaient par d'autres voies. La
matière des thèmes importe moins en littérature que l'intention et le sens qu'on
y met.

infini, le défier démesurément dans plus d'un poème. Mais il n'y a dans ce défi nulle prophétie de déchéance; seule est à prévoir celle du Jéhovah des religions, faux dieu à sa manière comme Jupiter [1]. Le Dieu véritable, l'Ignoré et l'Innommé, est Dieu pour toujours, et nous ne pouvons le défier qu'avec son agrément, pour mieux l'approcher. L'humilité et la foi en l'homme ne font qu'un dans cette religion, et Hugo peut dire, sous l'implicite réserve de l'asymptote, que son siècle se propose de « grandir l'homme jusqu'à Dieu » [2]. Hugo, au cours des mêmes années où se développait sa métaphysique d'angoisse, d'expiation et d'accablant mystère, jalonnait son œuvre de poèmes triomphaux à la gloire de l'aventure humaine. Le cheval ailé, conquérant de l'infini, est le symbole des esprits voués à cette aventure :

> *Vos esprits, ô noirs Zoroastres,*
> *Sont les chevaux de l'infini.*

> *Oser monter, oser descendre,*
> *Tout est là. Chercher, oser voir!*
> *Car Jason s'appelle entreprendre*
> *Et Gama s'appelle vouloir.*
> *Quand le chercheur hésite encore,*
> *L'œil sur la nuit, l'œil sur l'aurore,*
> *Reculant devant le secret,*
> *La volonté, brusque hippogriffe,*
> *Dans son crépuscule apparaît.*

> *C'est sur ce coursier formidable,*
> *Quand le Génie humain voulut,*
> *Qu'il aborda l'inabordable* [...] [3].

Et voici, récusée, la version chrétienne de la Chute, fable vaine que Dieu ignore :

1. Voir ci-dessus, note 1, p. 473.
2. *Post-scriptum de ma vie*, Œ., I.N., *Philosophie II*, « Rêveries sur Dieu », p. 581 [1869-1870].
3. *Les Précurseurs* dans *L'Année terrible*, Avril, section I, strophes 2-4; P. Albouy (Hugo, Œ. *poét.*, t. III, p. 1031), date ces strophes d'avril 1855. On retrouve cette chevauchée contre l'énigme et la fatalité dans le poème *Au cheval*, qui clôt les *Chansons des rues et des bois* (juillet-août 1865).

> *L'homme est le noir sculpteur, le mystère est le marbre.*
> *Faites. Ève a raison de se dresser vers l'arbre;*
> *Prométhée a raison, Galilée a raison;*
> *[...] L'audace est sainte et Dieu bénit l'effort.*
> *Tous les glaives de feu derrière Adam ont tort* [1] *!*

Et puisque Dieu bénit l'audacieux qui force son approche,

> *Tiens tête même au ciel si le ciel t'est contraire* [2].

Ainsi le dilemme qui oppose chez Hugo l'interdiction à la quête est d'ordre surtout dramatique; philosophiquement, il n'y a qu'une ligne : celle d'une ascension vers le Dieu dont nous procédons et qui toujours nous dépasse. Le cri d'impuissance et le défi victorieux scandent tour à tour cette Ascension qui ne doit jamais s'arrêter.

La navigation humaine dans l'espace, alors à ses tout premiers essais, fournit à Hugo son symbole de prédilection. Mais est-ce vraiment symbole ou représentation ingénue de la chose elle-même? Il n'est pas certain que l'infini spatial soit, dans la représentation de Hugo, tout à fait distinct de l'infini divin; ils semblent se confondre au point que l'un soit l'autre, plutôt que sa figure : l'espace, du fait de son illimitation vertigineuse, semble participer de la divinité. Il en résulte que la navigation aérienne est pour Hugo une sorte de conquête, quoique sujette à une perpétuelle limite, de Dieu par l'homme. Le navire spatial (il n'était alors que ballon, et combien précaire) peut bien être tenu pour un événement métaphysique, quand les astres sont devenus, comme nous l'avons vu, les lieux de la vie éternelle. Du même coup la science, de façon étrangement contraire à son esprit réel, peut être tenue pour une approche de Dieu :

> *Qu'est-ce que ce navire impossible? C'est l'homme.*
> *C'est la grande révolte obéissante à Dieu!*
> *La sainte fausse clef du fatal gouffre bleu!*
> *C'est Isis qui déchire éperdument son voile* [3].

1. *Dieu* (L'Océan d'en haut), v. 2107-2109, 2137-2138.
2. *Dieu, fragments*, section I, fragment 466b [1856-1858].
3. *Pleine mer-Plein ciel*, dans *La Légende des siècles*, LVIII (date du manuscrit, « 9 avril 1859 »), v. 254-257. À la « révolte obéissante », correspond la définition de l'homme comme « usurpateur sacré » (v. 690).

Du fait que l'homme peut voler dans l'espace, il semble donc à Hugo qu'il a forcé l'accès de l'au-delà, qu'il a littéralement porté ses pas au sein du Mystère. Il faut dire, pour excuser une telle naïveté, que Hugo répondait à une opinion adverse, puissante encore à l'époque, qui dénonçait comme sacrilèges les démarches de la science. Hugo acceptait le sacrilège dénoncé par les évêques, pour l'absoudre avec l'agrément de Dieu, en vertu d'une autorité supérieure à la leur. Cette promotion métaphysique de l'homme par l'espace n'a pas prospéré. D'ailleurs, la démesure de Prométhée n'exclut pas la sagesse; il se reprend parfois; il peut, changeant de ton sans se renier, faire retour sur lui-même :

> *Pas si loin! pas si haut! redescendons. Restons*
> *L'homme, restons Adam; mais non l'homme à tâtons,*
> *Mais non l'Adam tombé! Tout autre rêve altère*
> *L'espèce d'idéal qui convient à la terre.*
> *Contentons-nous du mot : meilleur! écrit partout* [1].

Au fond, tout le pathétique hugolien recouvre une alliance entre l'homme et Dieu, nécessaire à toute religion : ici un accord entre Prométhée et le Dieu caché, accord dont le Progrès est la clause fondamentale :

> *Le progrès est en litige*
> *Entre l'homme et Jéhovah.*
> *La greffe ajoute à la tige;*
> *Dieu cacha, l'homme trouva.*
>
> *De quelque nom qu'on la nomme,*
> *La science au vaste vœu*
> *Occupe le pied de l'homme*
> *À faire les pas de Dieu* [2].

La Quête ascensionnelle est, naturellement, annonce du futur. On peut trouver le modèle de cette annonce dans Isaïe; Dieu

1. *Ibid.*, v. 515-519. Il faut entendre : « Restons Adam − tout autre rêve altère », etc.; ce qui est entre ces deux membres de phrase est une parenthèse.
2. *L'Ascension humaine*, dans les *Chansons des rues et des bois*, liv. II, 3, 5, « 31 août 1859 », strophes 65-66. Pour Hugo, les religions sont athées du fait qu'elles ignorent le progrès : voir sa lettre à George Sand, du 2 octobre 1856, dans Œ., M., t. X, p. 1264.

parle : « Voici, je vais créer des cieux nouveaux et une terre nouvelle; on ne se rappellera plus les choses antérieures; elles ne reviendront plus à l'esprit [1]. » Ce type d'annonce n'a pas de sens chrétiennement : de telles formules annonçaient pour les juifs le triomphe universel du vrai Dieu et l'avènement de ses merveilles en ce monde; le christianisme tient ces prophéties pour des figures, accomplies dans leur vérité spirituelle par la venue de Jésus-Christ et l'institution de l'Église. L'humanitarisme les fait revivre dans leur première acception, revenant sur la séparation chrétienne de la Terre et du Ciel. Mais comment gagner le public français du xixᵉ siècle à l'idée d'une régénération messianique de notre monde, prochaine ou non? On y verra tout au plus une annonce hyperbolique du progrès, une littérature de l'Avenir, aliment spirituel certes, mais non vraiment source de foi [2].

Les tableaux de l'avenir régénéré apparaissent dès *Les Châtiments* : réponse au désastre de décembre, par la même réaction que chez les prophètes hébreux face aux désastres d'Israël. C'est à ceux que la catastrophe fait douter que sont destinées ces images du prochain Royaume :

> *Temps futurs! vision sublime!*
> *Les peuples sont hors de l'abîme.*
> *Le désert morne est traversé [3].*
> *Après les sables, la pelouse,*
> *Et la terre est comme une épouse,*
> *Et l'homme est comme un fiancé!* [...]
>
> *Fêtes dans les cités, fêtes dans les campagnes!*
> *Les cieux n'ont plus d'enfers, les lois n'ont plus de bagne.*
> *Où donc est l'échafaud? Ce monstre a disparu.*
> *Tout renaît. Le bonheur de chacun est accru*
> *De la félicité des nations entières.*
> *Plus de soldats l'épée au poing, plus de frontières,*

---

1. Isaïe, LXV, 17 et tout ce qui suit; aussi XI, 6-9 : tous passages messianiques très fameux; ce que je cite est ce qui correspond le mieux à Hugo, comme ton et pensée.

2. Le kantien RENOUVIER, par ailleurs bon commentateur de la pensée de Hugo, est sévère sur ce point, accusant Hugo d'avoir laissé envahir son foncier pessimisme (?) par « la sottise ambiante » (*Victor Hugo, le philosophe*, p. 144).

3. La Terre promise atteinte, prise comme métaphore des temps messianiques.

Plus de fisc, plus de glaive ayant forme de croix.
L'Europe en rougissant dit : — Quoi! j'avais des rois!
Et l'Amérique dit : — Quoi! j'avais des esclaves!
Science, art, poésie, ont dissous les entraves
De tout le genre humain. Où sont les maux soufferts?

[...] Les temps heureux luiront, non pour la seule France,
Mais pour tous. On verra, dans cette délivrance,
       Funeste au seul passé,
Toute l'humanité chanter, de fleurs couverte,
Comme un maître qui rentre en sa maison déserte,
       Dont on l'avait chassé.

[...] L'arbre saint du Progrès, autrefois chimérique,
Croîtra, couvrant l'Europe et couvrant l'Amérique,
       Sur le passé détruit,
Et, laissant l'Éther pur luire à travers ses branches,
Le jour, apparaîtra plein de colombes blanches,
       Plein d'étoiles, la nuit [1].

Ces visions développent, en même temps qu'un tableau de félicité sociale et de pacification universelle, des images de puissance scientifique illimitée et de rénovation fabuleuse de l'ensemble du cosmos. Ainsi :

[...] Un jour, bientôt, demain, tout changera de forme,
Et dans l'immensité, comme une fleur énorme,
       L'univers s'épanouira!

Nous vaincrons l'élément! Cette bête de somme
Se couchera dans l'ombre à plat ventre, sous l'homme;
       La matière aura beau hurler;
Nous ferons de ses cris sortir l'hymne de l'ordre;
Et nous remplacerons les dents qui veulent mordre
       Par la langue qui sait parler.

[...] Nous chasserons la guerre et le meurtre à coups d'aile;
Et cette frémissante et candide hirondelle
       Qui vole vers l'éternité,

1. *Lux*, poème final des *Châtiments*, date du manuscrit « 16-20 décembre 1852 », début de la section I; début et fin de la section II; section V, strophes 2 et 5. Voir aussi le poème intitulé *Force des choses*, dans *Les Châtiments*, VII, 13, « 23 mai » [1853].

L'espérance, adoptant notre maison amie,
Viendra faire son nid dans la gueule endormie
        Du vieux monstre Fatalité.

Et quand ces temps viendront, ô joie! ô cieux paisibles!
Les astres, aujourd'hui l'un pour l'autre terribles,
        Se regarderont doucement;
Les globes s'aimeront comme l'homme et la femme;
Et le même rayon qui traversera l'âme
        Traversera le firmament [1].

Au-delà de la science.

L'enthousiasme scientifique chez Hugo a ses limites, ou
plutôt ses postulats particuliers. Quand il célèbre la maîtrise
que la science nous donne sur la matière, quand il la représente
nous libérant de l'antique fatalité, il la voit contribuant à
métamorphoser l'homme en quelque chose de plus spirituel
que l'homme, à le faire monter dans l'échelle des êtres plus
loin de la brute et plus près de l'ange. Hors de cette vue,
considérant la science sous son seul aspect positif, il serait porté,
avec tout le romantisme, à la trouver spirituellement insuffi-
sante. Or, précisément, au temps de son exil, la gauche, à
laquelle il appartient, par hostilité au catholicisme et à l'Église,
prône une science athée ou agnostique. Ne pouvant suivre ses
amis sur ce terrain, quoique solidaire d'eux sur tout le reste,
il tient à leur dire en quoi ils ont tort, du point de vue même
de leur commun idéal.

Son argument majeur est simple : la science donne le moyen
d'améliorer la vie terrestre, mais comment borner l'idéal à la
terre? L'argumentation adverse, qui, constatant le caractère
inconnaissable et inaccessible de Dieu, et, pratiquement, son
absence, préconise comme seul progrès celui de la condition
terrestre, n'a pas été ignorée de Hugo. Il l'a développée longuement dans une des « Voix » qu'il pensait faire parler dans
Dieu :

_____

1. *Tout le passé et tout l'avenir*, dans *La Légende des siècles*, XLIV, date du
manuscrit « 7-17 juin 1854 », section II, strophes 17, 18, 24, 26.

> [...] *La terre doit suffire à la race adamite.*
> *Hommes, le limité doit vivre en sa limite.*
> *Hommes, l'être fini doit vivre dans sa fin;*
> *Et boire, s'il a soif, et manger, s'il a faim.*
> [...] *Vous êtes enfermés dans un cercle, la vie.*
> *Restez-y. Tout effort qui va trop haut dévie* [1].

Une brillante fresque du progrès terrestre accompagne ces conseils positifs. Ce n'est pas l'humilité qui est prêchée ici, mais une grandeur tout humaine, sans visée sur l'infini. Il est clair que Hugo, en développant superbement cette argumentation, qui sans doute ne manquait pas de crédit parmi les proscrits, ne la prend pas à son compte. D'autres fragments la réfutent :

> *Je commence par toi, Légion* [2]. *Tu te trompes.*
> *Légion dit qu'il faut rester dans le réel,*
> *Et tendre au bien terrestre et ne pas tendre au ciel;*
> *Légion veut que l'homme ait pour labeur unique*
> *De mettre à son sépulcre une verte tunique,*
> *De vêtir de moissons la terre, abîme obscur,*
> *De bêcher le sillon sans regarder l'azur.*
> [...] *Quoi! la vie est ton but! La terre est ton effort!*
> *Qu'est-ce qu'un but ayant derrière lui la mort* [3] *?*

Le fait de la mort interdit donc à l'homme de se contenter de soi. Mais ce postulat va entraîner chez Hugo une critique des prétentions de la science, qui, en tant qu'elle se borne à connaître le monde sensible et à organiser l'existence terrestre, devrait sentir son insuffisance :

> *Ta science où ton esprit se fie,*
> *Tes calculs, ton algèbre et ta philosophie*
> *Où s'applique ton œil par les veilles terni,*

---

1. Dans Œ., I.N., ce texte est au nombre des Voix qui accueillent le narrateur « au seuil du gouffre » (vol. *Poésie XI*, p. 352); il est replacé par R. Journet et G. Robert parmi les fragments restés hors du manuscrit principal (*Dieu, fragments*, section I, fragment 107-110c, 1856); je cite les vers 1, 21-24, 29-30.

2. Le Démon Légion est, dans *Dieu* (*Le Seuil du gouffre*), un autre nom de l'Esprit humain; voir au vers 37 : « Je suis l'Esprit humain, mon nom est Légion. » Ce personnage incarne le sens commun, l'opinion de la masse des hommes.

3. *Dieu, fragments*, section I, fragment 131b, v. 1-7, 10-11 [1856-1858].

> *Tu tâches de voir Dieu par cette meurtrière.*
> *Regarde par l'extase ou bien par la prière!*
> *Peut-être verras-tu quelque ombre se mouvoir.*
> *Mais si tu veux compter, chiffrer, renonce à voir* [1] *!*

Impuissant à connaître le secret, et capable de l'entrevoir au-delà du secours de la pure science : tel est l'homme, selon une vue que Hugo, face au positivisme ambiant, soutiendra de plus en plus résolument jusqu'à sa mort.

Comme poète, et parti des origines d'où il était parti, Hugo incline naturellement à opposer au scalpel de l'analyse scientifique l'indivisible vérité de ce qui s'offre à l'intuition :

> *Synthèse, dit le ciel. L'homme dit : analyse!*
> *[...] Hommes, vous disséquez le miracle; vous faites*
> *De la chimie avec le songe des prophètes;*
> *Vous sacrez le creuset* Principium *et* fons;
> *Acharnés, vous coupez les prodiges profonds,*
> *Insaisissables, sourds, entiers, incorruptibles,*
> *En un tas de petits morceaux imperceptibles;*
> *Pour vous rien n'est réel que le moment présent;*
> *Science, ton scalpel n'apprend qu'en détruisant* [2] *!*

Le nombre, négation de la vie :

> *Vision de l'abstrait que l'œil ne saurait voir!*
> *Est-ce un firmament blême? est-ce un océan noir?*
> *En dehors des objets sur qui le jour se lève,*
> *En dehors des vivants du sang ou de la sève,*
> *En dehors de tout être errant, pensant, aimant,*
> *Et de toute parole et de tout mouvement,*
> *Dans l'étendue où rien ne palpite et ne vibre,*
> *Espèce de squelette obscur de l'équilibre,*
> *L'énorme mécanique idéale construit*
> *Ses figures qui font de l'ombre sur la nuit,*
> *[...] Loin de se dilater, tout esprit se contracte*
> *Dans les immensités de la science exacte.*
> *[...] La pensée ici perd, aride et dépouillée,*

---

1. *Ibid.*, fragment 354b [1856]. « Chiffrer », « chiffreur » s'employaient déjà parmi les Jeune-France de 1831-1832 pour désigner les hommes voués à la précision et au positif.
2. *Ibid.*, fragment 65b (= *Toute la lyre*, III, 56) [1856], v. 1, 9-16.

> *Ses splendeurs comme l'arbre en janvier sa feuillée*
> *Et c'est ici l'hiver farouche de l'esprit.*

Hiver et gouffre, en regard

> *De l'autre gouffre, vie et monde, qu'on devine*
> *Au fond de la pensée éternelle et divine* [1].

Sur le néant de la science et des raisonnements humains, thème à vrai dire séculaire et permanent à travers des emplois changeants, Hugo a exercé sa verve en le faisant proclamer par l'Âne. La satire sert ici la cause du Dieu caché aux dépens de la tête humaine :

> *Au fond de cette tête où s'accouple et se fond*
> *Tout l'idéal avec tout le réel, au fond*
> *De ce polytechnique et de ce polyglotte*
> *L'immensité du vide et du néant sanglote* [2].

La conclusion de l'Âne discoureur est qu'il retourne à ses chardons. L'affabulation de *L'Âne* dut paraître scandaleuse à plus d'un progressiste laïque quand ce poème parut en 1880. Zola prononça aussitôt ce fulgurant verdict : « Mais cet homme n'est pas des nôtres! Mais il n'est même pas du siècle, lui qu'on veut nous présenter comme l'unique homme du siècle, l'incarnation du génie moderne! Il appartient au moyen-âge, il n'entend absolument rien à nos croyances et à notre labeur [3]. »

Un autre argument contre les prétentions exclusives de la science consiste à lui objecter qu'elle n'a pas de quoi fonder la morale. Cet argument est de nature sans doute à impressionner des républicains, en un temps où le droit est piétiné : il fait d'un au-delà le fondement nécessaire des droits de l'homme.

---

1. *Ibid.*, fragment 428-436b (= *Toute la lyre*, III, 67) [environ 1856] v. 63-72, 93-94, 109-111, 233-234. De pareilles diatribes contre la science et le chiffre ne sont pas rares dans les débuts du romantisme poétique : voir *Le Sacre de l'écrivain*, pp. 131-132 (Chateaubriand; Lamartine); la source est dans la littérature de la Contre-Révolution (voir *ibid.*, p. 130).

2. *L'Âne*, éd. Albouy, « Colère de la bête », v. 327-330 [1857-1858]. C'est à Kant que l'Âne est censé faire la leçon, sans faire voir par ses propos (quoiqu'il étale une érudition des plus pittoresques) qu'il ait la moindre familiarité avec la doctrine kantienne.

3. Émile ZOLA, dans *Le Figaro*, du 2 novembre 1880, cité par P. Albouy, éd. de *L'Âne*, p. 30.

Victor Hugo l'a longuement développé dans le projet de préface pour *Les Misérables* : « Ou il faut [...] déclarer l'égalité de l'homme et de la bête, l'identité de l'homme et de la chose, et ce qui s'ensuit, c'est-à-dire le néant de la liberté et l'innocence du tyran [...], ou il faut admettre l'âme. Et admettre l'âme [...] c'est admettre le lien de l'homme avec l'inconnu [1]. » Hugo se souvient, à ce propos, du cas d'Anatole Leray, jeune prêtre défroqué qui en 1852 à Bruxelles dans une conversation, ayant répudié tout surnaturel, se vit contraint par lui de rejeter de même, logiquement, toute morale et tout dévouement comme chimériques, et quelque temps après, désavouant sa doctrine par sa conduite, se noya en voulant sauver des femmes naufragées [2]. Tout à l'opposé, Hugo imagine Bonaparte enchanté d'entendre Taine, sortant de souper avec Edmond About de chez la princesse Mathilde, lui démontrer

Que personne ne peut faire ni bien ni mal,
Qu'un gueux comme un héros, est un produit normal,
Que tout est de la fange étant de la matière,
Que le juste et l'injuste au même cimetière
Mêlent tranquillement leur phosphate de chaux [3].

On date ces vers de 1868 ; c'était le temps de l'avènement de la biologie scientifique et du grand succès de Darwin et de Haeckel, le temps aussi des plus grandes diatribes de Hugo contre le matérialisme, sorte de testament du vieux poète plus indigné que jamais par tout ce qui lui semblait une réduction de l'idéal au réel. Il est significatif que l'idéal soit pour lui, autant que le bien moral, le bien social ou la Révolution française. Ainsi, sur le premier point :

,Quand vous venez me dire : « Un creuset, c'est tout l'homme ;
Le destin est un feu, la fumée est la somme ;
Tout aboutit au même abîme universel ;
La vertu c'est du sucre et le crime est du sel ;

---

1. *Préface philosophique*, II, 4, dans Œ., M., t. XII, p. 53 ; voir aussi II, 9, derniers paragraphes, *ibid.*, pp. 60-61 ; et II, 11, début, *ibid.*, pp. 61-62.
2. *Ibid.*, pp. 62-65. On a vu de quelle magnifique bénédiction Hugo gratifie ailleurs ces athées (inconséquents selon lui) sublimes en conduite : voir p. 381.
3. V. Hugo, *Les Années funestes* (recueil posthume, 1898), XL, poème daté de 1868 dans Œ., I.N.

Au fond nulle action n'est mauvaise ni bonne [...]
J'entends des cris en moi [...] [1].

Et sur le second :

Je m'étais, je l'avoue, imaginé qu'en somme,
L'écroulement des rois c'est le sacre de l'homme,
Que nous avions vaincu la matière et la mort,
Et que le résultat de cet illustre effort,
Le triomphe, l'orgueil, l'honneur, le phénomène,
C'était d'avoir grandi jusqu'aux cieux l'âme humaine.
[...] Oui, je croyais, les yeux fixés sur nos aïeux,
Que l'homme avait prouvé superbement son âme.
Aussi lorsqu'à cette heure un Allemand proclame
Zéro, pour but final, et me dit : « Ô néant,
Salut ! » j'en fais ici l'aveu, je suis béant;
Et quand un grave Anglais, correct, bien mis, beau linge,
Me dit : « Dieu t'a fait homme et moi je te fais singe;
Rends-toi digne à présent d'une telle faveur ! »
Cette promotion me laisse un peu rêveur [2].

Beaucoup trouveront ces tirades hors de propos. Mais si la science ne ruine pas la morale, elle reconnaît volontiers qu'elle ne peut rien pour elle.

Le « surnaturalisme ».

La science étudie et connaît la nature. Puisque les valeurs humaines les plus hautes, la conscience et l'effort vers l'idéal sont hors de sa portée, faut-il conclure qu'elles sont hors et au-dessus de la nature? Cette dualité serait claire, mais Hugo la professe et la renie à la fois. Dans les années 1860, il a consacré au moins deux grands textes de prose au « surnatu-

1. *Les Grandes Lois* (dans *La Légende des siècles*, LV), poème 5, « 12 septembre 1874 ».
2. *France et âme*, dans *La Légende des siècles*, XLIX, 10, date du manuscrit « 14 novembre 1874 ». Hugo désigne, sans les nommer, sans doute Haeckel et certainement Darwin.

ralisme » [1]. Cette étiquette, par laquelle on désigne toute
démarche de l'esprit qui prétend s'élever au-dessus des sciences
de la nature, le plonge dans l'embarras, car sa religion, en
même temps qu'une religion de l'Absolu, veut être une religion
de la Nature. Cette ambiguïté est commune à toute la gauche
humanitaire : Leroux, Quinet, Michelet, en sont témoins avec
Hugo. « Il n'y a pas de surnaturalisme, écrit celui-ci [...] Qui
donc fixe le point où la nature cesse d'être, de sorte qu'on
puisse s'écrier : ceci est sur elle [2]? » C'est, selon lui, « une
certaine science académique et officielle, aussi myope que l'idolâtrie », « qui, pour avoir plus tôt fait, pour rejeter en bloc
toute la partie de la nature qui ne tombe pas sous nos sens et
qui par conséquent déconcerte l'observation, a inventé le mot
surnaturalisme » [3]. En dépit de cette argumentation moniste,
nature et surnature se séparent bien, par les définitions mêmes
qu'il en donne. Ainsi, le surnaturalisme « c'est la partie de la
nature qui échappe à nos organes, [...] c'est la nature trop
loin » [4]; ou bien : « aucun surnaturalisme, mais la continuation
occulte de la nature infinie » [5]. Ces définitions, qui voudraient
unifier, distinguent : l'occultation à nos organes fait une différence décisive, sans laquelle le problème n'existerait pas; et
il suffit d'objecter : Dieu, que nos organes n'atteignent pas, est-
il aussi un prolongement de la nature? D'ailleurs, les deux
ordres de choses se différencient également par la dualité des
voies d'approche : raison et calcul donnent accès à l'un, intuition
ou « conscience » à l'autre : « L'obéissance aux lueurs intimes,
écrit Hugo, la confiance aux radiations infinies, la foi à la
conscience, la foi à l'intuition, c'est la chose sacrée, c'est la
respiration de l'air même du sanctuaire inexprimable, c'est la
communication sans intermédiaire avec Dieu, c'est la religion [6]. » Religion au sens de Hugo, évidemment, et qui fonde
le sacerdoce du Mage-Poète. Mais que cette religion soit du

---

1. Ces textes n'ont pas été publiés de son vivant. Ce sont la *Préface philosophique*
de 1860, déjà souvent citée, et *Contemplation suprême* (Œ., I.N., *Post-scriptum de
ma vie*, pp. 611-627; on peut lire aussi ce texte dans Œ., M., t. XII, pp. 111-
123; on le date de 1863-1864).
   2. *Préface philosophique*, II, 9 (Œ., M., t. XII, pp. 59-60); « sur », c'est-à-dire
« au-dessus » d'elle.
   3. *Contemplation suprême*, I (Œ., I.N., *Post-scriptum de ma vie*, pp. 615 et
617).
   4. *Ibid.*, p. 612.
   5. *Les Travailleurs de la mer*, I, 1, 7 (Œ., I.N., p. 80).
   6. *Préface philosophique*, II, 3 (Œ., M., t. XII, p. 52).

même ordre que la science de la nature, qu'elle ne fasse que continuer la science des savants, c'est un pari intenable; Hugo attache arbitrairement la religion à la science : « Science et religion sont deux mots identiques, écrit-il; les savants ne s'en doutent pas, les religieux non plus; ces deux mots expriment les deux versants du même fait, qui est l'Infini. La Religion-Science, c'est l'avenir de l'âme humaine [1]. »

Surnaturaliste, qu'il le veuille ou non, dans sa poésie et sa philosophie, Hugo, en politique, a bel et bien rêvé quelquefois d'une science qui rendrait caducs, à ce qu'il semble, les pouvoirs de l'Esprit dans la cité. En effet, prenant la parole en 1855, à l'occasion de l'anniversaire de la révolution de 1848, il déclare que les parlements ne sont pas éternels, qu'ils sont nécessaires seulement « jusqu'au jour, encore lointain et voisin de l'idéal, où [...], la formule LE MOINS DE GOUVERNEMENT POSSIBLE recevant une application de plus en plus complète, les lois factices ayant toutes disparu et les lois naturelles demeurant seules, il n'y aura plus d'autre assemblée que l'assemblée des créateurs et des inventeurs, découvrant et promulguant la loi et ne la faisant pas, l'assemblée de l'intelligence, de l'art et de la science, l'Institut » [2]. C'est un des thèmes favoris de l'Utopie scientiste, à laquelle Hugo a pourtant très peu cédé, que l'annonce d'une société où la science tiendra lieu de législation, et où une assemblée de savants gouvernera. L'idée est essentiellement saint-simonienne et, par filiation naturelle, comtienne [3]. Hugo l'accepte, non sans la confondre, faute d'information suffisante, avec l'idée, libérale celle-là, du « moins de gouvernement possible »; il emprunte aussi au libéralisme l'incidente dilatoire qui renvoie les synthèses et harmonies

---

1. *Contemplation suprême*, I (Œ., I.N., *Post-scriptum de ma vie*, p. 619).
2. *Actes et paroles II*, dans Œ., I.N., p. 108. Une formule analogue est attribuée à J.-J. Rousseau lors d'une évocation spirite chez Hugo, le 7 décembre 1853 (voir Œ., M., t. IX, pp. 1240-1241) : la « délégation des pouvoirs politiques », c'est-à-dire le régime parlementaire, y est considérée par l'ombre de Rousseau comme une transition; « la dernière assemblée de l'avenir, déclare-t-il, l'assemblée définitive s'appelle institut ». La mention de l'Institut brouille l'idée; car l'Institut comprend, avec des savants, aussi des poètes et des philosophes, qui pour Hugo représentent l'au-delà et le mystère, et non les lois de la nature, positives et incontestables, qu'il semble évoquer ici.
3. Elle devait, par une autre filiation, passer du saint-simonisme au marxisme, plus exactement à la rhétorique eschatologique du marxisme, jusqu'ici sans application, selon laquelle l'administration des choses devait remplacer le gouvernement des hommes.

finales à un jour lointain, d'approche asymptotique. Cette réserve affaiblit sensiblement sa pensée sur ce point. Il y tenait pourtant, puisqu'il fait parler dans le même sens Enjolras sur sa barricade : « Citoyens, où allons-nous ? À la science faite gouvernement, à la force des choses devenue seule force publique [...] On pourra presque dire : il n'y aura plus d'événements. On sera heureux. Le genre humain accomplira sa loi comme le globe terrestre accomplit la sienne [1]. » En 1875, Hugo croit encore que la loi positive, écrite, et le droit moral ou équité finiront, grâce à la science, par coïncider : « La jonction, écrit-il, sera faite entre ce qui doit être et ce qui est, la tribune politique se transformera en tribune scientifique [...] Ce sera le règne de l'incontestable [...]; on ne fera plus de lois, on les constatera [...]; l'Institut sera le Sénat [2]. » On ne peut que se demander : quelle science fera ce miracle ? Certainement pas, pour Hugo, une science de la matière, quelle qu'elle soit. Une science de l'homme, qui saisira du même regard le fait et le droit, qui d'une même démarche constatera et commandera, dispensant l'homme de délibérer et de choisir. Hugo a au moins la prudence de ne pas prévoir une telle science pour demain. Malheureusement, il faudrait, avant qu'elle ne soit prévisible, qu'elle soit concevable. Ce qui doit être, c'est-à-dire ce qui mérite d'être souhaité et recherché en tant que fin, n'est pas matière de science, mais de choix volontaire; la science peut éclairer le choix, non le dicter. La jonction que Hugo imagine entre la nature et le bien est proprement un Éden, une chimère qu'il a lui-même réfutée en cent endroits.

---

1. *Les Misérables*, V, I, v (1861-1862).
2. « Le droit et la loi », sorte de préface à *Actes et paroles*, daté « juin 1875 ».

X

DOCTRINE DU SACERDOCE POÉTIQUE

Nous avons pu voir que la conscience d'une mission personnelle a accompagné chez Hugo le développement d'une certaine conception de l'univers et de l'humanité. De l'Ego-Hugo à ce vaste credo, la liaison n'est jamais rompue. À mi-chemin et les unissant, se situe, explicite ou non, une théorie du sacerdoce poétique. Ce que Hugo croit savoir du monde et de l'homme, il pense que d'autres inspirés l'ont su avant lui; d'autres ont exercé, exercent et exerceront la même fonction que lui parmi les hommes. Un éternel lignage de hauts esprits, formant comme une libre Église universelle sans hiérarchie ni dogmes, atteste la mission du poète et autorise ses enseignements. Ce qui concerne cette Corporation des Esprits est aussi important pour Hugo que la définition de l'Église et de son ministère pour un théologien catholique. Tout le romantisme humanitaire pense de même : partout une théorie générale de la mission de l'Esprit accrédite, d'une part, une nouvelle vision de l'univers, d'autre part la position sacerdotale du Moi qui la conçoit. Cette triple composante est seulement plus apparente et plus largement développée chez Hugo. Nous avons approché son Moi et sa vision du monde; voyons, pour finir, sa théorie de la Mission, telle qu'il l'expose sous forme générale et impersonnelle, en affectant parfois de ne pas prétendre se l'appliquer à lui-même. « Nous, troupeau » lui arrive-t-il de dire, s'excluant de la lignée qu'il célèbre [1], et, parfois même, y insistant :

1. *Les Mages*, section III, strophe 3.

> *Nous sommes deux familles d'hommes,*
> *Savants et voyants, les uns fils*
> *Des Paris, des Londres, des Romes,*
> *Les autres d'Ur et de Memphis ;*
> *Nous, faits pour l'ombre, humbles apôtres,*
> *Qui tâchons de savoir ; les autres,*
> *Prophètes pleins d'Adonaï,*
> *Âmes d'extase ou de colère.*
> *Qu'à travers les siècles éclaire*
> *Le flamboiement du Sinaï* [1].

Cette surprenante modestie (Hugo va jusqu'à se situer dans les humbles régions de la science européenne) rehausse singulièrement la Confrérie séculaire des Inspirés, à laquelle nous savons bien que Hugo croit appartenir.

Présente dans toute son œuvre – nous l'y avons vue dès le temps de son royalisme, puis, élargie entre 1830 et 1848 –, une théorie de la mission spirituelle du Poète s'épanouit dans les écrits de l'exil. Elle y fait l'objet, en même temps que de nombreuses pages et poèmes, de deux œuvres de longue haleine : le poème des *Mages* en 1855 [2] et *William Shakespeare* en 1863-1864 [3]. Il arrive à Hugo, comme à d'autres avant lui, d'imaginer une assemblée gouvernante d'intellectuels, et même de donner ce rôle à l'Académie française, une fois entièrement refondue et ses membres actuels destitués : « L'idée de l'Académie, dit-il, qui est très grande et très belle et qui sera

1. Cette pièce sans titre, qui figure dans *Toute la lyre* (III, 44), et qui est écrite dans la strophe des *Mages,* est considérée par P. Albouy, éd. des Œ. poét., t. III, p. 1031, comme une « retombée » de ce poème, et datée par lui de 1855, et non de 1870, comme avaient cru les éditeurs des Œ., I.N.

2. *Les Mages* (dans *Les Contemplations*, VI, 23, « 24 avril 1855 ») ; voir sur ce poème R. JOURNET et G. ROBERT (*Notes sur* Les Contemplations, pp. 196-210) et l'étude de Jacques SEEBACHER, *Sens et structure des* Mages, dans la *Revue des sciences humaines,* juillet-septembre 1963. On a remarqué que Hugo a repris pour ce poème le traditionnel dizain lyrique qu'il avait déjà employé de vingt en vingt ans pour traiter ce même sujet de la Mission du Poète : en 1839 dans *Fonction du poète* (dans *Les Rayons et les ombres,* I), et auparavant en 1821, dans *Le Poète dans les révolutions* (*Odes,* I, 1). Vers 1870, Hugo utilisera encore la même strophe pour le même sujet (voir *L'Année terrible,* Mars, section I), et pour la datation P. Albouy (éd. des Œ. poét. p. 1022).

3. Cet écrit est né d'un projet de préface de Hugo à l'édition des Œuvres de SHAKESPEARE traduites en français par son fils François-Victor ; il prit tant d'extension que Hugo le publia séparément en avril 1864 : c'est en fait, au-delà de Shakespeare, une définition, vaste et enthousiaste, de la mission du génie.

l'avenir, [*doit rester*], car le grand pouvoir des États-Unis d'Europe sera une académie composée de tout ce que la France a d'illustrations scientifiques et littéraires, illustrations nommées par le suffrage universel des lettrés et de toute la jeunesse intellectuelle, et de toute la jeunesse des écoles [1]. » Il s'agit là d'un avenir plutôt lointain; Hugo tient seulement la prééminence des héros de guerre au sein de l'humanité pour déjà désuète : « Le congé du guerrier est signé [...] Le sommet, c'est la tête. Où est la pensée est la puissance. Il est temps que les génies passent devant les héros [2]. » De retour en France, Hugo écrit encore : « Il est urgent que les législateurs prennent conseil des penseurs, que les hommes d'État, trop souvent superficiels, tiennent compte du profond travail des écrivains, et que ceux qui font les lois obéissent à ceux qui font les mœurs [3]. » Ces aphorismes circulaient dans la corporation pensante depuis le XVIIIe siècle; le vœu d'un « despotisme éclairé » ne répondait pas à autre chose. Au temps de Hugo, l'influence de la presse, des pétitions et manifestes sur la marche des affaires publiques donne à ces revendications un surcroît d'actualité. Hugo savait ce que pouvaient lui et ses pareils; mais il savait aussi ce qu'ils ne pouvaient pas, et la distance qui sépare les exigences de l'idéal du gouvernement des hommes. Aussi insiste-t-il surtout sur les titres suréminents de la pensée et sur sa puissance inspiratrice plutôt que sur son droit au pouvoir.

1. *Journal d'Adèle Hugo*, éd. citée, 3 janvier 1854, t. III, p. 74; une autre version du même propos avait été publiée par O. UZANNE (*Les Propos de table...*, p. 42) : l'Académie y est dite le « sénat de l'avenir »; cette version partage avec celle qui est citée ci-dessus l'idée de ne recruter qu'en France les membres de ce sénat européen; mais c'était peut-être une étourderie de Hugo. L'édition Massin des *Œuvres* cite comme figurant dans ce même « Journal de l'exil » (voir Œ., M., t. IX, p. 1499) un texte voisin, mais concernant les plus lointains encore États-Unis du Monde : « Les États-Unis du Monde auront pour gouvernants un Institut, une assemblée de tous les penseurs, philosophes, écrivains. L'avenir est à la science et à l'art. » Dans tous ces textes, il s'agit d'un projet différent de celui qui a été évoqué à la fin du chapitre précédent : dans ce Sénat-ci, les lettres ont apparemment le dessus, et il n'est plus question que la société aille toute seule.

2. *William Shakespeare*, III, 3 « L'histoire réelle », Œ., I.N., pp. 218, 227.

3. *Actes et paroles* III, dans Œ., I.N., p. 175 (lettre à Léon Richer, 8 juin 1872).

Dénominations et catégories : le « mage ».

Un arc-en-ciel de noms divers auréole le conducteur spirituel de l'humanité tel qu'il le conçoit. « Poète » ne saurait suffire, vu la connotation usuelle trop étroite de ce mot, même après sa sanctification romantique. Le génie inspiré d'en haut qui guide les hommes s'appelle bien chez lui Poète, mais aussi « voyant », « prêtre », « pontife », « prophète », « mage », « célébrateur », « révélateur », toutes désignations qui évoquent sa familiarité avec le surnaturel et le sacré ; aussi « penseur », « rêveur », « songeur », « sage », en tant qu'il exerce la pensée à sa plus haute puissance ; « marcheur », « chercheur », « plongeur », « trouveur » ; signes d'audace et de quête inlassable ; enfin « apôtre », « missionnaire », « rédempteur », « libérateur », par référence à sa fonction bénéfique à l'égard de l'humanité [1]. Une nomenclature aussi variée, dont les termes s'additionnent et se complètent en une totalité auguste, a pour objet de dessiner un personnage universel étranger aux religions et investitures particulières, les appellations empruntées à ces religions demandant évidemment à être purgées de ce vice d'origine par le contexte ou par l'évidence d'un usage nouveau.

La liste nominative des grands hommes que l'œuvre de Hugo exalte donne cependant l'impression de réunir des catégories d'hommes très diverses, et difficiles à embrasser dans une définition unique, sauf en disant de façon vague que ce sont tous de « grands esprits », des hommes immortalisés par leurs talents, ou toute autre formule analogue. L'unité, dans cette glorieuse cohorte, ne s'obtient vraiment que par la hiérarchie. Le même problème se pose à propos du calendrier positiviste, où Auguste Comte avait remplacé les saints par les grands hommes. Chez Comte, c'est le Philosophe en possession de formuler les lois de développement de la société humaine qui est censé dominer tout autre type ; chez Hugo, le Poète tel

---

1. Henri Desroche, *Poésie et sociologie des « révélations »*, dans *Archives de sociologie des religions*, n° 30, juillet-décembre 1970, pp. 118-119, donne (à propos de l'édition R. Journet et G. Robert des Fragments de *Dieu*) un certain nombre de ces noms. Je me borne aux appellations en un seul mot ; mais les périphrases abondent, plutôt louanges figurées ou hyperboles que dénominations. Un relevé complet dans toute l'œuvre, avec les ordres de fréquence, serait utile.

qu'il le conçoit, non seulement surpasse tous les autres, mais tend dans une grande mesure à les absorber : il est révélateur de choses obscures, créateur d'horizons nouveaux, conseiller de justice et directeur de conscience des nations. Les autres grands hommes ont communication partielle, dans leur spécialité, d'une sainteté dont le Poète, homme de la quête spirituelle et du verbe, possède le principe et la source.

Essayons quelques précisions, à partir d'un décompte partiel [1] des noms de grands hommes célébrés par Hugo. Cet inventaire montre que les poètes antiques et modernes, y compris les auteurs supposés des parties versifiées de l'Écriture (psaumes, cantiques, prophéties, etc.), font à eux seuls plus du quart du total; si l'on joint, à ce groupe purement poétique, d'une part les grands écrivains en prose et les artistes, d'autre part les grandes figures de l'histoire religieuse (écrivains ou non), cet ensemble d'inspirateurs de l'humanité, poètes au sens large [2], atteint près de soixante pour cent de la liste totale. Une sensible majorité va donc à l'Esprit pur. Les quarante pour cent qui restent se partagent entre les hommes de science, inventeurs, techniciens, explorateurs, généralement transfigurés en Prométhées du savoir; les hommes d'action, héros de gouvernement ou de vertu, législateurs, hommes politiques; enfin, en petit nombre, les philosophes, appréciés surtout comme victimes des persécutions de l'Église [3]. La suprématie des poètes s'accuse encore si, au lieu de compter seulement les noms, on compte dans chaque catégorie les mentions (souvent multiples pour un même nom). Ce décompte, plus vraiment significatif, donne quarante pour cent des mentions pour les poètes purs, soixante-dix pour cent pour l'ensemble de la catégorie spirituelle. Les noms les plus cités appartiennent presque tous à cette catégorie; ce sont, dans l'ordre : Dante, Eschyle, Shakespeare, Homère, Christophe Colomb, Job, Isaïe, Socrate, Milton, Lucrèce, Jésus, Juvénal, Cervantès, Newton. Sur cette liste des quatorze noms

1. Ce décompte porte seulement sur : *Les Mages, William Shakespeare* et une bonne part des poèmes que je cite dans ce chapitre.

2. Pour Hugo, le véritable poète est penseur, qu'il le veuille ou non, et les inspirés religieux sont de la même famille que lui; il mentionne souvent les uns et les autres en les mêlant. Il semble suivre en cela les saint-simoniens qui appelaient saint Paul poète; mais la différence est que Hugo annexe la faculté religieuse à la poésie comme étant une de ses formes les plus hautes, alors que l'Utopie prétendait au contraire douer de poésie le génie de ses grands hommes.

3. En général, Hugo conteste la prétention à la suprématie spirituelle de ces adeptes de la pure raison que sont les philosophes.

les plus souvent cités, douze appartiennent à l'ensemble poésie-littérature-religion (sur lesquels neuf poètes), deux seulement désignent un explorateur et un savant.

Hugo, dans *William Shakespeare,* a établi lui-même des listes semblables, fondées sur son appréciation directe. L'une d'elles [1], qui comprend treize noms, admet, à côté de six poètes et de deux prosateurs (Homère semble oublié, Lucrèce et Milton n'y paraissent pas, Rabelais s'ajoute à Cervantès), saint Paul et quatre artistes (Phidias, Michel-Ange, Rembrandt, Beethoven). Hugo a établi une autre liste, de quatorze noms « pour nous enfermer seulement, dit-il, dans les écrivains et les poètes » [2]; il les précède d'autant de dithyrambes critiques sur chacun d'eux; il n'admet dans cette liste que des auteurs d'écrits fameux, en vers ou en prose : ceux que nous avons vus mentionnés par lui le plus fréquemment, à savoir Homère, Job, Eschyle, Isaïe, Lucrèce, Juvénal, Dante, Cervantès, Shakespeare, et d'autres : Ézéchiel, Tacite, saint Jean (auteur supposé de l'Apocalypse), saint Paul, Rabelais. « Ceci, dit-il à propos de ces quatorze noms, est l'avenue des immobiles géants de l'esprit humain »; « ces génies occupent des trônes dans l'idéal » [3]. L'ex-« bon goût » condamne chez ces écrivains l'exagération; soit : « Ces génies sont outrés. Ceci tient à la quantité d'infini qu'ils ont en eux. » Et il déclare avoir exclu, entre autres, Virgile, Milton, Corneille, Voltaire, parce qu'ils « n'ont ni exagération, ni ténèbres, ni obscurité, ni monstruosité. Que leur manque-t-il donc? Cela ». Après quoi il répète sa liste, identique [4]. Il pense à une liste plus étroite, qui désignerait « les plus hautes cimes parmi ces cimes », à savoir Homère, Eschyle, Job, Isaïe, Dante et Shakespeare [5]. Entre tous il distingue Eschyle et Shakespeare, consacrant, à part, un grand chapitre au premier, sous le titre de « Shakespeare l'ancien » [6] et nommant le second « Eschyle II » [7]. Le premier préside à l'Antiquité, le second aux Temps modernes : « Reste, écrit Hugo, le droit de la Révolution française, créatrice du troisième monde, à être représentée dans

1. *William Shakespeare,* I, 2, 2 (Œ., M., t. XII, pp. 171-172.)
2. *Ibid.* (p. 172).
3. *Ibid.,* I, 2, 3-4 (p. 189).
4. *Ibid.,* I, 2, 5 (p. 193).
5. *Ibid.,* I, 2, 2 (p. 189).
6. *Ibid.,* I, 4, titre (p. 204).
7. *Ibid.,* I, 4, 10 (p. 221).

l'art [1]. » Il n'est pas nécessaire d'être très perspicace pour apercevoir qui pourrait assumer cette représentation.

Il arrive que Hugo s'évertue à trouver un nom assez grandiose pour désigner le type suréminent qu'il a en vue. « Penseur » et « voyant » sont, dans l'ordre spirituel, les appellations les plus hautes. Mais chacune des deux ne définit que très partiellement ce personnage. Quand Hugo écrit : « Il y a deux prêtres, le penseur et le voyant », il pense à quelqu'un qui serait à la fois penseur et voyant ; en effet, il ajoute : « Il y a eu des hommes comme Orphée et Moïse en qui le penseur était doublé du voyant » ; et s'avisant qu'à cette sorte d'hommes ne suffit pas le nom de prêtres, il écrit : « Ceux-là sont les pontifes [2]. » Mais il est certain que, dans son esprit, la conjonction de ces hautes facultés, dans laquelle il voit un pontificat, n'est guère concevable sans la faculté poétique (d'où le choix d'Orphée, et aussi de Moïse, tenu pour l'auteur du Pentateuque et surtout des cantiques fameux, si souvent traduits en vers français, qui y figurent sous son nom) [3]. Et il est non moins évident à ses yeux que l'investiture de ce type d'homme vient d'un choix direct de Dieu : « On naît prêtre [...] Le prêtre est sacré par Dieu directement, en dehors de l'homme [4]. » On lit même, dans le poème des *Mages* :

> *Génie ! ô tiare de l'ombre,*
> *Pontificat de l'infini* [5] *!*

On peut se demander pourquoi Hugo, ne trouvant pas de mot – et pour cause – pour désigner, à lui seul et pleinement, le détenteur du sacerdoce moderne, s'est arrêté à celui de « mage » quand il a dû donner un titre à son grand poème sur ce sacerdoce. « Mage », qui évoque l'Orient religieux et, plus généralement, l'accès aux secrets des choses, lui a semblé rendre avec assez de prestige un aspect fondamental de son personnage, et surtout le différencier aussi bien du simple poète « sans infini », que du prêtre des religions officielles [6]. Les textes ne manquent pas qui soulignent cette dernière différence :

1. *Ibid.* (même page).
2. Œ., I.N., *Océan. Tas de pierres*, p. 325 (écrit au dos d'une proclamation du 31 octobre 1852).
3. Exode, XV, 2-18 ; Deutéronome, XXII, 1-43.
4. *Océan. Tas de pierres*, même page.
5. *Les Mages* (dans *Les Contemplations*, VI, 23) section I, strophe 6.
6. Les mages sont, au sens propre, les prêtres de l'ancienne Perse ; mais le

> *Ô vivants ! il vous faut des prêtres, quels qu'ils soient.*
> *À travers les plus noirs les vérités flamboient ;*
> *Il tombe encore un peu de jour sur vos chevets,*
> *Même des plus abjects, même des plus mauvais ;*
> *Mais pour verser plus tard sur l'humanité mûre*
> *La parole d'amour que l'avenir murmure,*
> *Le ciel, au-dessus d'eux, sur d'éclatants degrés*
> *Met les voyants directs, les sages inspirés,*
> *Car l'homme fait le prêtre et Dieu seul fait le mage* [1].

Ce qui met le mage au-dessus du poète et du prêtre ordinaires, ce n'est pas seulement sa pratique vivante de la méditation, son sentiment de l'infini, c'est surtout un caractère de profondeur, un sens du mystère, un effroi métaphysique que Hugo lui attribue en accord avec sa propre religion ; c'est la quête inlassable et l'angoisse du caché, quelque chose en somme d'obstiné et d'éperdu qui fait de lui un personnage hautement pathétique. Ce n'est pas par hasard que Hugo, traçant et retraçant cette figure démesurée, se réfère implicitement au type du Poète primitif ; il réactualise triomphalement ce personnage fabuleux qui hantait depuis la Renaissance la culture européenne, et que tant d'autres avaient essayé en vain de faire revivre :

> *Les poètes profonds, hommes de la stature*
> *Des éléments, du bien, du mal, de la nature,*
> *Vivaient jadis, géants, en familiarité*
> *Avec le jour, la nuit, l'ombre et l'éternité ;*
> *Ils méditaient, ayant, dans l'horreur solennelle,*

terme, en grec et en latin, tendait, semble-t-il, à désigner tout prêtre oriental, et en général les astrologues et magiciens. Les rois mages du premier Évangile, guidés par une étoile, semblent des astrologues (chaldéens ? arabes ?). Il arrive à Hugo d'employer le mot « mage » avec la valeur péjorative qu'il donne aux noms des prêtres de toutes religions (voir le passage déjà cité, de *Dieu, fragments*, fragment 272-273b, v. 33 ; aussi *Dieu (L'Océan d'en haut)*, v. 2195, « mage impur »). *Mage* a donc deux sens, chez Hugo ; celui qui nous occupe présentement est le plus fréquent.

1. *Religions et religion*, IV (*Œ.*, M., t. XIV, p. 795). On date ce passage de 1856-1858. Voir aussi, dans *La Légende des siècles*, XLIX, 12, *Les Enterrements civils*, « 28 juin 1875 », où Hugo, refusant d'avance d'être enterré par un prêtre, déclare qu'il voudrait avoir à ses funérailles « Un pontife, un apôtre, un auguste songeur, – Un mage [...], – Un sénateur du vrai, du réel, un magnat – Du sépulcre, un docteur du ciel [...] ».

Toujours devant leur âme et devant leur prunelle
La contemplation, ce mur vertigineux;
Ils avaient la science et l'ignorance en eux [...]
Ils rêvaient; ils avaient diverses attitudes [...];

les uns contemplant l'agitation humaine; d'autres, loin de tout, fantômes aux yeux des hommes; d'autres, vivant dans la nature et communiant avec elle; ces portraits successifs aboutissent à celui du Poète :

Les pâtres rencontraient un homme dont la face
Semblait une lueur étrange de l'espace,
Dont la bouche parlait, et dont l'égarement
Ramenait tout à lui comme un farouche aimant [...]
Et de quoi vivait-il? Nul ne le sait. Son âme
Aspirait l'inconnu comme un puissant dictame [...]
Et cette intimité formidable avec l'être
Faisait de ce songeur farouche plus qu'un prêtre,
Plus qu'un augure, plus qu'un pontife; un esprit;
Un spectre à qui la mort radieuse sourit.
Et c'est de là que vient cette auguste puissance
Faite d'immensité, d'épouvante, d'essence,
Qu'a le poète saint et qu'on sent dans ses vers [1].

Figuration du héros de l'esprit.

Comme on s'en aperçoit déjà, l'idée d'un tel personnage ne peut se rendre uniquement par des concepts; sa figure même, dans une imagination comme celle de Hugo, doit revêtir les formes visibles du sublime romantique : stature gigantesque, attitude sauvage et pathétique d'inspiré, accompagnement et décor surnaturels, anges, rayons, gouffres, ténèbres, grottes, immensité, foudre. Cette figuration et cet entourage du Mage sont partout dans Hugo; ils forment une des composantes de son univers, où l'on voit

1. *Dieu (Le Seuil du gouffre)*, Voix VII (1856), v. 32-39, 41, 100-103, 108-109, 132-138. Ce poète primitif est en même temps une sorte d'ascète ou de fakir, que les végétaux envahissent pendant sa contemplation. Voir une description semblable dans *Religions et religion*, V, « Conclusion » : « As-tu vu méditer les ascètes terribles? » etc.

> *Poètes, apôtres, prophètes,*
> *Méditant, parlant, écrivant,*
> *Sous des suaires, sous des voiles,*
> *Les plis des robes pleins d'étoiles,*
> *Les barbes au gouffre du vent* [1].

Un ange paraît; une de ses plumes tombe; ange et plume disparaissent, puis

> *Dans quelque grotte fatidique*
> *Sous un doigt de feu qui l'indique,*
> *On trouve un homme surhumain*
> *Traçant des lettres enflammées*
> *Sur un livre plein de fumées,*
> *La plume de l'ange à la main* [2].

Les textes posthumes datant de l'exil sont riches en figurations de ce genre : les mages « ont sur la face une pâle sueur de lumière », et « cette clarté est de la parole, car le Verbe, c'est le jour »; au terme d'une mission parmi les hommes, « ils tournent aux choses terrestres leur dos formidable, ils développent brusquement leur envergure démesurée, ils deviennent on ne sait quels monstres, spectres peut-être, peut-être archanges, et ils s'enfoncent dans l'infini avec un immense bruit d'aigles envolés » [3]. Et voici la variante angoissée du type :

> *Les Lucrèces, les Jobs, les blêmes Jérémies,*
> *La lèvre émue encor de leurs strophes frémies,*
> *Courbés sous l'épouvante, épars dans le courroux,*
> *Ont l'air d'esquifs perdus ou de navires fous,*
> *Et l'on voit se dresser, vagues dans les décombres,*
> *Tous ces grands effarés porteurs des harpes sombres* [4].

Ou encore :

1. *Les Mages*, section II, derniers vers.
2. *Ibid.*, section V, avant-dernière strophe.
3. Texte intitulé « Du génie » (1863), dans Œ., I.N., *Post-scriptum de ma vie*, p. 539 (ce texte est classé dans les éditions plus récentes parmi les annexes de *William Shakespeare* : ainsi dans Œ., M., t. XII, p. 411).
4. *Dieu, fragments*, section I, fragment 35a [1856]; voir aussi *ibid.*, fragment 36a (= *Toute la lyre*, IV, 5), même date : série de portraits figurant brièvement seize mages, désignés par leur nom (Homère, Shakespeare, Eschyle, etc.).

> *Les mages sont puissants et tristes; ils s'en vont,*
> *Dans l'espace farouche et noir, dans le profond,*
> *Avec des robes d'air et des prunelles d'ombre,*
> *Spectres, tourbillonner dans la vérité sombre* [1].

Cette figure fabuleuse du Mage n'était-elle pour Hugo qu'une amplification, auréolant le type nécessairement beaucoup moins fabuleux du Poète missionnaire de son siècle? Ou Hugo peint-il le Mage tel qu'il se sent vivre lui-même en imagination? La section III des *Mages,* dans sa brièveté (trois strophes en tout, au milieu des soixante et onze du poème), dit une chose remarquable : les Mages seraient-ils les acteurs ou les marionnettes de l'Inconnu, chargés d'un rôle qu'ils jouent sans en connaître le sens?

> *Savent-ils ce qu'ils font eux-même,*
> *Ces acteurs du drame profond?*
> *Savent-ils leur propre problème?*
> *Ils sont. Savent-ils ce qu'ils sont?*
> *Ils sortent du grand vestiaire*
> *Où, pour s'habiller de matière,*
> *Parfois l'ange même est venu.*
> *Graves, tristes, joyeux, fantasques* [2],
> *Ne sont-ils pas les sombres masques*
> *De quelque prodige inconnu* [3]*?*

Le sens n'est pas absolument clair. Dieu semble avoir pris des âmes de haut parage et les avoir travesties sous une enveloppe humaine pour leur donner un rôle sur le théâtre du monde [4].

---

1. *Ibid.*, fragment 561a [1856]; aussi fragment 562a, même date présumée. Voir aussi *Les Grands Morts,* dans Œ., I.N., Reliquat de *La Fin de Satan,* « 17 avril 1855 », p. 278 : une vingtaine de noms de Mages défunts, « pensifs », sur de ténébreux « trônes », « concile de l'ombre » qui continue d'assister l'homme; également *Clarté d'âmes* (dans *La Légende des siècles,* XXIV), « 29 mars 1874 » : environ quinze noms de Mages solitaires, épars et éloquents dans la nuit, font éclore l'aube.

2. Les deux derniers de ces quatre adjectifs désignent apparemment les « prêtres du rire » (Scarron, Cervantès, Rabelais, etc.) et les « prêtres de la joie » (Arioste, Catulle, Horace, etc.) évoqués plus haut dans *Les Mages* (section I, respectivement strophes 16 et 17).

3. *Les Mages,* section III, strophe 1.

4. Aug. Viatte (*Victor Hugo et les illuminés de son temps*), Montréal, 1943, p. 257, signale une idée semblable chez Jean Reynaud (*Terre et ciel*);

Il se peut que Hugo ait éprouvé, à l'occasion, l'impression d'être l'une d'elles, et que telle soit la source de ses imaginations touchant l'origine supra-humaine des mages [1]. Ainsi, à propos de « certains hommes mystérieux » (il s'agit de Cervantès, Rabelais, Corneille), il écrit : « Pourquoi ces hommes sont-ils grands en effet? ils ne le savent point eux-mêmes. Celui-là le sait qui les a envoyés. » Plus précisément : « Tous ces atomes, âmes en fonction parmi les hommes, ont-ils vu d'autres univers et en apportent-ils l'essence sur la terre? Les esprits chefs, les intelligences guides, qui les envoie? » La doctrine des migrations stellaires est sous-entendue dans ces interrogations : une mission de liaison « n'est-elle pas remplie à leur insu par de certains prédestinés, qui, pendant leur passage humain, s'ignorent en partie eux-mêmes? Tel atome, moteur divin appelé âme, n'a-t-il pas pour emploi de faire aller et venir un homme solaire parmi les hommes terrestres [2] »? Cette espèce de métempsycose descendante, évidemment non punitive, mais au contraire constitutive d'une mission, rejoint la surhumanisation fantastique à laquelle se livre, à propos des grands hommes, l'imagination de Hugo. Toutes deux fondent les titres transnaturels du Mage. Il n'est pas indifférent que Hugo voie la Mission sous l'angle du rôle et du théâtre, qu'il parle, comme on a vu, de vestiaire et de masques, qu'il écrive :

> *Ils ont leur rôle; ils ont leur forme;*
> *Ils vont, vêtus d'humanité,*
> *Jouant la comédie énorme*
> *De l'homme et de l'humanité* [...]

on trouve en effet, pp. 360-361 de cet ouvrage, la mission de Jésus-Christ interprétée comme une « mission angélique » : Jésus, ange ayant sollicité de s'incarner pour se dévouer. Reynaud pense que ce fut aussi le cas de « quelques âmes élevées au-dessus de la condition commune » : « du moins, ajoute-t-il, il ne me répugne pas de voir sous cette apparence tant d'illustres génies qui ont laissé parmi nous, en sillons de lumière ineffaçables, des traces de leur passage ».

1. Impression, occasion d'un « qui sait? », penchant d'imagination, non prétention affirmée. Il a bien écrit : « Avant d'être sur cette terre − Je sens que j'ai jadis plané; − J'étais l'archange solitaire, − Et mon malheur, c'est d'être né » (*À celle qui est voilée*, dans *Les Contemplations*, VI, 13, strophe 24, « 11 janvier 1855 ») : le dernier vers de ce quatrain et la suite du poème montrent qu'il s'agit ici du lieu commun spiritualiste de l'âme dégradée par l'incarnation et le séjour terrestre, thème applicable à tout homme et ne concernant pas la situation particulière du Mage.

2. *Œ., I.N., Post-scriptum de ma vie*, pp. 538-539; *William Shakespeare*, I, 5, 1 (*Œ., I.N.*, p. 97). Ces textes sont de 1863.

Les astres d'or et la nuit sombre
Se font des questions dans l'ombre
Sur ces splendides histrions [1].

Histrions. Ce mot donne à penser. Il est toujours péjoratif en français, et c'est celui que pouvaient appliquer à Hugo les critiques de sa démesure verbale. Comment le prend-il à son compte? Mais il ne songe même pas à ces détracteurs; le théâtre, dans sa pensée, est inséparable de toute grandeur et de toute merveille. Ce n'est pas, à ses yeux, discréditer sa métaphysique que de la vivre comme une représentation fabuleuse, sur un théâtre où le metteur en scène est Dieu, où la scène est le terrifiant Cosmos, et où des figures surhumaines tiennent leur rôle sans en savoir tout le sens. C'est là pour Hugo le théâtre même de la Vérité, et ses hyperboles sont à la mesure de ce qui s'y joue et de l'énigme que le drame dérobe aux acteurs eux-mêmes. Hugo, en figurant les Mages, raconte quelque chose de sa vie, il est difficile d'en douter. Seulement, plus convaincu peut-être ou plus imprudent que d'autres, il risque à tout moment de faire éclater la différence qui sépare, en matière de surnaturel, une littérature d'une foi, même quand la littérature offre à la foi sa dernière chance.

Mage et Savant.

Ce qui distingue le Mage au sein de la corporation des esprits, c'est son privilège, ne disons pas « surnaturel », puisque Hugo répudie ce mot, mais si l'on veut « transnaturel ». Si Hugo refuse d'admettre que rien soit au-dessus de l'ordre des choses, il est certain qu'il doit distinguer, dans cet ordre, ce qui nous est découvert, et ce qui, situé au-delà de notre atteinte, nous est obscur. C'est sur ces régions inconnues que le Poète-Mage a au moins un commencement de lumières, parce qu'il en perçoit le mystère, et parce qu'il a vocation et mission d'en faire reculer l'obscurité. La terminologie importe peu; de quelque façon qu'on définisse le privilège du poète, tout réside dans un litige entre le Savant, dont le projet et la méthode limitent le champ de vision, et le Mage qui a vue *au-delà*. Il n'y a pas

---

1. *Les Mages,* section III, strophe 3.

deux ordres de réalités, mais deux portées d'esprit inégales. « La science, écrit Hugo, refuse l'infini, mais il n'en est pas moins là. Il est notre urgence [...] Le savant crie : Je ne veux pas de toi, infini, et, profonde voix de l'ombre, l'infini répond : Je suis ton âme [...] Les grands esprits rétablissent la situation, ils comblent la lacune, ils remettent l'homme intérieur en équilibre. Contenant une plus grande quantité d'infini, ils contiennent une plus grande quantité d'âme. Là est le secret de leur utilité sociale et de leur puissance civilisatrice [1]. » Pourvu de cette faculté, le Mage peut ignorer toute science ; il est celui qu'on peut exalter en disant :

Ô savant seulement des choses de l'abîme [2] *!*

Un inculte, solitaire et « songeur », peut atteindre à cette science, comme c'est le cas du pâtre de *Magnitudo parvi* :

Lui, ce berger, ce passant frêle,
Ce pauvre gardeur de bétail
Que la cathédrale éternelle
Abrite sous son noir portail,

[...] Lui, dont l'âme semble étouffée,
Il s'envole, et, touchant le but,
Boit, avec la coupe d'Orphée,
À la source où Moïse but [3] *!*

Ainsi le Gilliatt des *Travailleurs de la mer* : à certains moments « on l'eût pris pour une brute ; dans d'autres instants, il avait

1. *Œ.,* I.N., *Océan. Tas de pierres,* p. 226 ; ce texte intitulé significativement « La religion et la science d'accord contre l'infini », incriminant le dogmatisme religieux et l'esprit scientifique au même titre, situe bien la foi de Hugo à distance de l'un et de l'autre. Sur l'usage hugolien de la notion d'infini, voir aussi *Œ.,* I.N., *William Shakespeare,* Reliquat, p. 361 : « Un génie est toujours compliqué d'infini. De là dans Eschyle, dans Job, dans Dante, dans Shakespeare, une certaine quantité d'incompréhensible. Ces hommes participent de Dieu. » Ces textes sont de 1863-1864.
2. *Les Esprits,* dans *La Légende des siècles,* XXXVIII, 1, vers final (date probable, 1855) ; voir aussi *Œ.,* I.N., *Post-scriptum de ma vie,* p. 626 [1863-1864] : « Tout poète a sa part de vision » ; mais cette « démence auguste » ne doit pas exclure la sagesse : « Être ce visionnaire possible, et cependant rester le sage, c'est à cette faculté surhumaine qu'on reconnaît les suprêmes esprits. »
3. *Magnitudo parvi,* dans *Les Contemplations,* III, 30, section 3, quatrains 62 et 64 [1855].

on ne sait quel regard profond ». « L'antique Chaldée, ajoute Hugo, a eu de ces hommes-là ; à de certaines heures, l'opacité du pâtre devenait transparente et laissait voir le mage [1]. » Arrêtons-nous sur cet aspect primitiviste ou naturiste de la notion du Mage. Dans cette notion comme dans l'ensemble de la métaphysique de Hugo, nature et transnature doivent se confondre aux dépens de la raison raisonnante et de la science. En même temps que héros de l'esprit, les Mages sont

> *Ceux qui sentent la pierre vivre,*
> *Ceux que Pan formidable enivre* [2].

Ces grands aventuriers de l'Absolu sont aussi les « fils de la nature » [3].

Les tables parlantes.

Quel rôle joueront, dans ces conditions, entre le Mage et l'Au-delà, dont il est censé tenir directement son investiture et ses inspirations, les signaux par lesquels, selon l'occultisme, cet Au-delà dévoile aux hommes quelque chose de son mystère ? Comment se situeront les expériences spirites par rapport au trio que constituent l'Infini ou Dieu, la Nature et le Poète ? Trio, et en même temps Unité étroite qui ne semble requérir aucun supplément étranger. On sait pourtant qu'à Jersey, Hugo et les siens se livrèrent, du 11 septembre 1853 jusqu'à l'été de 1855, à des expériences de spiritisme, et qu'un Livre des Tables recueillait les oracles reçus au cours de cette période. La consultation des tables, pratique alors en vogue dans les milieux parisiens, fut introduite chez les Hugo par Mme de Girardin (autrefois Delphine Gay) lors d'une visite qu'elle fit à Jersey à partir du 6 septembre 1853 [4]. Le 11, l'esprit qui était censé mouvoir la table se nomma « Fille », puis « Morte », provoquant une grande émotion chez ceux qui, dans l'assistance, pensaient à Léopoldine Hugo ; il ne se donna aucun nom précis, mais

---

1. *Les Travailleurs de la mer*, I, 1, 6 (Œ., I.N., p. 75). L'antique Chaldée est le pays légendaire des bergers astronomes, voués au culte et à la science des astres.
2. *Les Mages*, section I, strophe 3.
3. *Ibid.*, section II, strophe 2, et toute la section.
4. Voir la note d'Auguste Vacquerie, dans Œ., M., t. IX, p. 1185.

se dit « âme soror », originaire de France [1]. Il donna de vagues indications sur la Lumière au sein de laquelle il résidait et sur la relation qu'il maintenait avec les vivants qui l'aimaient [2]. Aucune autre allusion supposée à Léopoldine ne reparut dans les messages des tables avant le 28 octobre 1853, où l'esprit d'une défunte Sophie, inconnue, dit connaître celle qui avait parlé le premier jour [3]. Longtemps après, l'esprit de Josué, le 28 décembre 1854, évoque « votre fille », et un esprit lui succède qui se dit « Vestra » [4]. Le sentiment d'avoir pu communiquer avec sa fille contribua puissamment à convaincre Hugo de la validité des messages reçus. Dans la période qui suivit, la consultation des tables fut souvent quotidienne, et leurs communications abondantes. Les séances se continuèrent pendant toute l'année 1854, pour s'espacer sensiblement en 1855, puis s'interrompre peu avant le départ de la famille Hugo de Jersey pour Guernesey en octobre de cette année. En somme, Hugo, pendant un an et demi au moins, et dans une période décisive de sa vie et de sa création, put être sous l'influence d'une consultation assidue des tables parlantes.

Cette longue expérience nous est connue par quelques témoignages de participants qui sont parvenus jusqu'à nous [5], et

---

1. Ch. Hugo et le général Le Flô tenaient la table; Le Flô avait perdu, lui, une sœur.

2. *Ibid.*, pp. 1186-1188 (compte rendu rédigé aussitôt après la séance par Vacquerie); nous en avons d'autres versions (une *ibid.*, pp. 1188-1189; une autre dans le *Journal d'Adèle Hugo*, t. II, p. 272 et suiv.); elles coïncident en substance pour ce qui semble désigner Léopoldine.

3. *Journal d'Adèle Hugo*, t. II, pp. 309-310, 28 octobre 1853.

4. *Œ.*, M., t. IX, séance du 28 décembre 1854, *in fine*, p. 1452. Il y a aussi une allusion à l'« âme qui est venue le premier soir » dans le compte rendu d'une séance non datée : *Œ.*, M., t. IX, p. 1272 [1853].

5. Voir Auguste VACQUERIE, *Les Miettes de l'histoire*, Paris, 1863, p. 406 et suiv.; il est souvent question des tables dans le *Journal d'Adèle Hugo* (qu'on appelle parfois aussi *Journal de l'exil*, déjà cité dans le présent ouvrage), et qui s'étend principalement sur les années 1852-1856. On n'a connu longtemps ce *Journal*, rédigé surtout, quoique non exclusivement, par Adèle, fille du poète, que par des publications fragmentaires : O. UZANNE, *Propos de table de Victor Hugo en exil, op. cit.*; Paul BERRET, *La Philosophie de Victor Hugo*, Paris, 1910, « Note sur le *Journal* », p. 33, et fragments, *passim*; R. JOURNET et G. ROBERT, *Notes sur* Les Contemplations, une notice pp. 242-243 et fragments : voir références à l'index, sous « Hugo, Adèle ». L'édition des *Œ.*, M., t. IX, p. 1493 et suiv., reproduit de nombreux fragments. Pour une liste plus complète, voir l'Introduction de l'éd. Guille du *Journal*. Cette édition a été entreprise d'après l'ensemble des manuscrits disponibles par Frances Vernor Guille : trois volumes en ont paru jusqu'ici (Paris, 1968, année 1852; 1971, année 1853; 1984,

surtout par la masse, cependant très incomplète, de procès-verbaux manuscrits des séances, ou de copies de tels procès-verbaux, faites par les proches de Hugo, qui ont été jusqu'ici retrouvés [1]. Hugo lui-même ne s'asseyait que très rarement à la table. Il était présent aux séances et prenait souvent la parole, posant des questions ou commentant les réponses reçues. L'opérateur habituel, le « médium », fut, sauf rares exceptions, son fils Charles, très souvent accompagné par sa mère. On sait que les tables faisaient leurs réponses lettre par lettre, en signifiant chaque lettre par le nombre de battements correspondant à son rang dans l'alphabet. Ce mode de communication est, comme on peut imaginer, extrêmement long : une heure au moins pour un texte d'une page, souvent plus; les séances duraient plusieurs heures pour quelques pages de texte. Vacquerie, après avoir essayé d'autres procédés, assez surprenants [2], s'en tint au lettre à lettre, « simplifié, nous dit-il par l'habitude et par quelques abréviations convenables » qui le rendirent plus rapide [3]; les esprits, faut-il croire, acceptèrent de pratiquer ces abréviations. Ils usaient tous de notre langue : les patriarches hébreux, les Grecs et les Romains, et aussi les êtres allégoriques, tous les personnages qui sont censés donner le branle aux tables semblent posséder parfaitement non seulement le français, mais la versification française, qu'ils pratiquent avec aisance et bonheur dans les communications en vers. C'est le cas de Shakespeare, qui, ayant commencé par déclarer sans ambages : « La langue anglaise est inférieure à la langue française », entreprend de composer des poèmes en vers français, surveillé et soutenu dans cette entreprise par Hugo et les siens, qui l'aident à reprendre en arrière, à corriger ou à poursuivre le cours de son

année 1854); au vol. I, Introduction, histoire des manuscrits et de leur publication. Voir aussi, plus haut, note 1, p. 426.

1. Sur le manuscrit des procès-verbaux des tables, les conditions de leur rédaction, leur histoire et celle de leur publication, voir Jean Gaudon dans Œ., M., t. IX, pp. 1181-1184. Des publications partielles ont été faites par Gustave SIMON (*Les Tables tournantes de Jersey*, Paris, 1923), Paul HAZARD (*Avec Victor Hugo en exil*, 23ᵉ cahier des *Études françaises*, 1ᵉʳ janvier 1931, Paris, Les Belles Lettres), Maurice LEVAILLANT (*La Crise mystique de Victor Hugo*, Paris, 1954) Jean GAUDON (*Ce que disent les tables parlantes : Victor Hugo à Jersey*, Paris, 1963). Une édition d'ensemble des procès-verbaux connus a été établie enfin en 1968 par les soins de Jean et Sheila Gaudon, dans l'édition Massin des *Œuvres*, t. IX, pp. 1186-1483, suivie d'Appendices et d'un index des personnages : c'est désormais l'indispensable source de renseignements sur le sujet.

2. Voir Aug. VACQUERIE, *Les Miettes de l'histoire*, p. 406, 410.

3. *Ibid.*, p. 410.

inspiration, et à qui il demande à l'occasion de lui fournir un hémistiche ou un vers [1]. Les séances sont alors un véritable atelier de poésie en voie de création, où règnent une verve et un à-propos inventif qui entraînent merveilleusement le lecteur. Des séances comme celles-là donnent une idée vraiment séduisante et littéraire du monde des morts, sans trop contribuer à fortifier la croyance en sa réalité, d'autant que les vers de Shakespeare, comme on l'a remarqué, rappellent fort les vers, le style poétique et les rythmes de Hugo.

La liste des esprits qui se manifestent par les tables n'est pas moins surprenante. Ce sont des Mages de toute espèce et de toute époque, Eschyle, Moïse, Galilée, Jésus, Rousseau, Aristote, Isaïe, Voltaire, des personnages de la Bible, de l'histoire, de la légende antique et moderne, Caïn et Cagliostro, Annibal et Marion Delorme, Marat et le Juif errant; mais aussi des êtres abstraits comme la Tragédie, la Comédie, le Drame, la Critique, l'Idée, ou aussi effrayants que l'Ombre du sépulcre ou le Doigt de la mort; aussi des animaux illustres en littérature, tels que l'Ânesse de Balaam ou le Lion d'Androclès, qui se présente en latin, mais compose un poème en français; sans compter les personnages dont le nom ne dit rien, telle Tyatafia, qui se déclare habitante de Jupiter, confirme la survie dans les astres et disparaît [2]; et cet autre qui dit se nommer Fecoilfecoil, se plaint d'être gêné par la lumière trop vive de la lune et prend congé lestement [3]; celui enfin qui avoue successivement les noms d'Amuca, de Babac, de Babbaf, qui est d'avis d'arrêter la séance sans vouloir dire pourquoi, reparaît un instant avec le nom de Bab, et s'éclipse aussitôt tout à fait [4]. Ceux des esprits qui jouissent de quelque notoriété apparaissent avec les traits qu'aime à leur prêter l'entourage de Hugo : Racine, dès le troisième jour, vient se reconnaître inférieur à Shakespeare et avouer que sa perruque a été roussie au feu du drame romantique [5]. Charlotte Corday regrette d'avoir tué Marat, étant désormais hostile, comme Hugo, au meurtre politique [6]. Molière déclare avoir voulu représenter dans *Les Femmes savantes* le

---

1. *Œ.*, M., t. IX, séances du 21 janvier au 9 février 1854, p. 1283 et suiv.; voir notamment, aux pages 1285 et 1304, la collaboration Shakespeare-Hugo.

2. *Œ.*, M., t. XII, p. 1233 (entre septembre et décembre 1853).

3. *Ibid.*, p. 1350 (13 avril 1854).

4. *Ibid.*, pp. 1350-1351 (même date).

5. *Ibid.*, p. 1208 (13 septembre 1853).

6. *Ibid.*, p. 1235 (entre septembre et décembre 1853).

conflit malheureux de l'âme et du corps, qu'il entendait réconcilier [1]. Napoléon Ier appelle au secours contre le neveu qui le
déshonore, et annonce la République européenne [2]. Tyrtée, qui
composa des chants guerriers à Lacédémone, vient reprocher à
Rouget de Lisle le style néo-classique de *La Marseillaise* [3].
Dans une séance solennelle comme un jugement, Napoléon III
lui-même, quoique vivant, se présente à la table, s'étant dédoublé
pendant son sommeil : il accepte d'être identifié comme Napoléon « le Petit », et se dit envoyé par son oncle pour être puni ;
il annonce la République universelle, il avoue qu'il aimerait
mieux être Hugo que lui-même, qu'il apprend ses devoirs en
lisant *Les Châtiments,* qu'il ne craint pas Ledru-Rollin ni Cavaignac, mais Hugo oui [4].

Hugo devant les tables.

Tant de prodiges rendent perplexe. Quelle que soit l'importance des problèmes évoqués au cours des séances, on peut
se demander quelle sorte de créance un homme comme Hugo
pouvait accorder à d'aussi étranges fantaisies. Croyait-il vraiment être en présence d'interlocuteurs parlant depuis l'autre
monde ? Peu après le début des séances, le 21 septembre 1853,
Charles Hugo ayant déclaré qu'il était obligé de croire à
« l'intervention d'un tiers », distinct de son cerveau, son père
lui répondit : « Il m'est difficile de partager ton opinion là-
dessus. Je crois que le phénomène existe pourtant, et n'en est
pas moins extraordinaire [...] C'est tout simplement ton intelligence quintuplée par le magnétisme et qui fait agir la table
et qui lui fait dire ce que tu as dans la pensée [5]. » Trois mois
plus tard, Hugo, moins catégorique, laisse place à l'opinion de
son fils à côté de la sienne : « Le phénomène des tables, dit-il,
c'est une chose extrêmement curieuse, que ce soit l'action de
celui qui tient la table, et qui fait un mirage de sa pensée,

---

1. *Ibid.,* p. 1323 et suiv., notamment pp. 1326, 1335-1336, 1338 (Molière
dit des vers sur sa pièce), février-mars 1854.
2. *Ibid.,* pp. 1232 et 1233 (5 octobre 1853).
3. *Ibid.,* p. 1258 (14 décembre 1853).
4. *Ibid.,* p. 1192 et suiv. (nuit du 12 au 13 septembre 1853).
5. *Journal d'Adèle Hugo,* t. II, pp. 278-279, 21 septembre 1853.

que ce soit la présence d'un tiers [1]. » Entre-temps, Hugo avait aperçu une troisième possibilité. Il déclara un jour que le phénomène des tables avait pour fin de ramener à Dieu le parti républicain entraîné vers l'athéisme; la pensée humaine livrée à ses seules forces aurait mis cinquante ans, pensait-il, à opérer ce retour [2] : « Il fallait, conclut-il, un miracle pour que le peuple, représenté par le parti républicain, devînt subitement spiritualiste. Le miracle, Dieu l'a fait, les tables parlent et démontrent à tous l'existence de l'âme [3]. » Dans cette perspective, l'identité précise que les tables prêtent aux « tiers » passe au second plan; peu importe qu'elle soit difficilement croyable : « Je crois absolument au phénomène des tables, dit Hugo, seulement je n'affirme pas que ce soit en effet Jeanne d'Arc, Spartacus, César ou Tibère qui y apparaissent. Il est possible que ce soit un esprit qui prenne ces noms pour nous intéresser [4]. » Il a développé ailleurs cette hypothèse dans une conversation avec un ami, en soutenant qu'« il se pouvait que parfois, au lieu d'enseigner directement et sous son nom, l'interlocuteur invisible enseignât sous forme d'apologue et de parabole; qu'il mît en scène des personnages et composât des sortes de drames qui exprimassent sa pensée d'une manière plus vivante et plus saisissante; qu'en faisant cela il ne mentirait pas plus que le Christ en faisant la parabole du bon Samaritain » [5]. Cet interlocuteur invisible, sans doute un personnage de la hiérarchie intermédiaire entre l'homme et Dieu, ange ou archange chargé

---

1. *Ibid.*, t. II, p. 408, 6 décembre 1853.

2. *Ibid.*, t. II, p. 339, 15 novembre 1853 : « Le phénomène des tables a pour but de ramener l'homme au spiritualisme, et de l'y ramener immédiatement. La révolution est prête; [..] seulement le parti républicain et le peuple ne croient pas. Ils nient Dieu. Dieu, qui n'a pas le temps d'attendre le lent travail de la pensée humaine, se révèle à eux subitement par le phénomène matériel et incontestable des tables parlantes. »

3. *Ibid.*, t. II, p. 341.

4. Propos tenu à Pierre Leroux fin septembre 1853, cité par J. Gaudon (Œ., M., t. IX. p. 1170). Voir aussi, *ibid.*, p. 1292, séance du 29 janvier 1854, Hugo s'adressant à Shakespeare : « Possédez-vous dans le monde où vous êtes un moyen de nous convaincre complètement que vous êtes bien les personnages sous les noms desquels vous nous parlez? Ou devez-vous nous laisser sur ce point dans notre doute? » Shakespeare s'éclipse sans répondre. C'est le personnage nommé « Ombre du sépulcre » qui répond, plutôt confusément, mais dans le sens du doute nécessaire.

5. *Ibid.*, p. 1413, séance du 2 juillet 1854. L'ami est Kesler, et il retrace devant Hugo cette conversation qu'il a eue avec lui; Kesler ne croyait pas aux tables. Sur Hennett de Kesler, compagnon d'exil de Hugo, voir Œ., M., t. XIV, p. 873.

de mission, serait le metteur en scène d'une fable destinée à ramener les âmes mécréantes. Cette solution avait pour Hugo l'avantage, tout en confirmant la réalité transnaturelle du « phénomène des tables », de l'intégrer dans le cadre ordinaire de sa religion : en fait, Dieu était implicitement, dans une telle conception, le suprême organisateur de la dramaturgie des tables, tout ce qu'elles peuvent comporter de bizarre relevant de la nature du théâtre divin, nécessairement ironique et mortifiant pour l'homme à quelque degré. La figuration de la vérité par des moyens plus ou moins trompeurs convient bien à un Dieu caché, mais elle discrédite l'esprit humain. Hugo, en cette occasion, choquait le rationalisme de Vacquerie, qui ne pouvait admettre que l'intelligence humaine ait besoin pour progresser de « l'intervention de la divinité, en plein dix-neuvième siècle », qu'il lui faille encore des lisières et des religions : à quoi Hugo, pourtant si enthousiaste lui-même des progrès et des conquêtes de l'homme, répond inlassablement que l'homme a besoin d'aide, que ses rapports avec le monde invisible n'altèrent pas sa liberté, que les tables n'amoindrissent pas le XIXe siècle [1]. Mais nous connaissons déjà chez lui cette contradiction – ou cette conjonction – d'une extrême humilité avec un humanisme pourtant impénitent.

De tout ce qui précède il résulte que Hugo prenait incontestablement au sérieux les communications des tables, mais tenait pour une sorte de fabrication dramatique, mi-divine, mi-humaine, l'affabulation des séances. Reste à dire ce que peut penser de ces séances, non plus Hugo, mais l'historien, requis de peser, dans ce genre de choses, le possible et le douteux. Premièrement, faut-il ou non admettre la sincérité des témoins, et prendre pour argent comptant leurs témoignages et procès-verbaux? Si on leur fait confiance, il n'en résulte pas nécessairement qu'on doive croire à l'existence d'interlocuteurs invisibles. Hugo lui-même, on l'a vu, a cru un temps que les médiums pouvaient mouvoir la table, lui communiquant malgré eux leur pensée : Charles Hugo surtout, qui fut de beaucoup le plus actif d'entre eux. La difficulté, outre le caractère inusuel d'un tel phénomène, qui fait problème à lui seul, est qu'il faudrait attribuer à Charles Hugo une prodigieuse faculté d'im-

---

1. Dans le *Journal de l'exil*, ce débat revient plusieurs fois : voir *Journal d'Adèle Hugo*, t. II, pp. 340 et 342 (15 novembre 1853), p. 408 (6 décembre 1853); t. III, p. 201 (5 mai 1854). Il arrive que Hugo ait à plaider pour les tables contre son deuxième fils, François-Victor, passablement incrédule.

provisation, surtout quand il s'agit de très longs poèmes délivrés par les tables. Il est vrai que la lenteur du procédé de transmission, lettre par lettre, diminue le prodige, en dilatant le temps imparti à l'improvisateur. Cette hypothèse est, semblet-il, la plus généralement retenue [1]. Celle qui mettrait en doute la validité des témoignages et des procès-verbaux, l'hypothèse en somme de la supercherie, n'est pas facile à articuler : la supercherie collective n'est pas concevable; celle du principal médium, à peine moins, vu le nombre des assistants. Et supercherie, pour quelle fin? Tant de textes, restés inédits, pour tromper qui? Tout au plus convient-il de rappeler, pour nuancer ce qu'a d'abrupt l'hypothèse du fabuleux Inconscient de Charles, l'arc-en-ciel des degrés qui séparent la bonne de la mauvaise foi. L'enthousiasme parcourt ces degrés dans toute expérience merveilleuse. Et les procès-verbaux des séances ont-ils toujours été fidèles? Tout adepte, prenant la plume, tend à majorer ce qu'il transcrit, innocemment, en quantité et qualité. Les livres saints de toutes les nations, les mémoires de toutes les sectes ont bénéficié d'arrangements semblables, aussi exempts de mauvaise foi consciente que de véracité. D'un original à une copie, il y a souvent loin, et beaucoup de procès-verbaux des séances de Jersey ne sont connus que par des copies. Autre chose : Charles a-t-il toujours improvisé vraiment? Et a-t-il toujours agi inconsciemment? Fils d'un père comme Hugo, dont ses oracles en vers pastichent superbement et parfois surpassent le style, joua-t-il toujours franc-jeu avec le grand homme autour de qui tout, évidemment, tournait? Il y a des moments où la compagnie semble en veine de gaîté : par exemple, quand l'esprit d'Annibal se déclare empêché de parler, et voulant nommer la cause de l'empêchement, épelle : « Tapis ». On ne comprend pas, on l'interroge; il répond encore d'un mot : « Capoue », voulant dire que le tapis lui rappelle Capoue et ses fatales délices! C'est Charles qui est à la table; son père ne peut se retenir de remarquer : « Comment ce pauvre tapis peut-il te rappeler Capoue? » Mais Annibal n'en démord pas, et on se transporte, pour qu'il accepte de parler, dans l'atelier, où il

---

1. C'est celle de Jean Gaudon, qui voit dans l'action supposée de Charles Hugo sur les tables et dans les textes qui en résultent quelque chose de comparable à l'écriture automatique des surréalistes : autre expérience épineuse, où une sincérité évidente s'accompagnait d'un non moins évident artifice (voir J. GAUDON, *Ce que disent les tables parlantes*, « Présentation », notamment p. 16; Présentation des procès-verbaux, Œ., M., t. IX, p. 1179 et suiv.).

n'y a pas de tapis [1]. On a l'impression que cette trouvaille a dû réjouir son auteur; et les facéties de ce genre abondent. Gardait-on son sérieux autour de la table dans ces occasions? Laissons là des problèmes que nous n'avons pas les moyens de résoudre [2]. Les procès-verbaux des tables peuvent, de toute façon, nous instruire de façon sûre en un domaine précis. Les manifestations des tables, de quelque source qu'elles proviennent, ont pu influencer la métaphysique de Hugo et sa poésie. Hugo lui-même s'est montré constamment soucieux de préciser le rôle respectif des Tables et du Poète-Mage dans la relation de l'homme avec l'Inconnu. Sur ce plan, au moins, nous pouvons commenter les procès-verbaux des séances sans quitter ce monde.

L'autonomie du Mage.

Hugo croyait donc que les tables transmettaient effectivement un message, et un message valable. Mais ce message doit-il être tenu pour une révélation, impossible par d'autres voies que celle-là? Hugo, tout au long des procès-verbaux et dans ses conversations avec son entourage, le conteste, déclarant savoir depuis longtemps ce que les tables enseignent. S'agit-il d'un simple conflit de priorité, dans lequel un Mage, découvreur inspiré, a à cœur de soutenir sa prérogative? Hugo ne nie pas que ce sentiment ait pu jouer son rôle : « J'ai été, dit-il, un moment contrarié dans mon misérable amour-propre humain

1. *Œ., M.*, t. IX, p. 1243 (8 décembre 1853). Dans l'atelier, Annibal, requis de dire son avis sur Napoléon, le critique comme général, en latin, et ne revient au français que sur la demande de Hugo. On savait le latin à Marine Terrace, mais non le punique.

2. La conviction du caractère supra-humain des communications des tables s'accroche parfois à des circonstances. Ainsi le Lion d'Androclès a emprunté pour son immense poème un hémistiche d'une poésie de Hugo encore en portefeuille, et dont personne n'avait pu, selon Hugo, avoir connaissance (*ibid.*, p. 1363, 24 avril 1854). Ce type d'argumentation, toujours contestable, ne convainc que ceux qui veulent croire. Voir aussi, *ibid.*, p. 1413, 2 juillet 1854 : commentaire pertinent fait par la table d'une conversation tenue en dehors d'elle (il s'agit d'un cas remontant à plusieurs mois et ayant entraîné la conviction de Hugo); mais la table est mise en défaut dans la même page sur un test analogue, et déclare alors : j'ai eu ordre de me tromper (pour éprouver l'incrédule); l'esprit dit son nom en s'en allant : c'est Cerpola, le pâtre; quel pâtre? demande Hugo; pas de réponse.

par la révélation actuelle venant jeter autour de ma petite lampe de mineur une lumière de foudre et de météore [1]. » Il a donc été contrarié, mais fugitivement, et bientôt satisfait de se voir confirmé, non réellement devancé. Tel est le débat, on peut même dire la querelle, vu l'insistance que Hugo met à répéter, chaque fois que l'occasion s'en présente, qu'il a déjà, ici ou là, pensé, écrit ou soupçonné ce que les tables disent. Ce qu'il défend, c'est moins son amour-propre que l'autonomie du Poète-Missionnaire en quête de vérité : du Poète, et de l'Homme, qu'il représente, et dont la petitesse en face de l'Infini n'exclut pas, mais crée au contraire un droit d'interrogation et de quête. Le statut qu'il entend préserver serait ruiné si tout devait consister dans l'écoute passive d'une révélation.

Si cependant nous supposons que les messages des tables proviennent, pour l'essentiel, de Charles Hugo et de l'atmosphère saturée d'hugolisme du groupe de Jersey, le problème de priorité et d'autonomie perd beaucoup de son sens : Hugo serait, dans ce cas, le maître d'œuvre des messages comme de ses propres écrits; il faudrait voir en lui, dans toute l'affaire, le premier et le dernier agent, direct ou indirect. Et la question deviendrait celle-ci : dans quelle mesure l'expérience dite des tables et le corpus de leurs oracles ont-ils marqué une étape de croissance dans la pensée et l'imagination de Hugo? Si par les tables l'entourage de Hugo a pu servir d'amplificateur à sa faculté créatrice, comment et jusqu'à quel point son œuvre en a-t-elle été infléchie? Nous aurions là une variante grandiose – à la mesure de Hugo – de la façon dont un public ou un entourage quelconque fait écho à une création et en influence le cours : c'est l'effet de cet écho que nous aurions à mesurer. La tâche est d'ordre accessoire, dans la perspective où nous nous plaçons, et c'est pourquoi, essayant de retracer les grands traits de la métaphysique de Hugo, nous avons volontairement ignoré les tables. On ne peut les ignorer s'il s'agit de définir la doctrine hugolienne du sacerdoce poétique, qui s'est en grande partie précisée par rapport aux tables, en tant que concurrentes et inspiratrices possibles du Mage.

La consultation des tables commença, on l'a vu, en septembre 1853. Or, bien avant cette date, la survie dans les astres, ses étapes ascensionnelles, l'existence de globes maudits, et d'une façon générale la loi d'expiation et de rédemption

---

1. *Ibid.*, p. 1432, séance du 19 septembre 1854.

universelles étaient choses familières à la pensée de Hugo [1].
Aux textes déjà cités, j'ajoute les propos tenus par Hugo à sa
fille pendant l'été 1852 [2] : « L'homme souffre parce qu'il est
dans l'imparfait et le relatif. L'homme souffre parce qu'il expie.
Il expie dans ce monde une faute qu'il a commise dans un
monde antérieur. Il ignore sa faute [...] car s'il la connaissait,
et si, la connaissant, il était parfaitement sûr, après cette courte
vie et après sa mort, de retourner dans le monde de la lumière
d'où il est sorti, la peine de l'homme serait trop adoucie et
son châtiment trop amoindri [...] De la bonne ou de la mauvaise
conduite de l'homme dépend sa rentrée dans l'existence primitive et heureuse qu'il possédait antérieurement comme pur
esprit [...] Le reste de la création sur cette terre, depuis la pierre
où commence la vie minérale, jusqu'au singe où se termine la
vie animale, s'échelonne et se métamorphose [...] La vie minérale
de la pierre passe et monte dans la vie végétale de la plante.
La vie végétale de la plante passe et monte dans la vie animale
de la bête [*échelle : mollusque, poisson, oiseau, quadrupède*]. Au
singe finit la vie animale. Ici commence la vie intellectuelle
[...] Pourtant l'homme lui-même n'est qu'au bas de l'échelle
intellectuelle, échelle invisible et infinie, où chaque esprit monte
dans l'éternité. Dieu est au haut de cette échelle. – Tous les
mondes progressent; ils sont tous en travail [...] Notre globe,
la terre, a passé successivement par des temps plus ou moins
barbares [...]. » Il est superflu de commenter ce texte, qui, un
an avant les Tables (s'il est bien daté, comme l'affirme positivement l'éditrice [3]) contient l'essentiel de la doctrine de la
double échelle, terrestre et astrale, des êtres, avec la loi de la
faute et de l'expiation-rachat comme principe universel. Les
esprits des tables, dans l'automne de 1853, reprennent les
éléments de cette doctrine : ainsi l'esprit qui se dit Comète, le

---

1. Je ne reviens pas sur les textes antérieurs à l'exil et relatifs à ces sujets dont
j'ai fait état aux chapitres VI et VII ci-dessus.
2. *Journal d'Adèle Hugo*, éd. citée, t. I, pp. 265-267, 17 août 1852. Le même
Journal contient une autre version des mêmes pensées, t. I, pp. 300-301,
27 septembre [1852]. Le texte du 17 août dont sont tirées les citations ci-dessus
commence par un développement sur l'imperfection nécessaire de la création, idée
que nous avons rencontrée et commentée chez Hugo, et qui semble contredire
l'idée de faute ou de culpabilité humaine. Hugo tient également aux deux
notions.
3. Cette date du 17 août 1852 était déjà celle que donnait O. UZANNE (*Propos
de table du poète en exil, op. cit.,* pp. 10-11), à une version résumée du même
propos de Hugo.

12 septembre, et celui qui déclare se nommer Tyatafia, dans
un compte rendu global de séances tenues du 26 septembre au
6 décembre [1].

D'autres oracles, plus impressionnants, méritent l'attention.
L'Ânesse de Balaam [2], le 27 décembre 1853, déclare magnifiquement : « L'homme est la prison de l'âme, l'animal en est
le bagne [...] La plante est la plus sombre prison de l'âme. Le
lys est un enfer [3]. » Elle confirme, en somme, comme régissant
l'échelle des êtres terrestres, la loi du châtiment expiatoire,
évoquée dans le propos tenu par Hugo un an et demi avant,
et que dans sa poésie il avait appliquée seulement, sauf erreur,
à l'astre-enfer Saturne. Mais de l'oracle de l'Ânesse surgit avec
un caractère nouveau d'intensité la géhenne des âmes dans les
plantes et les bêtes. Hugo, n'étant arrivé que plus tard à la
séance, éprouve le besoin de déclarer, s'adressant à l'Ânesse :
« Moi qui te parle, les vérités que tu affirmes, il y a bien
longtemps que je n'en doute pas. » L'Ânesse lui demande alors,
puisqu'il se dit si savant, s'il peut dire « quel est le châtiment
du bœuf » (c'est-à-dire à quelle faute répond l'emprisonnement
d'une âme dans le corps d'un bœuf). Hugo, à cette « colle »
destinée à tester sa science du code pénal des métempsycoses
inférieures, répond en précisant : « Je dis que j'ai entrevu une
partie des choses que tu viens de nous dire et que quant à
celles qui touchent à l'âme humaine et à sa punition dans le
monde, elles sont pour moi à l'état de certitude [4]. » Mme Hugo,
croyant appuyer son mari, déclare aussi qu'il disait toutes ces
choses depuis longtemps, excepté en ce qui touche aux plantes
et aux bêtes, à l'âme desquelles il ne croyait pas [5]. Le point
est contesté par Hugo, qui déclare un autre jour : « Dans ce

1. Comète, Œ., M., t. IX, p. 1201 : les astres sont des êtres, des intelligences ;
la terre, notamment, « a son chant dans l'infini ». – Tyatafia, *ibid.*, p. 1233 :
survie des êtres humains, selon leurs mérites, dans des globes heureux ou
malheureux.

2. C'est, dans la Bible (Nombres, XXII, versets 22 et suiv.), l'ânesse qui voit
sur le chemin l'ange que ne voit pas son maître.

3. Œ., M., t. IX, pp. 1266-1267.

4. *Ibid.*, même séance, pp. 1267-1268. Dans ce même dialogue entre l'Ânesse
et Hugo, le débat de priorité se double d'une autre querelle, dans laquelle
l'Ânesse prend un malin plaisir, semble-t-il, à soutenir que Hugo n'a pas vraiment
les certitudes qu'il prétend avoir. Faut-il attribuer cette malice au médium :
Charles ? Vacquerie ? Elle est d'autant plus pointue que Hugo lui-même professe
volontiers que le lot de l'humanité et sa punition est le Doute, dont il prétend
ici s'exempter.

5. *Ibid.*, p. 1268.

siècle, je suis le premier qui ai parlé, non seulement de l'âme des animaux, mais de l'âme des choses [1]. » Il est vrai que cette formule est vague et n'évoque nulle métempsycose punitive. Sur ce point donc, dont on ne peut nier l'importance, les tables semblent avoir quelque peu fait avancer le poète, si tant est, rappelons-le, qu'on puisse établir entre leurs oracles et son œuvre une dualité autre que fictive.

Hugo, comme on a vu, faisait commencer l'échelle des êtres au minéral, dont l'Ânesse de Balaam ne fait pas mention. La pierre réapparaît le 24 avril 1854 dans le discours d'un autre esprit qui se nomme le Drame. Ce fantôme allégorique proclame : « Les animaux, les fleurs, les pierres sont entre l'homme qui ne voit pas leur âme et Dieu [...] Pourquoi avez-vous de la pitié pour la matière organisée et non pour la matière brute? L'une et l'autre sont à plaindre; le fer souffre, le bronze souffre, le carcan souffre; le chevalet souffre, le brodequin souffre, le couteau de la guillotine souffre, vous plaignez Jeanne d'Arc, plaignez aussi son bûcher. Vous plaignez Socrate, plaignez aussi la ciguë. Vous plaignez Jésus-Christ, plaignez aussi la croix. » Hugo, essayant de se défendre, invoque tel de ses vers qui donne une âme aux choses; mais le Drame le rabroue vigoureusement : il ne s'agit pas du vague sentiment que les poètes peuvent avoir de la vie universelle, de façon plus métaphorique que réelle : « Je parle de la vie des fleurs, des bêtes, des pierres, comme je parlerais de la tienne [2]. » Le Drame attribue donc bien la souffrance à la totalité des êtres terrestres, le minéral y compris, mais il ne dit, ni que cette souffrance ait le caractère d'une expiation, ni que ces âmes prisonnières le soient par l'effet d'une métempsycose. Tout se passe comme si un système dont les linéaments ont été préalablement aperçus et théoriquement tracés par Hugo s'animait morceau par morceau d'une vie plus intense dans les tables, amenant ainsi jusqu'à la

---

1. *Journal d'Adèle Hugo,* éd. citée, t. III, p. 327, 22 août 1854.
2. Œ., M., t. IX, pp. 1360-1361, 24 avril 1854. Le Drame cite alors un bon exemple, dans la poésie de Hugo, de fausse animation de la matière (le poème intitulé *Sunt lacrymae rerum,* dans *Les Voix intérieures,* II, 15 avril 1837), où il plaint les canons des Invalides d'avoir dû rester silencieux lors de la mort de Charles X en exil : ce n'est là évidemment qu'une figure de rhétorique. Aussitôt après, le Drame ordonne à Hugo de changer son inspiration, de réhabiliter « le malheur dans le crapaud et le désespoir dans le chardon » : « Je commande, dit-il, des vers aux poètes comme je commanderais à mes valets. » Hugo a entendu cet ordre : c'est lui qui a rédigé cette page dans le Livre des Tables.

conscience du poète des ressources de poésie qu'il avait jusque-là insuffisamment exploitées.

Si nous nous reportons à l'œuvre de Hugo dans la période contemporaine de ces séances, nous trouvons que le grand poème où surgit le thème de la pierre prison d'âme, *Pleurs dans la nuit*, a été écrit aussitôt après le discours où le Drame a évoqué les souffrances de la matière brute : le Drame a parlé le 24 avril 1854, et *Pleurs dans la nuit* a été commencé le lendemain; il est daté, dans le manuscrit, du 25-30 avril 1854. Il faut noter pourtant que Hugo, au lieu de parler de pierres en général évoque uniquement celles de l'intérieur de la tombe qu'on vient de creuser :

> *Le dedans de la fosse apparaît, triste crèche.*
> *Des pierres par endroits percent la terre fraîche* [...] [1],

et il ne s'agit pas des âmes douloureuses de ces pierres, mais pour la première fois tout à fait expressément d'âmes humaines punies de leurs crimes par l'emprisonnement dans la pierre, ce qui combine, avec un nouveau relief, les améliorations apportées par l'Ânesse et par le Drame au grand plan hugolien de 1852. En outre, Hugo, dans ce poème, est le premier à désigner nommément des coupables pouvant mériter d'être enfermés dans la pierre : entre autres, Néron, Nemrod, Messaline, Caligula, Achab, Phalaris, Charles IX, Louis XI, Tibère, Borgia.

Peu après l'Ânesse de Balaam, une autre vedette animale des tables s'était manifestée : le Lion d'Androclès, personne de haut prestige humanitaire [2], avait fait son apparition au début de 1854; le 17 février, il demanda à être interrogé en vers, comme Molière et Eschyle; sur quoi Hugo écrivit dans le mois un poème *Au Lion d'Androclès* [3], auquel le Lion répondit en grands sixains lyriques [4] dans la séance du 24 mars. Il ajouta inlassablement de nouvelles strophes à son poème, de mars à août, non sans quelque collaboration dialoguée avec les assis-

---

1. *Pleurs dans la nuit,* dans *Les Contemplations,* VI, 6, section 6, 2ᵉ strophe.
2. L'histoire de ce lion est connue : Androclès, esclave fugitif au désert, délivre un lion d'une épine qui lui blessait le pied; plus tard, livré aux bêtes dans l'amphithéâtre, il est reconnu, caressé et épargné par ce même lion.
3. *Au Lion d'Androclès* a été recueilli dans *La Légende des siècles,* VIII; daté dans le manuscrit du « 28 février 1854 ».
4. $AA^{12}B^6CC^{12}B^6$.

tants [1]. Certaines des strophes, le 9 et 19 mai, évoquent par la bouche d'un Ange, en les nommant, certains damnés changés en bêtes, arbres ou pierres : taureau Goliath, cèdre Nemrod, boa Nisus, ver Cléopâtre, rhinocéros Caïn, bœuf Phalaris, turbot Domitien, Érostrate volcan, cheval Caligula, Xerxès chaîne de fer, Pyrrhus tuile qui tombe, Alexandre face du mont Athos tourmentée par l'orage [2]. À tous l'Ange promet pourtant la rédemption et le séjour astral [3]. Le Lion, à cette date de mai 1854, n'est pas original en évoquant d'illustres damnés prisonniers de la pierre : il répète ce que Hugo, quelques semaines avant, avait imaginé déjà dans *Pleurs dans la nuit*. Sa seule nouveauté est d'étendre ce type d'évocation aux deux autres règnes, animal et végétal, de la nature, en nommant chaque pécheur avec sa prison : car, ce procédé particulier d'exposition mis à part, bêtes et plantes souffrantes avaient hanté avant lui, on l'a vu, les tables et l'imagination hugolienne. Cependant, en inaugurant ce qu'on pourrait appeler un catalogue nominal des Trois Règnes et de leur peuple de scélérats mémorables, le Lion fournissait l'embryon de ce que Hugo devait somptueusement développer dans *Ce que dit la bouche d'ombre*. Le Lion cesse de paraître en août; le manuscrit du poème, daté du 1er au 13 octobre, suit presque aussitôt.

Il est clair que la période des tables a marqué pour Hugo un moment décisif d'intensification et de mise en œuvre poétique de pensées anciennes chez lui; mais dont il n'avait pas senti jusque-là toute la force. Un processus de prise de conscience, de découverte et de création s'engagea alors, où les tables et lui sont en état de visible émulation. Il a reconnu lui-même que Jersey et les tables ont été l'époque d'un tournant dans sa poésie. Il le dit dans ces termes : « Depuis vingt-cinq ans environ je m'occupe des questions que la table soulève et approfondit [...] Dans ce travail de vingt-cinq années, j'avais trouvé par la seule méditation, plusieurs des résultats qui composent aujourd'hui la révélation de la table, j'avais vu

1. Le 25 avril, il demande à Hugo la permission de lui emprunter un hémistiche; et, usant de cette permission, il appelle les fleurs « ces coquettes nocturnes ». Or cet hémistiche, note Hugo (*Œ., M.,* t. IX, p. 1363), appartient à un poème alors inédit et connu de lui seul (publié seulement après sa mort dans *Toute la lyre,* II, 40 : intitulé *Soir,* daté 6 mars 1854). Il y a dans les Tables d'autres cas aussi prodigieux, que ma perplexité livre à celle des lecteurs.

2. *Œ., M.,* t. IX, pp. 1380, 1386-1387 : le rapport entre le condamné et l'être qui lui sert de prison est, en plusieurs de ces cas, évident.

3. *Ibid.,* pp. 1394-1395, séance du 30 mai 1854.

distinctement et affirmé quelques-uns de ces résultats sublimes, j'en avais entrevu d'autres qui restaient dans mon esprit à l'état de linéaments confus [...] Aujourd'hui, les choses que j'avais vues en entier, la table les confirme, et les demi-choses, elle les complète [...] L'être qui se nomme l'Ombre du sépulcre m'a dit de finir l'œuvre commencée; l'être qui se nomme l'Idée a été plus loin encore, et m'a " ordonné " de faire des vers appelant la pitié sur les êtres captifs et punis qui composent ce qui semble aux non-voyants la nature morte. J'ai obéi. J'ai fait les vers que l'Idée me demandait (ils ne sont pas encore complètement achevés). Pour être compris, il a fallu expliquer. J'ai dû entrer dans le détail, détail qui contient ma pensée ancienne avec l'élargissement apporté par la révélation nouvelle [1]. » Hugo fait ici, sur cette question litigieuse, une mise au point sincère et exacte. Nous lui aurions pardonné de se faire la part plus belle, nous qui pensons que tout, en fin de compte, doit lui être rapporté; mais il ne le savait pas lui-même, et sa foi dans l'au-delà le détournait de le savoir trop clairement [2].

Toute l'honnêteté de Hugo, et sa révérence pour les messages de l'au-delà, ne l'empêchent pas de défendre farouchement ce

1. Intervention de Hugo à la séance du 19 septembre 1854 (Œ., M., t. IX, pp. 1432-1433). Le poème récemment composé à cette date, auquel Hugo fait allusion, ne peut être que *Ce que dit la bouche d'ombre* ; il faut supposer que ce poème daté d'octobre était déjà en voie d'achèvement en septembre (voir R. Journet et G. Robert, *Note sur Les Contemplations*, p. 212). Hugo reconnaît que ce poème a répondu aux suggestions et à la commande d'un esprit. Mais on ne voit pas que cet esprit ait été l'Ombre du sépulcre, lui demandant de finir l'œuvre commencée (rien de tel dans ce qui nous reste des procès-verbaux, mais nous sommes loin de tout avoir), ni que ce soit non plus l'Idée : c'est, nous semble-t-il, le Drame, dans la séance du 24 avril 1854 (voir plus haut). Hugo reconnaît aussi avoir dû élargir et développer la matière, en passant, pour contenter la table, de la méditation à l'œuvre. C'est ce qu'il dit encore dans une lettre du 4 janvier 1855 à Mme de Girardin : « P[aul] M[eurice] vous a-t-il dit que tout un système cosmogonique, pour moi couvé et à moitié écrit depuis vingt ans, avait été confirmé par la table avec des élargissements magnifiques? » (Œ., M., t. IX, p. 1087.)

2. Quant aux emprunts d'expression faits aux Tables par Hugo, point sur lequel Hugo se montre très chatouilleusement négatif, il n'en admet que deux : « le ver Cléopâtre » (v. 318-319 de *La Bouche d'ombre*) emprunté au Lion d'Androclès (9 mai 1854, dans la cinquième des strophes émises ce jour-là par le Lion, p. 1380 des Tables), et « la gradation de la prison au bagne » (v. 296 de *La Bouche d'ombre*, emprunté à l'Ânesse [27 décembre 1853, p. 1266 des Tables]). Mais qu'importe si tout sort, même par des voies obscures, de la fabrique de Hugo et des siens?

qu'il croit être ses prérogatives. Il ne cesse de revendiquer, chaque fois qu'il en a l'occasion, ses titres propres en tant qu'explorateur de l'Infini. Le 5 mai 1854, le *Journal de l'exil* rapporte de lui le propos suivant : « Les vérités que trouve l'homme veulent être confirmées par Dieu. Les vérités qu'énonce la table aujourd'hui, je les ai trouvées il y a quinze ans. Qu'est-ce que j'ai dit ? Il y a vingt ans, j'ai fait un livre sur ces mêmes vérités. C'est le livre que ma fille me presse tant de publier [1]. Ce livre est confirmé par la Table. Du reste, tous les grands hommes ont subi les révélations des esprits supérieurs. » Il cite les cas de Socrate, Zoroastre, Shakespeare, qui ont reçu de telles révélations, et ajoute : « Eh ! bien dans cent ans on dira : Le livre des Tables a été inspiré par le démon familier de Marine Terrace [2]. » Il n'acceptait, on le voit, le « phénomène » que moyennant une forte simplification métaphysique : au lieu de la foule ironiquement absurde des personnages, des noms et des épisodes, un Esprit unique, et qui plus est délégué spécialement auprès du groupe de Jersey, autrement dit auprès de Hugo, et dûment mandaté par Dieu pour confirmer les intuitions du Poète, sous le haut patronage de trois grands Mages du passé. C'est à quoi se ramène, dans l'intime sentiment de Hugo, tout le branle-bas des tables : à une communication entre l'Être suprême et lui, chacun en son lieu. Hugo tient à la fois à ce que le « phénomène des tables » soit surhumain dans sa source, pour qu'il ait valeur de confirmation ultraterrestre de ses propres intuitions, et à ce qu'il ne manifeste rien qui dépasse les limites de la quête humaine, pour ne pas l'éclipser et la rendre vaine [3]. Hugo a dit plus tard son dernier mot sur ce sujet : « Quoi que la crédulité en ait dit ou pensé,

1. *Journal d'Adèle Hugo*, éd. citée, t. III, p. 201, 5 mai 1854 ; il y a une autre version de ce propos, à peu près identique, reproduite dans Œ., M., t. IX, p. 1495. Hugo entend certainement par « esprits supérieurs » des messagers de l'au-delà ; et le « démon familier » qu'il évoque est un souvenir de celui, très illustre, de Socrate.

2. Il n'y a pas trace, que je sache, d'un tel livre déjà *fait* dans les années 1830-1840. Hugo est plus près de ce que nous savons de lui quand il parle de « travail » ou de « méditation » poursuivis depuis lors. Nous ne connaissons de *livre* de Hugo sur la survie ni avant ni pendant l'exil.

3. Il se réfère chaque fois qu'il peut à tel poème ou à tel vers de lui où une pensée ou une expression que la table vient d'émettre se trouvait déjà antérieurement ; voir plusieurs références dans J. Gaudon, Œ., M., t. IX, p. 1173 ; et *ibid.*, p. 1465, séance du 29 avril 1855, l'espèce d'aveu, fait par un Esprit anonyme, de ces emprunts des tables à l'œuvre du poète, et la promesse de ne plus continuer cette pratique, « en hommage au douloureux travail humain ».

ce phénomène des trépieds et des tables est sans rapport aucun
[...] avec l'inspiration des poètes, inspiration toute directe. La
sibylle a un trépied, le poète non. Le poète est lui-même
trépied. Il est le trépied de Dieu. Dieu n'a pas fait ce merveilleux alambic de l'idée, le cerveau de l'homme, pour ne
point s'en servir. Le génie a tout ce qu'il lui faut dans son
cerveau. Toute pensée passe par là. La pensée monte et se
dégage du cerveau, comme le fruit de la racine. La pensée est
la résultante de l'homme. La racine plonge dans la terre; le
cerveau plonge en Dieu. C'est-à-dire dans l'infini [1]. » On aura
remarqué que le poète est à la fois trépied de Dieu et cerveau
humain agissant par sa propre nature, ce qui est parfaitement
conforme à l'anthropologie de Hugo et à son idée des droits
métaphysiques de l'homme.

La loi du doute.

Hugo, dans une note en marge du manuscrit de *La Légende
des siècles,* écrit ceci : « Le travail du cerveau humain doit rester
à part et ne rien emprunter aux phénomènes » (c'est-à-dire aux
faits non explicables humainement); il ajoute : « Les manifestations extérieures de l'invisible sont un fait, et les créations
intérieures de la pensée en sont un autre; la muraille qui sépare
ces deux faits doit être maintenue, dans l'intérêt de *l'observation*
et de la science. On ne doit lui faire aucune brèche [...] C'est
par respect pour ce phénomène même que je m'en suis isolé,
ayant pour loi de n'admettre aucun mélange dans mon inspiration [2]. » Cette volonté de Hugo d'établir à tout prix une
séparation entre la compétence des esprits parleurs et la sienne
s'entoure, dans les procès-verbaux des tables, de considérants
confus ou contradictoires. Car parfois la séparation semble se
fonder sur l'idée que les esprits, ayant passé le seuil de la mort,
en savent nécessairement plus que les douloureux et laborieux

1. *William Shakespeare,* Ire partie, liv. II, I (p. 21 dans Œ., I.N.), 1863-1864.
Voir aussi le *Journal d'Adèle Hugo,* t. III, p. 92, 20 janvier 1854 (Hugo parle) :
« J'ai en moi deux lumières : ma conscience qui me vient de Dieu, ma raison
qui éclaire le vrai et qui vient de l'humanité. »
2. Note reproduite par Paul Berret dans son édition de *La Légende des siècles*
(collection « Les Grands Écrivains »), t. I, p. 108 : cette note est sans doute
postérieure à l'époque des tables [1859?].

vivants – la Mort illuminatrice est un lieu commun spiritualiste; et dès lors les esprits, faisant valoir cette supériorité, sont
conduits à proscrire la publication de ce qu'ils prétendent
révéler [1]. Mais, d'autre part, Hugo leur oppose souvent qu'ils
ne lui apprennent rien qu'il ne sache déjà; et parfois ils
reconnaissent eux-mêmes subir dans la connaissance des choses
cachées les mêmes limitations que l'homme [2]; et de ce fait
Hugo et ses amis se sentent autorisés à publier ce fonds de
demi-vérités tel que les tables l'ont livré, puisqu'elles n'en ont
pas le monopole; quoique, à vrai dire, ils puissent aussi bien
considérer comme inutile de rendre publiques des révélations
qui n'en sont pas [3]. Un seul aspect du débat est net : l'homme
vivant – c'est en son nom surtout que Hugo parle – sait et
ignore à la fois, et doit se convaincre que le doute est la loi
de sa pensée. L'idée d'une limitation et d'un doute, inséparables
de la condition humaine, est si constante à travers les séances,
qu'on la voit liée parfois à des vues sur la fonction providentielle
de l'homme. Limite et valeur ne font alors plus qu'un; ainsi
en juge l'esprit de Luther, le vendredi 3 février 1854; demand-
dant comment il a pu douter, lui qui a entendu la parole
divine, il répond : C'est « parce que le doute est l'instrument
de l'esprit humain. Le jour où l'esprit humain ne douterait
plus, l'âme humaine s'envolerait et laisserait la charrue, ayant
l'aile [...] Le grain céleste commande au soc humain de rester
dans le sillon de la vie. Homme, ne te plains pas de douter.
Le doute est le spectre qui tient l'épée flamboyante du génie

---

1. Ainsi le 11 décembre 1853 (*Œ., M.,* t. IX, p. 1255, l'Ombre du sépulcre
parle) : « L'esprit vous a parlé, l'esprit vous a révélé une partie du grand secret.
Maintenant, silence, bouches profanes, ne montrez à nul mortel ces pages flam-
boyantes. »

2. Séance, du 3 juillet 1854 (*ibid.,* p. 1416, c'est l'Idée qui parle) : « Nous
sommes des condamnés comme vous [...] Au bout de toutes nos explications,
même les plus profondes, il y a un mur. L'infini, pour nous comme pour vous,
est une impasse. » Et les esprits proclament la loi du doute comme les régissant
au même titre que les vivants : « Doutons », dit l'esprit de Jacob (*ibid.,* p. 1282,
22 janvier 1854), qui développe longuement ce thème.

3. Il fut longtemps question à Jersey de publier les comptes rendus des séances,
comme devant contribuer à fonder la foi de l'avenir. Finalement, ils restèrent
inédits, on se demande pourquoi : réflexe d'« horreur sacrée » de Hugo? crainte
de la réprobation des républicains agnostiques et antireligieux (Hugo y pensait
beaucoup, voir Gaudon, dans *Œ., M.,* t. IX, pp. 1181-1182)? crainte, chez Hugo,
d'être accusé d'avoir plagié les Tables? sentiment de double emploi avec cette
œuvre et donc d'inutilité?

à la porte du beau » [1]. Le doute est ici à la fois infirmité et liberté, comme le péché dans la perspective humanitaire. Infirmité, car « ce monde sublime [*des esprits*] veut être notre vision et non notre science [...] En un mot, il veut que l'homme doute. C'est visiblement la loi, et je me résigne [...] Les tables, qui commencent à cette heure la grande Bible nouvelle, y mêlent et y tordent le livre d'obscurité et le livre de clarté ; elles nous laissent croyant davantage et doutant encore plus [...] Il faut que nous ne soyons sûrs de rien, c'est là l'expiation humaine » [2]. Mais le doute est aussi liberté, saluée dans ces termes. « La révélation ne s'impose plus, elle autorise, elle sollicite la discussion. Que l'homme pense ce qu'il pourra, pourvu qu'il pense. La foi ouvre un battant de la porte du Paradis et le doute ouvre l'autre [3]. »

Le Mage et l'humanité.

Le débat sur la publication éventuelle du « Livre des Tables » a fait place, dans l'automne de 1854, si l'on en juge par les procès-verbaux des séances, à une autre discussion : le sujet s'est déplacé, et on se demande maintenant s'il convient de publier ce qui, dans les œuvres du poète lui-même, concerne l'au-delà. Il ne s'agit plus de savoir si le Mage a le droit de divulguer ce que lui ont dit les esprits, mais s'il peut livrer aux profanes, à l'humanité commune, ce qu'il a découvert par lui-même des choses cachées. Cette longue discussion occupa plusieurs séances successives, de septembre à novembre [4]. C'est, du côté des assistants, Hugo qui parle, quoique, à son habitude, il ne soit pas à la table ; et c'est, du côté des esprits, la Mort qui répond. Hugo demande si les esprits sont d'accord pour qu'il publie ce qu'il a entrevu par sa propre méditation. Comme il est trop évident qu'il a bien l'intention de le faire, la Mort ne semble parler que pour éclairer la décision de Hugo. Elle distingue, dans la vie de tout poète, « son œuvre de vivant et son œuvre de fantôme » ; et Hugo, bien sûr, acquiesce à cette

1. *Œ.*, M., t. IX, pp. 1298-1299, 3 février 1854.
2. *Ibid.*, p. 1446 (note écrite par Hugo à la suite du compte rendu de la séance du 17 décembre 1854).
3. *Ibid.*, p. 1415, 3 juillet [1854] : déclaration d'Auguste Vacquerie.
4. *Ibid.*, séances des 19, 20, 23, 29 septembre, 22 octobre, 10 novembre 1854.

distinction d'une poésie tournée vers la vie, l'expérience humaine et la lutte militante, et d'une poésie orientée vers les mystères de l'au-delà. Mais tandis que la Mort conseille plutôt de garder secrète cette seconde sorte de poésie, Hugo les déclare inséparables l'une de l'autre et destinées toutes deux à la publicité : il appelle le vivant et le fantôme « les deux collaborateurs mystérieux », et plaide pour « l'œuvre double que j'ai faite toute ma vie et que je continue » [1]. Double en effet, et indivisible, car comment Hugo séparerait-il la République, la liberté et la justice de la pensée divine ?

La mission du Mage, toute sacrée qu'elle est, et divine dans sa source, est donc tournée vers l'humanité et répugne à tout ésotérisme. Le Poète enseigne des vérités divines à l'usage des hommes : tel est l'axiome qui résume la doctrine. C'est ce que développe principalement toute la partie centrale des *Mages* [2], qui fait de « ces messies » les nourriciers spirituels de l'humanité :

> [...] *Ils nous font espérer un peu ;*
> *Ils sont lumière et nourriture ;*
> *Ils donnent au cœur la pâture,*
> *Ils émiettent aux âmes Dieu !*

> *Devant notre race asservie*
> *Le ciel se tait, et rien n'en sort.*
> *Est-ce le rideau de la vie ?*
> *Est-ce le voile de la mort ?*
> *Ténèbres ! L'âme en vain s'élance,*
> *L'inconnu garde le silence,*
> *Et l'homme, qui se sent banni,*
> *Ne sait s'il redoute ou s'il aime*

---

1. *Ibid.*, 19 septembre 1854 (question de Hugo ; la Mort distingue les deux sortes de poésie, pp. 1433-1434 ; la Mort souhaite que l'« œuvre de nuit » reste silencieuse, p. 1434, deuxième partie de la séance) ; – 20 septembre (acquiescement de Hugo à la distinction des deux poésies, p. 1435) ; – 23 septembre (Hugo, pour l'œuvre double », indivisible, p. 1437). – Dans la séance suivante, 29 septembre, la Mort conseille de publier en livraisons posthumes l'œuvre occultée jusqu'à la mort du poète (pp. 1438-1439) : suggestion pratiquement repoussée dans les séances des 22 octobre et 10 novembre, p. 1440 et 1442 (quoiqu'elle répondît bien au désir de ménager dans l'immédiat l'opinion républicaine, curieusement invoquée par la Mort le 20 septembre, p. 1436).

2. Dans les sections IV, VI et VIII du poème.

> *Cette lividité suprême*
> *De l'énigme et de l'infini.*
>
> *Eux, ils parlent à ce mystère,*
> *Ils interrogent l'éternel,*
> *Ils appellent le solitaire,*
> *Ils montent, ils frappent au ciel,*
> *Disent : Es-tu là ? dans la tombe,*
> *Volent, pareils à la colombe*
> *Offrant le rameau qu'elle tient,*
> *Et leur voix est grave, humble ou tendre,*
> *Et par moments on croit entendre*
> *Le pas sourd de quelqu'un qui vient* [1].

Toutes ces images figurent la fonction d'intermédiaire du Mage ;
de même :

> *Le grand caché de la nature*
> *Vient hors de l'antre à leur appel ;*

ce sont eux qui communiquent Dieu aux hommes ; c'est toujours par eux que s'est accomplie l'œuvre essentielle des religions :

> *Oui, grâce à ces hommes suprêmes,*
> *Grâce à ces poètes vainqueurs,*
> *Construisant des autels poèmes*
> *Et prenant pour pierres les cœurs,*
> *Comme un fleuve d'âme commune,*
> *Du blanc pylône à l'âpre rune,*
> *Du brahme au flamine romain,*
> *De l'hiérophante au druide,*
> *Une sorte de Dieu fluide*
> *Coule aux veines du genre humain* [2].

Mieux, le Mage, frustré du savoir suprême et obstiné à le
conquérir, est l'Homme lui-même ; le poète les interpelle à
l'occasion l'un pour l'autre :

1. *Les Mages*, section IV.
2. *Ibid.*, section VI.

> *Allons, mage! fais-toi reconnaître du gouffre!*
> *N'es-tu pas le voyant dont la prunelle luit?*
> *Ose donc commander à toute cette nuit.*
> *Que l'abîme au besoin te sente âpre et terrible.*
> *Homme, toutes les fleurs sont dans la terre horrible :*
> *Sache les en tirer. Toutes les vérités*
> *Sont dans ce fauve amas d'ombre et d'obscurités.*
> *Travaille, penche-toi; sache les en extraire.*
> *Tiens tête même au ciel si le ciel t'est contraire* [1].

L'entreprise des hommes d'exception n'est autre que celle du genre humain :

> *Les vivants ont raison, dans leur obscurité,*
> *D'ébaucher la statue immense Vérité.*
> *L'homme est le noir sculpteur, le mystère est le marbre* [2].

La mission humaine du Mage a plusieurs noms, Science, Progrès, Liberté, mais elle a pour objet en toutes choses de mettre les peuples debout, de les instituer peuples, selon la fonction attribuée aux antiques législateurs, dont Hugo voit l'image dans la fameuse vision d'Ézéchiel ressuscitant des ossements [3] :

> *Comment naît un peuple? Mystère!*
> *À de certains moments, tout bruit*
> *A disparu; toute la terre*
> *Semble une plaine de la nuit;*
> *Toute lueur s'est éclipsée;*
> *Pas de verbe, pas de pensée,*
> *Rien dans l'ombre et rien dans le ciel.*
> *Pas un œil n'ouvre ses paupières... —*
> *Le désert blême est plein de pierres,*
> *Ézéchiel! Ézéchiel!*

---

1. *Dieu, fragments*, section I, fragment 466b [1856-1858].
2. *Dieu (L'Océan d'en haut)*, v. 2105-2107 (c'est l'Ange humanitaire qui parle) [1855].
3. Ézéchiel, ch. XXXVII. Cette vision était depuis longtemps, dans la tradition de « poésie sacrée » française, un des textes bibliques les plus fréquemment traduits ou paraphrasés. Hugo, sous l'influence sans doute de son panpsychisme, ajoute à la Bible un épisode préalable de pierres changées en os, avant celui des os rendus à la vie.

Mais un vent sort des cieux sans bornes,
Grondant comme les grandes eaux,
Et souffle sur ces pierres mornes,
Et de ces pierres fait des os;
Ces os frémissent, tas sonore;
Et le vent souffle, et souffle encore
Sur ce triste amas agité,
Et de ces os il fait des hommes,
Et nous nous levons, et nous sommes,
Et ce vent, c'est la liberté!

Ainsi s'accomplit la genèse
Du grand rien d'où naît le grand tout.
Dieu pensif dit : Je suis bien aise
Que ce qui gisait soit debout.
Le néant dit : J'étais souffrance;
La douleur dit : Je suis la France!
Ô formidable vision!
Ainsi tombe le noir suaire;
Le désert devient ossuaire,
Et l'ossuaire nation [1].

Les figures de cette intervention du Mage au service de l'humanité se multiplient :

Ils sont là, hauts de cent coudées,
Christ en tête, Homère au milieu,
Tous les combattants des idées,
Tous les gladiateurs de Dieu;
Chaque fois qu'agitant le glaive,
Une forme du mal se lève
Comme un forçat dans son préau,
Dieu, dans leur phalange complète,
Désigne quelque grand athlète
De la stature du fléau [2].

En fin de compte, c'est une image mythique de lutteur qui définit l'action des mages; « hommes d'extase », c'est pourtant « à la lueur de Prométhée » qu'ils conduisent les hommes :

1. *Les Mages*, section IX, strophes 2 à 4.
2. *Ibid.*, section X, strophe 5.

> *Dans l'ombre immense du Caucase,*
> *Depuis des siècles, en rêvant,*
> *Conduit par les hommes d'extase,*
> *Le genre humain marche en avant;*
> *Il marche sur la terre; il passe,*
> *Il va dans la nuit, dans l'espace,*
> *Dans l'infini, dans le borné,*
> *Dans l'azur, dans l'onde irritée,*
> *À la lueur de Prométhée,*
> *Le libérateur enchaîné* [1].

Au sein de l'humanité, le Peuple, en bonne doctrine humanitaire, mérite une mention privilégiée : c'est par lui et en lui surtout que le genre humain s'élargit et progresse. Aussi la littérature et la poésie sont-elles en union naturelle avec le peuple : tout le XIXᵉ siècle progressiste l'a pensé. « La littérature, écrit Hugo, secrète de la civilisation, la poésie secrète de l'idéal. C'est pourquoi la littérature est un besoin des sociétés. C'est pourquoi la poésie est une avidité de l'âme. C'est pourquoi les poètes sont les premiers éducateurs du peuple [2]. » « 1830 a ouvert un débat, littéraire à la surface, social et humain au fond. Nous concluons à une littérature ayant ce but : le Peuple. Le Peuple, c'est-à-dire l'Homme » [3]. Et Hugo, bien significativement, rappelle qu'il a jadis écrit : « Le poète a charge d'âmes », montrant que trente années n'ont pas changé la conviction qui, dit-il, a été « la règle de sa vie » [4]. Car « la pensée est pouvoir », et « tout pouvoir est devoir » [5]. D'ailleurs,

---

1. *Ibid.,* strophe X.
2. *William Shakespeare,* IIᵉ partie, liv. V, « Les esprits et les masses » (Œ., I.N., p. 164). On lit dans le recueil de fragments de Hugo publié par H. Guillemin sous le titre *Post-scriptum de ma vie* (titre déjà employé pour un volume de l'édition I.N. des *Œuvres* auquel nous avons plus d'une fois renvoyé le lecteur), Neuchâtel, 1961, p. 85, cette phrase remarquable, qui pourrait servir de devise aux études littéraires : « On entre plus profondément encore dans l'âme des peuples et dans l'histoire intérieure des sociétés humaines par la vie littéraire que par la vie politique. » L'éditeur n'use pas dans ce cas de l'astérisque dont il désigne les fragments inédits que contient son recueil; je n'ai pu identifier la source à laquelle il a emprunté celui-ci.
3. *William Shakespeare, ibid.,* Œ., I.N., p. 168.
4. *Ibid.* La phrase citée figurait en février 1833 dans la Préface de *Lucrèce Borgia,* et fut reprise le 29 mai 1833 dans l'article que Hugo publia à cette date dans *L'Europe littéraire.*
5. *William Shakespeare,* IIᵉ partie, liv. VI, « Le Beau serviteur du vrai », début de la section 4.

« toute méditation dans un esprit sain et droit se termine par
un éveil confus de responsabilité : vivre, c'est être engagé » [1] –
ce qui, en langage plus vitalement hugolien, devient ceci : « Le
penseur, poète ou philosophe, poète et philosophe, se sent une
sorte de paternité immense [2]. » Le penseur ne sert pas la société ;
en la fondant sur l'idéal, il l'engendre en tant que société. Si
une telle société doit naître d'une révolution, « la révolution
est la loi, la littérature est l'idée » [3]. Mais la paternité ne s'arrête
pas à l'action génératrice ; elle est dévouement, sacrifice consenti
au-delà même de la sagesse ; d'où le possible martyre paternel.
Le penseur persécuté est, d'une certaine manière, un père que
ses enfants sacrifient. Ce martyre du Mage est partout évoqué
dans l'œuvre de l'exil. Les modèles sont les grandes victimes
de l'ingratitude : Socrate, Jésus [4] ; Jean Valjean est, à cet égard,
leur équivalent dans l'humanité commune.

*

C'est en Hugo que s'est faite la fusion la plus vaste et la
plus complète du romantisme poétique avec l'humanitarisme.
Les deux familles romantique et humanitaire se sont, au cours
du demi-siècle, côtoyées et mêlées. Un déisme à théologie
hétérodoxe apparaît déjà dans le romantisme chrétien des années
1820, non sans quelque penchant à des visions d'avenir ; le
Cénacle des dernières années de la Restauration, rejetant la
poétique de l'ancienne société, cherche un art et des sujets qui
puissent toucher le grand public moderne, voire la foule ; il
exalte les peuples contre les rois, les parias contre les gens en
place, les condamnés contre leurs juges ; il commence à brasser
les notions métaphysico-morales de Providence, de Fatalité, de
Sacrifice et de Rédemption, orientées de plus en plus, chez les
écrivains comme chez les philosophes, vers une méditation sur
les destinées de l'humanité, indépendante et rivale de la religion

1. Reliquat de *William Shakespeare*, « Les Génies appartenant au peuple »,
Œ., I.N., p. 260.
    2. *Ibid.*, p. 262.
    3. *Post-scriptum de ma vie*, dans Œ., I.N., *Philosophie II*, « La civilisation »,
p. 509.
    4. Voir par exemple *Halte en marchant*, dans *Les Contemplations*, I, 29 (1855) ;
L'Âne, « Colère de la bête », VI, v. 1285 et suiv. [1857-1858] ; *Souffrez, ô
précurseurs*, dans *Toute la lyre*, V, 32 [1858-1860] ; et, débordant au-delà de la
période de l'exil, *La Comète*, dans *La Légende des siècles*, XLVI [1853-1874] ; *La
Vérité, ibid.*, XLIX, (1874).

traditionnelle. Tous ces traits, constitutifs de l'humanitarisme, sont nés dans la littérature de l'âge romantique et se sont développés avec elle, en dehors de tout esprit de système, en poésie, au théâtre, dans le roman. De cette alliance de la littérature avec la foi du XIXe siècle, Hugo est l'exemple majeur. Il tenait des Cénacles romantiques de la Restauration le culte de la poésie et de l'art. Il est celui, entre tous, qui a pu joindre intimement ce culte sans l'altérer, en l'exaltant au contraire, à la foi dans l'Humanité progressive. Nous avons vu que cette réunion a dû mûrir longuement dans son œuvre, avant de se déclarer et de rayonner, si l'on peut dire, après la bataille et dans l'exil, comme pour l'édification des générations futures.

Il a ainsi poussé plus loin que quiconque ce qui fut l'entreprise d'un demi-siècle de littérature et de pensée. Mais on n'a rien dit si l'on n'ajoute que, chez lui seul, l'idéal poético-humanitaire proposé à la société moderne s'affirma destiné à remplacer effectivement, en tant qu'objet de croyance commune, l'héritage des anciennes religions. Tous se sont efforcés dans ce sens; lui seul a l'audace de couronner le déisme spiritualisé que professaient ses contemporains d'une théologie du salut, d'une mythologie du Bien et du Mal, d'une cosmologie incluant et exaltant l'homme au sein de l'infini. La puissance de son verbe et de ses figures lui a permis de le faire avec autorité. Il a mis, étant homme d'aujourd'hui, ce qu'il fallait de simple espérance ou de doute à côté de la foi, et d'orgueil humain à côté de l'humilité. Mais il tentait l'impossible : la Foi en un absolu n'avait plus de carrière devant elle; nouvelle, elle ne pouvait plus tout à fait convaincre; ancienne, elle semblait vouée à dépérir. On peut en dire autant de tout sacerdoce ou ministère transnaturel moderne. Hugo le comprit sans doute ou le craignit, au contact des républicains de la génération plus jeune, surtout après l'exil. Mais il s'en tint jusqu'au bout à ce qui était son œuvre et sa conviction.

Il y avait dans la foi humanitaire telle qu'il la professait un délire d'optimisme, c'est vrai : la régénération de tous les êtres, hommes, bêtes et choses, la fraternité cosmique incluant la rédemption des astres, sont imaginées et célébrées au-delà de toute plausibilité; et même si l'on écarte cette imagination de concert universel, en considérant seulement le destin de l'humanité à venir, il faudrait quelque mesure dans la prévision, et moins de chimère. Mais quoi? si l'on ne croit plus à l'éternité selon les religions, faut-il nécessairement renoncer à ce que la condition humaine ait un sens? Le scepticisme a ébranlé, de toutes parts, la foi même que professait Hugo dans la différence du bien et du mal; la dérision a frappé son espérance du mieux. Mais si nous ne nous satisfaisons pas du triomphe éternel de la cruauté, de la platitude et du mépris de l'homme, quelle signification prêter à notre vie qui ne confirme, pour l'essentiel, la haute parole de Hugo? Notre époque, qui croit avoir tout contesté, ne s'avoue pas assez à elle-même que ses idéaux restent, sous l'usure et les déceptions, ceux-là mêmes qu'il a proclamés. La poésie et la pensée ont, dans le temps qui a suivi Hugo, renié Prométhée et Orphée pour Narcisse; l'éloquence s'est faite soliloque, et le feu sacré n'a survécu qu'en un reflet obscurci. Mais la société a continué à poursuivre ses buts, quoique à tâtons et en affectant de ne pas trop y croire. Nous concevons et désirons toujours pour seuls biens, comme Hugo, le progrès de la connaissance et du bonheur, la fin des guerres et des oppressions, l'autonomie des existences indivi-duelles et le droit égal de chacun au respect de tous. On peut sourire de cette liste; elle continue de faire loi pour nous; il faut qu'elle ait une grande force de vérité : les religions, après l'avoir contestée, affectent aujourd'hui de l'adopter; tous ceux, de quelque côté que ce soit, dont la doctrine dit ouvertement ou implique frauduleusement le contraire soulèvent l'insur-montable aversion publique. Ceux, plus récents, qui ont voulu accréditer parmi nous, sous les formes les plus diverses, la nullité du moi-sujet et la fin de l'homme, comme effrayés eux-mêmes du vide que leur imagination creuse, aboutissent ino-pinément, et à l'encontre de toute cohérence, à une extension des droits humains jusqu'à l'absolu. Ce sont là de grands symptômes, dont aucune dialectique ne peut masquer l'évi-dence. On entend dire souvent que Hugo n'est pas original dans sa pensée. Rien n'est plus discutable, qu'il s'agisse de lui ou de n'importe lequel de ses grands contemporains. Mais c'est surtout reconnaître, sur le mode malveillant, qu'il pense selon la foi commune de son temps et du nôtre.

QUELQUES RÉFLEXIONS GÉNÉRALES

On a vu, par l'exemple de nos trois poètes, que les grands écrivains de l'âge romantique n'ont pas ignoré certains des systèmes dogmatiques contemporains, et qu'ils ont pu, çà et là, leur emprunter quelque chose. Mais ces emprunts à l'un ou l'autre système, du néo-catholicisme au positivisme, en passant par les diverses formes de l'utopie scientiste et socialiste, demeurent, au total, de faible importance. La communication entre le romantisme et les doctrines que divers « reconstructeurs » proposaient au siècle nouveau était visiblement entravée par le fait que ces doctrines, en vertu d'une logique intime et insurmontable, prétendaient imposer leurs articles de foi, comme cadre et matière première de toute création, à la poésie et à l'art. La résistance du romantisme à cette emprise atteste son essence libérale. De fait, tout ce qu'on a coutume d'appeler la « bataille romantique » s'est livré au nom de la liberté dans l'art. Cette liberté n'exclut pas seulement tout dogme esthétique; elle est difficile à concevoir en dehors d'un principe général d'autonomie du sujet individuel, applicable en tout domaine. Car le romantisme ne s'est, en aucun temps, désintéressé de la politique ni de la morale. Bien au contraire, il a proclamé, dès ses débuts, son ambition d'animer la société nouvelle, d'incarner sous tous ses aspects l'esprit du XIXᵉ siècle. Mais s'il a développé, dès avant 1830, son engagement sur ce terrain avec la liberté pour principe, il a presque aussitôt allié à son libéralisme des tendances qui pouvaient risquer de le contredire et que l'on qualifiait déjà alors de « sociales ». C'est la raison pour laquelle les écoles réformatrices contemporaines pouvaient l'attirer, et le problème se poser de ses rapports avec elles. Or, instinctivement, la littérature romantique la plus militante, spirituellement et socialement, s'est toujours arrêtée, dans sa conception de l'avenir, avant la limite où la liberté de détermination et de création du sujet individuel pouvait être menacée.

Elle a suivi en cela l'esprit public dans son ensemble. À l'encontre des nouvelles écoles de pensée et de leurs constructions dogmatiques, elle a professé ce qui, au-delà de tout système particulier, constituait ce qu'on peut appeler la Vulgate démocratique, libérale et humanitaire du XIXe siècle. C'est au sein de cet ensemble, divers et largement accepté, d'idéaux, d'affects et d'axiomes que les écrivains romantiques ont établi leur région de pensée. L'héritage des Lumières et celui d'une religion remaniée y voisinaient avec le messianisme moderne, se prêtant à des alliages et dosages divers dont chaque écrivain composait son œuvre selon ses préférences et moyennant les symboles et les types de son choix.

On ne peut assez répéter que l'idée d'une mission propre à la poésie dans la société nouvelle animait la recherche de ces poètes. Parler de l'homme et de sa condition, c'est pour eux définir – parfois explicitement, toujours implicitement – la fonction du poète : c'est lui qu'appelle plus que tout autre, comme inspirateur et guide, l'avenir qui s'ouvre à l'humanité. Telle est – nous l'avons assez constaté – la pensée des poètes eux-mêmes, et elle semble largement répandue dans le monde littéraire et dans le public. Les auteurs entendent gravement ce ministère. Mais comment l'entend le public quand, plus ou moins généreusement, il y souscrit? Ce n'est pas dire grand-chose au regard des affaires et des intérêts du monde, que de proclamer la mission du Poète bienfaisante et sainte. Tout pouvoir de nature spirituelle peut paraître illusoire, s'il ne dispose pas de moyens réels d'intimider et de s'imposer, consacrés par une longue habitude publique. Le sacerdoce poétique, à cet égard, semble singulièrement démuni. Sa relation avec le ciel est affaiblie par une ontologie incertaine; il ne s'appuie sur aucune religion ni métaphysique déterminée; il exclut, par nature, dogmes fixes et rites : il n'a, de ce côté-là, que quelques croyances approximatives et quelques sujets communs d'enthousiasme; un verbe souverain, riche d'inventions fulgurantes et d'irrésistibles séductions, fait le principal de son prestige, avec une pensée à qui l'éloquence et la profondeur sont données sans effort. Mais de tels dons suffisent-ils pour autoriser un véritable pouvoir? D'autre part, ce sacerdoce est attaché à la terre plus qu'aucun autre; il effacerait parfois la frontière du spirituel et du temporel; il veut annoncer l'avenir et en hâter la naissance; il croit pouvoir juger du bien public, domaine où la parole poétique, sauf dans la légende des premiers temps de l'humanité, n'a jamais joui d'un grand crédit. Beaucoup de gens vénèrent l'auguste Poésie, qui ne sont prêts à lui confier aucune responsabilité dans la conduite des hommes. Le sacerdoce poétique, au temps de nos trois poètes, voulait tenir à la fois le ciel et la terre; ce serait, pris à la lettre, une théocratie, mais à la fois indécise en Dieu et contestée parmi les hommes. Le ministère du poète ne trouve son vrai crédit que quand il consent à se donner pour *littérature,* et à condition que la littérature de haute inspiration soit reconnue comme une puissance virtuelle parmi les hommes. C'est sans doute tout ce que l'opinion générale est prête à lui accorder, étant admis que cette puissance s'est accrue de ce que les Églises ont perdu.

De là est née l'idée de la mission spirituelle des poètes. Là est une des sources du romantisme lui-même. La méditation sur le bien et sur le salut, fuyant l'entremise d'une doctrine et d'un clergé, a émigré vers l'intimité du sujet humain; la littérature s'est trouvée fécondée et métamorphosée par cette incalculable nouveauté. Le *moi* dont on fait généralement une des créations de la littérature romantique est ce *moi* métaphysique qui a quitté les voies de la religion pour animer les rêves des poètes et vivre dans leurs vers. Les troubles du cœur en quête d'absolu, au lieu d'avoir pour théâtre les couvents et les oratoires, sous la discipline de l'ancienne foi, se sont fait jour dans la liberté de la littérature, lui conférant une gravité jusque-là inconnue : c'est à peine si elle avait auparavant le droit d'accueillir cette matière sacrée, et sous condition d'orthodoxie. C'est elle maintenant qui en a le dépôt, sous réserve que chacun puisse avoir, selon sa mesure, le même droit que l'écrivain. On cherche la vérité dans les intuitions de chacun et de tous, dans ce que le *moi* méditant croit découvrir; et il n'est rien qui soit considéré comme plus grave, plus digne d'attention et de respect que cette quête. Ainsi le *moi* romantique ne doit pas s'entendre au sens psychologique, en tant que *moi objet de connaissance* : celui-là, familier depuis longtemps à la littérature – c'est, à sa plus haute puissance, celui des *Essais* de Montaigne

– présente, dans le sujet même, la forme objectivement dévoilée de la nature humaine. Dans le *moi* proprement romantique, la personne fait autre chose que son portrait; elle ne se donne pas pour une nature, pour une chose observable, un contenu à explorer; elle est intention, souci, aspiration ou rejet; position, à travers ce qu'elle admire ou réprouve, de valeurs virtuelles qu'elle aspire à accréditer; un *moi* religieux en somme, laïcisé et émancipé [1]. Vu sous cet angle, le pouvoir spirituel du poète cesse d'être une chimère; c'est l'aspect, propre à la poésie, et suréminent en elle, d'un fait que nous vivons depuis deux cents ans : l'accès de la littérature à un statut spirituel sans précédent.

L'instinct commun de nos trois poètes a été de parler pour tous – au nom et à l'intention de tous – et de n'enseigner que ce que leur temps était prêt à entendre. Ils ne voulurent se distinguer de la foule qu'autant que leur position impliquait à leurs yeux une tâche et une responsabilité particulière. Le délire d'autorité et d'omniscience de la plupart des révélateurs contemporains (Saint-Simon, Fourier, Comte, sans nommer les moindres) ne fut jamais leur fait. Ils voulaient parler, comme poètes, une langue communicative, mêlée au concert humain; mais ils se donnaient une telle mission qu'une investiture distinctive semblait attachée à leur vocation. Ils n'ont pu éviter de le dire, cédant à une forte et intime tentation. On a vu les *signes* qui, selon Lamartine, avaient marqué son destin dès son enfance. Vigny, lui-même, tout réservé et peu expansif comme il était, vivait peut-être sans le dire des pensées semblables : « Il m'a été prédit dans mon enfance, écrit-il, que je deviendrais

---

1. D'une façon générale, dans les définitions qu'on donne du romantisme, on confond trop souvent le point de vue de la *matière* et celui de l'*intention*. Ainsi, par exemple, ce qu'on peut appeler le « sentiment de la nature » a bien existé avant le romantisme, dans la poésie médiévale de Mai, dans la faveur dont a joui, dans l'âge aristocratique, le rêve d'une vie naturelle opposée à celle de la cour : le romantisme n'aurait rien inventé s'il s'en était tenu là; mais il a fait de la nature le temple de Dieu, un lieu de méditation et de communion avec l'infini. Autre exemple : l'« irrationnel » dont on fait volontiers un élément exclusif de la littérature romantique est le *matériau* dont se servent Racine, Molière, La Bruyère, peintres des faiblesses de la raison. Mais les romantiques ne se contentent pas de *peindre* l'irrationnel, ils l'évaluent; ils font du silence de la stricte raison, en certains cas, la condition du Beau moral et des accomplissements suprêmes. Le romantisme n'a pas seulement changé le contenu de la littérature, mais sa fin et sa fonction.

un grand saint et que je construirais une église [1]. » Pour Hugo, il lui suffit d'éprouver, quand il veut, que sa voix, comme celle de Moïse ou d'Isaïe, peut passer pour l'écho de celle de Jéhovah; et qui peut douter que la figure surhumaine de ses Mages ne soit aussi bien la sienne? On peut rapporter ces fantasmes à l'*ego* ordinaire des poètes, volontiers glorieux. Mais c'est autre chose de promettre à ses propres vers, comme ont fait tant de poètes, l'hommage des races futures et l'immortalité, et de se dire commis par la Providence à l'enseignement du genre humain. Ce genre de prétention risquait, au XIXe siècle, de paraître étrange ou risible, si ceux qui osaient l'avouer avaient été moins évidemment grands dans leur inspiration et leurs œuvres. Le Verbe peut toujours moins qu'il ne dit ou ne voudrait, et ils le savaient. Aussi, pris entre une vocation impérieuse et les ambiguïtés du sentiment public à leur égard, le ministère spirituel qu'ils ne croyaient pas pouvoir éluder leur valut-il au moins autant de dégoûts que de gloire. Comme leur ambition passe la mesure commune et se donne un objet plus haut que le seul pouvoir temporel, elle s'accompagne naturellement d'une sorte de défi à l'humanité ordinaire; elle fait du Poète un être à la fois éminent et fragile, hanté d'un destin tragique, selon le type hyperbolique de Socrate ou de Jésus.

Il existe profondément, à l'époque que nous considérons, une sorte de fatalité intérieure du Poète-penseur, qu'atteste, chez nos trois auteurs, une étrange identité de parcours. Une haute ambition, contrariée par le sentiment de n'être pas assez pris au sérieux, semble avoir engendré en eux une sorte d'appel du désastre. Ils estiment peu au fond d'eux-mêmes la foule des notables, grands et petits, fermés à la poésie et à ses leçons; c'est pourquoi ils cherchent, par-dessus leur tête, l'appui de ce Peuple qui les connaît à peine. Mais ce monde dirigeant, tout voisin d'eux, qu'ils méprisent, entend bien le leur rendre. Autour d'eux montent la risée et le sarcasme; en eux, la tentation de braver les idées reçues, par besoin naturel d'affirmer ce qu'ils sont, mauvaise appréciation des obstacles, ou attrait obscur de l'épreuve, qui les entraînent vers de graves déboires. Lamartine, ayant décidé de parier sur une politique de réformes,

---

1. Cité par Baldensperger, *Alfred de Vigny : Contribution à sa biographie intellectuelle*, Paris, 1912, p. 24, comme emprunté à « une de ses lettres », sans autre précision. Je n'ai pu localiser cette lettre parmi celles que j'ai vues.

triompha, le peuple de Paris aidant, pour quelques mois; puis, expulsé du pouvoir, il vécut, jusqu'à sa mort, dans l'universel désaveu. Vigny, pour avoir voulu maintenir sous un signe d'aristocratie son idéal de poète et ses pensées d'avenir, se rendit odieux à plusieurs : il en fut puni, le jour de sa réception à l'Académie, par la réponse outrageante que fit à son discours un notable chevronné, et garda toute sa vie le ressentiment de cette humiliation publique. Hugo, qui, avec d'audacieuses pensées, s'était tenu dans une position politique modérée jusqu'en 1848, se déclara résolument pour le parti des réformes quand ce parti était à la veille d'être écrasé, scandalisa ses anciens amis et, honni de toute la société bien-pensante, n'eut d'autre ressource qu'un exil farouche, survie du verbe et de la rayonnante prophétie, mais deuil du cœur.

On peut réfléchir sur ces trois versions du même drame : différentes par leur nature et leur degré de résonance publique, elles s'organisent toutes trois selon la même logique. Le Poète, après un temps de maturation de sa conscience missionnaire, se montre en quelque façon provocant à l'égard du monde ambiant, ou est ressenti par lui comme tel. La crise éclate, et amène l'espèce de châtiment qui colore le reste de son existence. Les trois scénarios livrent le héros aux coups du même ennemi, à savoir la classe gouvernante de la nouvelle société française : haute et basse bourgeoisie, prosaïque espèce, amie du progrès et prompte à le renier, vouée au destin mortifiant d'une puissance sans prestige, Juste-Milieu sous Louis-Philippe, parti de l'Ordre sous la République. C'est ce type d'homme qui a craint, puis bafoué Lamartine. C'est Molé, haut dignitaire sous le premier Napoléon, puis Premier ministre de Louis-Philippe, qui, sous l'habit d'académicien, châtia Vigny de sa distante indépendance. Ce sont encore les mêmes hommes qui, ayant d'abord accepté ou supporté Hugo, l'ont rejeté et conspué.

On ne peut pas ne pas discerner sous la répétition de ces trajectoires dramatiques l'opposition qui sépare la société dirigeante de la littérature dans la France de l'âge romantique. Il importe de bien percevoir ce conflit entre deux puissances issues de la même Révolution, et, en un certain sens, nourries de la même force et interdépendantes, non pour prononcer entre elles, ni parce que ce conflit éclaire des biographies qui nous intéressent, mais parce qu'il porte en germe des divorces ultérieurs plus envenimés. La tolérance de la société temporelle à l'égard du Verbe littéraire et de ses initiatives a des limites, fragiles et explosives ; et la spéculation des poètes, entraînée un temps à l'audace et à la confiance, a tôt fait de reculer, et de faire sa loi de l'amertume et du désenchantement. Après nos trois poètes une génération à peine a suffi à cette mutation.

INDEX [1]

1. Le présent Index comprend : 1° Les *noms* des *personnes* réelles, légendaires ou fictives mentionnées dans l'ouvrage (les noms des personnes fictives sont précédés d'un tiret); 2° les *titres,* en italique, des *périodiques* et *recueils collectifs* cités. Un astérisque en tête d'un chiffre indique que le personnage n'a été mentionné à cette page que pour s'être manifesté en tant qu'« esprit » au cours des expériences spirites de Jersey. — Les chiffres renvoient aux pages (texte et notes), un chiffre pouvant signaler, pour une page donnée, soit une, soit plusieurs mentions (cas extrêmement fréquent) d'un nom ou d'un titre; deux chiffres séparés par un tiret signalent la première et la dernière d'une série de pages consécutives (au moins trois) où apparaît le nom ou le titre indiqué; en italique, ils signalent un développement suivi sur plusieurs pages ou un chapitre consacré à un auteur ou à un sujet.

Table 553

DU MÊME AUTEUR

MORALES DU GRAND SIÈCLE, *Gallimard,* 1948.

L'ÉCRIVAIN ET SES TRAVAUX, *José Corti,* 1967.

CREACIÓN POÉTICA EN EL ROMANCERO TRADICIONAL, Madrid, *Gredos,* 1968.

ROMANCERO JUDEO-ESPAÑOL DE MARRUECOS, Madrid, *Castalia,* 1968.

NERVAL ET LA CHANSON FOLKLORIQUE, *José Corti,* 1971.

LE SACRE DE L'ÉCRIVAIN, 1750-1830, *José Corti,* 1973.

LE TEMPS DES PROPHÈTES, Doctrines de l'âge romantique, *Gallimard,* 1977.

*Composé et achevé d'imprimer
par l'Imprimerie Floch
à Mayenne, le 22 janvier 1988.
Dépôt légal : janvier 1988.
Numéro d'imprimeur : 25819.*

ISBN 2-07-071133-1 / Imprimé en France